씨뮬이 제안하는 가장 효율적인 학습법!

온·오프 블렌디드 러닝 (on/off Blended Learning)

STEP ONE OFF-LINE

기출은 수능 대비의 기본! 기본에 가장 충실한 씨뮬로 실전연습하자

- 다양한 구성의 기출문제집으로 목표에 맞는 학습 가능
- 씨뮬 교재를 풀면 온라인에서 자동채점 & 성적분석 가능

STEP TWO ON-LINE

스터디센스 STUDY SENSE

QR 찍고 회원가입 → 씨뮬 문제 풀기→ 자동채점 → 성적분석

- 내 등급컷과 취약 유형까지 완벽 분석
- AI 문제 추천으로 취약 유형을 한 번 더 학습
- 오답노트로 복습 또 복습해서 틀린 문제 정복하기

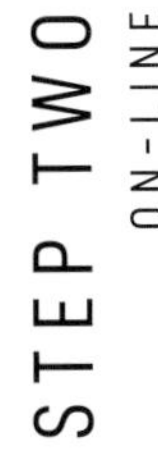

STEP THREE OFF-LINE

모의고사 맞춤제작 OneUP

'원하는 문제만 골라서 맞춤 교재'를 만들고 싶다면? OneUP

- 원하는 제본 형태로 제작 가능
- 학평, 모평, 수능, 종로 사설 모의고사 맞춤 제작

CONTENTS

고 2 ▸ 국어 — 독서

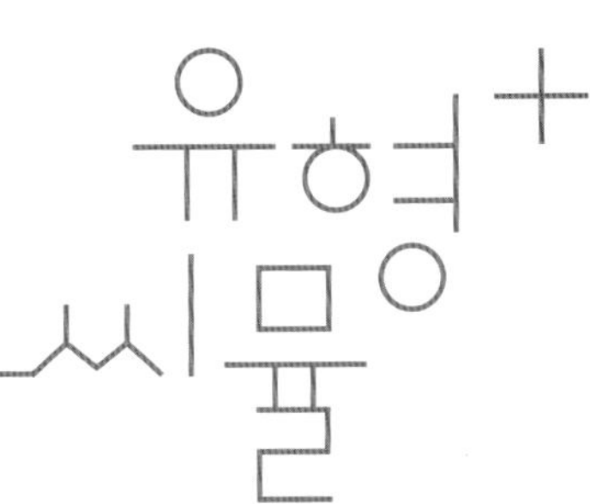

구 성 + 특 징

01

내신 대비 서브 노트

여러 가지 독해 방법에 대해 체계적으로 정리한 학습 자료입니다. 독서 문제를 풀기 위한 배경지식을 쌓는 데 도움이 되며, 중간 · 기말고사를 대비할 수 있습니다. 서브 노트를 활용하여 시험 직전에 빠르게 개념을 익혀 봅시다.

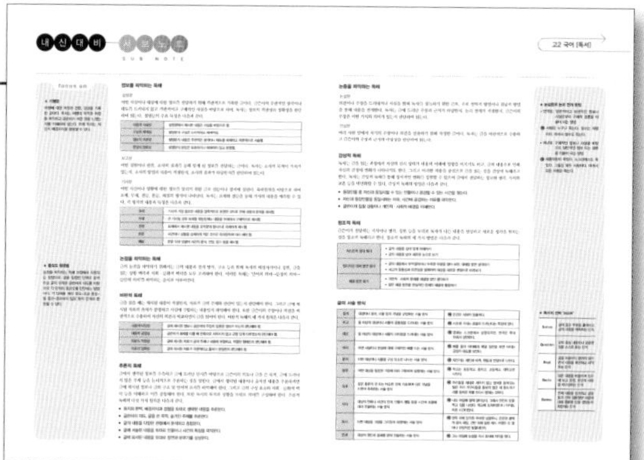

02

24일의 기적! 유형도 실전처럼

최신순으로 엄선한 약 5년간의 기출 문제를 24일 동안 공부할 수 있습니다. 하루 2~3지문 분량으로 압축적이고 효율적인 학습이 가능합니다. 각 지문마다 표시된 난이도와 소요 시간을 참고하여 문제를 풀고, 체크 박스로 간단한 채점까지 완벽하게 마무리할 수 있습니다.

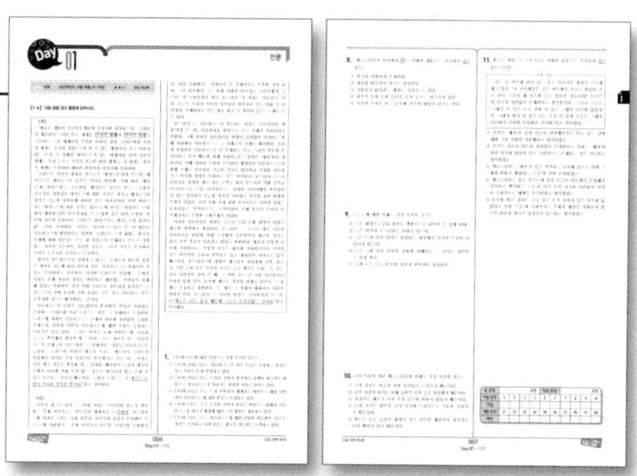

03

출제 트렌드와 1등급 꿀팁

인문, 사회, 과학, 기술, 예술 및 복합 분야의 최신 출제 경향과 문제를 푸는 팁을 제공합니다. 또한 각 제재별 대표 기출 문제를 통해 출제의 핵심을 파악하고 빈출 문제 유형을 익힐 수 있습니다.

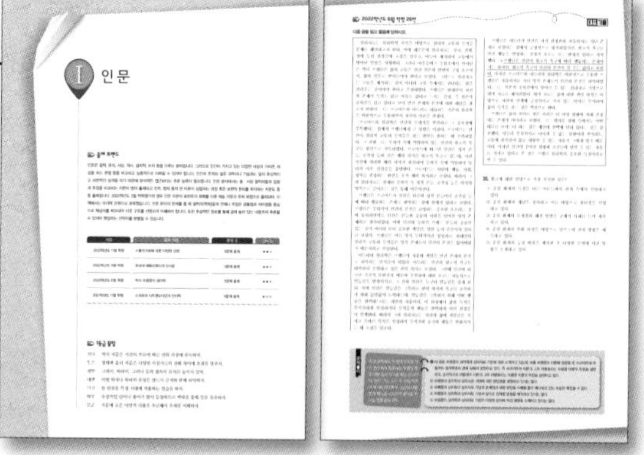

STRUCTURE & FEATURES

04

미니 Test

마지막 24일은 간단하게 미니 테스트를 할 수 있습니다. 23일간 독서 지문을 마스터한 후 화법과 작문, 문법, 문학까지 빈틈없이 학습하여 모의고사에 대한 감을 잃지 않도록 합시다.

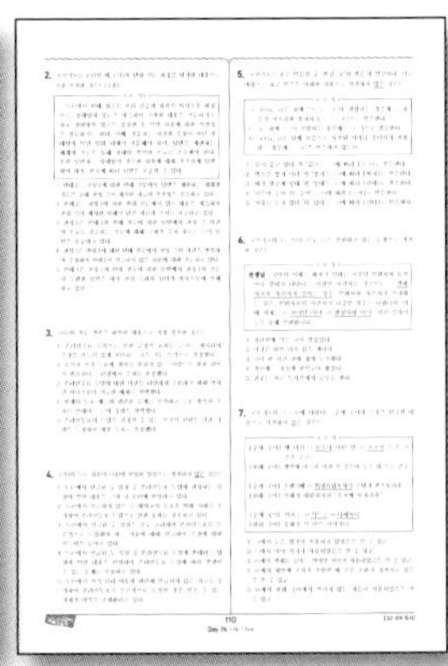

05

알차고 상세한 해설

출제 의도와 문항에 대한 자세한 분석을 통해 문제 해결의 핵심 내용을 정확하게 제시했습니다. 쉬운 문항은 명료하게 풀이하고, 어려운 문항은 '왜 많이 틀렸을까?' 코너를 통해 오답을 고르는 이유와 이를 대비하는 방법에 대해 상세하게 설명했습니다.

06

Big Event 1+3

교재를 구입하신 분들께 고1, 2, 3 한국사 · 사회탐구 · 과학탐구 과목 중에서 학년에 상관없이 원하는 세 과목의 최신 모의고사(과목별 4~12회 구성) PDF 파일을 메일로 보내 드립니다. 교재 표지 안쪽에 있는 'Big Event' 페이지의 설문지를 작성하여 골드교육 홈페이지에 올려 주세요.

내 신 대 비 서 브 노 트

SUB NOTE

focus on

★ 기행문

여행에 대한 여정과 견문, 감상을 기록한 글이다. 독자는 여행의 목적과 여정을 파악하고 글쓴이가 어떤 것을 느꼈는지를 이해하며 읽는다. 이때 독자는 자신의 배경지식을 활용할 수 있다.

★ 중요도 평정법

논점을 파악하는 독해 과정에서 사용되는 방법으로, 글을 일정한 단위로 분석하고 글의 주제와 글쓴이의 의도를 바탕으로 각 단위의 중요도를 판단하는 방법이다. 각 단위를 '매우 중요–조금 중요–덜 중요–중요하지 않음' 등의 단계로 판정할 수 있다.

정보를 파악하는 독해

설명문

어떤 사실이나 대상에 대한 정보를 전달하기 위해 객관적으로 기록한 글이다. 글쓴이의 주관적인 생각이나 태도를 드러내지 않고 객관적이고 구체적인 사실을 바탕으로 하며, 독자는 정보의 객관성과 정확성을 판단하며 읽는다. 설명문의 주요 특징은 다음과 같다.

내용의 사실성	설명문에서 제시한 내용은 사실을 바탕으로 함.
구성의 체계성	설명문의 구성은 논리적이고 체계적임.
정보의 객관성	설명문의 내용은 주관적인 생각이나 태도를 배제하고 객관적으로 서술함.
문장의 명료성	설명문의 문장은 모호하거나 애매하지 않고 분명함.

보고문

어떤 실험이나 관찰, 조사의 결과를 통해 알게 된 정보를 전달하는 글이다. 독자는 조사의 목적이 가치가 있는지, 조사의 방법과 내용이 적절한지, 조사의 결과가 타당한지를 판단하며 읽는다.

기사문

어떤 사건이나 상황에 대한 정보를 알리기 위한 글로 신문이나 잡지에 실린다. 육하원칙을 바탕으로 하며 표제, 부제, 전문, 본문, 해설의 형식이 나타난다. 독자는 표제와 전문을 통해 기사의 내용을 예측할 수 있다. 각 형식의 내용과 특징은 다음과 같다.

표제	기사의 가장 중요한 내용을 압축적으로 표현한 것으로 전체 내용의 윤곽을 제시함.
부제	큰 기사일 경우 표제를 뒷받침하는 내용을 부제에서 구체적으로 제시함.
전문	표제에서 제시한 내용을 요약문의 형식으로 자세하게 제시함.
본문	사건이나 상황을 상세하게 적은 것으로 육하원칙에 따라 써야 함.
해설	본문 뒤에 덧붙여 사건의 분석, 전망, 평가 등을 제시함.

논점을 파악하는 독해

글의 논점을 파악하기 위해서는 글의 내용과 전개 방식, 구조 등과 함께 독자의 배경지식이나 경험, 글을 읽는 상황 맥락과 사회 · 문화적 맥락을 모두 고려해야 한다. 이러한 독해는 '단어의 의미→문장의 의미→문단의 의미'를 파악하는 순서로 이루어진다.

비판적 독해

글을 읽을 때는 제시된 내용이 적절한지, 자료가 글의 주제와 관련이 있는지 판단해야 한다. 그리고 글에 제시된 자료의 출처가 분명하고 사실에 부합하는 내용인지 파악해야 한다. 또한 글쓴이의 주장이나 의견을 비판적으로 수용하며 자신의 의견과 비교하면서 글을 읽어야 한다. 비판적 독해의 네 가지 원칙은 다음과 같다.

내용의 타당성	글에 제시된 정보나 글쓴이의 주장이 잘못된 정보가 아닌지 판단해야 함.
내용의 공정성	글쓴이가 화제를 다룰 때 한쪽으로 치우치지 않고 균형 있게 다루었는지 판단해야 함.
자료의 적절성	글에 제시된 자료가 글의 주제나 내용에 부합하고, 적합한 형태인지 판단해야 함.
자료의 정확성	글에 제시된 자료가 객관적이고 출처가 분명한지 판단해야 함.

추론적 독해

글에서 생략된 정보를 추측하고 글에 드러난 단서를 바탕으로 글쓴이의 의도나 글을 쓴 목적, 글에 드러나지 않은 주제 등을 논리적으로 추론하는 것을 말한다. 글에서 생략된 내용이나 숨겨진 내용을 추론하려면 글에 제시된 정보나 글의 구조 및 언어적 표지를 파악해야 한다. 그리고 글의 구성 요소와 사회 · 문화적 맥락 등을 이해하고 이를 종합해야 한다. 또한 독서의 목적과 상황을 토대로 의미를 구성해야 한다. 추론적 독해의 다섯 가지 원칙은 다음과 같다.

- 표지와 문맥, 배경지식과 경험을 토대로 생략된 내용을 추론한다.
- 글쓴이의 의도, 글을 쓴 목적, 숨겨진 주제를 추론한다.
- 글의 내용을 다양한 관점에서 분석하고 종합한다.
- 글에 서술된 내용을 토대로 인물이나 사건의 특징을 파악한다.
- 글에 묘사된 내용을 토대로 장면과 분위기를 상상한다.

논증을 파악하는 독해

논설문

의견이나 주장을 드러내거나 사실을 밝혀 독자를 설득하기 위한 글로, 주로 연역적 방법이나 귀납적 방법을 통해 내용을 전개한다. 독자는 글에 드러난 주장과 근거가 타당한지, 논리 전개가 적절한지, 글쓴이의 주장은 어떤 가치와 의미가 있는지 판단하며 읽는다.

연설문

여러 사람 앞에서 자기의 주장이나 의견을 진술하기 위해 작성한 글이다. 독자는 글을 비판적으로 수용하고 글쓴이의 주장과 근거의 타당성을 판단하며 읽는다.

감상적 독해

독자는 글을 읽는 과정에서 자신의 심리 상태가 내용의 이해에 영향을 미치기도 하고, 글의 내용으로 인해 자신의 감정에 변화가 나타나기도 한다. 그리고 이러한 작용을 중심으로 글을 읽는 것을 감상적 독해라고 한다. 독자는 감상적 독해를 통해 정서적인 변화를 경험할 수 있으며 글에서 전달하는 정보와 생각, 가치와 교훈 등을 내면화할 수 있다. 감상적 독해의 방법은 다음과 같다.

- 등장인물 중 자신과 동일시할 수 있는 인물이나 공감할 수 있는 사건을 찾는다.
- 자신과 등장인물을 동일시하는 이유, 사건에 공감하는 이유를 파악한다.
- 글쓴이의 집필 상황이나 개인적 · 사회적 배경을 이해한다.

창조적 독해

글쓴이가 전달하는 지식이나 생각, 경험 등을 토대로 독자가 다른 내용을 연상하고 새로운 생각을 펼치는 것을 창조적 독해라고 한다. 창조적 독해의 세 가지 방법은 다음과 같다.

자신만의 생각 찾기	• 글의 내용을 깊이 있게 이해하기 • 글의 내용을 넘어 새로운 눈으로 보기
합리적인 대체 방안 찾기	• 글의 내용에서 부적절하거나 부족한 부분을 찾아 보완, 대체할 방안 생각하기 • 사고의 융통성과 유연성을 발휘하여 대상을 새로운 관점으로 바라보기
해결 방안 찾기	• 개인적 · 사회적 문제를 해결할 방안 생각하기 • 찾은 해결 방안을 현실적인 문제의 해결에 활용하기

글의 서술 방식

정의	대상이나 용어, 사물 등의 개념을 규정하는 서술 방식	예 인간은 사회적 동물이다.
비교	둘 이상의 대상이나 사물의 공통점을 드러내는 서술 방식	예 시조와 가사는 운율이 드러난다는 특징이 있다.
대조	둘 이상의 대상이나 사물의 차이점을 드러내는 서술 방식	예 영화는 스크린에서 상영되지만, 연극은 무대 위에서 상연된다.
예시	어떤 사실이나 현상에 대해 구체적인 예를 드는 서술 방식	예 예를 들어 아이에게 매일 칭찬을 하면 아이는 긍정적 태도를 보인다.
분석	어떤 대상이나 사물을 구성 요소로 나누는 서술 방식	예 자전거는 체인과 바퀴, 핸들과 안장으로 나뉜다.
분류	어떤 대상을 일정한 기준에 따라 구분하여 설명하는 서술 방식	예 학교는 초등학교, 중학교, 고등학교, 대학교로 나뉜다.
유추	같은 종류의 것 또는 비슷한 것에 기초하여 다른 개념을 미루어 추측하는 서술 방식	예 우리말을 제대로 세우지 않고 영어를 들여오는 일은 우리 개구리들을 돌보지 않은 채 황소개구리를 들여온 우를 또다시 범하는 것이다.
서사	대상의 변화나 사건의 전개, 인물의 행동 등을 시간의 흐름에 따라 진술하는 서술 방식	예 나는 아침에 일찍 일어났다. 그래서 천천히 밥을 먹고 집을 나섰다. 학교에 도착하였더니 아직도 이른 시간이었다.
묘사	어떤 대상을 그림을 그리듯이 재현하는 서술 방식	예 원목 위에 양각된 우아한 넝쿨무늬, 은은한 광택의 금속 페달, 건반 위에 깔린 레드 카펫은 또 얼마나 선정적인 빛깔이던지.
인과	대상의 원인과 결과를 밝혀 진술하는 서술 방식	예 그는 아침에 늦잠을 자서 회사에 지각을 했다.

★ **논설문의 논리 전개 방법**

• 연역법: 일반적이고 보편적인 정보나 사실로부터 구체적 결론을 이끌어 내는 방법

예 사람은 누구나 죽는다. 철수는 사람이다. 따라서 철수도 죽는다.

• 귀납법: 구체적인 정보나 사실을 바탕으로 일반적인 정보 또는 결론을 이끌어 내는 방법

예 세종대왕이 죽었다. 소크라테스도 죽었다. 그들은 모두 사람이다. 따라서 모든 사람은 죽는다.

★ **독서의 전략 'SQ3R'**

Survey	글의 중요 부분을 훑어보고 글의 내용을 예측하는 단계
Question	글의 중심 내용이나 궁금한 점을 스스로 묻는 단계
Read	글을 처음부터 끝까지 읽으면서 내용을 확인하고 파악하는 단계
Recite	읽은 내용을 떠올리며 정리해 보고 문장, 문단의 내용을 재구성하는 단계
Review	전체 내용을 정리하고 글을 읽기 전에 질문했던 내용에 대해 충분한 답을 얻었는지 확인하는 단계

DAY 01

1 ③　2 ⑤　3 ④　4 ④　5 ⑤
6 ①　7 ④　8 ③　9 ⑤　10 ②
11 ④

DAY 02

1 ①　2 ③　3 ②　4 ⑤　5 ④
6 ①　7 ④　8 ③　9 ④　10 ④
11 ④

DAY 03

1 ①　2 ⑤　3 ②　4 ②　5 ③
6 ④　7 ④　8 ①　9 ③　10 ②
11 ①　12 ③　13 ③　14 ③

DAY 04

1 ⑤　2 ②　3 ⑤　4 ②　5 ①
6 ④　7 ①　8 ⑤　9 ⑤　10 ②

DAY 05

1 ②　2 ③　3 ②　4 ③　5 ③
6 ③　7 ③　8 ③　9 ⑤

DAY 06

1 ③　2 ③　3 ②　4 ④　5 ①
6 ②　7 ②　8 ④　9 ③　10 ④
11 ③　12 ②　13 ④　14 ①

DAY 07

1 ③　2 ⑤　3 ①　4 ③　5 ⑤
6 ③　7 ③　8 ⑤　9 ②　10 ①

DAY 08

1 ④　2 ③　3 ⑤　4 ⑤　5 ⑤
6 ②　7 ③　8 ⑤　9 ⑤　10 ④

DAY 09

1 ①　2 ②　3 ②　4 ①　5 ③
6 ③　7 ③　8 ⑤　9 ②　10 ③
11 ①

DAY 10

1 ①　2 ⑤　3 ⑤　4 ④　5 ④
6 ⑤　7 ④　8 ⑤　9 ②　10 ②
11 ①

DAY 11

1 ④　2 ③　3 ④　4 ⑤　5 ⑤
6 ②　7 ②　8 ③　9 ①　10 ③
11 ④

DAY 12

1 ①　2 ②　3 ②　4 ①　5 ④
6 ①　7 ③　8 ④　9 ③　10 ④
11 ②

DAY 13

1 ④　2 ①　3 ④　4 ⑤　5 ①
6 ③　7 ④　8 ⑤　9 ②

DAY 14

1 ④　2 ③　3 ③　4 ④　5 ⑤
6 ①　7 ③　8 ④　9 ②

DAY 15

1 ②　2 ④　3 ①　4 ⑤　5 ①
6 ⑤　7 ③　8 ⑤　9 ②　10 ④

DAY 16

1 ⑤　2 ⑤　3 ④　4 ①　5 ⑤
6 ③　7 ①　8 ⑤　9 ④　10 ①
11 ⑤

DAY 17

1 ①　2 ⑤　3 ③　4 ①　5 ②
6 ②　7 ⑤　8 ①　9 ③

DAY 18

1 ②　2 ②　3 ④　4 ④　5 ①
6 ③　7 ④　8 ⑤　9 ④　10 ③
11 ③　12 ⑤　13 ④

DAY 19

1 ⑤　2 ①　3 ①　4 ②　5 ①
6 ①　7 ③　8 ①　9 ③

DAY 20

1 ④　2 ④　3 ⑤　4 ③　5 ③
6 ②　7 ②　8 ③　9 ④　10 ②

DAY 21

1 ②　2 ⑤　3 ③　4 ⑤　5 ①
6 ⑤　7 ②　8 ②　9 ④　10 ①
11 ②

DAY 22

1 ⑤　2 ②　3 ③　4 ⑤　5 ⑤
6 ④　7 ⑤　8 ④　9 ③　10 ③

DAY 23

1 ④　2 ④　3 ②　4 ⑤　5 ③
6 ⑤　7 ②　8 ④　9 ⑤　10 ⑤

DAY 24

1 ③　2 ①　3 ①　4 ⑤　5 ⑤
6 ①　7 ③　8 ①　9 ④　10 ④
11 ⑤

인 문

• 고2 국어 독서 •

I 인문

출제 트렌드

인문은 철학, 윤리, 사상, 역사, 심리학, 논리 등을 다루는 분야입니다. 그러므로 인간이 가지고 있는 다양한 사상과 가치관, 세상을 보는 관점 등을 비교하고 심층적으로 이해할 수 있어야 합니다. 인간의 존재와 삶은 과학이나 기술과는 달리 추상적이고 사변적인 성격을 띠기 때문에 분석적인 접근보다는 추론 능력이 필요합니다. 인문 분야에서는 동 · 서양 철학자들의 입장과 주장을 비교하는 지문이 많이 출제되고 진리, 명제 등의 한 이론이 성립하는 과정 혹은 보편적 원리를 파악하는 지문도 종종 출제됩니다. 2022학년도 3월 학력평가의 경우 인문 지문이 표현주의 회화를 다룬 예술 지문과 주제 복합으로 출제되어, 이 책에서는 마지막 단원으로 분류했습니다. 인문 분야의 문제를 풀 때 철학자(학파)들의 견해나 주장은 공통점과 차이점을 중심으로 핵심어를 체크하여 지문 구조를 선명하게 이해해야 합니다. 또한 추상적인 정보를 통해 글에 숨어 있는 내용까지 추론할 수 있어야 헷갈리는 선택지를 분별할 수 있습니다.

시행	출제 지문	문제 수	난이도
2022학년도 11월 학평	시뮬라크르에 대한 다양한 관점	6문제 출제	★★☆
2022학년도 9월 학평	후설과 메를로퐁티의 인식론	5문제 출제	★★☆
2022학년도 6월 학평	빅터 프랭클의 심리학	5문제 출제	★★☆
2021학년도 11월 학평	소쉬르와 비트겐슈타인의 언어학	6문제 출제	★☆☆

1등급 꿀팁

하나 _ 역사 지문은 시간의 흐름에 따른 변화 과정에 주목하자.
두울 _ 철학과 윤리 지문은 다양한 사상가들의 견해 차이에 초점을 맞추자.
세엣 _ 그래서, 따라서, 그러나 등의 접속사 표지를 놓치지 말자.
네엣 _ 어떤 학자나 학파의 주장은 반드시 근거와 함께 파악하자.
다섯 _ 한 관점을 특정 사례에 적용하는 연습을 하자.
여섯 _ 추상적인 단어나 용어가 많이 등장하므로 맥락을 통해 뜻을 유추하자.
일곱 _ 지문에 숨은 이면적 내용을 추론해서 주제를 이해하자.

다음 글을 읽고 물음에 답하시오.

심리치료는 심리학적 지식을 바탕으로 심리적 고통과 부적응 문제를 해결하고자 한다. 이에 대부분의 심리치료는 상처, 결핍, 장애 등의 신경증에 초점을 맞추고, 이들이 제거되어 고통에서 벗어난 일상을 지향한다. 그러나 아우슈비츠 수용소에서 살아남은 빅터 프랭클은 삶의 고통은 인간 실존의 일반적 구성 요소이며, 삶의 일부로 받아들여야 한다고 보았다. 그러므로 심리치료는 고통을 제거하는 것이 아니라 고통 속에서도 견뎌내는 힘을 길러주는 것이어야 한다고 주장하였다. 프랭클은 현대인이 자신의 존재가 목적도 없고 이유도 없다고 느끼는 감정, 즉 실존적 공허감을 겪고 있다고 보아 인간 존재의 본질에 대한 해답을 찾고자 하였다. 그는 프로이트와 아들러로 대표되는 기존의 심리학을 비판적으로 수용하면서 자신의 이론을 펼쳤다.

프로이트의 심리학은 인간의 무의식을 발견하고 그 중요성에 주목했다는 점에서 프랭클에게 큰 영향을 미쳤다. 프로이트는 인간이 심리적 고통과 부적응을 겪는 원인을 밝히는 데 주력하였다. 그 결과 그는 무의식 속에 억압되어 있는 인간의 원초적 욕구를 원인으로 지목하였다. 프로이트에 따르면 인간은 성적 본능, 공격성 등과 같은 쾌락 의지를 원초적 욕구로 갖는데, 어린 시절에 이러한 쾌락 의지가 좌절되어 무의식 속에 억압되어 있다가 이후 신경증을 유발한다. 프로이트는 사람의 행동, 사상, 정서를 결정하는 원인을 오직 쾌락 의지라고 보았다. 따라서 그의 심리치료는 잠재된 무의식 속 성적 본능, 공격성 등을 의식의 영역으로 끌어오는 것을 통해 이루어진다.

프랭클은 프로이트가 인간을 단순히 성적 본능이나 공격성 등에 따라 행동하는 존재로 파악하는 점에 한계가 있다고 보았다. 프랭클은 무의식이 인간의 본질을 규명하는 중요한 요소라는 점에 동의하면서도 인간은 본능과 충동의 차원을 넘어선 영적 존재라고 생각하였다. 이에 인간의 무의식 속에는 본능과 충동만 있는 것이 아니라 보다 중요한 책임감, 양심 등이 갖추어져 있다고 보았다. 프랭클은 이를 영적 무의식이라 명명하고, 현대인의 심리적 고통과 부적응은 영적 존재로서 인간의 본질을 잃어버렸기 때문이라고 설명한다.

아들러의 심리학은 프랭클이 자유와 책임을 인간 존재의 본질로 파악하는 밑거름이 되었다. 아들러는 인간의 원초적 욕구를 타인보다 우월하고 싶은 권력 의지로 보았다. 그런데 인간의 타고난 기질적 불완전성 때문에 우월성에 대한 추구는 자동적으로 열등감을 발생시키고, 그 결과 인간은 누구나 열등감을 갖게 된다. 이에 인간은 열등감을 극복하고 권력 의지의 욕구를 충족하기 위해 끊임없이 노력하는데, 열등감을 극복하기 위해 어떤 행동을 선택하느냐는 개인의 자유이다. 이 과정에서 삶의 목적을 부적절하게 설정하거나 부적응적 행동을 선택하게 되면 신경증이 발생한다. 따라서 그의 심리치료는 자신의 삶에 책임감을 가지고 올바른 목적을 설정하여 부적절한 동기와 행동을 변화시키는 데 초점을 맞춘다.

프랭클은 아들러가 인간을 자기 결정권과 자유의지를 지닌 존재로 보았다는 점에서 긍정적으로 평가하였지만, 원초적 욕구를 인간 행동을 설명하는 결정적 요소로 보는 한계가 있다고 지적했다. ㉠ <u>프랭클은 인간이 원초적 욕구에 따라 행동하는 존재이기는 하지만, 원초적 욕구가 인간의 본질이 될 수는 없다고 보았다.</u> 이처럼 프로이트와 아들러의 심리학을 비판적으로 수용한 프랭클은 자유의지를 지닌 영적 존재로서 인간의 본질을 파악하였다. 그는 실존적 공허감에서 벗어날 수 있는 심리치료 기법으로 의미 치료를 제시하였다. 의미 치료는 삶에 대한 책임 의식을 바탕으로 자신의 인생에 긍정적이고 가치 있는 의미를 부여하여 삶의 목적을 찾는 것을 핵심으로 한다.

프랭클은 삶의 의미를 찾은 사람은 더 이상 상황에 의해 결정되는 존재가 아니라고 보았다. 그는 힘겨운 상황 속에서도 어떤 태도를 보이느냐 하는 것은 개인의 선택에 달려 있다는 것을 강조했다. 아무리 부정적이고 나아질 수 없는 상황이라 할지라도, 고통에 좌절하지 않고 대항할 수 있는 자유가 그에게 있기 때문이다. 이처럼 인간이 주어진 상황과 조건들에 맞설 수 있는 자유를 가지고 있다고 본 점은 프랭클 심리학의 중요한 특징이라고 할 수 있다.

26. 윗글에 대한 설명으로 가장 적절한 것은?

① 중심 화제의 특징을 다른 이론들과의 관계 속에서 설명하고 있다.
② 중심 화제의 개념을 정의하고 이를 바탕으로 장단점을 설명하고 있다.
③ 중심 화제의 문제점과 해결 방안을 구체적 사례를 들어 제시하고 있다.
④ 중심 화제의 변화 과정을 바탕으로 앞으로의 전개 방향을 예측하고 있다.
⑤ 중심 화제의 등장 배경을 제시한 후 다양한 분야에 미친 영향을 소개하고 있다.

문제풀이

독서 영역에서 첫 번째 문제로 가장 빈번하게 등장하는 유형은 바로 내용 전개 방식을 묻는 문제이다. 만약 (가), (나) 두 개의 지문이 제시되었다면 두 지문의 내용 전개 방식을 비교하여 묻기도 한다는 것을 알아 두자.

❶ 이 글은 프랭클의 심리학과 심리치료 기법에 대해 소개하고 있는데, 이를 프랭클의 이론에 영향을 준 프로이트와 아들러의 심리학과의 관계 속에서 설명하고 있다. 즉 프로이트의 이론과 그와 차별화되는 프랭클 이론의 특징을 설명하고, 순차적으로 아들러의 이론과 그와 차별화되는 프랭클 이론의 특징을 설명하고 있다.
② 프랭클의 심리학과 심리치료 기법에 대한 장단점을 설명하고 있지는 않다.
③ 프랭클의 심리학과 심리치료 기법의 문제점과 해결 방안을 사례를 들어 제시하고 있는 부분은 확인할 수 없다.
④ 프랭클의 심리학과 심리치료 기법이 앞으로 전개될 방향을 예측하고 있지는 않다.
⑤ 프랭클의 심리학과 심리치료 기법이 다양한 분야에 미친 영향을 소개하고 있지는 않다.

12분 | 2022학년도 11월 학평 16~21번 | ★★☆ | 정답 002쪽

[1~6] 다음 글을 읽고 물음에 답하시오.

(가)

'예술은 재현의 기술이기 때문에 무가치한 것이다.' 이는 플라톤의 예술관이 드러난 말로, 세계를 '가지적 세계'와 '가시적 세계'로 구분하는 그의 세계관과 밀접한 연관이 있다. 플라톤에게 가지적 세계는 우리의 지성으로만 알 수 있는 세계이며, 결코 변하지 않는 본질, 즉 실재인 '에이도스'가 있는 세계이다. 반면 가시적 세계는 우리 눈으로 지각이 가능한 현실 세계로, 이 세계는 가지적 세계를 모방하여 재현한 환영이자 이미지에 불과하다.

플라톤은 가시적 세계의 사물들을 '에이돌론'이라 부르며, 에이돌론을 에이도스의 성질을 얼마나 반영했는지에 따라 '에이콘'과 '판타스마'로 구분한다. 에이콘은 사물을 만드는 주체가 건축가나 장인처럼 에이도스에 대한 지식을 가지고 에이도스의 성질을 가능한 정확하게 재현한 좋은 이미지이다. 반면 판타스마는 에이도스에 대한 지식은 없이 눈에 보이는 현상만을 모방하여 재현한 나쁜 이미지이다. 즉 모방한 것을 다시 모방한, 사본의 사본에 불과하다. 플라톤은 판타스마를 에이도스의 성질이 없는 가짜, 사이비라는 의미로 '시뮬라크르'라고 부르며 예술이 시뮬라크르에 해당한다고 말한다. 플라톤은 특히 회화는 화가가 실재에 대해 아무것도 모른 채 사람들이 실재라고 믿도록 기만하는 사이비 기술이며, 이러한 기술로 그려진 작품은 본질에서 멀어진 무가치한 것이라고 주장한다.

하지만 반플라톤주의 철학자 들뢰즈는 플라톤이 원본의 성질을 재현한 정도에 따라 원본과 사본, 시뮬라크르로 위계적인 질서를 부여한다고 지적하며, 이러한 플라톤식 사유에는 주체가 이성을 통해 대상의 가치를 판단하고 재단하는 폭력성이 내재해 있다고 비판한다. 다시 말해 플라톤은 원본과의 유사성을 근거로 들어 진짜 유사와 가짜 유사를 구분 짓고 시뮬라크르만을 무가치한 것으로 폐기했다는 것이다.

시뮬라크르가 모방을 거듭하면서 본질에서 멀어진 가짜라고 주장하는 플라톤과 달리 들뢰즈는 사물 그 자체라고 주장한다. 들뢰즈에 의하면 시뮬라크르는 주체의 판단과 상관없이 독립된 존재로서, 원본과 사본의 시뮬라크르에 대한 우위를 부정하는 역동적인 힘이 있다. 그 힘은 반복을 통해 실현되는데, 시뮬라크르를 반복해서 생성할 때 드러나는 모든 차이가 바로 시뮬라크르가 실재로서 지닌 의미 그 자체이다. 이렇듯 시뮬라크르를 긍정하는 들뢰즈에 의하면 예술의 목표는 예술가가 플라톤식 사유에서 벗어나 가장 일상적인 반복에서도 서로 다른 의미를 지닌 예술 작품을 생성해 내는 것이다. 왜냐하면 그것이 예술이 주체의 판단에 의해 가치 없는 것으로 폐기되지 않고 존재 가치를 보존하는 길이기 때문이다. 그래서 들뢰즈는 ㉮"예술은 모방이 아니라 반복할 뿐이다."라고 선언한다.

(나)

철학자 장 보드리야르는 현대 사회는 미디어와 광고가 생산하는 복제 이미지들로 만들어진 세계라고 ⓐ말한다. 보드리야르에 의하면 플라톤 이래 원본과 이미지의 경계가 분명했던 서구 근대 사회에서는 복제 이미지가 단순한 복사물에 불과했지만, 현대 사회에서는 실재보다 더 실재적이고 우월한 것이 된다. 그런 의미에서 그는 현대 사회의 이미지를 '초과실재'라 부른다. 이 초과실재가 바로 보드리야르가 말하는 시뮬라크르이다. 오늘날 우리가 역사적 사실보다 현실처럼 믿는 영화 속 이미지나, 실재한다고 믿는 상품 광고 속 캐릭터 등을 그 예로 들 수 있다.

보드리야르는 시뮬라크르가 산출되는 과정을 '시뮬라시옹 현상'이라 부르며, 시뮬라시옹 현상으로 모든 실재가 사라진다고 말한다. 그에 의하면 시뮬라시옹 현상이 끊임없이 일어나는 현대 사회에서 시뮬라크르는 그 자체로서 실재를 대신한다. 우리가 실재보다 시뮬라크르를 더 실재라고 믿고, 그것이 사물의 본질이라고 믿기 때문에 현대 사회의 모든 영역은 '내파'하여 사라진다. 이때 내파란 무한히 증식하여 재생산된 시뮬라크르들이 원래 실재를 지시하던 기능과 가치를 잃어버려 실재와 시뮬라크르 사이의 경계가 붕괴되는 것을 의미한다. 보드리야르는 시뮬라시옹 현상의 예로 쥐를 모델로 하여 만들어진 만화 주인공 미키마우스를 든다. 미키마우스는 다양한 미디어에서 반복되면서 쥐를 지시하던 기능과 가치가 사라졌고 사실상 쥐와 별개의 존재가 되었다. 다시 말해 실제 쥐와 미키마우스 사이의 경계는 붕괴되었고, 미키마우스는 모델이었던 실제 쥐보다 오히려 더 실재적이고 우월한 초과실재가 되었다.

이러한 시뮬라시옹 현상은 오늘날 우리 문화 현상이 되었고 예술의 영역까지 확장된다. 보드리야르는 오늘날 예술 작품이 시뮬라시옹 현상에 의해 도처에서 증식하면서 예술이 가지고 있던 미적 가치가 사라지고 있다고 비판한다. 예술이 일상적 사물에 가까워지고, 일상적 사물은 예술에 가까워지면서 미적인 것은 비미적인 것과의 변별성을 잃고 내파되어 사라지고 있기 때문이다. 보드리야르에 의하면 예술가가 전시장에 깃발, 청소기, 식탁 등과 같은 일상적 사물을 두고 예술을 논하는 등 모든 것이 미학적인 것이 될 때, 그 어떤 것도 더 이상 아름답거나 추하지 않게 되며, 동시에 예술은 자신의 한계를 넘어서 그 자체를 부정하고 청산한다. 즉, 예술 그 자체가 내파되어 사라진 상태가 된다. 보드리야르는 이러한 현상을 '초미학'이라 부르며, ㉯"예술은 너무 많기 때문에 극도로 보잘것없는 것이다."라고 역설했다.

1. (가)와 (나)에 대한 설명으로 가장 적절한 것은?

① (가)와 달리 (나)는 시뮬라크르가 지닌 오류를 증명하는 과정을 사고 실험을 통해 설명하고 있다.
② (나)와 달리 (가)는 특정한 철학적 관점에서 파생된 예술관을 바탕으로 시뮬라크르가 사라지는 현상의 이유를 밝히고 있다.
③ (가)와 (나)는 모두 특정 철학자의 세계관을 바탕으로 해당 철학자의 시뮬라크르에 대한 관점을 소개하고 있다.
④ (가)와 (나)는 모두 특정한 철학적 관점을 바탕으로 현대의 시뮬라크르가 지닌 문제점에 대한 극복 방법을 제시하고 있다.
⑤ (가)와 (나)는 모두 시뮬라크르에 대한 다양한 예술관이 지닌 문제점을 지적하고 이에 맞서는 새로운 예술관을 모색하고 있다.

2. (가)의 가지적 세계와 가시적 세계에 대한 이해로 적절하지 않은 것은?

① 가지적 세계는 지성으로만 알 수 있는 세계이다.
② 가시적 세계는 눈으로 지각 가능한 현실 세계이다.
③ 가시적 세계의 사물들은 에이콘과 판타스마로 구분된다.
④ 가시적 세계는 가지적 세계를 모방한 환영에 불과한 세계이다.
⑤ 가지적 세계에 있는 본질은 에이도스와 에이돌론으로 구분된다.

※ 윗글과 〈보기〉를 바탕으로 3번과 4번의 물음에 답하시오.

〈보 기〉

[자료 1]
음료 회사로부터 캐릭터 제작을 의뢰받은 A는 실제 상품을 베낀 초안을 그린 후 이를 변형한 첫 캐릭터를 그렸지만, 음료 회사는 첫 캐릭터에서 상품의 특징이 드러나지 않는다고 혹평했다. A는 첫 캐릭터를 의인화한 최종 캐릭터를 다시 그렸고, 음료 회사는 최종 캐릭터를 담은 광고를 반복하여 방영했다. 이후 최종 캐릭터는 설문 조사에서, 가장 영향력 있는 인물로 선정되는 등 실제 상품보다 사랑받는 인기 캐릭터가 되었다.

[자료 2]
가구 장인 B가 자신이 만든 의자를 본떠 직접 그린 '의자 1'은 예술성을 인정받아 미술관에 전시됐다. 화가 C는 '의자 1'을 보고 자신만의 방식으로 '의자 2'를 그린 후, 다시 이를 변형한 '의자 3'을 그려 전시했다. 그러자 B는 '의자 1'의 모델인 실제 의자를 '의자 0'으로 전시했고, 평론가들은 이것이야말로 진정한 원본이라고 극찬했다. 이후 예술가들이 깃발, 책상 등을 그대로 전시하고 예술을 논하는 현상이 각국 미술관에서 일어났다.

3. 다음은 윗글을 읽은 학생이 <보기>를 이해한 내용을 정리한 것이다. 적절하지 않은 것은?

[자료 1]	들뢰즈와 달리 플라톤은 A가 그린 '첫 캐릭터'를, 모방을 거듭한 가짜로 여길 것이다. ……… ㉠
	플라톤과 달리 들뢰즈는 '초안', '첫 캐릭터', '최종 캐릭터' 사이에 드러나는 차이를 실재로서 지닌 의미로 여길 것이다. ……… ㉡
	들뢰즈와 달리 보드리야르는 가장 영향력 있는 인물로 선정된 '최종 캐릭터'가 실재를 대신한다고 여길 것이다. ……… ㉢
[자료 2]	보드리야르와 달리 플라톤은 '의자 0'이 실재보다 우월해졌다고 여길 것이다. ……… ㉣
	플라톤과 달리 들뢰즈는 '의자 3'이 '의자 1'의 우위를 부정하는 힘이 있다고 여길 것이다. ……… ㉤

① ㉠ ② ㉡ ③ ㉢ ④ ㉣ ⑤ ㉤

4. 윗글을 바탕으로 <보기>에 대해 보인 반응으로 적절하지 않은 것은? [3점]

① 플라톤은 [자료 2]의 B가 만든 의자와 달리 [자료 1]의 초안은 눈에 보이는 현상만을 모방한 나쁜 이미지라고 보겠군.
② 플라톤은 [자료 1]의 A가 그린 캐릭터들과 [자료 2]의 C가 그린 그림들은 모두 사이비 기술로 그려진 것들이라고 보겠군.
③ 들뢰즈는 [자료 1]에서 첫 캐릭터에 대해 음료 회사가 한 혹평과 [자료 2]에서 '의자 0'에 대해 평론가들이 한 극찬에는 모두 대상의 가치를 재단하는 폭력성이 내재해 있다고 보겠군.
④ 보드리야르는 [자료 1]의 인기 캐릭터가 된 최종 캐릭터는 초과실재가, [자료 2]의 '의자 1'은 예술성을 인정받은 순간에 초미학 상태가 되었다고 보겠군.
⑤ 보드리야르는 [자료 1]의 설문 조사 결과를 보고 실제 상품과 광고 속 캐릭터 간의 경계가, [자료 2]의 각국 미술관에서는 일상 사물과 예술 작품 간의 경계가 내파된 현상이 일어났다고 보겠군.

5. ㉮와 ㉯에 담긴 의미를 추론한 내용으로 가장 적절한 것은?

① ㉮에는 예술 작품이 사물 그 자체로서 존재 가치를 보존하는 방법이, ㉯에는 예술 작품이 예술로서 미적 가치를 선택하는 방법이 담겨 있다.
② ㉮에는 예술 작품을 사본의 사본으로 평가하는 입장에 대한 수용이, ㉯에는 모든 것이 미학적인 것이 되는 현상에 대한 비판이 담겨 있다.
③ ㉮에는 반복이 실현된 예술 작품은 본질에서 멀어진다는 의미가, ㉯에는 미적인 것과 비미적인 것의 변별성이 사라졌다는 의미가 담겨 있다.
④ ㉮에는 예술 작품을 주체의 판단에서 독립된 존재로 만들지 못하는 예술가의 한계가, ㉯에는 예술 자체를 부정하지 못하는 예술가의 한계가 담겨 있다.
⑤ ㉮에는 반복을 통해 위계적 질서에서 벗어난 예술에 대한 긍정적 태도가, ㉯에는 증식을 통해 그 어떤 것도 아름답거나 추하지 않게 된 예술에 대한 부정적 태도가 담겨 있다.

6. 문맥상 ⓐ의 의미와 가장 가까운 것은?

① 사람들은 흔히 내 글을 관념적이라고 말한다.
② 청중들에게 자신의 감정을 말하는 일은 매우 어렵다.
③ 힘센 걸로 말하면 우리 아버지를 따라갈 사람이 없다.
④ 경비 아저씨에게 아이가 오면 문을 열어 달라고 말해 두었다.
⑤ 동생에게 끼니를 거르지 말라고 아무리 말해도 듣지를 않는다.

10분 | 2022학년도 9월 학평 33~37번 | ★★☆ | 정답 003쪽

【7~11】 다음 글을 읽고 물음에 답하시오.

(가)

우리는 친구들과 같은 사진을 보고도 서로 다르게 인식하는 경우가 있다. 또한 배고플 때와 달리 배부를 때는 빵 가게를 인식하지 못할 때도 있다. 이처럼 동일한 대상에 대해서도 사람이나 상황에 따라 인식이 다를 수 있는데, '후설'은 우리가 대상의 의미를 파악하는 과정을 통해 이러한 현상을 설명하고 있다. 후설은 우리의 의식은 대상과 독립적으로 존재하는 것이 아니라, 어떤 대상을 구체적으로 지향하며, 이를 통해 대상과의 관계에서 어떤 의미를 형성하는 성질을 지니고 있다고 말한다. 이 성질을 의식의 '지향성'이라고 하는데, 의식이 대상을 향하지 않으면 우리는 그 대상을 인식하지 못한다는 것이다.

한편 우리의 의식이 대상을 만나 의미를 형성할 때는 시간과 공간의 영향을 받게 된다. 왜냐하면 의식이 의미를 형성하는 과정은 한 번으로 끝나는 것이 아니라 시간의 흐름에 따라 반복되고, 공간도 대상과 함께 인식되어 의미 형성에 영향을 주기 때문이다. 후설에 따르면 이렇게 의식이 대상을 만나서 의미를 형성하는 과정이 반복되고 그것이 누적되면 자기만의 '지평'을 갖게 된다. ㉠'지평'이란 우리가 인식하는 대상과 그 대상을 둘러싼 배경을 말한다. 우리가 친구의 뒷모습을 보고 단번에 알아볼 수 있는 것은 이전부터 알았던 친구에 대한 다양한 정보를 고려했기 때문이다. 사람은 개인마다 경험이 다르기 때문에 대상에서 형성하는 의미도 달라져 그 결과 서로 다른 지평을 갖게 되고, 지평이 넓어질수록 개인의 인식 범위는 확장된다. 그리고 인식의 주체는 지평을 바탕으로 다양한 상황에서 의미를 파악할 수 있다고 본 것이다.

전통 철학에서는 의식과 독립적으로 대상이 존재하고, 주체성을 가진 인간, 즉 주체가 대상을 객관적으로 파악함으로써 의미가 얻어진다고 보았다. 하지만 후설은 주체가 지평에 따라 대상에서 형성하는 의미가 달라지므로 대상을 객관적으로 파악하는 것은 불가능하다고 보았다. 이처럼 후설은 의미가 대상으로부터 객관적으로 얻어지는 것이 아니라 의식과 지평을 지닌 주체에서 비롯된다고 본 것이다.

(나)

ⓐ<u>자전거를 한번 배우고 나면 오랫동안 쉬었다 하더라도 쉽게 다시 탈 수 있다</u>. 마치 몸 자체가 자전거 타기에 관한 지식을 내재한 듯 느껴진다. 이때 자전거 타기를 배운 것은 나의 의식일까? 몸일까? 전통 철학은 의식과 신체는 독립되어 있고 의식이 객관적 세계를 인식한다고 보았는데, '메를로퐁티'는 이를 비판하며 신체를 통해 세계를 지각할 수 있다고 말한다. 그에 의하면 신체, 즉 [몸]은 의식과 결합하여 있는 '신체화된 의식'이라고 규정한다.

메를로퐁티는 몸이 세상과 반응하는 것을 '지각'이라고 했는데, 그는 후설의 지향성 개념을 수용하여 몸이 지향성을 지니고 있어 세상을 지각할 수 있다고 보았다. 늘 집에 방치되어 있던 자전거도 우리 몸이 지향함으로써 지각되고 의미가 생긴다는 것이다. 그렇다면 몸에 의한 지각은 어떻게 이루어질까? 그는 몸이 '현실적 몸의 층'과 '습관적 몸의 층'으로 이루어져 있다고 규정하였다. 여기서 현실적 몸의 층이란 몸이 새로운 세상을 지각하는 경험이며, 이런 경험이 우리 몸에 배면 습관적 몸의 층을 형성하게 된다고 보았다. 이렇게 형성된 습관적 몸의 층은 몸에 내재되어 세상과 반응할 때 다시 영향을 미치며, 우리를 다양한 상황에 적응할 수 있게 한다. 이러한 몸의 대응 능력을 ㉡'몸틀'이라 하며, 몸틀은 지각 경험들이 시간이 흐르면서 누적됨으로써 형성된다. 예를 들어 자전거 타기를 배우는 경우, 처음에는 자전거와 반응하며 현실적 몸의 층을 형성하게 되고, 자전거를 타는 연습이 반복되면 새로운 운동 습관을 익히며 몸틀을 재편하게 된다. 이와 같이 메를로퐁티는 몸틀을 통해 몸의 지각 원리를 설명한다.

한편 메를로퐁티는 몸이 '애매성'을 지니고 있다고 말한다. 예를 들어 나의 오른손과 왼손이 맞잡고 있을 때, 내 몸은 잡고 잡히는 이중적이며 모호한 상황을 경험한다. 이 경우 어떤 것이 지각의 주체인지 혹은 지각의 대상인지 분명하게 말하기 어렵다. 또 내가 언짢은 표정을 한 상태에서 밝은 미소를 띤 상대방의 얼굴을 봤을 때, 나는 상대방의 밝은 모습에 동화되면서 동시에 상대방은 나의 언짢은 모습에 얼굴이 경직되는 듯한 변화를 보이게 된다. 이처럼 구체적 삶에서 우리가 경험하는 몸의 지각은 대부분 주체와 대상이 서로 얽혀 있고 명확하게 구분되지 않는다는 것이다. 즉 메를로퐁티는 몸을 지각의 주체로만 보지 않고 지각의 대상이 될 수도 있다고 보았다.

7. 다음은 (가)와 (나)를 읽은 학생이 작성한 학습 활동지의 일부이다. ㄱ~ㅁ에 들어갈 내용으로 적절하지 <u>않은</u> 것은?

학습 항목	학습 내용 (가)	학습 내용 (나)
도입 문단의 내용 제시 방식 파악하기	ㄱ	ㄴ
⋮	⋮	⋮
글의 내용 전개 방식 이해하기	ㄷ	ㄹ
두 글을 통합적으로 비교하기	ㅁ	

① ㄱ: '인식'과 연관된 상황을 언급하며 이에 대한 특정 철학자의 주장을 제시하였음.
② ㄴ: 일상의 경험을 바탕으로 의문을 제기하며 특정 철학자가 사용한 개념을 제시하였음.
③ ㄷ: '인식'과 관련하여 특정 철학자가 사용한 개념을 정의한 뒤 그 개념을 바탕으로 대상의 의미를 파악하는 과정을 제시하였음.
④ ㄹ: '지각'의 주체를 상반된 시각으로 바라보는 특정 이론들을 제시하고 각각의 이론이 지닌 한계와 의의를 제시하였음.
⑤ ㅁ: 특정 철학자들의 주장에 나타나는 공통점과 그 주장이 전통 철학과 어떤 차이를 지니고 있는지를 파악할 수 있었음.

8. 메를로퐁티의 관점에서 몸을 이해한 내용으로 적절하지 <u>않은</u> 것은?

① 의식과 결합하여 존재한다.
② 세상과 반응하여 의미를 형성한다.
③ 지향성이 없더라도 세계를 지각할 수 있다.
④ 현실적 몸의 층과 습관적 몸의 층으로 이루어져 있다.
⑤ 지각의 주체가 되는 동시에 지각의 대상이 되기도 한다.

9. ㉠, ㉡에 대한 이해로 가장 적절한 것은?

① ㉠은 대상으로부터 의미를 객관적으로 파악할 수 있게 한다.
② ㉡은 시간이 흐르더라도 변하지 않는다.
③ ㉠은 ㉡과 달리 의미를 형성하는 과정에서 의식의 쓰임이 나타나지 않는다.
④ ㉡은 ㉠과 달리 다양한 상황에 대해서도 그 의미를 파악할 수 있게 한다.
⑤ ㉠과 ㉡은 모두 이전의 경험이 쌓이면서 형성된다.

10. ⓐ의 이유에 대한 메를로퐁티의 견해로 가장 적절한 것은?

① 몸의 경험은 연습의 양과 상관없이 누적되기 때문이다.
② 몸이 자전거 타기를 통해 습관적 몸의 층을 형성했기 때문이다.
③ 자전거를 배우기 전과 후의 몸틀에 변화가 없었기 때문이다.
④ 몸의 지각은 현실적 몸이 의식과 독립적으로 작용한 결과이기 때문이다.
⑤ 새로운 운동 습관이 내재될 경우 몸틀이 재편되어 자전거를 다시 배워야 하기 때문이다.

11. 윗글을 바탕으로 <보기>를 이해한 내용으로 적절하지 <u>않은</u> 것은? [3점]

<보 기>

어느 날 산속에 피어 있는 꽃을 가리키며 제자가 스승에게 물었다. "이 진달래꽃은 깊은 산속에서 저절로 피었다 지곤 하니 그것이 제 마음과 무슨 상관이 있습니까? 사물은 제 마음과 상관없이 존재한다고 생각합니다." 그러자 스승은 "그대가 이 꽃을 보기 전에 이 꽃은 그대의 마음에 없었지만, 그대가 와서 이 꽃을 보는 순간 이 꽃의 모습은 그대의 마음에서 일시에 분명해진 것이네."라고 말하였다.

① 후설은 '제자'가 꽃의 이름이 진달래꽃임을 알고 있는 것에 대해 그의 지평이 작용했다고 생각하겠군.
② 후설은 사물이 마음과 상관없이 존재한다고 말하는 '제자'와 달리 의식과 대상이 서로 독립적으로 존재하는 것은 아니라고 생각하겠군.
③ 메를로퐁티는 '제자'가 꽃을 지각하는 동시에 꽃으로 인해 그에게 변화가 생겼다는 '스승'의 말에 동의하겠군.
④ 메를로퐁티는 꽃을 봄으로써 꽃의 모습이 마음에서 분명해진 것이라고 생각하는 '스승'과 달리 몸의 지각과 상관없이 의식이 독립적으로 세계를 인식한다고 생각하겠군.
⑤ 후설과 메를로퐁티는 모두 꽃을 보기 전까지 꽃은 마음에 없었다고 말한 '스승'과 마찬가지로 주체가 대상을 지향하지 않으면 대상의 의미가 형성되지 않는다고 생각하겠군.

총 문항	문항			맞은 문항		문항			
개별 문항	1	2	3	4	5	6	7	8	9	10
채점										
개별 문항	11	12	13	14	15	16	17	18	19	20
채점										

10분 | 2022학년도 6월 학평 26~30번 | ★★☆ | 정답 004쪽

【1~5】 다음 글을 읽고 물음에 답하시오.

심리치료는 심리학적 지식을 바탕으로 심리적 고통과 부적응 문제를 해결하고자 한다. 이에 대부분의 심리치료는 상처, 결핍, 장애 등의 신경증에 초점을 맞추고, 이들이 제거되어 고통에서 벗어난 일상을 지향한다. 그러나 아우슈비츠 수용소에서 살아남은 빅터 프랭클은 삶의 고통은 인간 실존의 일반적 구성 요소이며, 삶의 일부로 받아들여야 한다고 보았다. 그러므로 심리치료는 고통을 제거하는 것이 아니라 고통 속에서도 견뎌내는 힘을 길러주는 것이어야 한다고 주장하였다. 프랭클은 현대인이 자신의 존재가 목적도 없고 이유도 없다고 느끼는 감정, 즉 실존적 공허감을 겪고 있다고 보아 인간 존재의 본질에 대한 해답을 찾고자 하였다. 그는 프로이트와 아들러로 대표되는 기존의 심리학을 비판적으로 수용하면서 자신의 이론을 펼쳤다.

프로이트의 심리학은 인간의 무의식을 발견하고 그 중요성에 주목했다는 점에서 프랭클에게 큰 영향을 미쳤다. 프로이트는 인간이 심리적 고통과 부적응을 겪는 원인을 밝히는 데 주력하였다. 그 결과 그는 무의식 속에 억압되어 있는 인간의 원초적 욕구를 원인으로 지목하였다. 프로이트에 따르면 인간은 성적 본능, 공격성 등과 같은 쾌락 의지를 원초적 욕구로 갖는데, 어린 시절에 이러한 쾌락 의지가 좌절되어 무의식 속에 억압되어 있다가 이후 신경증을 유발한다. 프로이트는 사람의 행동, 사상, 정서를 결정하는 원인을 오직 쾌락 의지라고 보았다. 따라서 그의 심리치료는 잠재된 무의식 속 성적 본능, 공격성 등을 의식의 영역으로 끌어오는 것을 통해 이루어진다.

프랭클은 프로이트가 인간을 단순히 성적 본능이나 공격성 등에 따라 행동하는 존재로 파악하는 점에 한계가 있다고 보았다. 프랭클은 무의식이 인간의 본질을 규명하는 중요한 요소라는 점에 동의하면서도 인간은 본능과 충동의 차원을 넘어선 영적 존재라고 생각하였다. 이에 인간의 무의식 속에는 본능과 충동만 있는 것이 아니라 보다 중요한 책임감, 양심 등이 감추어져 있다고 보았다. 프랭클은 이를 영적 무의식이라 명명하고, 현대인의 심리적 고통과 부적응은 영적 존재로서 인간의 본질을 잃어버렸기 때문이라고 설명한다.

아들러의 심리학은 프랭클이 자유와 책임을 인간 존재의 본질로 파악하는 밑거름이 되었다. 아들러는 인간의 원초적 욕구를 타인보다 우월하고 싶은 권력 의지로 보았다. 그런데 인간의 타고난 기질적 불완전성 때문에 우월성에 대한 추구는 자동적으로 열등감을 발생시키고, 그 결과 인간은 누구나 열등감을 갖게 된다. 이에 인간은 열등감을 극복하고 권력 의지의 욕구를 충족하기 위해 끊임없이 노력하는데, 열등감을 극복하기 위해 어떤 행동을 선택하느냐는 개인의 자유이다. 이 과정에서 삶의 목적을 부적절하게 설정하거나 부적응적 행동을 선택하게 되면 신경증이 발생한다. 따라서 그의 심리치료는 자신의 삶에 책임감을 가지고 올바른 목적을 설정하여 부적절한 동기와 행동을 변화시키는 데 초점을 맞춘다.

프랭클은 아들러가 인간을 자기 결정권과 자유의지를 지닌 존재로 보았다는 점에서 긍정적으로 평가하였지만, 원초적 욕구를 인간 행동을 설명하는 결정적 요소로 보는 한계가 있다고 지적했다. ㉠<u>프랭클은 인간이 원초적 욕구에 따라 행동하는 존재이기는 하지만, 원초적 욕구가 인간의 본질이 될 수는 없다고 보았다.</u> 이처럼 프로이트와 아들러의 심리학을 비판적으로 수용한 프랭클은 자유의지를 지닌 영적 존재로서 인간의 본질을 파악하였다. 그는 실존적 공허감에서 벗어날 수 있는 심리치료 기법으로 의미 치료를 제시하였다. 의미 치료는 삶에 대한 책임 의식을 바탕으로 자신의 인생에 긍정적이고 가치 있는 의미를 부여하여 삶의 목적을 찾는 것을 핵심으로 한다.

프랭클은 삶의 의미를 찾은 사람은 더 이상 상황에 의해 결정되는 존재가 아니라고 보았다. 그는 힘겨운 상황 속에서도 어떤 태도를 보이느냐 하는 것은 개인의 선택에 달려 있다는 것을 강조했다. 아무리 부정적이고 나아질 수 없는 상황이라 할지라도, 고통에 좌절하지 않고 대항할 수 있는 자유가 그에게 있기 때문이다. 이처럼 인간이 주어진 상황과 조건들에 맞설 수 있는 자유를 가지고 있다고 본 점은 프랭클 심리학의 중요한 특징이라고 할 수 있다.

1. 윗글에 대한 설명으로 가장 적절한 것은?

① 중심 화제의 특징을 다른 이론들과의 관계 속에서 설명하고 있다.
② 중심 화제의 개념을 정의하고 이를 바탕으로 장단점을 설명하고 있다.
③ 중심 화제의 문제점과 해결 방안을 구체적 사례를 들어 제시하고 있다.
④ 중심 화제의 변화 과정을 바탕으로 앞으로의 전개 방향을 예측하고 있다.
⑤ 중심 화제의 등장 배경을 제시한 후 다양한 분야에 미친 영향을 소개하고 있다.

2. 윗글을 이해한 내용으로 적절하지 <u>않은</u> 것은?

① 프로이트는 사람의 행동이 성적 본능이나 공격성에 따라 결정된다고 보았다.
② 아들러는 열등감은 누구나 갖는 것으로 그 자체는 신경증이 아니라고 보았다.
③ 아들러는 열등감으로 인해 타인보다 우월해지고 싶은 욕구가 생긴다고 보았다.
④ 프랭클은 인간을 본능과 충동의 차원을 넘어선 영적 존재로 보았다.
⑤ 프랭클은 무의식이 인간의 본질을 규명하는 중요한 요소라고 보았다.

3. ㉠의 이유로 가장 적절한 것은?

① 인간의 고통은 원초적 욕구에 따라 행동하는 과정에서 나타난 것이기 때문에
② 원초적 욕구로는 인간이 존재하는 목적과 이유를 파악할 수 없기 때문에
③ 심리학자에 따라 원초적 욕구가 무엇인지 다르게 보았기 때문에
④ 인간은 원초적 욕구를 극복하고자 끊임없이 노력하기 때문에
⑤ 원초적 욕구가 인간에게만 존재하는 것이 아니기 때문에

4. '프랭클'의 관점에서 <보기>에 대해 반응한 내용으로 가장 적절한 것은? [3점]

< 보 기 >

아우슈비츠 수용소의 극한 상황에서 유대인 수용자들이 보인 태도는 다양하였다. 자신의 상황을 비관하여 자포자기하는 사람들도 있었지만, 아픈 몸으로 노약자를 보살펴 주거나 독가스실로 끌려가면서 승리의 노래를 부르는 사람들도 있었다.

① 극한 상황에 처한 수용자들을 통해 고통은 인간 실존의 일반적 구성 요소가 아님을 확인할 수 있다.
② 독가스실에 끌려가면서도 승리의 노래를 부르는 사람은 자신이 처한 상황에 좌절한 존재라고 할 수 있다.
③ 아픈 몸으로 노약자를 보살펴 주는 사람은 고통을 제거하기 위해 긍정적 삶의 의미를 찾는 존재라고 할 수 있다.
④ 자신의 상황을 비관하여 자포자기하는 사람은 삶에 대한 책임 의식을 바탕으로 자유롭고자 하는 존재라고 할 수 있다.
⑤ 수용자들이 보인 다양한 반응을 통해 힘겨운 상황 속에서도 어떤 태도를 보이느냐는 것은 개인의 선택에 달려 있음을 확인할 수 있다.

5. 윗글을 읽고 <보기>를 이해한 내용으로 적절하지 <u>않은</u> 것은?

< 보 기 >

A는 형과 비교당하며 어린 시절을 보냈다. 형은 건강하고 활달한 모범생이었으나, A는 병치레로 학교에 제대로 다니지 못했다. 이후 신체적 병은 나았지만, A는 여전히 자신이 무가치한 존재라는 생각에 괴로워하며 매사 자신감 없이 행동한다.

① 프로이트의 심리치료는 A의 어린 시절에 주목하여 당시에 억압된 쾌락 의지가 있다고 전제한다.
② 프로이트의 심리치료는 A가 겪는 괴로움의 원인을 의식의 영역으로 끌어오는 것을 통해 이루어진다.
③ 아들러의 심리치료는 A가 올바른 목적을 설정하여 자신감 없는 행동을 변화시킬 수 있다고 전제한다.
④ 아들러의 심리치료는 A가 학교에 제대로 다니지 못했던 것이 권력 의지가 좌절된 원인임을 밝히는 데 초점을 둔다.
⑤ 프랭클의 심리치료는 A가 자신을 무가치한 존재로 여기는 실존적 공허감에서 벗어나 인생에 의미를 부여하도록 돕는다.

12분 | 2021학년도 11월 학평 28~33번 | ★☆☆ | 정답 005쪽

【6~11】 다음 글을 읽고 물음에 답하시오.

(가)

소쉬르의 언어학은 언어에 대한 전통적인 견해에 대해서 의문을 제기하고 이를 뒤집는다. 소쉬르 이전의 사람들은 일반적으로 언어가 현실 세계의 대상을 지칭한다고 생각했다. 반면 소쉬르는 언어가 현실 세계를 있는 그대로 묘사하는 것이 아니라는 것을 언어의 기호 체계를 통해 설명하며, 오히려 사람들이 그들의 언어 체계에 맞춰 현실 세계를 새롭게 인식한다고 주장한다.

소쉬르에 따르면 언어는 기호 체계로, 현실 세계를 묘사하는 것이 아니라 근본적으로 자의적인 체계이다. 기호란 어떠한 뜻을 나타내기 위해 쓰이는 표지를 이르는데, 기표와 기의로 이루어진다. 기표는 귀로 들을 수 있는 소리로써 의미를 전달하는 외적 형식을 ㉠ <u>이르며</u>, 기의는 말에 있어서 소리로 표시되는 의미를 이른다. 예컨대 언어의 소리 측면을 지칭하는 '산[san]'이라는 기표에, 그 소리가 지칭하는 의미를 나타내는 '평지보다 높이 솟아 있는 땅의 부분'이라는 기의가 대응하는 것이다. 소쉬르에 따르면 기표와 기의의 관계는 필연적이지 않고 자의적이며, 단지 그 기호를 사용하는 사람들의 사회적 약속일 뿐이다. 이는 '평지보다 높이 솟아 있는 땅의 부분'이라는 기의가, 한국어에서는 '산[san]', 중국어에서는 '山[shān]', 영어에서는 'mountain[máuntən]' 등의 다른 기표로 나타나는 것에서 확인할 수 있다. 즉 언어는 자의적인 성격을 지닐 뿐이며 현실 세계를 묘사하는 것이 아니라는 것이다.

더불어 소쉬르는 사람들이 언어 체계에 맞춰 현실 세계를 새롭게 인식한다는 것을 설명하기 위해 '랑그'와 '파롤'이라는 개념을 제시한다. [랑그]란 언어가 갖는 추상적인 체계이고, [파롤]은 랑그에 바탕을 ㉡ <u>두고</u> 개인이 실현하는 구체적인 발화이다. 소쉬르는 어떤 사람이 어떠한 발화를 하더라도 그 발화의 표현 방식이나 범위는 사실상 그가 사용하는 언어 체계인 랑그에 의해서 지배되거나 제약받는다고 주장한다. 예를 들어 한국어에서는 빨강 계통의 색을 '빨갛다', '시뻘겋다', '새빨갛다', '불긋불긋하다' 등 다채롭게 표현할 수 있다. 하지만 영어에서는 한국어만큼 빨강 계통의 색을 다채롭게 표현할 수 있는 단어가 많지 않다. 따라서 소쉬르는 영어를 사용하는 사람들이 실제로는 다양하게 존재하는 빨강 계통의 색을 그들이 사용하는 랑그에 맞게 인식한다고 본다. 이는 결국 랑그의 차이에 따라 사람들이 현실 세계를 인식하는 방식이 달라진다는 것을 의미하는 것이다.

일반적으로 사람들은 어휘를 선택하고 그것을 언어 체계에 맞추어 발화하는 주체가 자신이라고 생각한다. 하지만 소쉬르는 발화의 진정한 주체는 발화자가 아닌 랑그라는 사실을 전제하고 있다. 결국 소쉬르의 언어학은 언어가 현실 세계를 수동적으로 재현하는 수단이 아니며, 오히려 언어가 현실 세계를 구성한다는 생각을 함축하고 있는 것이다.

(나)

비트겐슈타인에게 언어는 삶의 다양한 맥락에 ㉢ <u>따라</u> 서로 다르게 혹은 유사한 모습으로 존재한다. 이에 따라 비트겐슈타인은 언어를 이해하는 것은 그것이 어떻게 사용될 수 있는지를 이해하는 것이라는 '의미사용이론'을 제시한다. 비트겐슈타인은 언어를 배우는 것이, 일상 활동들의 맥락 속에서 언어를 어떻게 사용하고 또한 타인의 언어에 어떻게 반응해야 하는지를 배우는 것이라고 말한다. 가령 '빨강'이라는 단어의 의미를 배우는

것은 사전에 실려 있는 추상적 개념을 배우는 것이 아니라, 실제 미술 시간에 눈앞에 있는 빨간 사과를 그려 보라는 교사의 말에 물감 중 필요한 빨간색을 ㉣골라 사용할 수 있게 되는 일이다.

비트겐슈타인은 이런 의미사용이론을 설명하기 위해 언어를 게임에 비유하여 설명한다. 예컨대 땅따먹기와 같은 게임의 규칙은 절대 불변의 법칙이 아니라 땅따먹기라는 게임을 원활하게 진행하기 위해서 만들어진 것이며, 이런 게임의 규칙은 그것에 참가한 사람들이 게임을 수행할 수 있도록 만드는 형식에 불과하다. 이렇게 언어를 게임에 빗대어 설명한다는 것은 곧 언어가 그것을 사용하는 사람들의 구체적인 활동과 관련해서만 의미가 있다는 것을 보여준다.

비트겐슈타인은 언어가 사람들의 삶과 엉켜 있으면서 사람들의 삶을 반영한다는 것을 언어의 모호성을 통해서 설명하기도 한다. '크다'나 '작다'와 같은 표현들은 사람에 따라 의미가 다르게 사용되기 때문에 듣는 사람에게 모호하다는 느낌을 줄 수 있다. 하지만 이와 같은 표현이 없다면, 정확한 크기를 알 수 없는 경우에 대해서는 언급 자체를 할 수가 없게 된다. 더욱이 사람들은 간혹 의도적으로 모호한 표현을 사용하기도 한다. 따라서 비트겐슈타인은 언어에 존재하는 많은 불명확성이 오히려 단점이 아닌 장점이 될 수도 있으며, 높은 수준의 명확성이 오히려 융통성의 여지를 없앨 수도 있다고 말한다.

전통적으로 어떤 개념을 형성하는 일은, 수많은 종류의 나무로부터 공통 요소를 추출하여 '나무'라는 개념을 형성하는 것처럼 서로 다른 개별적이고 구체적인 대상으로부터 공통 요소를 추출하는 과정을 통해 이루어졌다. 하지만 비트겐슈타인은 개념을 사용할 때 그것의 적용 사례들에 어떤 공통 요소가 반드시 있어야 한다는 강박 관념을 버려야 한다고 강조한다. 이는 결국 언어가 그것을 사용하는 사람들의 삶과 ㉤맞물려 있어 삶의 양식이 다양한 만큼 언어 역시 다양하기 때문이다. 따라서 비트겐슈타인에게 있어 언어란 현실 세계를 재현하는 것이 아니라, 언어를 사용하는 사람들의 소통에 의해서 만들어지는 것이라고 할 수 있다.

6. (가)와 (나)의 서술상의 공통점으로 가장 적절한 것은?

① 언어에 대한 특정한 이론을 관련 사례를 들어 소개하고 있다.
② 언어에 대한 상반된 주장을 제시하여 절충 방안을 모색하고 있다.
③ 언어에 대한 관점들이 통합되어 가는 역사적 과정을 부각하고 있다.
④ 언어에 대한 이론들을 시대순으로 나열하여 공통적인 특성을 도출하고 있다.
⑤ 언어에 대한 다양한 이론을 소개하며 각 이론이 지닌 의의와 한계를 설명하고 있다.

7. 랑그, 파롤에 대한 이해로 가장 적절한 것은?

① 랑그는 현실 세계를 재현하는 수단이다.
② 파롤은 언어의 추상적 체계를 지칭한다.
③ 랑그는 개인이 실현하는 구체적인 발화이다.
④ 파롤의 표현 방식은 랑그에 의해서 제약을 받는다.
⑤ 랑그는 파롤을 바탕으로 발화자가 주체임을 드러낸다.

8. 다음은 온라인 수업 게시판의 일부이다. 윗글을 바탕으로 학생들이 과제를 수행했다고 할 때, ㉮~㉰에 들어갈 말로 가장 적절한 것은?

과제: 다음을 읽고 소쉬르나 비트겐슈타인 중 한 명의 입장에서 이를 해석하여 댓글을 작성하시오.

영어에서는 오징어[cuttle fish]와 문어[octopus]의 구분은 존재하지만 주꾸미와 낙지를 나타내는 단어는 없다. 물론 이들에 대한 생물학적인 학명은 존재하지만, 이는 일상적인 단어가 아니므로 사실상 그러한 단어는 존재하지 않는 것과 같다. 영어권의 외국인들은 대부분 낙지와 문어를 잘 구분하지 못할뿐더러 맛도 구분하지 못하는 경향이 있다.

소쉬르의 입장에서 영어권의 외국인들이 낙지와 문어를 (㉮) 인식하는 것은 결국 언어가 현실 세계를 (㉯) 사례로 볼 수 있겠어.

비트겐슈타인의 입장에서 오징어와 문어를 나타내는 단어는 영어에 있지만 주꾸미와 낙지를 구분하는 단어가 없는 것은 영어를 사용하는 사람들이 공유하는 (㉰)에 따라 언어가 만들어진 것이라는 것을 보여 준다고 할 수 있겠어.

	㉮	㉯	㉰
①	다르게	구성한다는	삶의 양식
②	다르게	묘사한다는	높은 수준의 명확성
③	비슷하게	구성한다는	삶의 양식
④	비슷하게	구성한다는	높은 수준의 명확성
⑤	비슷하게	묘사한다는	삶의 양식

9. 다음은 '읽기 중' 단계에서 학생이 수행한 활동지의 일부이다. 학생의 응답으로 적절하지 않은 것은?

질문	학생의 응답		
	예	아니요	
소쉬르는 언어가 현실 세계의 대상을 지칭하는 것이라고 주장하고 있나요?		√	……… ①
비트겐슈타인은 언어에 존재하는 많은 불명확성에 대해 긍정하고 있나요?	√		……… ②
소쉬르와 비트겐슈타인은 모두, 언어에 대한 전통적인 입장을 고수하고 있나요?		√	……… ③
소쉬르는 비트겐슈타인과 달리, 언어가 사람들의 약속에 의해 형성된다는 것을 비판하고 있나요?	√		……… ④
비트겐슈타인은 소쉬르와 달리, 언어가 사용하는 사람들의 맥락에 따라 다르게 사용될 수도 있다는 것을 부정하고 있나요?		√	……… ⑤

10. 다음은 '읽기 후' 단계에서 학생이 찾은 다른 학자들의 견해이다. 윗글을 바탕으로 주제 통합적 읽기를 수행한 학생의 이해로 적절하지 않은 것은? [3점]

> ⓐ 말소리와 지시물 간에는 직접적인 관계가 없으며 개념이 말소리와 직접적으로 연결된다. 지시물은 개념을 통해 말소리와 간접적으로 연결되어 언어는 일정한 의미를 형성하게 된다.
> ⓑ 언어란 현실 세계를 재현하기 위한 수단이며 언어의 의미는 곧 언어가 구체적으로 지시하는 대상이다. 세계가 먼저 있고 그 세계를 재현하기 위해서 언어가 존재하는 것이다.
> ⓒ 언어에서 사물의 이름은 임의적으로 붙여진 것이 아니다. 사물은 자연의 일부로서 자연을 닮고 서로 유사함을 나누어 가지며, 사물의 이름은 이런 자연의 법칙에 따라 지어진 것이다.

① 개념이 말소리와 직접적으로 연결된다는 ⓐ의 입장과 유사하게, 소쉬르는 언어가 기표와 기의의 대응을 통해 이루어진다고 주장하고 있다.
② 언어는 일정한 의미를 형성하게 된다는 ⓐ의 입장과 달리, 비트겐슈타인은 언어가 사람들의 소통에 의해서 만들어진다고 주장하고 있다.
③ 언어란 현실 세계를 재현하기 위한 수단이라는 ⓑ의 입장과 달리, 소쉬르는 언어가 자의적인 성격을 지닐 뿐이며 현실 세계를 재현하는 것이 아니라고 주장하고 있다.
④ 세계가 먼저 있고 그 세계를 재현하기 위해서 언어가 존재한다는 ⓑ의 입장과 유사하게, 비트겐슈타인은 언어가 먼저 있고 절대 불변의 법칙에 따라 세계가 존재한다고 주장하고 있다.
⑤ 언어에서 사물의 이름은 임의적으로 붙여진 것이 아니라는 ⓒ의 입장과 달리, 소쉬르는 기표와 기의의 관계가 필연적이지 않다고 주장하고 있다.

11. 문맥상 ㉠~㉤의 단어와 가장 가까운 의미로 쓰인 것은?
① ㉠: 그녀는 약속 장소에 이르며 친구에게 전화를 걸었다.
② ㉡: 우리 회사는 세계 곳곳에 많은 지점을 두고 있다.
③ ㉢: 예전에 어머니를 따라 시장 구경을 갔던 기억이 났다.
④ ㉣: 탁자 위에 쌓인 여러 책들 중에 한 권을 골라 주었다.
⑤ ㉤: 그의 입술은 굳게 맞물려 떨어질 줄을 몰랐다.

총 문항				문항	맞은 문항					문항
개별 문항	1	2	3	4	5	6	7	8	9	10
채점										
개별 문항	11	12	13	14	15	16	17	18	19	20
채점										

10분 | 2021학년도 9월 학평 26~30번 | ★☆☆ | 정답 006쪽

[1~5] 다음 글을 읽고 물음에 답하시오.

서양철학에서는 많은 철학자들이 기억을 중요한 사유로 인식하며 논의해 왔다. 플라톤은 사물의 영원하고 불변하는 본질적 원형인 이데아가 기억을 통해 인식될 수 있다고 하였다. 이데아에 대한 기억이 그것에 대한 망각보다 ⓐ 뛰어난 상태라고 이야기함으로써 둘 사이에 가치론적 이분법을 설정한 것이다. 더 나아가 하이데거는 진리가 망각이 없는 상태, 즉 기억이 지배하는 상태를 의미한다고 강조하였다. 이렇듯 전통적 서양철학에서 기억은 긍정적인 능력으로, 망각은 부정적인 능력으로 인식되어 온 것이다.

이와 같은 철학적 사유 속에서, 피히테는 '자기의식'이라는 개념을 체계적으로 확대하여 설명하는 과정에서 ㉠ 기억을 세계 경험에 대한 최고 수준의 기능으로 인식하였다. 그는 어떤 대상에 대해 '㉡ A는 A이다'라는 명제에 의거하여 주장을 할 때, '나는 나이다'가 성립해야만 한다고 생각하였다. 이는 동일성을 주장하는 '의자는 의자이다'와 같은 명제로 이해할 수 있다. 예전에 친구와 같이 앉았던 의자를 보았을 때, 우리는 이 의자가 바로 그때의 의자라고 주장할 수 있다. 즉 'A는 A이다'라는 명제는 '과거의 A가 현재의 A이다'라는 주장으로 현실화된다. 이러한 주장이 가능하기 위해서는 과거의 의자를 기억하고 있어야 한다는 것이 전제되어야 하고, 이는 과거 그 의자에 앉았던 자신을 기억하는 것과 마찬가지라는 것이었다. 따라서 그가 주장한 ㉢ 자기의식은 기억의 능력을 통해 과거의 '나'와 현재의 '나'가 같음을 의식하는 것으로 볼 수 있다. 자기의식을 망각한다면 우리는 친구를 만나도 친구인 줄 모를 것이므로, 그의 입장에서는 기억이 없다면 세계도 존재할 수 없는 것이었다.

한편, 니체는 이와 같은 사유 전통을 거부하며 기억 능력에 대해 비판하였다. 그는 기억이 부정적이고 수동적인 능력이라면, 망각은 능동적이며 창조적인 능력이라고 인식하였다. 그에게 있어 망각은 기억을 뛰어넘고자 하는 치열한 투쟁이었다. 그는 망각에 대해 긍정하기 위해 신체와 관련된 사례를 제시하였다. 새로운 음식을 먹으려면 위를 비워야 하며 음식물을 배설하지 못한다면 건강한 삶을 ⓑ 살아갈 수 없듯이, 과거의 기억들이 정신에 가득 차 있다면 무언가를 새롭게 인식하는 것은 불가능하다고 주장하였다. 그에 따르면 기억에만 집착하는 사람들은 새로운 것을 ⓒ 낯설고 불편한 것으로 여겨 변화와 차이를 긍정할 수 없기 때문에 현재를 행복하게 살아갈 수 없는 것이었다.

또한 그는 건강한 망각의 역량을 복원하기 위해서 궁극적으로 순진무구한 아이와 같은 모습이 되어야 한다고 주장하였다. 예를 들어 아이가 바닷가에 놀러가 모래성을 만들었을 때, 이것이 부서지더라도 슬퍼하기보다는 웃으면서 즐거워할 것이라고 보았다. 아이는 그 자리에 다시 새로운 모래성을 만들 수 있음을 직감하기 때문에 부서진 모래성을 기억하면서 좌절하고 우울해 할 필요가 없다는 것이었다. 이렇듯 니체에게 아이는 망각의 창조적 능력을 ⓓ 되찾은 인간을 상징하였다. 결국 그는 현재를 행복하게 살아가기 위한 능력으로써 망각을 긍정적으로 바라보았던 것이다.

그러나 니체가 인간이 가진 기억 능력 자체를 완전히 제거하자고 주장했던 것은 아니다. 철저한 망각은 현실적으로 불가능할 뿐만 아니라, 현재를 향유할 수 있도록 어느 정도 지속되는 기억이 필요했기 때문이었다. 마치 음식이 위에서 전혀 머무르지 않고 바로 배설된다면 건강한 삶을 살 수 없는 것처럼 말이다. 그럼에도 불구하고 기억이 주된 사유로 인식되던 서양철학에서 망각의 능력을 ⓔ 찾아내고자 했다는 점에서 니체의 사유를 주목할 필요가 있을 것이다.

1. 독서의 분야를 고려하여 윗글을 읽는다고 할 때, ㉮에 들어갈 내용으로 가장 적절한 것은?

<보 기>

________㉮________하며 읽어야겠군.

① 인간의 사상을 탐구하고 있으므로, 글에 담긴 관점을 정확하게 파악
② 사회 현상을 다루고 있으므로, 관련된 배경지식을 적극적으로 활용
③ 삶의 문제를 분석하고 있으므로, 글에 반영된 사회적 요구를 논리적으로 평가
④ 사실과 법칙을 인과적으로 설명하고 있으므로, 용어나 개념을 명확하게 이해
⑤ 연구 성과를 실생활에 응용하고 있으므로, 사용된 자료의 신뢰성을 적절히 판단

2. 윗글의 내용과 일치하지 않는 것은?

① 플라톤은 가치론적 이분법을 통해 기억을 설명하였다.
② 하이데거는 기억이 지배하는 상태를 진리로 인식하였다.
③ 니체는 망각을 긍정적인 능력이라고 판단하며 서양철학의 전통적 사유를 비판하였다.
④ 니체는 음식물이 위에 가득 남아 있는 상황과 정신이 기억으로 가득 찬 상태가 유사하다고 생각하였다.
⑤ 니체는 현재를 행복하게 살아가기 위해 철저한 망각이 필요하다고 판단하였다.

3. ㉠~㉢에 대한 이해로 가장 적절한 것은?

① ㉠이 없어도 ㉡에 의거한 주장이 가능하다.
② ㉠이 가능해야만 ㉢도 가능하다.
③ ㉡이 성립해야만 ㉠이 성립한다.
④ ㉢은 ㉠을 위해 존재한다.
⑤ ㉢은 ㉡이 전제되어야 한다.

4. 윗글을 바탕으로 <보기>에 대해 이해한 내용으로 적절하지 <u>않은</u> 것은? [3점]

<보 기>

> **갑**: 지갑이 많이 낡았네. 하나 새로 사줄까?
> **을**: 아직은 새로 사기 싫어요. 아빠가 생일 선물로 처음 사주신 거라서 저한테는 의미가 있고 익숙해서 좋아요.
> **갑**: 그렇구나. 근데 지난번에는 평소와 달리 국어 시험 못 봤다고 했잖아. 이번 시험 준비는 잘 하고 있니?
> **을**: 지난 시험은 지난 시험일 뿐이죠. 잊을 건 잊고 이번 국어 시험도 열심히 준비하고 있어요.

① 피히테는 을이 선물을 받았던 자신과 현재의 자신이 같음을 기억의 능력을 통해 의식하고 있다고 볼 것이다.
② 피히테는 을의 '지난 시험은 지난 시험이다.'라는 주장은 '시험은 시험이다'라는 명제가 현실화된 것이라고 볼 것이다.
③ 니체는 을이 지갑에 대한 과거의 기억에 집착하여 지갑을 새로 사는 것을 긍정하지 않는다고 볼 것이다.
④ 니체는 을이 국어 시험을 다시 준비하는 것을 보고 기억을 뛰어넘어 현재를 행복하게 살아갈 수 있는 사람이라고 볼 것이다.
⑤ 니체는 을이 지난 시험 결과에 대해 좌절하지 않는 것은 다음 시험에서 좋은 결과를 얻을 수 있을 것임을 직감하기 때문이라고 볼 것이다.

5. 문맥상 ⓐ~ⓔ와 바꿔 쓰기에 적절하지 <u>않은</u> 것은?

① ⓐ: 우월(優越)한
② ⓑ: 영위(營爲)할
③ ⓒ: 난해(難解)하고
④ ⓓ: 회복(回復)한
⑤ ⓔ: 발견(發見)하고자

10분 | 2021학년도 6월 학평 16~20번 | ★★☆ | 정답 007쪽

【6~10】 다음 글을 읽고 물음에 답하시오.

데카르트로 대표되는 서양의 근대 철학은 주체 중심의 철학이었다. '나는 생각한다. 고로 존재한다.'에서 '생각하는 나'는 존재하는 모든 것의 근거인 주체가 되고, 주체 앞에 놓인 모든 것들은 주체가 지배할 수 있는 대상으로 이해되었다. 하지만 2차 세계대전, 유대인 학살과 같은 폭력의 경험은 이러한 철학 사유를 반성하는 계기가 되었다. 주체 중심의 철학이 타자에 대한 폭력을 정당화하는 근거를 제공한다고 여겼기 때문이다. 전쟁의 참상 앞에 ⓐ <u>놓였던</u> 철학자 ㉮ <u>레비나스</u>는 주체성의 의미를 새롭게 정의하고 타자 중심의 철학을 제안하였다.

레비나스는 인간의 삶은 진정한 삶을 향해 나아가는 것, 곧 초월이라고 보았다. 초월은 a에서 b로의 이행이며, 그의 철학은 이러한 이행 과정에서 ㉠ <u>타자의 존재가 어떤 의미가 있는지</u>에 대해 탐구하는 것이었다. 그는 기존의 철학에서 주체는 주위의 모든 것들을 자기와 동일한 것으로 끊임없이 환원하는 자기중심적 존재로, 이 주체는 타자를 마음대로 할 수 있는 대상으로 취급했다고 보았다. 레비나스는 이러한 주체를 동일자라는 개념으로 설명하면서 타자는 동일자의 틀 안에 들어올 수 없기에 주체가 마음대로 할 수 없는 존재라고 보았다. 이처럼 주체로 환원되지 않는 타자의 성질을 레비나스는 '타자성'이라고 하였다.

이러한 타자 개념을 바탕으로 레비나스는 주체성의 의미를 두 가지로 제시했다. 하나는 '향유'의 주체성이고, 또 하나는 '환대'의 주체성이다. 그는 전자에서 후자로 나아가야 한다고 보았다. 향유는 즐김과 누림이며, 다른 누구도 대신해 줄 수 없는 개체의 고유한 행위이다. 배고픈 사람에게 먹을 것을 줄 수는 있지만, 그를 대신해서 먹어주지는 못한다. 이와 같이 어떤 것에 의존하지 않고 홀로 무엇을 누릴 때 나로서의 모습, '자기성'이 성립한다. 이런 점에서 향유의 주체성은 자기성을 바탕으로 이루어진 주체성이다. 하지만 향유의 대상인 세계는 불확실하기에 주체의 욕구는 항상 충족되지는 않는다. 이에 주체는 주변의 존재들을 소유해 가며 자기성을 계속 확장해 나간다. 이처럼 향유의 주체성은 본질적으로 이기적이며 자기 삶에만 관심을 갖기 때문에 스스로는 초월할 수 없다.

따라서 자신만의 갇힌 세계에서 열린 세계로 초월하기 위한 계기가 요구되는데, 레비나스는 이를 '타자의 출현'이라고 보았다. 세계를 향유하던 주체 앞에 낯선 타자가 나타나 호소한다. 레비나스는 타자의 호소를 무조건적으로 받아들이고 응답할 때 기존과는 다른 참다운 주체의 모습으로 나아가게 된다고 보았다. 타자에 대한 무조건적인 수용을 '환대'라고 하며, 환대의 주체성은 타자의 문제를 자신의 문제로 받아들여 책임을 지는 주체성이다. 타자의 출현으로 인해 주체는 그동안 누려 왔던 자유와 이기성에 의문을 제기하며, 타자의 요구에 무조건적인 응답을 해야 한다는 것이다. 이러한 점에서 주체와 타자는 비상호적 관계이며, 타자를 주체보다 우월한 위치에 올려놓는다는 점에서 비대칭적 관계가 된다.

그렇다면 타자를 환대하기 위해 자기성은 완전히 포기해야 하는 것인가. 레비나스는 타자의 출현은 주체의 이기성을 제한하고 책임의 주체로 설 수 있도록 하는 것이지, 이로 인해 자기성이 상실되는 것이 아님을 분명히 한다. 타자는 주체의 존재를 침몰시키는 위협적인 존재가 아니라, 오히려 자기성에 갇힌 주체를 무한히 열린 세계로 초월할 수 있게 하는 존재라고 본 것이다.

이처럼 레비나스는 주체성의 의미를 새롭게 정립했다. 또한 그동안 주체가 마음대로 지배하고 배제할 수 있는 대상으로 인식했던 타자를 주체보다 높은 위치로 올려놓았다. 레비나스의 철학은 기존의 철학 사유로는 극복할 수 없었던 문제들을 새로운 방식으로 접근할 수 있는 인식의 틀을 제공했으며, 인간 개개인의 고유성을 존중할 수 있는 근거를 마련했다는 점에서 그 가치를 인정받고 있다.

6. 윗글에 대한 이해로 적절하지 <u>않은</u> 것은?

① 동일자는 주위의 모든 것들을 자기중심적으로 대한다.
② 환대는 타자의 호소를 무조건적으로 수용함을 가리킨다.
③ 향유는 다른 누구도 대신할 수 없는 개체의 고유한 행위이다.
④ 타자성은 타자를 위해 주체를 기꺼이 희생하는 성질을 의미한다.
⑤ 자기성은 어떤 것에 의존하지 않고 홀로 무엇을 누릴 때 성립한다.

7. ㉠에 대한 레비나스의 답으로 가장 적절한 것은?

① 주체의 욕구가 항상 충족된 상태가 되도록 이끈다.
② 주체의 일부분으로 환원되어 주체와의 합일을 이룬다.
③ 주체의 분열을 유도하여 자기성이 소멸되도록 만든다.
④ 주체를 진정한 삶으로 이끌어 초월을 가능하도록 한다.
⑤ 주체를 열린 세계에서 갇힌 세계로 나아갈 수 있도록 한다.

8. ⓐ와 문맥적 의미가 가장 유사한 것은?

① 새로 산 연필이 책상 위에 <u>놓여</u> 있다.
② 어느 하루도 마음이 <u>놓인</u> 날이 없었다.
③ 들판을 가로지르는 새 도로가 <u>놓여</u> 있었다.
④ 하루빨리 다리가 <u>놓여야</u> 학교에 갈 수 있다.
⑤ 꽃무늬가 <u>놓인</u> 장롱을 보면 할머니가 생각난다.

9. ㉮와 <보기>의 관점을 비교하여 이해한 것으로 가장 적절한 것은?

<보 기>

인간은 자기 보존을 위해 무한히 욕망을 추구하는 이기적 존재이다. 타자는 나와 투쟁의 관계에 있으며, 나의 생명과 자유를 박탈하려는 잠재적인 적이다. 이러한 위협과 죽음의 공포에서 벗어나기 위해서는 중재가 필요하다. 모든 인간이 자유에 기반한 권리를 주장하는 한 투쟁은 끝나지 않을 것이기 때문이다. 따라서 공동의 이익과 평화를 위해 인간을 엄격히 통제할 수 있는 힘을 가진 국가가 요구된다. 이러한 국가는 상호 간의 합의와 계약에 근거하여 성립한다.

① ㉮는 인간을 욕망을 추구하는 이기적 존재로 여기는 점에서 <보기>와 다르군.
② ㉮는 타자와의 중재를 위해 국가의 존재를 필요로 한다는 점에서 <보기>와 다르군.
③ <보기>는 자신을 해칠지도 모르는 잠재적인 적으로 타자를 대한다는 점에서 ㉮와 다르군.
④ ㉮와 <보기>는 합의와 계약에 근거하여 타자에 대한 의무를 강제해야 한다고 본 점에서 유사하군.
⑤ ㉮와 <보기>는 공동의 이익과 평화를 위해서라도 주체의 이익은 제한될 수 없다고 본 점에서 유사하군.

10. <보기>는 학급 토론의 한 장면이다. 윗글을 바탕으로 <보기>를 이해한 내용으로 적절하지 <u>않은</u> 것은? [3점]

<보 기>

토론 주제 : 난민 신청을 한 외국인들을 받아들여야 한다.

A : 그들을 받아들여서는 안 된다. 그들의 문제는 그들이 해결해야 한다. 그들을 받아들이면 나의 이익과 자유가 제한될 수 있기 때문에 그들을 자국으로 돌려보내는 것이 당연하다.

B : 살 길을 찾아온 그들을 아무런 조건 없이 환영해야 한다. 그들은 외국인이기 이전에 인격을 가진 인간으로서 존중받아야 한다. 그들의 문제는 그들만의 문제가 아니다. 그들을 위해 내가 가진 것을 나눠 주는 것은 당연하다.

① A는 타자인 외국인들을 마음대로 할 수 있는 대상으로 바라보는 입장이군.
② A는 그동안 누려온 자신의 자유에 의문을 제기하며 새로운 주체의 모습으로 나아가고 있군.
③ B는 외국인들의 문제를 자신의 문제로 받아들여 책임지려는 태도를 보이고 있군.
④ B가 외국인들을 환영해야 한다는 것은 그들을 자신보다 더 높은 위치에 올려놓는다는 것을 의미하는군.
⑤ B는 A와 달리 자신이 가진 것을 나누려는 환대의 주체성을 지닌 존재로 볼 수 있군.

【11~14】 다음 글을 읽고 물음에 답하시오.

언어철학에서 특정 인물이나 사물 등을 나타내는 '고유 이름'은 언어와 대상의 관계를 밝히는 데 중요한 역할을 하는 언어 표현이다. 그래서 고유 이름이 의미하는 바가 무엇인지에 대한 논의는 언어철학자들의 중요한 관심사였다. 그중 의미지칭이론에 따르면 고유 이름이 의미하는 바는 그 표현이 지칭하는 것, 즉 지시체 자체이다. 이들에 따르면 '금성'이라는 고유 이름이 의미하는 바는 금성 자체인 것이다. 하지만 프레게는 이러한 의미지칭이론의 입장을 그대로 받아들일 경우 발생하는 문제를 지적하며, 이를 해결하기 위해 지시체와 '뜻'을 구분하여 고유 이름이 의미하는 바를 새롭게 설명하는 이론을 제시한다.

먼저 프레게는 고유 이름이 의미하는 바가 지시체라는 의미지칭이론의 입장을 따를 경우에 발생하는 문제를 밝힌다. 다음의 두 문장을 보자.

1) 샛별은 <u>샛별</u>이다.
2) 샛별은 <u>개밥바라기</u>이다.

프레게에 의하면 의미지칭이론의 입장에서 1)과 2)는 완전히 동일한 의미를 지녀야 한다. 왜냐하면 의미지칭이론에 따르면 밑줄 친 '샛별'과 '개밥바라기'라는 두 고유 이름이 의미하는 바는 금성이라는 지시체로 동일하기 때문이다. 하지만 프레게는 1)은 동어의 반복이기에 정보를 제공하지 않고, 2)는 정보를 제공하기 때문에 사람들은 두 문장을 다르게 인식하게 된다고 말한다. 그리고 이러한 인식적 차이가 발생하는 이유가 고유 이름이 지시체 그 자체가 아닌 '뜻'을 의미하기 때문이라고 주장한다. 즉 프레게는 '샛별'은 아침에 뜨는 별이라는 뜻을, '개밥바라기'는 저녁에 뜨는 별이라는 뜻을 의미하며, '샛별'과 '개밥바라기'는 동일한 지시체인 금성을 서로 다른 제시 방식으로 제시한 것이라고 말한다. 프레게는 이처럼 동일한 지시체의 서로 다른 제시 방식인 '샛별'과 '개밥바라기'는 다른 뜻을 가진다고 말한다. 따라서 프레게는 고유 이름이 의미하는 바는 지시체가 아니기에 지시체와 뜻을 구분해야 하고, 뜻의 차이로 인해 1)과 2)가 인식적 차이가 있음을 설명하려고 한 것이다.

프레게는 고유 이름에 한정 기술구도 포함되어야 한다고 주장한다. 한정 기술구란 오직 하나의 대상만이 만족하는 조건을 몇 개의 단어나 이런저런 기호로 구성한 언어 표현이다. 예를 들어 프레게는 '플라톤의 가장 유명한 제자'나 '『니코마코스 윤리학』의 저자'와 같은 한정 기술구도 '아리스토텔레스'와 같은 고유 이름으로 간주한다. 그래서 프레게에 따르면 '플라톤의 가장 유명한 제자'와 '『니코마코스 윤리학』의 저자'는 고유 이름들이며, 아리스토텔레스라는 사람에 대한 서로 다른 제시 방식으로 각각은 다른 뜻을 가진다.

[A] 한편 프레게는 특정 지시체에 대해 개인이 갖고 있는 관념을 뜻과 혼동해서는 안 된다고 말한다. 관념은 지시체에서 개인이 감각적 경험을 통해 얻게 된 주관적인 내적 이미지이다. 반면 뜻은 우리가 의사소통을 통해 전달하고 이해할 수 있어야 하기에, 언어 공동체가 공유할 수 있는 객관적으로 합의된 재산인 것이다. 다시 말해 우리가 성공적으로 의사소통할 수 있는 이유는 뜻이 공적인 것이기 때문이다. 만약 뜻이 개인의 관념과 같다고 한다면 뜻은 사람마다 다르게 되고, 의사소통은 성공적으로 이루어지기 어렵게 된다. 따라서 프레게는 언어 표현의 뜻은 개인이 지시체에 대해 갖는 관념과는 다르다는 것을 분명히 한다.

결국 프레게는 지시체와 뜻을 구분함으로써 고유 이름이 의미하는 바를 명확히 하였다. 또한 이를 통해 의미지칭이론에서 설명하지 못하는 ㉠<u>'유니콘'과 같이 지시체가 존재하지 않는 허구적인 대상의 고유 이름이 의미하는 바</u>를 설명할 수 있게 되었다.

I

11. 윗글에 대한 설명으로 가장 적절한 것은?

① 기존의 이론을 비판한 새로운 이론을 예를 중심으로 설명하고 있다.
② 특정 학자가 주장한 이론의 변천 과정을 통시적 관점에서 분석하고 있다.
③ 상반된 이론을 제시한 후 두 이론을 절충한 새로운 이론을 소개하고 있다.
④ 특정 이론에 대한 다양한 관점을 제시하고 각 관점의 장단점을 비교하고 있다.
⑤ 특정 학자가 자신의 이론에 제기된 문제점을 수용하는 과정을 단계별로 밝히고 있다.

12. <보기>는 프레게의 이론을 비유적으로 설명하기 위한 예시이다. 윗글의 [A]를 참고하여 프레게의 입장에서 <보기>의 ⓐ ~ ⓒ를 설명할 수 있는 말로 적절한 것을 고른 것은?

〈 보 기 〉

우리 가족들은 천문대에 가서 ⓐ<u>밤하늘의 달</u>을 보았다. 그날 우리는 하나의 망원경을 통해 달을 보고 이야기를 나눌 수 있었다. ⓑ<u>우리 가족이 나눈 대화 속 망원경 렌즈에 맺힌 달의 형상은 모두 같았지만</u>, 그날 망원경의 렌즈를 거쳐 ⓒ<u>망막에 맺힌 달은 우리 가족에게 서로 다른 추억</u>으로 기억되고 있다.

	ⓐ	ⓑ	ⓒ
①	지시체	관념	뜻
②	내적 이미지	뜻	관념
③	지시체	뜻	관념
④	내적 이미지	관념	뜻
⑤	지시체	내적 이미지	뜻

13. 윗글을 읽은 학생이 프레게의 입장에서 <보기>에 대해 보일 수 있는 반응으로 적절하지 않은 것은? [3점]

< 보 기 >

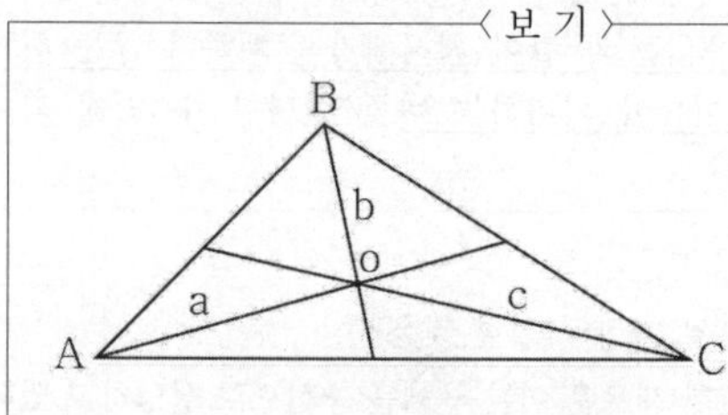

왼쪽에 있는 삼각형의 각 꼭짓점에서 그 대변의 중점으로 이어지는 선을 a, b, c라고 할 때, ㉮ 'a와 b의 교점'과 ㉯ 'b와 c의 교점'의 지시체는 ㉰ o이다. 따라서 ㉱ 'o는 a와 b의 교점이다.'와 같은 문장으로 표현할 수 있다.

① ㉮와 ㉯는 동일한 지시체를 지칭하지만 뜻은 서로 다르다고 볼 수 있겠군.

② ㉮와 ㉯는 몇 개의 단어와 기호로 구성되어 있지만 고유 이름으로 볼 수 있겠군.

③ ㉮와 ㉯로 의사소통이 가능한 이유는 ㉰에 대한 개인의 내적 이미지가 일치하기 때문이겠군.

④ ㉰에 대한 제시 방식에는 ㉮와 ㉯뿐만 아니라 'a와 c의 교점'도 포함할 수 있겠군.

⑤ ㉱는 'o는 o이다.'라는 문장과 인식적 차이가 발생한다고 할 수 있겠군.

14. 윗글을 참고할 때, 의미지칭이론에서 ㉠을 설명하지 못하는 이유를 추론한 내용으로 가장 적절한 것은?

① 고유 이름은 다수의 지시체를 의미한다고 보기 때문이겠군.

② 고유 이름과 지시체는 서로 관련이 없다고 보기 때문이겠군.

③ 고유 이름이 의미하는 바를 지시체 그 자체로 보기 때문이겠군.

④ 고유 이름과 지시체가 서로 다른 정보를 제공한다고 보기 때문이겠군.

⑤ 고유 이름으로는 언어와 대상의 관계를 밝힐 수 없다고 보기 때문이겠군.

총 문항				문항	맞은 문항					문항
개별 문항	1	2	3	4	5	6	7	8	9	10
채점										
개별 문항	11	12	13	14	15	16	17	18	19	20
채점										

10분 2020학년도 9월 학평 37~41번 ★★☆ 정답 009쪽

【1~5】 다음 글을 읽고 물음에 답하시오.

누구나 한번쯤은 경치 좋은 곳에 누워 아무 일도 하지 않는 자신의 삶을 꿈꿔 본 적이 있을 것이다. 이러한 상상에는 '일', 즉 '노동'에 대한 우리의 부정적 생각이 깔려 있다. 하지만 역사 속에서 인간은 노동을 통해 개인과 사회를 발전시켜 왔고, 이러한 점에서 노동은 나름의 가치를 지닌다고 볼 수 있다. 그렇다면 철학자들은 이러한 인간의 노동에 어떤 철학적 의미를 부여했을까?

로크는 노동을 ㉠소유의 권리와 관련하여 설명했다. 로크는 신이 인류의 생존을 위해 인간에게 자연을 공유물로 주면서, 동시에 인간이 신의 목적대로 자연을 이용할 수 있도록 이성도 주었다고 주장한다. 그런데 그는 신이 인간에게 공유물로 주지 않은 유일한 것이 신체이기 때문에 각자의 신체에 대해서는 본인만이 배타적 권리를 가진다고 본다. 이렇게 신체가 한 개인의 소유라면 그 신체의 활동인 노동 역시 그 개인의 소유가 되는 것이다. 그리하여 인간이 공유상태인 어떤 사물에 노동을 부여하는 것은 공유물에 배타적 소유권을 첨가하는 것이 된다. 따라서 모든 개인은 노동을 통해 소유권의 주체가 될 수 있다. 다만 로크는 모든 노동이 공유물에 대한 소유권의 근거가 되는 것은 아니라고 보았다. 로크에게 노동은 단순히 신체를 사용하는 것이 아니라 삶과 편의에 최대한 도움이 되도록 자연을 이용하는 것을 의미하기 때문이다. 이에 따라 로크는 만약 어떤 개인이 신체를 사용하여 공유물을 인류의 삶에 손해가 되도록 만든 경우, 그것은 ⓐ노동에 해당하지 않기 때문에 소유권을 인정받을 수 없다고 주장했다.

한편 헤겔은 노동을 사적 소유권의 근거를 넘어 주체와 객체가 통일되는 과정이며, 인간이 자기의식과 자기 정체성을 확보하는 계기라고 주장했다. 또한 인간은 동물과 달리 자연을 그대로 받아들이지 않고 노동을 통해 자신에게 맞게 바꾸어 필요한 물품과 적절한 생활환경을 마련하며 생명을 보전한다고 보았다. ⓑ이때 자립성을 지닌 객체는 주체의 노동에 저항하기 마련인데, 객체의 자립성은 인간의 노동에 의해 일정하게 제거되고 약화되어 주체에 알맞게 변화된다. 한편 주체는 노동 과정에서 ⓒ객체에 내재된 질서나 법칙을 일정 정도 받아들이면서 자신의 욕구나 목적을 객체 속에 실현한다. 그 결과 객체는 주체의 노동으로 사라지거나 파괴되는 것이 아니라 인간과 무관한 것에서 인간을 위한 노동 산물로 변화하는 것이다. 이렇게 하여 주체는 객체 안으로 들어가고 객체는 주체의 고유한 형식을 받아들이게 된다. 헤겔은 이처럼 노동을 통해 주체가 자신을 객체 속에 나타내는 것을 자기 대상화라 하였다. 결국 주체와 객체는 서로 분리·고립되어 있다가 노동을 통해 노동 산물 속에서 통일되어 가며, 주체는 그 속에 실현된 자기 대상화의 정도만큼 자기의식을 확보한다는 것이다. 그런데 헤겔은 노동 산물이 주체의 ㉡소유지만, 여전히 주체와 분리되어 있고, 주체를 완전히 표현하지도 못하기에 노동을 통한 주객 통일에 한계가 있다고 지적했다.

이에 비해 [마르크스]는 ⓓ헤겔의 노동관을 수용하면서도 노동 자체가 한계를 지닌다는 주장에는 동의하지 않았다. 마르크스는 인간은 노동을 통해 외부 대상인 자연을 가공하여 인간의 욕구와 자기실현에 알맞은 인간화된 자연으로 만든다고 보았다. 결국 그에게 노동은 객체에 인간적 형식을 부여하기 위해 자연적 소재의 형식을 부정함으로써 주체의 주관적 욕구나 목적을 대상으로 객관화하는 것이다. 그리하여 가공된 대상에는 주체의 형식이 부여되고, 주체의 욕구나 목적 등은 물질화되어 구체적 노동 산물이 된다. 그 결과 인간은 노동을 통해 만들어 낸 노동 산물에서 ⓔ자신의 능력을 확인하고 자기의식과 정체성을 확보하게 된다. 더 나아가 자신의 능력을 더욱 개발하여 자연의 구속으로부터 벗어나 자유를 획득하면서 자아를 실현하게 되는 것이다. 이러한 관점에서 그는 노동이 가장 현실적인 주객 통일의 방법이자 인간의 자아실현 과정이라 주장한 것이다. 다만 그는 노동을 통한 주객 통일의 한계가 사회적 구조의 한계에서 비롯된다고 분석하며, 노동을 통한 인간의 자아실현을 완성하기 위해서는 사회 구조를 변혁해야 한다고 역설했다.

1. 윗글에서 답을 찾을 수 있는 질문에 해당하지 않는 것은?

① 로크는 인간에게 이성을 부여한 신의 의도를 무엇이라 생각하는가?
② 헤겔은 인간이 동물과 달리 자연을 자신에게 맞게 바꾸는 목적을 무엇이라 생각하는가?
③ 헤겔은 인간이 노동을 통해 자신을 객체 속에 나타내어 얻게 되는 결과를 무엇이라 생각하는가?
④ 마르크스는 노동이 인간의 자아를 실현하는 과정이 될 수 있는 이유를 무엇이라 생각하는가?
⑤ 마르크스는 노동이 주객 통일을 완성하는 것을 방해하는 사회적 구조의 한계를 무엇이라 생각하는가?

2. ㉠과 ㉡에 대한 이해로 가장 적절한 것은?

① ㉠과 ㉡은 모두 인간을 신으로부터 자유롭게 한다.
② ㉠과 ㉡은 모두 인간의 노동을 성립 기반으로 하고 있다.
③ ㉠은 이타심의 실현을 목적으로 하는 반면, ㉡은 이기심의 실현을 목적으로 한다.
④ ㉠은 인간과 자연의 합일을 강화하는 반면, ㉡은 인간과 자연의 분리를 강화한다.
⑤ ㉠은 공유물의 존재에 의해 보장되는 반면, ㉡은 주객 통일의 완성에 의해 보장된다.

3. 윗글의 마르크스의 관점에서 <보기>를 이해한 내용으로 적절하지 않은 것은?

<보 기>

캐릭터 아티스트를 꿈꾸는 A씨는 관련 공부를 위해 미국으로 건너가 예술 학교에서 공부를 마치고 B사에 입사했다. 그런데 그곳에서 그는 유명한 몇몇 캐릭터만 반복적으로 그려야 하는 현실에 염증을 느끼고 캐릭터 아티스트로서 더 이상 성장할 수 없겠다는 생각이 들어 C사로 직장을 옮겼다. 이후 그는 다양한 종류의 캐릭터를 마음껏 변용해 그리는 동시에 여러 동물들의 모습을 관찰하여 자신만의 독창적인 캐릭터를 창작하게 되었다.

① A씨는 노동을 통해 자신의 욕구를 객체 속에 실현하려고 노력해 왔겠군.
② A씨는 노동을 통해 자신의 형식을 부여한 노동 산물을 만드는 데 관심을 가지고 있겠군.
③ A씨가 제한된 캐릭터를 그리는 노동에 염증을 느꼈던 이유는 자기의식 확보에 대한 갈증 때문이겠군.
④ A씨가 직장을 옮긴 것은 노동을 자신의 재능을 개발하고 자유를 확장하는 계기로 삼기 위한 것이겠군.
⑤ A씨가 예술 학교에서 공부한 기간은 외부 대상인 자연의 형식에 맞게 자신의 목적을 객관화시킨 시기였겠군.

4. 윗글과 <보기>에 대한 반응으로 가장 적절한 것은? [3점]

<보 기>

제레미 리프킨은 첨단 과학 기술이 생산 수단에 접목되는 상황으로 인한 노동의 종말을 예언했다. 그는 노동의 종말이 긍정적으로는 여가적 삶의 증대를, 부정적으로는 대량 실업으로 인한 정체성의 시련을 초래할 수 있다고 지적했다. 그래서 대량 실업의 피해자들을 위해 사회적 경제 부분의 일자리 공유 전략을 가동해야 한다고 주장했다. 이를 통해 그들이 삶의 이유를 찾고, 사회 구성원으로서의 자신의 가치를 입증할 기회를 제공해야 한다는 것이다.

① 윗글과 <보기> 모두 노동이 인간의 정신보다 신체에 더 큰 영향을 끼친다는 것을 인지하고 있군.
② 윗글과 <보기> 모두 인간이 자신을 긍정적으로 인식하게 하는 데 노동이 기여한다는 것을 인정하고 있군.
③ 윗글의 노동의 한계는 <보기>의 노동의 종말로 인해 나타난 결과이겠군.
④ 윗글의 노동의 기능은 <보기>의 노동의 기능과 대립하고 있군.
⑤ 윗글은 <보기>와 달리 사회 변화가 노동에 미칠 수 있는 영향을 언급하고 있군.

5. 문맥상 ⓐ ~ ⓔ와 바꿔 쓰기에 적절하지 않은 것은?

① ⓐ: 공유물에 첨가한 노동이 아니므로
② ⓑ: 자연을 인간에게 알맞게 바꿀 때
③ ⓒ: 객체가 지닌 자립성을 일부 수용하면서
④ ⓓ: 노동을 자기의식과 자기 정체성 확보의 계기로 인정하지만
⑤ ⓔ: 주체의 주관적 욕구나 목적을 객관화하는 능력을

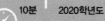

10분 | 2020학년도 6월 학평 16~20번 | ★★☆ | 정답 009쪽

[6~10] 다음 글을 읽고 물음에 답하시오.

실존주의는 현대 과학 기술 문명과 전쟁 속에서 비인간화되어 가는 현실을 고발하는 과정에서 등장한 철학 사조로, 개인으로서의 인간의 주체적 존재성을 강조한다. 사르트르(J. P. Sartre)는 실존주의를 대표하는 철학자로, 이전의 철학자들이 인간의 본질이 무엇이냐는 근원적 물음을 탐구했다면, 사르트르는 개개인의 실존을 문제 삼았다. 그의 사상은 '실존은 본질에 선행한다.'로 집약할 수 있는데, 여기서 '본질'은 어떤 존재에 관해 '그 무엇'이라고 정의될 수 있는 성질을 뜻하고, '실존'은 자기의 존재를 자각하면서 존재하는 주체적인 상태를 뜻한다.

무신론자였던 사르트르는 인간은 사물과 달리 그 본질이나 목적을 가지고 판단할 수 없다고 보았다. 예를 들어, 연필은 처음부터 '쓴다'는 목적으로 만들어진다. 무엇인가를 쓴다는 것은 연필의 본질이므로, 연필의 존재는 그 본질로부터 나온다. 즉 사물은 본질이 그 존재에 선행하는 것이다. 그러나 인간은 사물과 다르다. 사르트르는 인간이 신의 뜻에 따라 만들어진 존재라는 기존의 통념을 거부하면서, 인간은 우연히 이 세계에 내던져진 채 스스로를 만들어 가는 존재라고 보았다.

사르트르는 이 세계의 모든 존재를 '의식'의 유무를 기준으로 의식이 없는 '사물 존재'와 의식이 있는 '인간 존재'로 구분하였다. 그리고 사물 존재를 '즉자존재(Being in itself)'로, 인간 존재를 '대자존재(Being for itself)'로 각각 명명하였다. 여기서 즉자존재는 일상의 사물들처럼 자기의식이 없기 때문에, 그 자리에 계속 그것인 상태로 남아 있다. 반면에 대자존재는 자기의식을 가진 존재이다. 따라서 자기 자신을 대상화*하여 스스로를 바라볼 수도 있고, 매 순간 자유로운 선택을 통해 자신을 만들어 갈 수도 있다. 그런데 모든 것이 인간의 선택으로 결정이 된다면, 그 선택에 따른 책임도 자기 스스로 져야 한다. 그래서 사르트르는 진실한 인간이라면 책임감이라는 부담 때문에 번민하고, 그 번민의 원인이 되는 자유로부터 도피하고 싶은 욕망이 생길 수 있다고 보았다.

또한 사르트르는 인간의 자유로운 선택이 타자와 연관된다고 여겼다. 왜냐하면 내가 주체적 의식을 지니고 살아가듯이 타자도 주체적 의식을 지니고 있어서, 내가 아무리 주체성을 지닌 존재라 하더라도 나를 바라보는 다른 사람은 나를 즉자존재처럼 객체화하여 파악할 수 있기 때문이다. 그래서 사르트르는 타인의 시선으로 규정되는 인간의 모습을 일컬어 '대타존재(Being for others)'라고 명명하였다. 예를 들어, 길을 걷다가 친구의 장난스러운 표정이 떠올라 웃었다고 가정해 보자. 그런데 그런 상황을 모르는 타자는 '저 사람 참 실없는 사람이네.'라는 시선을 보낼 수 있다. 이때 타자에 의해 '실없다'라고 규정되는 존재가 대타존재인 것이다.

그런데 이런 시선은 타자만 나에게 보내는 것이 아니라 나도 타자에게 보낼 수 있다. 왜냐하면 [㉠] 그래서 사르트르는 나와 타자가 맺는 관계는 공존이 아니라 갈등과 투쟁으로 여겨서, '타자는 지옥이다.'라는 극단적인 표현까지 동원하기도 하였다. 그러나 그는 이렇게 자신이 타자의 시선에 노출되더라도 자신의 행위를 계속해 나가야 한다고 말한다. 자신의 선택에 따라 행동하며 그것을 타자가 받아들이도록 함으로써 타자를 자신의 선택 속에 끌어들일 수 있는 것이다. 그러니까 인간은 참된 자아를 찾기 위해 타자의 시선을 두려워하거나 피할 것이 아니라 이를 극복하고 계속 자신의 행

위를 선택하며 살아가야 한다.

사르트르의 실존주의는 개인이 사회적 관습에 의해 제약을 받는다는 사실을 간과하였다는 점, 나와 타자가 맺어가는 인간관계를 지나치게 비관적으로 설정하였다는 점 등에서 비판을 받기도 하였다. 하지만 그의 실존주의는 주체성을 상실한 채 획일화되어 가는 우리의 삶을 반성하게 하고, 주체적이고 개성적인 삶을 살아가도록 도움을 준다는 점에서 오늘날까지 그 가치가 높이 평가되고 있다.

* 대상화: 자기의 주관 안에 있는 것을 객관적인 대상으로 구체화하여 밖에 있는 것처럼 다룸.

6. 윗글의 표제와 부제로 가장 적절한 것은?

① 사르트르 실존주의의 장단점
- 인간과 사물의 차이점을 중심으로

② 사르트르 실존주의의 발생 배경
- 현대 과학 기술 문명의 발전을 중심으로

③ 사르트르 실존주의의 변천 과정
- 본질과 실존의 우선순위 변화를 중심으로

④ 사르트르 실존주의의 특성과 의의
- 사물, 나, 타자에 대한 이해를 중심으로

⑤ 사르트르 실존주의의 주요 개념과 한계
- 자유와 책임의 상호 관계를 중심으로

7. 윗글의 '사르트르'의 견해로 적절하지 않은 것은?

① 사물의 본질은 존재에서 나온다.
② 선택의 자유가 번민의 계기가 될 수 있다.
③ 모든 존재는 의식의 유무로 양분할 수 있다.
④ 인간은 대자존재이자 대타존재로 규정될 수 있다.
⑤ 개인과 개인은 갈등과 투쟁의 관계로 맺어져 있다.

8. ㉠에 들어갈 말로 가장 적절한 것은?

① 서로가 서로의 자유로운 선택을 인정하기 때문이다.
② 나와 타자가 각자의 방식으로 자신을 돌아보기 때문이다.
③ 서로가 서로를 주체성을 지닌 존재로 파악하기 때문이다.
④ 나와 타자가 서로의 시선에서 벗어나기를 원하기 때문이다.
⑤ 서로가 서로를 대상으로 삼아 객체화하려고 하기 때문이다.

9. 윗글과 <보기>를 활용하여 '사르트르'와 '키르케고르'의 입장을 비교한 내용으로 적절하지 않은 것은?

< 보 기 >

유신론적 실존주의자인 키르케고르는 인간은 스스로의 결단을 통해 자신의 삶을 결정할 수 있다고 보았다. 그는 참된 자아실현의 과정을 3단계로 나누었다. 쾌락을 추구하며 살아가는 '미적 실존'의 단계에서는 끝없는 쾌락의 추구로, 윤리 규범을 준수하며 살아가는 '윤리적 실존'의 단계에서는 자신의 불완전성으로, 결국 절망을 느끼게 된다고 보았다. 따라서 이를 극복하고 참된 자아를 찾기 위해서는 신의 명령에 따라 살아가는 '종교적 실존'의 단계를 스스로 선택해야 한다고 주장하였다.

① 키르케고르와 달리 사르트르는 신에 의존하지 않는 삶을 추구했겠군.
② 사르트르와 달리 키르케고르는 자아실현의 과정이 단계별로 진행된다고 생각했겠군.
③ 사르트르와 키르케고르는 모두 인간이 자신의 삶을 주체적으로 결정할 수 있다고 믿었겠군.
④ 사르트르와 키르케고르는 모두 참된 자아를 찾기 위해서 극복해야 할 대상이 있다고 여겼겠군.
⑤ 사르트르와 키르케고르는 모두 윤리 규범과 같은 사회적 관습을 지키는 것이 중요하다고 여겼겠군.

10. 윗글을 바탕으로 <보기>를 이해한 내용으로 적절하지 않은 것은? [3점]

< 보 기 >

(학생이 선생님과 상담하는 상황)

학 생 : 선생님, 저는 어렸을 때부터 누가 장래 희망을 물어보면 늘 의사라고 대답하곤 했는데, 고2가 되면서 제가 정말 의사가 되고 싶은지 의문이 들었어요.

선생님 : 왜 그런 생각을 하게 된 거야?

학 생 : 의사라는 꿈이 제 꿈이 아니라 부모님의 꿈이라는 생각이 들었거든요. 저는 어렸을 때부터 '너는 의사가 될 거야.'라는 말을 들으며 자랐어요. 그래서 당연히 의사가 되어야 한다고 생각했어요.

선생님 : 그렇구나. 그런데 처음부터 해야 할 일이 정해진 사람은 없어. 네 꿈은 네가 고민해서 선택하는 것이 맞지 않을까?

학 생 : 그렇기는 하지만…… 부모님께서 반대하시면요?

선생님 : 어떤 선택을 하든 네가 선택한 것에 책임감 있게 행동하면, 부모님도 너의 선택을 인정해 주시지 않을까? 선생님은 네가 하고 싶은 일을 스스로 찾았으면 좋겠어.

① '학생'은 장래 희망과 관련하여 스스로를 대상화하고 있군.
② 부모님의 기대를 의식하는 '학생'은 대타존재에 해당하겠군.
③ '선생님'은 선천적으로 주어진 본질이란 없다고 생각하고 있군.
④ 학생이 의사가 되기를 바라는 '부모님'은 대자존재에 해당하겠군.
⑤ '학생'은 장래 희망과 관련된 선택에서 타자의 시선을 고려하고 있군.

총 문항				문항	맞은 문항					문항
개별 문항	1	2	3	4	5	6	7	8	9	10
채점										
개별 문항	11	12	13	14	15	16	17	18	19	20
채점										

10분 | 2020학년도 3월 학평 16~20번 | ★★☆ | 정답 011쪽

【1~5】 다음 글을 읽고 물음에 답하시오.

도움이 필요한 할머니를 외면하고 약속 시간을 지키는 것이 옳은가, 아니면 늦더라도 할머니를 돕는 것이 옳은가? 이렇게 대립하는 가치들 중 어떤 가치를 선택해야 하는가의 문제, 즉 도덕적 갈등 문제를 바라보는 다양한 관점이 있다.

먼저 ㉠도덕적 원칙주의자는 합리적인 이성을 통해 찾을 수 있는 선험적인 도덕 법칙이 존재한다고 본다. 그리고 모든 인간은 이를 반드시 따라야 한다고 주장한다. 따라서 도덕적 원칙주의자는 갈등 상황이 생겼을 때 주관적 욕구나 개인이 처한 상황을 고려하지 말고 도덕 법칙에 따라 행동하라고 말한다.

도덕적 원칙주의는 인간의 합리적인 이성을 신뢰하고 이를 통해 윤리적으로 올바른 삶이란 무엇인가를 ⓐ규명하려고 했다는 점에서 의의가 있다. 하지만 어느 사회에나 보편적으로 적용되는 선험적인 도덕 법칙이 존재한다면, 도덕적 갈등은 나타나지 않거나 나타나더라도 쉽게 해결이 돼야 하는데 실제로는 그렇지 않다는 점에서 한계가 있다.

㉡도덕적 자유주의자는 도덕적 원칙주의자와 달리 선험적인 도덕 법칙이 존재하지 않는다고 본다. 대신 개인들이 합의를 통해 만든 상위 원리를 바탕으로 갈등을 해결해야 한다고 주장한다. 자신의 이익만을 생각하는 편협한 입장에서 벗어나 객관적이고 공평한 지점에서 상위 원리를 만들 수 있다고 보기 때문이다. 상위 원리를 통해 법과 같은 현실적인 규범이나 지침을 만들면 사람들이 이를 ⓑ준수함으로써 도덕적 갈등이 해결된다는 것이다. 따라서 도덕적 자유주의자는 공정한 형식적 절차를 마련하는 것을 최우선으로 삼는다.

도덕적 자유주의는 인간의 자율성을 ⓒ보장하면서 갈등 상황을 해결할 수 있는 현실적인 방법을 만들어 냈다는 데 의의가 있다. 하지만 누구나 동의할 수 있는 상위 원리를 만들어 내는 것이 항상 가능한 것은 아니다. 또한 합의를 통해 상위 원리를 만들었다고 하더라도 구체적인 규범과 지침을 마련하는 과정에서 또 다른 갈등이 발생할 수 있다.

[가]
한편 도덕적 다원주의자는 해결 불가능한 도덕적 갈등이 있다고 주장한다. 이는 도덕적 가치의 우선순위를 판단하는 통일된 지표를 마련하는 것이 어려운 경우가 존재한다고 보기 때문이다. 가령 자유나 평등처럼 가치가 본래 지닌 내재적 속성이 상충되어 어느 하나를 추구하다 보면 다른 것을 상대적으로 덜 중시할 수밖에 없는 경우도 있으며, 어떤 조건에서는 우선시되는 가치가 다른 조건에서는 그렇지 않은 경우도 있다.

따라서 도덕적 다원주의자는 중재를 통해 타협점을 ⓓ모색하는 방식을 제안한다. 가령 정의라는 가치가 중요하더라도 특정 갈등 상황에서 배려라는 가치가 더 중요하다면 타협을 통해 그것을 선택할 수도 있다고 말한다. 또한 타협하는 과정에서 기존의 도덕적 가치들 외에 새로운 가치를 생성할 수도 있다고 본다. 도덕적 다원주의자는 도덕적 갈등 상황에서 어떤 가치가 옳고 그른지 판단하는 것보다 갈등 당사자 간의 인간관계가 ⓔ훼손되지 않는 것을 중시한다. 갈등 당사자들이 서로 다른 도덕적 가치를 주장한다고 하더라도 한 공동체 안에서 상호 작용하며 살아가야 하는 구성원들이라고 보기 때문이다.

도덕적 다원주의는 도덕적 갈등을 해결할 수 있는 현실적인 지침을 제공하지 않는다는 비판을 받기도 한다. 하지만 갈등 상황에서 따라야 할 단일 기준을 내세우지 않는다는 것은 상황에 따라 문제를 해결할 수 있는 풍부한 기지와 창조력을 발휘할 수 있는 기회를 제공한다고도 할 수 있다. 이러한 점에서 도덕적 다원주의는 도덕적 갈등을 바라보는 근본적인 인식을 바꾸었다는 의의가 있다.

1. 윗글의 내용 전개 방식으로 가장 적절한 것은?

① 도덕적 갈등 문제에 대한 상반된 관점을 제시하고 절충 방안을 모색하고 있다.
② 도덕적 갈등 문제에 대한 다양한 관점을 비교하면서 그 한계와 의의를 밝히고 있다.
③ 도덕적 갈등 문제에 대한 관점을 유형별로 나누면서 그 분류 기준의 문제점을 설명하고 있다.
④ 도덕적 갈등 문제에 대한 관점이 시대에 따라 달라지는 과정을 서술하고 새로운 관점이 나타날 것을 전망하고 있다.
⑤ 도덕적 갈등 문제에 대한 관점이 분화된 배경을 제시하고 관점들이 혼재하게 될 경우 나타날 문제점을 서술하고 있다.

2. ㉠과 ㉡에 대한 설명으로 적절하지 않은 것은?

① ㉠은 어느 사회에나 보편적으로 적용되는 도덕 법칙이 있다고 본다.
② ㉡은 상위 원리를 통해 현실적인 규범을 만들 수 있다고 본다.
③ ㉠은 ㉡과 달리 도덕적 가치의 우선순위를 판단할 수 있다고 본다.
④ ㉡은 ㉠과 달리 선험적인 도덕 법칙을 인정하지 않는다.
⑤ ㉠과 ㉡ 모두 도덕적 갈등 상황을 해결할 수 있다고 본다.

3. [가]의 '도덕적 다원주의자'의 관점에서 <보기>를 설명한 내용으로 가장 적절한 것은?

< 보 기 >

A는 친구 B에게 1,000만 원을 빌렸지만 형편이 어려워 B에게 돈을 갚지 못했다. 이에 B는 소송을 제기했다. ㉮ 판사 C는 A의 상황이 딱하다고 생각했으나 A가 법을 어긴 것은 잘못이라고 판단하여, A가 B에게 돈을 갚으라고 판결하였다.

한편, 판사 C의 친구 D는 C에게서 1,000만 원을 빌렸지만 형편이 어려워 C에게 돈을 갚지 못하고 있다. 이에 ㉯ C는 소송을 제기할 것을 고민했으나, 친구의 어려움을 배려하는 것이 더 중요하다고 생각해서 소송을 단념했다.

① ㉮와 ㉯에서 C가 올바른 가치 판단을 하기 위해서는 통일된 지표가 있어야 한다.
② ㉮와 ㉯에서 C가 서로 다르게 판단한 것은 조건에 따라 가치의 우선순위가 다를 수 있기 때문이다.
③ ㉮에서 C가 우선시한 가치와 ㉯에서 C가 우선시한 가치는 동일하다.
④ ㉮에서 C는 통일된 지표에 따라 판단하였고, ㉯에서 C는 조건에 따라 판단하였다.
⑤ ㉮에서는 두 가치 간의 내재적 속성이 상충되지만, ㉯에서는 두 가치 간의 내재적 속성이 상충되지 않는다.

4. 윗글을 바탕으로 <보기>에 대해 보인 반응으로 적절하지 않은 것은? [3점]

< 보 기 >

이웃에 살고 있는 갑과 을은 공공장소에 CCTV 설치를 확대해야 하는가를 두고 갈등하고 있다. 갑은 CCTV가 없는 곳에서 범죄를 당한 적이 있다며, 공공의 안전이라는 가치를 위해 CCTV 수를 늘려야 한다고 주장한다. 반면 을은 CCTV로 인해 개인정보가 노출된 적이 있다며, 사생활 보호라는 가치를 위해 CCTV 수를 늘리면 안 된다고 주장한다.

① 도덕적 원칙주의자는 CCTV 설치 확대를 둘러싼 갈등을 해결하는 데 갑이 범죄를 당한 적이 있다는 사실을 고려해서는 안 된다고 생각하겠군.
② 도덕적 자유주의자는 공정한 절차에 따른 합의에 의해 CCTV 설치 확대가 결정된다면 을은 그 결정을 따라야 한다고 생각하겠군.
③ 도덕적 자유주의자는 CCTV로 인해 개인정보가 노출된 적이 있는 을의 입장이 고려되어 한다는 점에서 갑이 양보해야 한다고 생각하겠군.
④ 도덕적 다원주의자는 갑과 을이 CCTV 설치 확대 문제를 이분법적으로 결정하기보다는 타협할 수 있는 지점을 찾아야 한다고 생각하겠군.
⑤ 도덕적 다원주의자는 갑과 을이 CCTV 설치 확대 문제를 둘러싼 갈등으로 인해 둘 사이의 관계가 나빠지지 않도록 하는 것이 중요하다고 생각하겠군.

5. ⓐ~ⓔ의 사전적 의미로 적절하지 않은 것은?

① ⓐ: 어떤 사실을 자세히 따져서 바로 밝힘.
② ⓑ: 전례나 규칙, 명령 따위를 그대로 좇아서 지킴.
③ ⓒ: 잘 보호하여 기름.
④ ⓓ: 일이나 사건 따위를 해결할 수 있는 방법이나 실마리를 더듬어 찾음.
⑤ ⓔ: 헐거나 깨뜨려 못 쓰게 만듦.

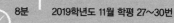

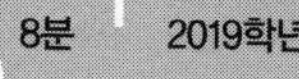

8분 | 2019학년도 11월 학평 27~30번 | ★★☆ | 정답 011쪽

【6~9】 다음 글을 읽고 물음에 답하시오.

공리주의는 일반적으로 어떤 행위의 옳고 그름이 공리에 따라, 즉 그 행위가 인간의 이익과 행복을 늘리는 데 결과적으로 얼마나 기여하는가에 따라 결정된다고 보는 이론이다. 이러한 공리주의는 인간이 자신과 더불어 다른 존재들의 이익과 행복을 공평하게 고려해야 한다는 것을 전제로 한다. 그리고 인간은 자신의 이익과 행복을 증진하려 하는데, 그러한 인간이 할 수 있는 행위들 중에서 인간의 최대 이익과 행복이라는 '최선의 결과'를 가져오는 행위를 옳은 행위로 본다. 공리주의는 이러한 최선의 결과를 본래적 가치로 여긴다. 이때 본래적 가치란 그 자체로서 지니는 가치를 의미하는데, 이는 다른 어떤 것을 위한 수단으로서의 가치인 도구적 가치와는 상대되는 개념이다. 그런데 최선의 결과를 무엇으로 보느냐에 따라 공리주의는 크게 쾌락주의적 공리주의, 선호 공리주의, 이상 공리주의 등으로 나누어 볼 수 있다.

㉠ 쾌락주의적 공리주의는 최선의 결과를 쾌락의 증진으로 보는 이론이다. 다시 말해 인간의 심리적 경험인 쾌락을 본래적 가치로 여기고 있는 것이다. 이 이론에 따르면 도덕적으로 옳은 행위는 자신뿐 아니라, 그 행위가 영향을 미치는 모든 인간들의 쾌락을 가장 많이 증진하는 행위이다. 그러나 쾌락주의적 공리주의는 인간이 어떤 행위를 선택할 때 쾌락만을 추구하는 것이 아니라 다른 것을 추구하기도 한다는 것을 설명하기 어렵다는 한계를 지닌다.

쾌락주의적 공리주의의 이런 한계를 극복하기 위해 등장한 이론이 ㉡ 선호 공리주의이다. 이 이론은 최선의 결과를 선호의 실현으로 본다. 여기에서 선호란 사람마다 원하는 것 혹은 실현하고자 하는 것을 말한다. 선호 공리주의에 따르면 도덕적으로 옳은 행위는 자신뿐 아니라, 그 행위가 영향을 미치는 모든 사람들 각자가 지닌 선호를 가장 많이 실현시키는 행위이다. 선호 공리주의는 쾌락뿐만 아니라 쾌락이 아닌 다른 것을 추구하기도 하는 인간의 행위가 개인의 선호를 반영한 것이고, 이런 선호의 실현이 곧 최선의 결과라고 설명함으로써 쾌락주의적 공리주의의 한계를 극복했다. 그러나 선호 공리주의는 보편적인 관점에서 볼 때 비정상적인 욕구에 기반을 둔 선호의 실현과 정상적인 욕구에 기반을 둔 선호의 실현이 동일한 비중을 갖지 않는다는 점을 설명하기 어렵다는 한계를 지닌다.

쾌락주의적 공리주의와 선호 공리주의에 대한 대안으로 등장한 것이 ㉢ 이상 공리주의이다. 이 이론은 앞의 두 이론과 마찬가지로 인간의 최대 이익과 행복을 가져오는 인간의 행위를 옳은 행위로 여긴다. 그러나 이상 공리주의는 쾌락주의적 공리주의와 달리 쾌락을 유일한 본래적 가치라고 생각하지 않는다. 이 이론은 진실, 아름다움, 정의, 평등, 자유, 생명, 배려 등의 이상들도 본래적 가치에 해당한다고 본다. 또 선호 공리주의와 달리 이상 공리주의는 이런 이상들이 인간의 선호와 무관하게 실현되어야 할 본래적 가치라고 주장한다. 결국 이 이론은 이상의 실현을 최선의 결과로 본다. 이상 공리주의에 따르면 본래적 가치에 해당하는 이상들은 인간의 이익과 행복을 구성한다. 그렇기 때문에 이상 공리주의는 인간들의 서로 다른 관심과는 무관하게 실현되어야 할 이상들을 인간이 더 많이 실현하는 것이 곧 최대의 이익과 행복이라고 본다. 그러나 ⓐ 이상 공리주의는 본래적 가치에 해당하는 이상들이 갈등하는 경우 어떤 이상의 실현이 최선의 결과일지에 대해 설명하기 어렵다는 한계를 지니고 있다.

공리주의에서 말하는 최선의 결과에 대한 논의는 지금도 계속되고 있다. 인간이 이익과 행복을 증진하려는 노력을 계속하는 한 공리주의 담론에서 최선의 결과에 대한 논의는 계속될 것이다.

6. 윗글의 내용 전개 방식으로 가장 적절한 것은?

① '최선의 결과'에 대한 역사적인 사건을 제시하고 최선의 결과를 다루고 있는 세 이론의 한계를 지적하고 있다.
② '최선의 결과'를 강조하는 세 이론을 제시하고 각각의 입장을 뒷받침하는 예시들을 활용하여 구체화하고 있다.
③ '최선의 결과'에 대해 서로 다른 관점을 지닌 세 이론을 제시하고 각각의 주장과 한계를 중심으로 설명하고 있다.
④ '최선의 결과'를 중심으로 세 이론을 소개하고 이론들이 제기한 문제점이 해결된 사회적 상황을 부각하고 있다.
⑤ '최선의 결과'에 대한 문제점을 제기하는 세 이론을 소개하고 그 문제점을 보완하는 새로운 이론을 제안하고 있다.

7. 윗글의 내용과 일치하지 <u>않는</u> 것은?

① 쾌락주의적 공리주의와 선호 공리주의에 대한 대안으로 이상 공리주의가 등장하였다.
② 선호 공리주의는 쾌락을 추구하는 인간의 행위에 개인의 선호가 반영되어 있다고 본다.
③ 공리주의는 인간의 이익과 행복의 증진과는 무관하게 행위의 옳고 그름이 정해진다고 주장한다.
④ 쾌락주의적 공리주의는 인간이 쾌락이 아닌 다른 것을 추구하기도 한다는 것을 설명하기 어렵다.
⑤ 공리주의는 인간이 자신뿐 아니라 다른 존재들의 이익과 행복을 공평하게 고려해야 한다는 것을 전제로 한다.

8. <보기>는 ⓐ에 관해 학생들이 나눈 대화의 일부이다. ㉮에 들어갈 말로 가장 적절한 것은? [3점]

〈 보 기 〉

학생 1: 어떤 경우에 이상들이 갈등할까?
학생 2: 안전벨트 착용을 법제화하는 과정에서 자유와 생명이라는 가치가 갈등했을 거야. 그런데 사회적 차원에서의 인간 행복이라는 가치를 상위의 목적으로 설정하고 이를 실현시키기 위해 자유가 아닌 생명이라는 가치를 실현하는 것이 최선의 결과라고 생각해.
학생 1: 나는 이상 공리주의 관점에서, 너의 의견이 [㉮]고 봐.

① 생명이라는 가치를 자유라는 본래적 가치의 실현을 위한 도구적 가치로 여기고 있기 때문에 부적절하다
② 사회적 차원에서의 인간 행복이라는 가치를 생명이라는 본래적 가치의 실현을 위한 도구적 가치로 여기고 있기 때문에 적절하다
③ 생명이라는 가치를 사회적 차원에서의 인간 행복이라는 본래적 가치의 실현을 위한 도구적 가치로 여기고 있기 때문에 부적절하다
④ 사회적 차원에서의 인간 행복이라는 가치를 자유라는 도구적 가치를 통해 실현하고자 하는 본래적 가치로 여기고 있기 때문에 적절하다
⑤ 자유라는 가치를 사회적 차원에서의 인간 행복이라는 도구적 가치를 통해 실현하고자 하는 본래적 가치로 여기고 있기 때문에 부적절하다

9. ㉠~㉢의 관점에서 <보기>에 대해 보인 반응으로 적절하지 <u>않은</u> 것은?

〈 보 기 〉

인문학 서적을 읽는 것을 가장 좋아하는 A는 인문학 서적을 더 많이 읽기 위해 같은 성향을 가진 친구들을 모아 동아리를 만들었다. 배려와 관련된 인문학 서적을 읽고 즐거움을 느낀 A는 동아리 첫 시간에 그 서적을 동아리 친구들과 함께 읽었다. 그 인문학 서적을 읽고 A와 동아리 친구들은 모두 큰 즐거움을 느꼈고, 동아리 내에서 서로에 대한 배려를 실현하였다.

① ㉠: A가 인문학 서적을 읽는 것에 대해 동일한 성향을 가진 친구들을 모아 동아리를 만든 행위는 쾌락이라는 심리적 경험을 증진하기 위한 것이라고 볼 수 있겠군.
② ㉠: A가 배려와 관련된 인문학 서적을 동아리 친구들과 함께 읽은 행위는 자신을 포함한 동아리 친구들의 쾌락을 증진하였으므로 동아리 내에서 도덕적으로 옳은 행위라고 볼 수 있겠군.
③ ㉡: A와 동아리 친구들이 인문학 서적을 읽은 것은 A와 동아리 친구들의 선호 실현이라는 인간의 최대 이익과 행복을 가져오는 행위라고 볼 수 있겠군.
④ ㉡: A가 배려와 관련된 인문학 서적을 동아리 친구들과 함께 읽은 행위는 자신과 더불어 동아리 친구들의 선호를 실현시켰으므로 동아리 내에서 도덕적으로 옳은 행위라고 볼 수 있겠군.
⑤ ㉢: A와 동아리 친구들이 배려와 관련된 인문학 서적을 읽고 동아리 내에서 실현한 배려라는 것은 배려에 대한 그들의 관심에 따라 실현되어야 하는 이상이라고 볼 수 있겠군.

총 문항			문항	맞은 문항					문항
개별 문항	1	2	3	4	5	6	7	8	9	10
채점										
개별 문항	11	12	13	14	15	16	17	18	19	20
채점										

8분 | 2019학년도 6월 학평 16~19번 | ★☆☆ | 정답 012쪽

[1~4] 다음 글을 읽고 물음에 답하시오.

에릭 번이 창시한 '교류 분석 이론'은 심리 치료 및 상담에 널리 활용되는 이론이다. 이 이론을 이해하기 위한 주요 개념들로 '자아상태'와 '스트로크'가 있다.

자아상태 모델은 인간의 성격을 A(어른), P(어버이), C(어린이)의 세 가지 자아상태로 설명하며, 건강하고 균형 잡힌 성격이 되려면 세 가지 자아상태를 모두 필요로 한다고 본다. 이때 자아상태란 특정 순간에 보이는 일련의 행동, 사고, 감정의 총체를 일컫는 것이므로 특정 순간마다 자아상태는 달라질 수 있다. 예를 들어 보자. 김 군이 교통이 혼잡한 도로에서 주변 상황을 살피며 차를 몰고 있다. 그때 갑자기 다른 차가 끼어든다. 뒤따르는 차가 없는 것을 얼른 확인하고 브레이크를 밟아 충돌을 면한다. 이때 김 군은 'A 자아상태'에 놓여 있다. A 자아상태는 지금 여기에서 가장 현실적인 대책을 찾는, 객관적이며 합리적인 자아상태이다.

끼어들었던 차가 사라지자 김 군은 어릴 때 아버지가 했던 것처럼 "저런 운전자는 운전을 못하게 해야 해!"라고 말한다. 이때 김 군은 'P 자아상태'로 바뀐 것이다. P 자아상태는 자신 혹은 타인을 가르치려 들거나 보살피려 하는 자세를 취하는 자아상태로서, 어린 시절 부모가 자신에게 했던 행동이나 태도, 사고를 내면화한 것이다. 어릴 때 무엇을 해야 하는지 가르치고 통제했던 부모의 역할을 따라하고 있다면 'CP(통제적 어버이)' 상태, 따뜻하게 배려하고 돌봐 주었던 부모처럼 남을 돌봐 준다면 'NP(양육적 어버이)' 상태에 놓여 있다고 말한다.

잠시 후 김 군은 직장 상사와의 약속에 늦었다는 사실을 알고 당황한다. 이때 김 군은 학창 시절에 지각하여 선생님에게 벌을 받을까 겁을 먹었던 기억이 되살아나 'C 자아상태'로 이동한 것이다. C 자아상태는 어릴 때 했던 것처럼 행동하거나 사고하거나 감정을 느끼는 자아상태이다. 부모의 요구에 순응하며 살았던 행동 양식들을 재연할 경우를 'AC(순응하는 어린이)' 상태, 부모의 요구나 압력과 상관없이 독립적으로 행동했던 어린 시절의 방식대로 행동할 경우를 'FC(자유로운 어린이)' 상태라고 한다.

세 가지 자아상태 중 어느 한 상태에서 누군가에게 말을 걸면 상대방도 어느 한 상태에서 반응하게 된다. 이러한 의사소통 과정에서 자신이 기대하는 반응이 올 수도 있고, 기대하지 않는 반응이 올 수도 있다. 우리는 남들이 자기를 알아봐 줬으면 좋겠다는 인정의 욕구로 인해 서로 상대방을 인지한다는 신호를 보낸다. 이런 행위를 '스트로크(stroke)'라 부르는데, 스트로크는 다음과 같이 구분할 수 있다. 먼저 언어로 신호를 보내는 언어적 스트로크와 몸짓, 표정 등으로 신호를 보내는 비언어적 스트로크로 나눌 수 있다. 다음으로 상대방을 즐겁게 하는 긍정적 스트로크와 상대방을 고통스럽게 하는 부정적 스트로크로 나눌 수 있다. 끝으로 "일을 참 잘 처리했더군."과 같이 상대방의 행위에 반응하는 조건적 스트로크와 "난 당신이 좋아."와 같이 아무 조건 없이 존재 그 자체에 반응하는 무조건적 스트로크로 나눌 수 있다.

일반적으로 사람들은 상대로부터 긍정적 스트로크를 받기 원하지만, 긍정적 스트로크가 충분하지 않다고 여기면 부정적 스트로크라도 얻으려고 한다. 어떤 스트로크든 스트로크를 받지 못하는 것보다는 낫다는 원리가 작용하는 것이다. 그리고 어떤 행위를 통해 자신이 원하는 스트로크를 받게 되면, 그 스트로크를 계속 받기 위해 같은 행동을 반복하며 강화한다.

이와 같은 개념을 바탕으로 정립된 교류 분석 이론은 관찰 가능한 인간 행동을 간결하고 쉬운 용어로 분석함으로써 사람들이 이해하기 쉽게 설명해 준다. 또한 과거의 경험을 통해 인간의 성격을 파악할 수 있게 했을 뿐 아니라 인간의 욕구와 관련지어 의사소통 과정을 분석할 수 있게 한 점에서도 의의가 있다.

1. 윗글의 전개 방식에 대한 설명으로 가장 적절한 것은?

① 이론이 정립된 과정을 소개하고, 각 단계의 차이점을 설명하고 있다.
② 이론이 가지는 한계점을 지적하고, 이를 보완하는 다른 이론을 제시하고 있다.
③ 이론을 이해하는 데 필요한 개념을 설명하고, 이론이 지니는 의의를 밝히고 있다.
④ 이론이 나타나게 된 배경을 제시하고, 이론의 타당성을 사례를 들어 검증하고 있다.
⑤ 이론을 구성하는 요소들을 나열하고, 요소 간의 공통점과 차이점을 분석하고 있다.

2. 윗글에 대한 이해로 적절하지 <u>않은</u> 것은?

① 한 사람의 자아상태가 고정되어 있는 것은 아니다.
② 스트로크는 상대방을 인지한다는 신호를 보내는 행위이다.
③ 인간은 부정적 스트로크보다는 무관심과 무반응을 기대하는 경향이 있다.
④ 세 가지의 자아상태 중 한 가지라도 결핍되면 건강한 성격이라 볼 수 없다.
⑤ 의사소통의 과정에서 자신이 기대하지 않는 자아상태의 반응이 올 수도 있다.

※ 〈자료〉를 바탕으로 3번, 4번 두 물음에 답하시오.

< 자 료 >

<상황 1>은 어린 시절 철호가 겪은 일이고, <상황 2>는 어른이 된 철호가 직장에서 겪은 일이다. <상황 3>은 철호가 자신의 고민을 해결하기 위해 상담실을 찾은 장면이다.

<상황 1>

아버지 : ㉠ (차가운 말투로) 너 할머니께 아까 보인 태도가 뭐냐? 좀 더 예의를 갖출 수 없어?

철호 : (머리를 떨구며) 죄송해요.

<상황 2>

철호 : (냉담하게) 너 아까 부장님께 너무 버릇없이 굴었어. 앞으로는 더 예의를 갖추도록 해.

후배 : (당황하면서) 그런가요? 제 나름대로는 예의를 보인 것인데 앞으로는 더 주의하겠습니다.

<상황 3>

상담사 : 주위 사람들에게 너무 엄격한 것 같아 고민이시군요. 그렇다면 문제의 원인을 찾고, 어떻게 할지 함께 생각해 보죠. 우선 질문을 몇 가지 드릴게요. 혹시 당신의 부모님은 엄격한 편이셨나요?

철호 : 예. 제 아버지는 어릴 때 제가 조금이라도 버릇없이 굴면 늘 질책을 하셨어요. 그래서 그때 많이 힘들었어요.

상담사 : 많이 힘들었겠군요. 그런데 어릴 때 당신은 아버지의 말씀을 잘 받아들이는 아이였겠죠?

철호 : 그럴 수밖에요. 늘 아버지의 기대에 부응하려 노력했어요. 아버지는 제가 어른들께 예의바르게 인사를 할 때면 얼굴이 환해지셨죠. 그래서 저는 누구보다 인사를 잘하기 위해 애를 썼었습니다.

3. ㉠에 대한 설명으로 적절한 것은?

① 언어적, 긍정적, 조건적 스트로크이다.
② 언어적, 부정적, 조건적 스트로크이다.
③ 언어적, 부정적, 무조건적 스트로크이다.
④ 비언어적, 긍정적, 무조건적 스트로크이다.
⑤ 비언어적, 부정적, 무조건적 스트로크이다.

4. 윗글을 바탕으로 <자료>를 이해한 내용으로 적절하지 <u>않은</u> 것은? [3점]

① <상황 1>과 관련지어 볼 때 <상황 2>의 철호는 CP 상태에서 후배에게 말을 하고 있다고 할 수 있군.
② <상황 2>에서 철호의 자아상태와 후배의 자아상태는 서로 일치하지 않는 것으로 볼 수 있군.
③ <상황 3>에서 상담사는 현재의 문제 상황에 대한 해결책을 찾는 합리적인 태도를 보이므로 A 자아상태라고 할 수 있군.
④ <상황 3>에서 상담사의 두 번째 질문은 철호의 FC 상태를 확인하기 위한 것이라고 할 수 있군.
⑤ <상황 3>에서 철호의 말을 통해 그가 아버지로부터 인정을 받기 위해 인사하는 행동을 강화했음을 확인할 수 있군.

10분 | 2019학년도 3월 학평 16~20번 | ★★☆ | 정답 013쪽

【5~9】 다음 글을 읽고 물음에 답하시오.

누군가 자신이 불행한 일을 겪었다고 말한다면 사람들은 그에게 동정심을 느낄 것이다. 그러나 다음 순간 자신의 이야기가 전부 꾸며낸 것이라고 말한다면, 더는 그에게 동정심을 느끼지 않게 될 것이다. 일반적으로 감정은 그 감정을 유발하는 대상이나 사건이 실제로 존재한다는 믿음이 전제되어 있기 때문이다. 그렇다면 허구임이 분명한 공포 영화를 보는 관객들이, 존재한다고 믿지 않는 괴물과 그 괴물을 중심으로 펼쳐지는 허구적 사건을 보면서 공포를 느끼는 현상은 어떻게 이해해야 할까?

래드포드는 허구적 인물과 사건에 대해 감정 반응을 보이는 현상을 '허구의 역설'이라 규정하고, 다음 세 가지 전제를 제시하였다.

전제 1. 우리는 존재한다고 믿는 것에 대해 감정적으로 반응한다.
전제 2. 우리는 허구적 사건이나 인물은 존재하지 않는다고 믿는다.
전제 3. 우리는 허구적 사건이나 인물에 대해 감정적으로 반응한다.

<u>㉠ 이 세 가지 전제가 동시에 참일 수 없다는 모순을 해결하는 방법은 그중 일부를 부정하는 것</u>이다. 래드포드는 감정을 유발하는 대상이 존재한다는 믿음 없이 허구에 의해서도 감정이 발생할 수 있다고 보았다. 그렇지만 그 감정은 존재에 대한 믿음이 결여된 것이므로 비합리적이라고 하였다. 이후 학자들은 허구에서 비롯된 감정이 합리적일 수 있다고 주장하며, 믿음이나 생각과 같은 인지적 요소가 어떤 역할을 하는지에 대해 논의를 전개해 왔다.

환영론에서는 사람들이 허구를 감상하는 동안 허구에 몰입하여 허구적 사건이나 인물이 존재하지 않는다는 사실을 잊어버리고, 그 사건이나 인물이 실제로 존재한다는 환영에 빠져 감정 반응을 하게 된다고 보았다. 이에 대해 월턴과 캐럴은 공포 영화의 관객이 영화를 감상하는 동안에도 영화가 허구라는 사실을 잊지 않는다고 주장하였다. 만약 관객이 영화 속 괴물이 실제로 존재한다고 믿는다면 공포로 인해 영화관에서 도망을 가거나 도움을 요청하는 등의 행동을 보여야 하는데 그렇게 하지 않는다는 것이다. <u>㉡ 이런 점에서 월턴과 캐럴은, 환영론은 허구에서 느끼는 감정을 설명하는 타당한 이론이 될 수 없다고 주장하였다.</u>

월턴은 관객이 허구의 세계에 빠져드는 현상을 상상의 인물과 세계에 대해 '믿는 체하기' 놀이를 하는 것으로 설명하였다. 믿는 체하기란, 어린아이들이 소도구를 가지고 노는 소꿉장난에서 볼 수 있는 것처럼 실제 사물을 가지고 하는 일종의 상상하기이다. 공포 영화를 보는 관객은 영화를 소도구로 하는 믿는 체하기 놀이에 참여하는 중이고, 관객의 감정 반응은 허구에 대한 믿음에서 비롯되는 것이 아니라 상상하기의 결과인 것이다. 이때 괴물은 상상의 세계 안에서는 실제로 존재하는 대상이다. 다만 허구적 대상에서 비롯된 감정은 상상의 세계에서만 성립하는 것일 뿐, 대상이 실제 세계에 존재한다는 믿음에서 비롯된 것은 아니다. 이런 점에서 월턴은 허구를 감상할 때 유발되는 감정을 '유사 감정'이라고 하였다.

캐럴은 생각도 감정을 유발하는 인지적 요소라고 하면서 사고 이론을 전개하였다. 사고 이론은 허구를 감상하는 사람은 허구적 사건이나 인물 자체에 대해 반응하는 것이 아니라 그

것들에 대한 '생각'에 반응한다고 보았다. 마음속에서 명제가 참임을 받아들이는 상태가 믿음이라면, 명제를 그저 머릿속에 떠올리는 것이 생각이다. 캐럴은 생각을 품는 것만으로도 감정이 유발될 수 있다고 보았다. 괴물이 실제로 존재한다는 믿음 없이 괴물에 대해 생각하는 것만으로도 공포를 느낄 수 있다는 것이다.

[A] 최근 등장한 감각믿음 이론은 영화가 주는 감각 자극에 주목하여, 믿음을 '중심믿음'과 '감각믿음'으로 구분하였다. 중심믿음은 추론적 사고와 기억 등에 의해 만들어지는 믿음을, 감각믿음은 오로지 감각 경험에 의해 자동적으로 떠오르는 믿음을 말한다. 건물이 불타는 영화의 장면을 보면 '건물에 불이 났다.'라는 감각믿음이 자동적으로 생긴다는 것이다. 감각믿음 이론에서는 관객이 허구인 영화의 내용을 인지적으로는 사실이라고 믿지 않지만 감각적으로는 사실이라고 믿고 감정 반응을 한다고 보았다. 공포 영화를 보는 관객 역시 감각 경험에 의해 괴물의 존재를 경험하고 공포를 느끼는데, 이러한 감각 경험이 괴물은 허구적 대상이라는 인지적 판단에 의해 억제될 수 없다는 것이다. 또한 감각믿음 이론은 관객이 감각 경험에 의해 영화 속 괴물이 존재한다고 믿으면서도 괴물은 허구적 대상이라는 중심믿음이 있기 때문에 도망가거나 도움을 요청하지 않는 것이라고 설명하였다.

허구의 감상과 그에 따른 감정 발생을 연구하는 학자들은 허구가 사실이 아님을 알면서도 그 허구에 대해 감정 반응을 보이는 인간의 행동을 설명하기 위한 고민을 계속하고 있다. 특히 공포 영화를 보는 관객의 공포가 인지적 경험과 감각적 경험의 통합에서 비롯된다는 최근의 논의는 영화 제작 시 공포를 주는 대상의 존재감이나 위협감이 어떻게 구성되어야 하는가를 말해주고 있다.

5. 윗글의 내용 전개 방식으로 가장 적절한 것은?

① 특정 현상에 관한 다양한 이론을 제시하고 시사점을 도출하고 있다.
② 특정 현상을 설명하는 상반된 이론을 제시하고 절충 방안을 모색하고 있다.
③ 특정 현상에 관한 이론들을 유형별로 분류하면서 그 분류 기준에 대해 검토하고 있다.
④ 특정 현상을 설명하는 각 이론의 의의와 한계를 평가하여 하나의 이론 아래 통합하고 있다.
⑤ 특정 현상에 관한 이론이 분화되는 과정을 단계적으로 서술하고 현상이 지닌 의의를 제시하고 있다.

6. ㉠의 방식을 활용하여 '환영론'의 입장을 설명한 것으로 적절한 것은?

① 전제 1을 부정하고 전제 2와 전제 3을 받아들인다.
② 전제 2를 부정하고 전제 1과 전제 3을 받아들인다.
③ 전제 3을 부정하고 전제 1과 전제 2를 받아들인다.
④ 전제 1과 전제 2를 부정하고 전제 3을 받아들인다.
⑤ 전제 1과 전제 3을 부정하고 전제 2를 받아들인다.

7. ㉡의 이유로 가장 적절한 것은?

① 실제로 존재하지 않는 대상에 대해 감정을 느끼는 것은 모순이기 때문이다.
② 대상이 존재한다는 믿음에서 유발된 감정은 해당 감정과 관련된 행동을 촉발하기 때문이다.
③ 허구에서 느끼는 감정은 실제로 존재하는 인물과 사건에서 느끼는 감정과 다르기 때문이다.
④ 감정을 인지적 경험과 감각적 경험이 통합된 결과로 설명할 때 이론적 타당성을 높일 수 있기 때문이다.
⑤ 사람들은 일반적인 경우와 달리 허구에 대해서는 '믿는 체하기' 놀이처럼 생각하여 감정 반응을 보이기 때문이다.

8. [A]를 바탕으로 <보기>를 이해한 내용으로 적절한 것은?

< 보 기 >

한 연구자가 감각믿음 이론과 관련하여 다음과 같은 실험을 실시하였다. 우선, 실험 참가자들에게 두 선분 a, b가 그려진 <그림>을 보여주겠다고 예고하였다. 그리고 ㉮ <그림>을 보여 주기 전, 굵은 선으로 표시된 선분 a와 선분 b의 길이는 동일하다고 말해 주었다. 하지만 ㉯ <그림>을 본 모든 실험 참가자들은 연구자가 앞서 한 말을 기억하고 있었음에도 불구하고, 선분 a보다 선분 b가 길어 보인다고 응답하였다. 이 실험에서 사용된 <그림>은 아래와 같다.

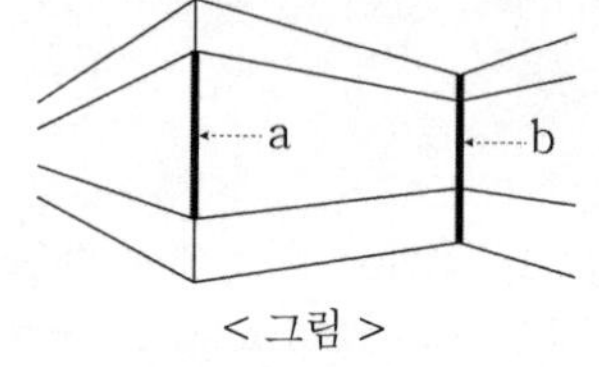

< 그림 >

① 연구자는 실험 참가자들이 ㉮ 단계에서 시각 경험에 의한 감각믿음을 가질 것으로 기대하였다.
② 실험 참가자들은 ㉮ 단계에서 추론적 사고에 의한 감각믿음을 형성하였다.
③ 실험 참가자들이 ㉮ 단계에서 가지게 된 중심믿음은 ㉯ 단계에서 감각 경험에 의해 유지되었다.
④ ㉮ 단계에서 연구자가 말해 준 내용은 ㉯ 단계에서 실험 참가자들의 감각믿음에 영향을 미치지 못한 것으로 나타났다.
⑤ ㉯ 단계에서 연구자는 실험 참가자들의 중심믿음과 감각믿음이 일치한 것으로 판단하였을 것이다.

9. 윗글을 바탕으로 할 때 <보기>에 대한 반응을 추론한 것으로 적절하지 <u>않은</u> 것은? [3점]

< 보 기 >

윤수는 끔찍한 녹색 점액 괴물이 나오는 공포 영화를 보고 있다. 괴물이 천천히 땅 위로 흘러내리며 주변의 모든 것을 파괴하는 장면을 보며 몸을 움츠린다. 이윽고 녹색 괴물의 몸체에서 끈적끈적한 머리가 솟아오르더니, 갑자기 관객을 향해 돌진한다. 윤수는 공포를 느껴 비명을 지른다. 영화가 끝난 후에도 윤수는 공포에 몸을 떨면서, "괴물이 진짜처럼 무서웠다."라고 말한다.

① 래드포드의 관점에서는, 영화를 보면서 윤수가 느낀 공포는 괴물이 존재한다는 믿음 없이 생겨난 것이라고 보겠군.
② 환영론의 관점에서는, 윤수가 비명을 지른 것에 대해 환영에 빠져 영화 속 내용을 사실이라 믿은 것으로 판단하겠군.
③ 월턴의 관점에서는, 영화를 보면서 윤수가 느낀 공포는 실제로 괴물이 존재한다는 믿음에서 비롯된 것이므로 유사 감정이라고 주장하겠군.
④ 캐럴의 관점에서는, 영화가 끝난 후에도 윤수가 공포를 느낀 것은 괴물에 대한 생각 때문이라고 주장하겠군.
⑤ 감각믿음 이론의 관점에서는, 영화를 보는 동안 윤수가 감각 경험으로 인해 공포를 느낀다고 주장하겠군.

10분 | 2018학년도 11월 학평 16~20번 | ★★☆ | 정답 014쪽

【10~14】 다음 글을 읽고 물음에 답하시오.

계몽주의자들은 이성에 의해 인간이 미성숙 상태에서 벗어났으며, 인간의 역사는 이성을 통해 문명의 발전과 진보를 추구해 왔다고 보고 이를 긍정적으로 평가한다. 하지만 아도르노는 이러한 인간의 역사가 자연에 대한 지배의 역사라고 규정하고, 나아가 인류가 전체주의의 폭력과 같은 야만 상태에 빠지게 되었다고 비판한다.

아도르노는 계몽주의자들이 신화를 비이성적인 것으로, 계몽을 이성적인 것으로 규정하는 이분법적 인식에 대해 새로운 관점을 제시한다. 즉 신화에도 이성적인 면이 있으며, 계몽에도 비이성적인 면이 있다는 것이다. 먼저 그는 자연과 인간이 분리되는 과정에 주목하여 ㉠<u>'신화는 이미 계몽이었다.'</u>라고 선언한다. 그에 따르면 원래 인간은 자연과 분리되지 않고 뒤엉켜 있는 상태였으며, 인간에게 천둥, 번개와 같은 자연은 미지의 대상이자 공포의 대상이었다. 그는 인간이 이러한 공포에서 벗어나기 위해 신화를 만들어 냈으며, 신화에는 신화적 힘, 예언 등과 같은 운명적 필연성으로부터 탈출하려는 인간의 노력이 나타나 있다고 여겼다. 그는 신화에 나타난 이러한 노력을 계몽주의자들이 말하는 이성으로 보았기 때문에 인간의 이성이 신화에도 작용한 것으로 보았다.

또한 아도르노는 인간이 자연을 지배하는 과정에 주목하여 ㉡<u>'계몽은 다시 신화로 돌아간다.'</u>라고 말한다. 아도르노는 인간이 자연과 분리되고 근대 과학이 발달하면서 인간의 이성이 자연을 지배하는 도구가 되었다고 비판한다. 그는, 인간의 이성에 의해 발달한 과학적 지식과 수학이 보편적이고 당위적인 것이 됨으로써 지배와 복종의 작동 방식이 만들어졌으며, 이로 인해 사회·정치, 심리·문화 등 다양한 맥락에서 폭력과 고통의 관계가 형성됐다고 본다. 다시 말해, 마치 신화적 힘이나 예언 등이 인간에게 숙명적인 필연성으로 강요되었던 것처럼, 이성의 힘이 당위적인 질서를 만들어 인간을 억압한다고 본 것이다. 결국 아도르노는 계몽주의자들이 중시하는 이성에 그들이 몰아내고자 했던 비이성적인 면모가 있음을 밝힌 것이다.

아도르노는 이처럼 인간의 이성이 비이성적인 면을 드러낸 이유가, 인간의 이성에 내재된 동일성 사고에 있음을 밝힌다. 동일성 사고는 주체가 자신의 개념적 틀에 대상을 끌어들이는 과정을 통해 그 대상을 파악했다고 믿는 사고방식이다. 예를 들어 책상 위에 여러 개의 사과가 있을 때 색깔과 크기, 모양 등은 서로 다르지만, 동일성 사고에 의해 이것들을 모두 '사과'라는 하나의 개념의 틀에 포함시키는 것이다. 아도르노는 효율성을 강조하는 근대 과학이 발달하면서 동일성 사고에 의해, 알려진 것과 아직 알려지지 않은 모든 대상은 고유의 질적 측면을 잃어버린 채, 계산 가능한 형태로만 측정되어 숫자로 환원된다고 보았다. 또한 이로 인해 서로 질적으로 다른 것들이 쉽게 교환 가능해 진다고 보았다. 가령 두 노동자가 동일한 노동 시간을 들여 만든 각각의 상품이 교환 관계가 성립되었다면, 그 과정에서 두 물건이 노동의 질은 무시된 채 노동 시간의 양으로만 환원된 것으로 볼 수 있다. 아도르노는 이러한 동일성 사고가 내재된 이성이, 자연은 물론 인간과 인간의 본성까지 계량화하여 지배하는 도구로 사용되었다고 주장한다. 특히 아도르노는 이와 같은 ⓐ<u>동일성 사고</u>에 지배받는 사회는 필연적으로 전체주의적 사회 질서를 강화하는 방향으로 나아간다고 보았다. 이에 대해 그는 동일성 사고에 대한 끊임없는 반성의 사유가 필요하다고 말한다.

이와 같은 관점에서 아도르노는 동일성 사고를 긍정하는 헤겔의 동일성 철학을 비판하는 과정을 통해 반성의 사유 방식을 제안한다. 아도르노는 헤겔의 동일성 철학의 핵심 개념인 '보편자'와 '특수자'를 각각 '동일성'과 '비동일성'으로 보았다. 즉 동일성 사고에 의해 대상을 끌어들이는 주체를 '동일성'으로, 끌어들임을 당하는 대상을 '비동일성'으로 본 것이다. 헤겔의 동일성 철학에서 특수자는 보편자의 개념적 틀에서 벗어나 있는 대상을 의미하는데, 헤겔은 보편자가 자신의 개념으로 특수자를 동일화시켜 파악하며, 이러한 과정을 반복함으로써 인간의 역사가 보다 발전된 방향으로 나아갈 수 있었다고 주장한다.

하지만, 아도르노는 이와 같은 헤겔의 동일성 철학으로 인해 특수자의 고유성과 독자성이 파괴된다고 보았다. 아도르노는 특수자, 즉 비동일성을 진정으로 파악한다는 것은 비동일성이 가지고 있는 차이를 인정하는 것이라고 말한다. 즉 동일성 사고에 의해 비동일성이 어떤 한쪽으로 동일화되지 않도록, 비동일성에 대해 참된 관심을 가져야 한다고 주장한다. 이것이 바로 아도르노가 강조하는 비동일성 철학이다. 그는 이러한 비동일성 철학의 논리를 예술이 담을 수 있다고 본다. 그래서 아도르노는 진정한 예술의 모습은, 동일성 사고로 인해 고정된 질서와 이러한 질서에 대한 친숙함에서 벗어나려는 것이어야 한다고 말한다. 이러한 예술을 접한 사람들로 하여금 동일성 사고가 지닌 억압을 자각할 수 있게 하기 때문이다. 결국 아도르노에게 진정한 예술은 동일성 사고의 논리에 지배받고 있는 자신을 반성하도록 하는 예술이다.

10. 윗글에 대한 설명으로 가장 적절한 것은?

① 기존 이론을 비판하며 계몽주의가 지닌 의의를 밝히고 있다.
② 인용문을 활용하여 계몽주의가 분화된 원인을 탐색하고 있다.
③ 시대적 흐름을 제시하여 비동일성 철학의 변화 요인을 분석하고 있다.
④ 대비되는 두 개념을 통해 비동일성 철학이 추구하는 바를 밝히고 있다.
⑤ 통념에 대한 의문을 통해 비동일성 철학에 대한 문제점을 제기하고 있다.

11. ㉠과 ㉡에 대한 이해로 적절하지 않은 것은?

① ㉠은 인간의 이성이 신화에도 작용했음을 의미한다.
② ㉠은 자연의 공포로부터 탈출하려는 인간의 노력이 계몽주의에서 말하는 이성에 해당한다는 것을 의미한다.
③ ㉡은 미지의 대상인 자연이 인간의 이성을 억압하고 있음을 의미한다.
④ ㉡은 과학적 지식과 수학이 당위적 질서가 되어 인간을 억압한다는 것을 의미한다.
⑤ ㉡은 근대 과학이 발달하면서 인간의 이성이 폭력과 고통의 관계를 만드는 데에 영향을 끼쳤음을 의미한다.

12. ⓐ에 대한 설명으로 적절하지 않은 것은?

① 모든 것을 숫자로 환원하게 한다.
② 전체주의적 사회 질서를 부정한다.
③ 인간의 본성과 자연까지 계량화하게 만든다.
④ 질적으로 다른 것들을 교환 가능하게 만든다.
⑤ 자연을 지배하려는 인간의 이성에 내재되어 있다.

13. 윗글과 <보기>를 이해한 내용으로 적절하지 않은 것은? [3점]

< 보 기 >

'국민 모두가 잘사는 국가'를 절대적 가치로 지향하는 A 국가에서는 국민들의 삶에 대한 만족감을 조사하기 위해 소득을 기준으로 5단계의 평가 척도를 만들었다. 이에 대해 K 씨는 삶에 대한 만족도나 즐거움 등을 수치로 나타낼 수 없다고 생각했다. 한편 P 씨는 평소 가족의 건강이 행복한 삶의 기준이라고 생각하고 자신의 삶에 만족했지만 이 척도를 접한 후 자신이 불행하다고 생각하게 되었다.

① 만약 헤겔의 관점에서 A 국가를 보편자로 본다면, K 씨는 특수자로 볼 수 있겠군.
② 만약 헤겔의 관점에서 A 국가를 보편자로 본다면, A 국가가 만든 5단계의 평가 척도는 P 씨에게 개념적 틀로 작용했겠군.
③ 만약 아도르노의 관점에서 A 국가를 동일성으로 본다면, P 씨는 자신의 고유성이 파괴된 것이라고 볼 수 있겠군.
④ 만약 아도르노의 관점에서 K 씨를 비동일성으로 본다면, K 씨는 자신의 기준으로 A 국가를 끌어들이는 주체라고 할 수 있겠군.
⑤ 만약 아도르노의 관점에서 P 씨를 비동일성으로 본다면, P 씨가 자신을 불행하다고 생각하는 것은 동일성 사고의 지배를 받았기 때문이겠군.

14. 윗글을 읽은 학생이 아도르노의 입장에서 <보기>의 '12음 기법 음악'을 이해한 내용으로 적절하지 않은 것은?

< 보 기 >

쇤베르크는 으뜸음을 중심으로 다른 음이 종속되도록 작곡하는 조성 중심의 작곡법에서 탈피하고자 12음 기법 음악을 탄생시켰다. 그는 12개의 서로 다른 음이 모두 한 번씩 사용될 때까지 같은 음이 되풀이되지 않도록 작곡함으로써 그 어떤 음도 조성에 얽매이지 않도록 했다. 당시 조성 음악에 익숙했던 사람들은 그의 음악을 처음 듣게 되면 어떤 음이 이어질지 전혀 예측할 수 없어 곤혹스러워 했다.

① 조성 중심 작곡법을 사용해 억압을 자각하게 하므로 진정한 예술의 모습이라고 볼 수 있다.
② 어떤 음도 조성에 얽매이지 않도록 한 것은 비동일성 철학의 논리가 담겨 있는 것으로 볼 수 있다.
③ 어떤 음이 이어질지 예측할 수 없다는 점에서 동일성 사고로 인한 친숙함에서 벗어난 것으로 볼 수 있다.
④ 감상자들로 하여금 조성 중심 작곡법에 익숙한 자신의 모습에 대한 반성을 이끌어 낼 수 있다고 볼 수 있다.
⑤ 12개의 음이 모두 한 번씩 사용될 때까지 같은 음을 되풀이하지 않는 것은 고정된 질서에서 벗어나려는 것으로 볼 수 있다.

총 문항				문항	맞은 문항					문항
개별 문항	1	2	3	4	5	6	7	8	9	10
채점										
개별 문항	11	12	13	14	15	16	17	18	19	20
채점										

사 회

• 고2 국어 독서 •

Ⅱ 사회

출제 트렌드

사회는 정치, 법, 경제, 일반 사회, 문화, 언론, 광고 등을 다루는 분야입니다. 2022학년도 시험에서도 그랬듯, 다양한 세부 주제 중에서도 주로 경제와 법률에 관한 지문이 자주 출제됩니다. 사회 분야는 대체로 어렵게 출제되는 경향이 있으므로 꾸준한 연습을 통해 사회 지문의 특성과 그에 따른 문제 푸는 감각을 익혀야 합니다. 사회 지문은 주로 어떠한 사회 현상을 병렬, 나열하는 경우가 많고 비교, 대조하는 구조의 글도 출제됩니다. 사회 이론에 대한 개념과 원리를 예시를 통해 자세히 설명하고 구체적인 사례에 적용할 수 있는지 묻는 경우도 있습니다. 또한 〈보기〉를 통해 지문 속에 나타난 내용을 자료를 해석하는 문제와 연결 지어 묻기도 합니다. 다양한 사회 지문을 접하며 자주 등장하는 용어나 기본적인 배경지식은 미리 알아 두는 것이 좋습니다.

시행	출제 지문	문제 수	난이도
2022학년도 11월 학평	경제학에서의 차선의 이론	5문제 출제	★★☆
2022학년도 9월 학평	정책 결정 모델	5문제 출제	★★☆
2022학년도 6월 학평	식물 신품종 보호법	5문제 출제	★☆☆
2022학년도 3월 학평	개인정보보호법	5문제 출제	★★☆

1등급 꿀팁

하나 _ 도표나 그래프를 지문의 내용과 연결 지어 이해하자.
두울 _ 시각 정보를 풀이하는(비례, 반비례 관계 등) 정보에 집중하자.
세엣 _ 문단별로 중심 내용을 간략하게 정리하는 습관을 기르자.
네엣 _ 사실적 판단 문제와 더불어 논리적 추론 문제에 익숙해지자.
다섯 _ 선택지에서 지문의 같은 내용을 다르게 표현하는 경우도 있으므로 놓치지 말자.
여섯 _ 글쓴이의 견해가 드러나는 글은 견해의 타당성을 평가하며 비판적으로 읽자.
일곱 _ 최신 경향에 맞는 시사, 사회적 현상을 알아두자.

다음 글을 읽고 물음에 답하시오.

[A] 정보 통신 기술의 발달로 개인에 대한 정보가 데이터베이스화되면서 개인정보 유출로 인한 피해가 증가하고 있다. 이에 따라 최근 개인정보를 보호해야 한다는 사회적 인식이 커지고 있다. 개인은 자신에 관한 정보가 언제, 누구에게, 어느 범위까지 알려지고 이용될 것인지를 스스로 결정할 수 있는 권리를 가지는데, 이러한 권리를 '개인정보자기결정권'이라고 한다. 이는 타인에 의해 개인정보가 함부로 공개되지 않도록 보장받을 권리와 개인정보에 대해 열람, 삭제, 정정 등의 행위를 요구할 수 있는 권리 등을 포함한다. 우리나라는 헌법 제17조에 명시된 사생활의 비밀과 자유가 보장되어야 한다는 내용을 주된 근거로 개인정보자기결정권이 기본권 중 하나임을 인정하고 있다.

이러한 개인정보자기결정권을 보호하기 위해 제정된 법률이 개인정보보호법이다. ⓐ 개인정보보호법에서 규정하는 개인정보는 살아 있는 개인에 관한 정보이다. 사망자에 관한 정보나 단체 혹은 법인에 관한 정보는 개인정보에 포함되지 않는다. 또한 성명, 주민등록번호, 사진이나 동영상 등과 같이 개인을 알아볼 수 있는 정보여야 한다. 그리고 주어진 정보만으로 특정 개인을 알아볼 수 없더라도 다른 정보와 쉽게 결합하여 알아볼 수 있다면 이 역시 법적 보호 대상으로서의 개인정보에 포함된다. 가령 휴대 전화 번호의 뒷자리 숫자를 집 전화번호와 같은 다른 정보와 결합하여 사용자를 식별할 수 있다면 개인정보에 해당한다.

개인정보보호법에 따른 사전 동의 제도는 정보 주체인 개인이 개인정보에 대한 자기 결정을 표현할 수 있다는 점에서 개인정보자기결정권을 보호하는 중요한 수단이다. 개인정보를 처리하는 개인이나 단체를 의미하는 개인정보 처리자는, 정보 주체의 동의를 구할 때 정보 수집·이용의 목적, 수집 항목, 보유 및 이용 기간 등을 고지해야 한다. 또한 동의를 거부할 권리가 있다는 사실과, 동의 거부에 따른 불이익이 있는 경우 그 불이익의 내용 역시 알려야 한다.

수집·이용하려는 개인정보 중 고유 식별 정보와 민감 정보는 별도로 동의를 받아야 한다. 고유 식별 정보는 여권 번호와 같이 개인을 고유하게 구별하기 위해 부여된 정보이며, 민감 정보는 건강 정보나 정치적 견해와 같이 주체의 사생활을 현저히 침해할 우려가 있는 정보이다. 이때 정보 주체가 알아보기 쉽도록 수집하려는 고유 식별 정보와 민감 정보의 항목을 밑줄이나 큰 글씨로 강조해야 한다.

개인정보보호법에서는 개인이 수집·이용에 동의했더라도 개인정보가 무분별하게 이용되어 개인의 권리가 침해되는 것을 막기 위해 수집 목적을 달성할 수 있는 한에서 개인정보를 ㉠ 익명 정보로 처리하여 보존하거나 이용하도록 하고 있다. 익명 정보란 다른 정보를 사용하더라도 더 이상 개인을 알아볼 수 없는 정보를 의미한다. 익명 정보는 시간이나 비용, 현재의 기술 수준이나 충분히 예견될 수 있는 기술의 발전 등을 고려했을 때 원래의 개인정보로 복원되는 것이 불가능하다고 판단되는 정보로, 익명 처리를 마친 정보는 수집 목적 이외의 분야에서 활용하기 어렵다는 제약이 있다.

최근 정보 활용의 중요성이 커지면서 개인정보 활용의 유연성을 높여야 한다는 주장이 대두되었다. 이에 개인정보보호법에서는 개인정보를 익명 정보가 아닌 가명 정보로 가공하여 활용할 수 있도록 하는 방안을 마련하였다. ㉡ 가명 정보는 개인정보의 일부를 삭제 혹은 대체한 것으로, 추가 정보와 비교적 쉽게 결합하여 개인을 식별할 수 있으므로 개인정보보호법의 보호 대상이 된다. 이러한 가명 정보는 통계 작성, 과학적 연구, 공익적 기록 보존 등을 위해 정보 주체의 동의 없이 이용·제공될 수 있다. 단, 가명 정보는 익명 정보와 달리 개인정보와 일대일 대응이 가능하기 때문에 가명 정보를 제3자에게 제공하는 경우 특정 개인을 알아보는 데 사용될 수 있는 정보를 포함해서는 안 된다.

33. ⓐ의 사례에 해당하지 않는 것은?

① 학교 홈페이지에 담임을 맡은 학급과 함께 게시된, '김○우'라는 교사의 이름
② 국가에서 설립한 기관에서 장(長)의 직책을 맡고 있는 사람의 휴대 전화 번호
③ 의사자를 추모하기 위한 행사에서 추도사를 읽는 유족의 얼굴을 촬영한 동영상
④ 원격 수업에 참여한 학생들의 얼굴을 모두 확인할 수 있도록 컴퓨터 화면을 캡처한 이미지
⑤ 생전에 모은 재산 전액을 기증한 '이부자'를 기리기 위해 만들어진 '이부자 장학 재단'이라는 명칭

문제풀이

사회 분야 중에서도 특히 법에 대해 다룬 지문은 지문의 내용을 현실의 사례에 적용할 수 있는지 확인하는 문제가 반드시 출제된다. 대체로 〈보기〉가 주어지는 경우가 많으며, 33번은 사례 적용 문제 치고 까다롭지 않았기 때문에 정답률이 높은 편이었다.

① 학교 홈페이지에 담임을 맡은 학급과 '김○우'라는 교사의 이름이 함께 제공될 경우 개인을 알아볼 수 있는 정보가 되므로 개인정보에 해당한다.
② 국가 기관에서 직책을 맡고 있는 사람의 휴대 전화 번호는 개인을 알아볼 수 있는 정보이므로 개인정보에 해당한다.
③ 개인의 얼굴을 촬영한 동영상은 개인을 알아볼 수 있는 정보이므로 개인정보에 해당한다.
④ 원격 수업에 참여한 학생들의 얼굴을 모두 확인할 수 있도록 컴퓨터 화면을 캡처한 이미지는 개인을 알아볼 수 있는 정보이므로 개인정보에 해당한다.
❺ 두 번째 문단에 따르면 ⓐ는 살아 있는 개인에 대한 정보이며 사망자에 관한 정보나 단체 혹은 법인에 관한 정보는 개인정보에 포함되지 않는다. '이부자'는 생전에 재산을 기부한 사망자의 이름이고, '이부자 장학 재단'이라는 명칭은 단체의 이름이므로 개인정보에 해당하지 않는다.

10분 | 2022학년도 11월 학평 26~30번 | ★★☆ | 정답 015쪽

[1~5] 다음 글을 읽고 물음에 답하시오.

경제학에서는 개별 경제 주체들이 주어진 조건하에서 자신이 ⓐ조절할 수 있는 변수들을 적절히 선택하여 최적의 결과를 추구한다고 본다. 그런데 최적의 결과를 얻기 어려운 상황에 놓인다면 경제 주체들은 일반적으로 효율성을 ⓑ고려하여 차선의 선택을 고민하게 된다. 하지만 립시와 랭카스터는 차선의 의미에 대해 새로운 관점을 보여 주는 '차선의 이론'을 제시했다.

차선의 이론에서는 최적의 결과를 얻기 위한 여러 조건 중 한 가지 이상의 조건이 ⓒ충족되지 못하는 상황이라면 나머지 조건들이 모두 충족되더라도 그 결과는 차선이 아닐 수 있다고 본다. 예를 들어 ㉠효율성을 달성하기 위한 10개의 조건 중 9개의 조건이 충족되는 것이 8개의 조건이 충족되는 것보다 반드시 더 낫다고 볼 수는 없다는 의미이다.

여기서 왜 효율성을 달성하기 위한 10개의 조건 중 9개의 조건이 충족되는 것이 차선이 아닌지를 ⓓ입증하기 위해서는 공평성을 함께 고려해야 한다. 한 사회가 어떤 것을 공평하다고 여기는지는 [사회무차별곡선]을 통해 확인할 수 있다. 사회무차별곡선은 개별 경제 주체가 경제 활동을 통해 얻은 주관적 만족감인 효용수준을 종합한 사회후생수준을 보여 준다. 사회무차별곡선의 모양을 보면 그 사회가 개인의 효용수준에 대한 평가를 통해 공평성에 대해 어떠한 가치판단을 하고 있는지 확인할 수 있다.

사회무차별곡선 위의 모든 점은 동일한 사회후생수준을 나타내는데, 이 곡선이 원점에서 멀리 위치할수록 사회후생수준이 높다는 것을 나타낸다. 일반적으로 사회무차별곡선의 모양은 원점에 대해 볼록한 곡선으로, 우하향할수록 기울기가 완만해진다. 이는 높은 효용수준을 누리는 사람의 효용에는 상대적으로 낮은 가중치를 ⓔ적용하고, 낮은 효용수준밖에 누리지 못하는 사람들의 효용에는 높은 가중치를 적용해 사회후생을 계산하는 것이 공평하다는 가치판단이 반영된 결과이다.

<그림>은 사회에서 경제적 자원을 모두 활용하여 쌀과 옷 두 가지 상품만 생산한다는 가정하에 생산가능곡선 CD와 사회무차별곡선(SIC)을 통해 차선의 이론의 예를 보여준다. <그림>의 생산가능곡선 CD는 원점에 대해 오목한 모양으로 이 곡선 위의 점들은 생산의 효율성을 충족한다는 것을 의미하며, 곡선의 바깥쪽은 생산이 불가능함을, 곡선의 안쪽은 생산은 가능하나 비효율적임을 나타낸다. 이때 생산가능곡선과 사회무차별곡선이 접하는 E 지점이 최적인데, 만약 선분 FG와 같은 어떤 제약이 가해져 이 선분의 바깥쪽에 있는 지점은 선택할 수 없게 되어 최적의 결과를 얻기 어려운 상황이라 고 가정해 보자. 이때 H 지점은 제약하에서도 생산가능곡선 CD 위에 위치하기에 생산의 효율성이나마 충족하고 있으므로 차선의 선택이라고 생각하기 쉽지만 사회후생수준을 고려하면 그렇지 않다. 왜냐하면 SIC_1과 SIC_2의 원점에서의 위치를 고려했을 때 SIC_1 위에 있는 H 지점보다 SIC_2 위에 있는 I 지점의 사회후생수준이 더 높기 때문이다. 따라서 제약하에서 사회후생수준을 고려하면 I 지점이 차선의 선택이 된다.

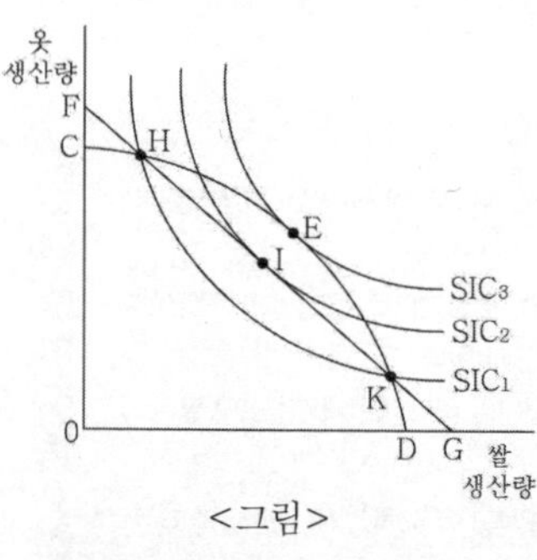

<그림>

1. 윗글을 읽고 답을 찾을 수 없는 질문은?

① 차선의 이론이 갖는 의미는 무엇인가?
② 생산가능곡선 위의 점들이 의미하는 것은 무엇인가?
③ 립시와 랭카스터가 입증한 차선의 이론의 한계는 무엇인가?
④ 경제 주체들이 차선의 선택을 고민하게 되는 이유는 무엇인가?
⑤ 사회무차별곡선의 모양이 우하향할수록 기울기가 완만해지는 이유는 무엇인가?

2. [사회무차별곡선]에 대한 이해로 적절하지 않은 것은?

① 사회무차별곡선 위의 모든 점은 동일한 사회후생수준을 나타낸다.
② 사회무차별곡선은 일반적으로 원점에 대해 볼록한 곡선 모양이다.
③ 사회무차별곡선을 통해 공평성에 대한 사회의 가치판단을 확인할 수 있다.
④ 사회무차별곡선은 개별 경제 주체의 효용수준을 종합한 사회후생수준을 보여준다.
⑤ 사회무차별곡선에는 높은 효용수준을 누리는 사람들의 주관적 만족감이 반영되어 있지 않다.

3. 차선의 이론을 통해 ㉠의 이유를 설명한 것으로 가장 적절한 것은?

① 효율성과 다른 기준도 함께 고려할 필요가 있기 때문이다.
② 경제 주체들이 스스로 자신의 효용수준에 대해 평가하기 때문이다.
③ 효율성을 달성하기 위한 조건들의 중요도가 서로 다르기 때문이다.
④ 낮은 효용수준을 누리는 사람의 효용에는 가중치를 적용할 수 없기 때문이다.
⑤ 효율성을 달성하기 위한 모든 조건이 충족되지 않는다면 개별 주체의 효용수준에 영향을 미치지 못하기 때문이다.

4. 다음은 윗글을 읽고 <그림>에 대해 경제 동아리 학생들이 나눈 대화이다. 적절하지 않은 것은? [3점]

> **동아리 회장:** 오늘 살펴본 경제 자료 속 그래프에 대해 더 하고 싶은 얘기가 있으면 해 보자.
> **부원 1:** 나는 H가 생산가능곡선 위에 있기 때문에 그렇지 않은 I보다 생산의 효율성이 높다고 생각해.
> **부원 2:** 선분 FG와 같은 제약이 있는 상황에서 H가 아닌 I가 차선으로 선택되었다면 그 이유는 사회후생수준을 고려했기 때문이라고 생각해.
> **부원 3:** I의 위치를 고려하면 생산이 가능하지 않아 비효율적인 지점이라고 생각해.
> **부원 4:** 선분 FG와 같은 제약이 있는 상황에서 생산가능곡선을 고려하면 K도 H와 마찬가지로 생산의 효율성을 충족하는 지점이라고 생각해.
> **부원 5:** SIC_3은 SIC_1과 SIC_2보다 사회후생수준이 높다고 생각해.

① 부원 1의 생각　② 부원 2의 생각
③ 부원 3의 생각　④ 부원 4의 생각
⑤ 부원 5의 생각

5. ⓐ ~ ⓔ의 사전적 의미로 적절하지 않은 것은?

① ⓐ: 균형이 맞게 바로 잡음.
② ⓑ: 생각하고 헤아려 봄.
③ ⓒ: 일정한 분량을 채워 모자람이 없게 함.
④ ⓓ: 어떤 증거 따위를 내세워 증명함.
⑤ ⓔ: 일정한 조건이나 환경 따위에 맞추어 응하거나 알맞게 됨.

10분 | 2022학년도 9월 학평 16~20번 | ★★☆ | 정답 016쪽

[6~10] 다음 글을 읽고 물음에 답하시오.

특정 상황에서 어떤 방안을 선택함으로써 얻을 수 있는 이익을 그 방안이 갖는 효용이라고 하며, 효용을 최대화하는 행동을 합리적 행위라고 한다. 허버트 사이먼은 합리적 행위와 관련하여 ㉠ 포괄적 합리성과 ㉡ 제한적 합리성이라는 두 가지 관점을 제시했다. 먼저 포괄적 합리성은 의사를 결정하는 행위자가 분명한 목적을 가지고 그것을 달성하기 위한 모든 방안을 찾는다고 보는 관점이다. 나아가 행위자는 각 방안에서 초래될 모든 결과를 정확히 평가하여 효용을 극대화하는 방안을 의도적으로 선택하며, 이러한 경향이 행위자의 특성에 상관없이 언제나 일관되게 선택 과정에 반영된다고 전제한다. 반면 제한적 합리성은 행위자가 자신의 목적을 달성하는 데 있어 지식과 인지 능력에 한계가 있음을 인정하는 관점이다. 행위자는 목적 달성에 필요한 정보인 자신이 처한 상황과 선택 가능한 방안, 선택의 결과 등을 정확히 인지하지 못한다고 보는 것이다. 따라서 제한적 합리성의 관점에서 선택의 합리성 여부를 판단하기 위해서는 행위자의 목적과 관련하여 그가 가진 정보와, 그 정보를 바탕으로 추론할 수 있는 능력 등 행위자의 특성에 대해서도 알아야 한다. 그레이엄 앨리슨은 이러한 관점들을 바탕으로 국제 사회의 외교 정책 행위를 몇 가지 모델로 분석하고자 하였다.

그중 합리적 행위자 모델은 포괄적 합리성을 바탕으로 정책 행위를 설명한다. 이 모델은 결정된 정책 행위가 특정 목적에 대해 최대 효용을 갖는 방안이라고 상정하기 때문에 그 목적을 찾아냄으로써 행위자가 왜 그러한 방안을 선택했는지를 설명한다. 여기서 행위자는 단일한 의사 결정자로서의 국가이며, 모든 국가는 포괄적 합리성을 가지고 행동한다. 이 모델에서는 행위자인 국가가 정책 행위를 결정한 목적을 몇 가지로 예상해 보고, 분석하고자 하는 정책 행위가 각각의 목적에서 갖는 효용을 계산한다. 그 결과 가장 큰 효용을 갖게 되는 목적을 찾아 선택의 의도를 추론하는 것이다. 이때 행위자는 언제나 일관된 경향으로 결정을 내리는 존재이므로 행위자가 처한 상황과 목적에 대한 객관적 지식만으로 정책 행위를 해석할 수 있다. 행위자가 처한 위기나 기회는 무엇인지, 목적 달성을 위해 선택할 수 있었던 방안들의 효용은 무엇인지, 그중 행위자의 목적을 최대한 달성하기 위한 최선의 선택은 무엇인지를 종합적으로 판단하여 정책 행위를 이해하는 것이다.

이러한 관점 때문에 합리적 행위자 모델은 포괄적 합리성에서 벗어나는 외교 사례를 설명할 수 없다는 한계가 있다. 앨리슨은 이를 보완하기 위해 제한적 합리성을 바탕으로 한 조직 과정 모델을 제시하였다. 이 모델은 정책 행위가 제한적 정보만으로 결정된다고 보기 때문에, 정책 행위의 목적보다는 그 정책 행위가 어떻게 결정되었는지에 주목한다. 이 모델에서 행위자는 독자적인 여러 조직이 모인 연합체로서의 국가이며, 정책 행위는 행위자의 의도적 선택이 아닌 미리 규정된 절차에 따라 조직들이 수행한 결과가 모여 만들어진 기계적 산출물로 인식된다. 각 조직은 원활한 업무 수행을 위해 자체적인 표준 운영절차(SOP), 즉 일을 처리하는 규칙에 따라 작동하는데, 국가는 그 규모가 크기 때문에 조직의 모든 활동을 국가의 의도에 맞게 완전히 통제하거나 감독할 수 없다. 결과적으로 국가는 조직이 SOP에 따라 처리한 제한된 정보만으로 정책 행위를 탐색하고 결정한다는 점에서 이 모델은 제한적 합리성에 기반을 ⓐ둔다고 할 수 있다. 또한 조직은 불확실한 미래를 추측하고 그에 맞게 행동하는 것을 매우 꺼리기 때문에 문제의 심각성이나 긴박성에 따른 새로운 해결책을 강구하기보다 일상적인 SOP에 의존하여 판단을 내리는 경향이 강하다. 이러한 경향으로 인해 조직 과정 모델은 조직이 최적의 방안을 찾기보다 SOP에 부합하는, '그만하면 충분히 만족스러운' 방안을 선택한다고 본다. 이 과정에서 조직이 미처 고려하지 못한 방안이 가질 수 있는 더 큰 효용은 무시될 가능성이 높아지고, 합리적 행위자 모델로는 설명하기 힘든 정책 행위가 선택될 수 있다. 하지만 조직 과정 모델은 조직들의 SOP와 역량, 조직 간의 관계에 대해 분석하기 때문에 포괄적 합리성에서 벗어나는 외교 정책 행위를 설명할 수 있다.

이처럼 합리적 행위자 모델과 조직 과정 모델은 ㉮분석 대상이 되는 정책 행위를 바라보는 시각이 다르기 때문에 같은 현상에 대해서도 다른 분석 결과를 도출하게 된다. 이때 두 모델은 대립 관계에 있는 것이 아니라 외교 사건을 다각적으로 설명할 수 있게 해 준다는 것이 앨리슨의 정책 결정 모델이 갖는 의의이다.

6. 윗글에 대한 설명으로 적절하지 않은 것은?

① 합리적 행위자 모델이 지닌 한계와 관련하여 조직 과정 모델이 갖는 의의를 제시하고 있다.
② 합리적 행위자 모델과 조직 과정 모델의 특징을 사이먼이 제시한 합리성과 관련지어 서술하고 있다.
③ 합리적 행위자 모델과 조직 과정 모델의 정책 행위 분석 단계를 구체적인 사례를 들어 설명하고 있다.
④ 합리적 행위자 모델과 조직 과정 모델에서 외교 정책 행위를 분석하는 방식을 비교하여 설명하고 있다.
⑤ 합리적 행위자 모델과 조직 과정 모델에서 바라보는 국가의 성격을 바탕으로 각 모델의 분석 대상을 서술하고 있다.

7. ㉮에 대한 이해로 가장 적절한 것은?

① 합리적 행위자 모델은 규정된 절차에 따라 정책 행위가 결정된다고 보지만, 조직 과정 모델은 조직의 역량에 따라 정책 행위가 결정된다고 본다.
② 합리적 행위자 모델은 정책 행위를 연합체로서의 국가가 선택한 결과로 보지만, 조직 과정 모델은 정책 행위를 단일체로서의 국가가 선택한 결과로 본다.
③ 합리적 행위자 모델은 정책 행위를 목적에 따른 행위자의 의도적 선택으로 보지만, 조직 과정 모델은 정책 행위를 조직의 수행에 따른 기계적 산출물로 본다.
④ 합리적 행위자 모델은 국가가 효용을 계산하여 정책 행위를 결정한다고 보지만, 조직 과정 모델은 국가가 조직을 완전히 통제하여 정책 행위를 결정한다고 본다.
⑤ 합리적 행위자 모델은 정책 행위를 객관적 정보를 종합한 결과로 보지만, 조직 과정 모델은 정책 행위를 불확실한 미래를 추측하여 문제에 대한 새로운 해결책을 찾은 결과로 본다.

8. ㉠과 ㉡에 대한 이해로 가장 적절한 것은?

① ㉠은 행위자의 지식이, ㉡은 행위자의 목적이 선택에 가장 큰 영향을 미치는 요소라고 본다.
② ㉠은 ㉡과 달리 행위자가 어떤 방안을 선택할 때 자신이 달성하고자 하는 목적을 고려한다고 본다.
③ ㉠은 ㉡과 달리 행위자의 인지적 한계를 이유로 행위자가 처한 상황에 대한 분석이 중요하다고 본다.
④ ㉡은 ㉠과 달리 행위자가 어떤 방안을 선택했을 때 그 방안이 합리적인지 판단할 수 있다고 본다.
⑤ ㉡은 ㉠과 달리 목적과 상황이 동일하더라도 행위자의 특성에 따라 결정이 달라질 수 있다고 본다.

9. 윗글을 바탕으로 <보기>를 이해한 내용으로 적절하지 <u>않은</u> 것은? [3점]

<보 기>

A국과 B국은 군사적으로 대립 관계에 있는 인접 국가이다. A국은 B국보다 약한 군사력을 보완하기 위해 B국과의 국경 근처에 군대를 추가적으로 배치했다. 한편 B국의 정보 조직은 A국의 군대 배치 정보를 입수했지만, 일상적인 SOP에 따라 정보를 처리한 결과 이 정보가 상부에 전달되지 않았다. 결국 B국은 A국의 상황을 모른 채, A국에 대한 안보를 확보하기 위한 정책으로 군사력 강화와 평화 협정 체결 중 후자의 방안을 선택하게 되었다.

(단, A국과 B국은 독립 국가이며 국내외의 다른 정치 외교적 상황은 양국의 정책 행위에 영향을 미치지 않는다고 가정한다.)

① 합리적 행위자 모델의 관점에서 A국의 목적을 군사력 증강으로 분석했다면, 군대의 추가 배치가 이 목적에 대해 가장 큰 효용을 가졌다고 분석했기 때문이겠군.
② 합리적 행위자 모델의 관점에서 B국의 정책 행위를 분석한다면, B국의 정보 조직이 파악한 정보가 상부에 전달되지 않은 과정에 주목하겠군.
③ 합리적 행위자 모델의 관점에서 B국의 평화 협정 체결이 국가 안보 확보를 위한 최적의 방안이 아니라고 분석했더라도, 이 관점에서는 왜 B국이 평화 협정 체결을 정책 행위로 선택했는지를 설명하지 못하겠군.
④ 조직 과정 모델의 관점에서 A국의 정책 행위를 분석한다면, 군대를 추가적으로 배치한 목적이 무엇인가보다는 어떻게 그 정책 행위가 선택되었는가를 분석하겠군.
⑤ 조직 과정 모델의 관점에서 B국이 평화 협정 체결을 선택하게 된 과정을 분석한다면, 관련 조직들의 SOP 및 조직 간의 관계를 중심으로 B국의 정책 행위를 설명하겠군.

10. 문맥상 ⓐ의 의미와 가장 가까운 것은?

① 기준을 어디에 <u>두느냐</u>가 중요하다.
② 주말에 바둑을 <u>두는</u> 것이 취미이다.
③ 앞의 사람과 간격을 <u>두며</u> 줄을 섰다.
④ 위험물을 여기 그대로 <u>두면</u> 안 된다.
⑤ 그 사건은 평생을 <u>두고</u> 잊을 수 없다.

총 문항				문항	맞은 문항					문항
개별 문항	1	2	3	4	5	6	7	8	9	10
채점										
개별 문항	11	12	13	14	15	16	17	18	19	20
채점										

10분 2022학년도 6월 학평 16~20번 ★☆☆ 정답 017쪽

[1~5] 다음 글을 읽고 물음에 답하시오.

식물의 품종이란 같은 종류의 식물을 고유한 특징에 따라 나눈 것을 말한다. 예를 들어 딸기의 품종에는 과실이 단단하고 저장성이 좋은 매향, 수확기가 이르고 키우기 쉬운 설향, 당도가 높고 기형 과실의 발생이 적은 죽향 등이 있다. 품종의 개량은 이전 품종이 가진 단점을 보완하거나 장점을 더욱 ⓐ부각하는 방향으로 이루어지는데, 품종의 개량이 판매 증대로 이어지면 큰 부가가치를 창출할 수 있다.

그러나 오랜 노력과 경제적 비용을 들여 품종을 개량했는데, 다른 사람이 이를 무단으로 사용한다면 육성자*에게 적절한 보상이 이루어지지 않게 된다. 따라서 육성자의 지식 재산권을 보호하는 제도가 필요하다. 우리나라는 식물 신품종에 대한 지식 재산권을 보호하고, 육성자의 식물 품종 개량을 촉진하며, 우리나라 종자 산업의 발전을 ⓑ도모하기 위하여 '식물 신품종 보호법'을 실시하고 있다. 이 법에 따르면 열매의 수확을 목적으로 하는 과수, 산림 조성을 목적으로 하는 임목, 꽃의 관상을 목적으로 하는 화훼 등 모든 식물이 품종보호의 대상이 된다.

만약 육성자가 자신이 개량한 식물의 품종보호권을 얻고 싶다면 먼저 해당 품종이 품종보호 요건을 ⓒ충족하고 있는지를 검토하여야 하는데, 그 요건에는 크게 신규성, 구별성, 안정성 등이 있다. '신규성'은 해당 품종이 품종보호 출원일 이전의 일정 기간에 상업적 이용이 없을 때만 인정된다. 과수나 임목의 종자나 수확물은 국내에서 1년 이상 국외에서 6년 이상일 경우에 인정되며, 그 이외의 식물의 종자나 수확물은 국내에서 1년 이상 국외에서 4년 이상일 경우에 인정된다. '구별성'은 기존에 품종보호권이 설정된 품종이나 현재 시중에 유통 중인 품종과 확연하게 구별되는 점이 있을 경우에 인정된다. '안정성'은 반복적으로 증식된 후에도 품종의 특성이 변하지 아니할 경우에 인정된다.

해당 품종이 품종보호 요건을 모두 충족한다고 판단하였다면, 육성자는 품종의 명칭, 품종의 육성 과정에 대한 설명, 품종의 종자 시료 등을 포함한 출원 서류를 작성하여 담당 기관에 제출하여야 한다. 재외자(在外者)*가 품종을 개량하고 자신이 거주하고 있는 나라와 우리나라 모두에서 품종보호권을 얻고 싶다면 두 나라에 각각 품종보호를 출원해야 한다. 재외자인 육성자가 자신이 거주하는 나라에 최초로 품종보호를 출원한 다음 날부터 1년 이내에 우리나라에 품종보호를 출원하는 경우, 품종보호 출원일의 적용은 우리나라에 출원한 날이 아니라 최초의 출원일을 품종보호 출원일로 인정한다.

품종보호 출원이 접수되면 담당 기관은 접수된 출원 내용을 일반인이 볼 수 있도록 품종보호 공보*로 홈페이지 등에 일정 기간 공개한다. 출원품종이 품종보호 요건을 위반하고 있음을 발견한 이라면 누구든지 이 기간에 이의신청을 할 수 있다. 이의신청이 없다면, 법률에서 정한 자격을 가진 심사관이 출원품종이 품종보호 요건을 충족하는지 ⓓ심사하게 된다. 이때 신규성의 충족 여부는 서류 심사로, 구별성과 안정성의 충족 여부는 재배 심사로 확인한다. 재배 심사는 출원 서류에 포함된 종자 시료를 직접 재배하여 심사하므로 심사에 1년에서 2년의 기간이 소요된다. 심사관이 심사 과정에서 품종보호 출원에 대해 거절 이유를 발견할 수 없다면 품종보호를 결정하게 되고, 육성자가 담당 기관에 첫 품종보호료를 납부하면 품종보호권이 설정된다.

품종보호권자가 보호품종을 독점적으로 실시*할 수 있는 기간인 품종보호권의 존속 기간은 과수나 임목은 품종보호권의 설정등록일로부터 25년으로, 그 이외의 식물은 20년으로 설정하고 있다. 이때 품종보호권자가 품종보호권을 유지하려면 품종보호권의 존속 기간 동안 품종보호료를 매년 납부하여야 한다. 품종보호권이 설정된 품종을 실시하고자 하는 자는 품종보호권자에게 품종실시료를 지불해야 한다. 단, 새로운 품종의 육성을 위한 연구를 목적으로 실시하는 경우 등에는 품종실시료를 지불하지 않아도 된다. 품종실시료의 기준은 법률적으로 정해져 있지 않으므로 시장의 수요와 공급에 따른 권리자와 사용자 간의 계약에 따라 결정된다. 품종보호권의 존속 기간이 ⓔ경과하거나, 품종보호권의 존속 기간 중일지라도 품종보호권자가 정해진 기한까지 품종보호료를 납부하지 않은 경우에는 품종보호권이 소멸한다. 그러면 품종실시료의 지불 없이 누구나 해당 품종을 자유로이 실시할 수 있게 된다.

* 육성자: 어떤 식물이나 동물의 종을 개량하거나 새로운 품종을 개량하여 이용 가치를 더 높인 사람.
* 재외자: 외국에 살고 있는 우리나라 또는 외국 국적의 사람.
* 공보: 관공서에서 발행하는 문서.
* 실시: 보호품종의 종자나 수확물을 증식·생산·판매하는 등의 행위.

1. 윗글에 대한 설명으로 가장 적절한 것은?

① 품종보호권의 발전 과정을 단계적으로 설명하고 향후 전망을 제시하고 있다.
② 품종보호권에 대한 대립적인 입장을 소개하고 각각의 장단점을 비교하고 있다.
③ 식물 신품종 보호법이 제정된 배경을 밝히고 그 법이 가진 한계를 분석하고 있다.
④ 식물 신품종 보호법의 필요성을 밝히고 품종보호권의 설정 과정을 설명하고 있다.
⑤ 품종보호권에 관한 사회 문제를 언급하고 이를 해결할 수 있는 다양한 방안을 소개하고 있다.

2. 윗글에 대한 이해로 가장 적절한 것은?

① 품종보호권의 존속 기간이 경과하더라도 품종보호료를 납부하면 품종보호권이 유지된다.
② 식물 신품종 보호법에서 품종보호의 대상은 열매의 수확을 목적으로 하는 식물만 가능하다.
③ 품종보호권이 소멸되지 않은 품종에 대한 실시료는 시장의 수요와 공급을 바탕으로 계약에 따라 그 금액이 결정된다.
④ 신규성의 충족 여부를 심사할 때 국외에서 해당 품종의 상업적 이용이 없어야 하는 기간은 과수보다 화훼가 더 길다.
⑤ 재외자가 품종을 개량하여 거주하는 나라에 품종보호권을 설정하면 우리나라에 품종보호권을 신청하지 않아도 우리나라에서 그 권리가 인정된다.

3. 윗글을 바탕으로 품종보호권 설정을 위한 절차를 <보기>와 같이 정리하였다. 이에 대한 이해로 적절하지 <u>않은</u> 것은?

<보 기>

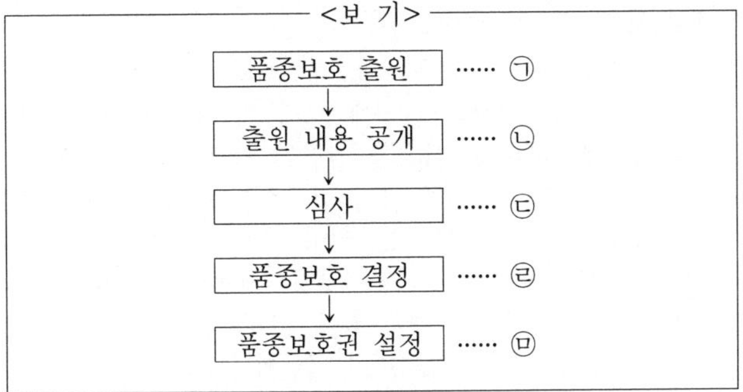

① ㉠: 품종보호권의 설정을 원하는 육성자는 출원 서류를 작성하여 담당 기관에 접수하여야 한다.
② ㉡: 출원품종이 품종보호 요건을 어긴다는 사실을 발견한 사람이라면 누구든지 이의신청을 할 수 있다.
③ ㉢: 출원품종이 타 품종과 구별되는지, 반복 증식 후에도 특성이 변화하지 않는지는 재배 심사로 확인한다.
④ ㉣: 심사관이 품종보호 출원에 대한 거절 이유를 발견할 수 없을 경우에 품종보호가 결정된다.
⑤ ㉤: 품종보호가 결정된 품종에 대한 품종보호권은 품종보호료의 납부 여부와 상관없이 자동적으로 설정된다.

4. 윗글을 바탕으로 <보기>를 이해한 내용으로 적절하지 <u>않은</u> 것은? [3점]

<보 기>

[사례 1] 외국에 살고 있는 '갑'은 장미꽃의 품종 중 하나를 A로 개량하였다. '갑'은 A에 대한 최초의 품종보호를 자신이 거주하는 나라에 2020년 1월 1일에 출원하였고, 우리나라에는 2020년 5월 1일에 출원하였다. 우리나라에서 A의 품종보호권은 '갑'이 2022년 1월부터 현재까지 유지하고 있다.

[사례 2] 포도나무의 품종 중 하나인 B는 당도가 높지만 병충해에 약하다. 우리나라에서 B의 품종보호권은 '을'이 2020년부터 현재까지 유지하고 있다. '병'은 신품종 육성을 목적으로 B를 재배하면서 연구하였는데, 당도도 높고 병충해에 강한 C로 개량하여 우리나라에 품종보호를 출원하였다.

① [사례 1]에서 '갑'은 2020년 5월 1일에 우리나라에 품종보호 출원을 하였지만, A의 품종보호 출원일은 2020년 1월 1일로 인정되겠군.
② [사례 2]에서 '병'의 연구로 개량된 C는 기존 품종인 B가 가진 단점이 보완된 품종이겠군.
③ [사례 2]에서 '병'은 B의 재배로 인한 품종실시료를 B의 품종보호권을 가진 '을'에게 지불하지 않아도 되겠군.
④ 심사관의 서류 심사를 통해 [사례 1]의 A와 [사례 2]의 B가 모두 신규성을 충족하고 있음이 인정되었겠군.
⑤ 품종보호료를 앞으로도 매년 납부한다고 할 때 품종보호권자가 보호품종을 독점적으로 실시할 수 있는 기간은 [사례 1]의 A가 [사례 2]의 B보다 더 길겠군.

5. ⓐ~ⓔ의 사전적 의미로 적절하지 <u>않은</u> 것은?

① ⓐ: 어떤 사물을 특징지어 두드러지게 함.
② ⓑ: 어떤 일을 이루기 위하여 대책과 방법을 세움.
③ ⓒ: 일정한 분량을 채워 모자람이 없게 함.
④ ⓓ: 자세하게 조사하여 당락 따위를 결정함.
⑤ ⓔ: 어떤 곳을 거쳐 지남.

11분 | 2022학년도 3월 학평 30~34번 | ★★☆ | 정답 017쪽

【6~10】 다음 글을 읽고 물음에 답하시오.

[A] 정보 통신 기술의 발달로 개인에 대한 정보가 데이터베이스화되면서 개인정보 유출로 인한 피해가 증가하고 있다. 이에 따라 최근 개인정보를 보호해야 한다는 사회적 인식이 커지고 있다. 개인은 자신에 관한 정보가 언제, 누구에게, 어느 범위까지 알려지고 이용될 것인지를 스스로 결정할 수 있는 권리를 가지는데, 이러한 권리를 '개인정보자기결정권'이라고 한다. 이는 타인에 의해 개인정보가 함부로 공개되지 않도록 보장받을 권리와 개인정보에 대해 열람, 삭제, 정정 등의 행위를 요구할 수 있는 권리 등을 포함한다. 우리나라는 헌법 제17조에 명시된 사생활의 비밀과 자유가 보장되어야 한다는 내용을 주된 근거로 개인정보자기결정권이 기본권 중 하나임을 인정하고 있다.

이러한 개인정보자기결정권을 보호하기 위해 제정된 법률이 개인정보보호법이다. ⓐ개인정보보호법에서 규정하는 개인정보는 살아 있는 개인에 관한 정보이다. 사망자에 관한 정보나 단체 혹은 법인에 관한 정보는 개인정보에 포함되지 않는다. 또한 성명, 주민등록번호, 사진이나 동영상 등과 같이 개인을 알아볼 수 있는 정보여야 한다. 그리고 주어진 정보만으로 특정 개인을 알아볼 수 없더라도 다른 정보와 쉽게 결합하여 알아볼 수 있다면 이 역시 법적 보호 대상으로서의 개인정보에 포함된다. 가령 휴대 전화 번호의 뒷자리 숫자를 집 전화번호와 같은 다른 정보와 결합하여 사용자를 식별할 수 있다면 개인정보에 해당한다.

개인정보보호법에 따른 사전 동의 제도는 정보 주체인 개인이 개인정보에 대한 자기 결정을 표현할 수 있다는 점에서 개인정보자기결정권을 보호하는 중요한 수단이다. 개인정보를 처리하는 개인이나 단체를 의미하는 개인정보 처리자는, 정보 주체의 동의를 구할 때 정보 수집·이용의 목적, 수집 항목, 보유 및 이용 기간 등을 고지해야 한다. 또한 동의를 거부할 권리가 있다는 사실과, 동의 거부에 따른 불이익이 있는 경우 그 불이익의 내용 역시 알려야 한다.

수집·이용하려는 개인정보 중 고유 식별 정보와 민감 정보는 별도로 동의를 받아야 한다. 고유 식별 정보는 여권 번호와 같이 개인을 고유하게 구별하기 위해 부여된 정보이며, 민감 정보는 건강 정보나 정치적 견해와 같이 주체의 사생활을 현저히 침해할 우려가 있는 정보이다. 이때 정보 주체가 알아보기 쉽도록 수집하려는 고유 식별 정보와 민감 정보의 항목을 밑줄이나 큰 글씨로 강조해야 한다.

개인정보보호법에서는 개인이 수집·이용에 동의했더라도 개인정보가 무분별하게 이용되어 개인의 권리가 침해되는 것을 막기 위해 수집 목적을 달성할 수 있는 한에서 개인정보를 ㉠익명 정보로 처리하여 보존하거나 이용하도록 하고 있다. 익명 정보란 다른 정보를 사용하더라도 더 이상 개인을 알아볼 수 없는 정보를 의미한다. 익명 정보는 시간이나 비용, 현재의 기술 수준이나 충분히 예견될 수 있는 기술의 발전 등을 고려했을 때 원래의 개인정보로 복원되는 것이 불가능하다고 판단되는 정보로, 익명 처리를 마친 정보는 수집 목적 이외의 분야에서 활용하기 어렵다는 제약이 있다.

최근 정보 활용의 중요성이 커지면서 개인정보 활용의 유연성을 높여야 한다는 주장이 대두되었다. 이에 개인정보보호법에서는 개인정보를 익명 정보가 아닌 가명 정보로 가공하여 활용할 수 있도록 하는 방안을 마련하였다. ㉡가명 정보는 개인정보의 일부를 삭제 혹은 대체한 것으로, 추가 정보와 비교적 쉽게 결합하여 개인을 식별할 수 있으므로 개인정보보호법의 보호 대상이 된다. 이러한 가명 정보는 통계 작성, 과학적 연구, 공익적 기록 보존 등을 위해 정보 주체의 동의 없이 이용·제공될 수 있다. 단, 가명 정보는 익명 정보와 달리 개인정보와 일대일 대응이 가능하기 때문에 가명 정보를 제3자에게 제공하는 경우 특정 개인을 알아보는 데 사용될 수 있는 정보를 포함해서는 안 된다.

6. 윗글에서 알 수 있는 내용으로 적절하지 않은 것은?

① 개인정보자기결정권의 개념
② 개인정보를 익명 처리하는 과정
③ 개인정보보호법을 제정하게 된 목적
④ 개인정보 활용의 유연성을 높이는 방안
⑤ 개인정보 보호에 대한 인식이 확산된 배경

7. ㉠과 ㉡에 대한 설명으로 적절한 것은?

① ㉠은 익명 처리되기 전의 개인정보와 일대일로 대응한다.
② ㉡은 이용 목적에 상관없이 정보 주체의 동의가 필수적이다.
③ ㉠은 ㉡과 달리 개인정보보호법의 보호 대상이 아니다.
④ ㉡은 ㉠과 달리 수집 목적 이외의 분야에서 활용되기 어렵다.
⑤ ㉠과 ㉡은 모두 개인정보 처리자가 제3자에게 제공할 수 없다.

8. [A]를 참고할 때, <보기>의 빈칸에 들어갈 내용으로 가장 적절한 것은?

< 보 기 >

헌법 제17조에서는 타인에 의해 자유를 제한받지 않을 권리를 보장하는데, 이러한 권리는 일반적으로 소극적 성격의 권리로 해석된다. 이는 적극적으로 타인에게 일정한 행위를 요구할 수 있는 청구권적 성격을 포괄하기 어려워, 헌법 제17조만으로는 개인정보자기결정권을 보장하는 근거가 불충분하다는 견해가 있다. 그것은 개인정보자기결정권이 (   )하기 때문이다.

① 공익을 목적으로 타인의 개인정보를 자유롭게 이용할 수 있는 권리에 해당
② 특정 대상에 대한 개인적 견해와 같은 사적인 정보를 보호받을 권리를 포함
③ 개인정보가 정보 주체의 동의가 없더라도 개인정보 처리자에게 제공되도록 허용
④ 정보 주체의 이익보다 개인정보의 활용으로 인한 사회적 이익을 우선하여 보장
⑤ 개인정보에 대한 열람, 삭제, 정정 등을 적극적으로 요구할 수 있는 권리를 포함

9. ⓐ의 사례에 해당하지 <u>않는</u> 것은?

① 학교 홈페이지에 담임을 맡은 학급과 함께 게시된, '김○우'라는 교사의 이름
② 국가에서 설립한 기관에서 장(長)의 직책을 맡고 있는 사람의 휴대 전화 번호
③ 의사자를 추모하기 위한 행사에서 추도사를 읽는 유족의 얼굴을 촬영한 동영상
④ 원격 수업에 참여한 학생들의 얼굴을 모두 확인할 수 있도록 컴퓨터 화면을 캡처한 이미지
⑤ 생전에 모은 재산 전액을 기증한 '이부자'를 기리기 위해 만들어진 '이부자 장학 재단'이라는 명칭

10. 윗글을 바탕으로 인터넷 사이트에서 회원 가입 시 제시하는 다음 동의서를 이해한 내용으로 적절하지 <u>않은</u> 것은? [3점]

> **가. 개인정보 수집 및 이용 동의**
>
> 주식회사 ○○(이하 '회사')는 ○○ 서비스 회원(이하 '회원')의 권리를 적극적으로 보장합니다.
>
> 1. 수집 항목 : 아이디, 비밀번호
>
> ⋮
>
> 4. 개인정보 수집 및 이용 동의를 거부할 권리
> 4-1. 회원은 개인정보의 수집 및 이용 동의를 거부할 권리가 있습니다.
> 4-2. 수집 및 이용 동의를 거부할 경우, 서비스 이용이 제한됩니다.
>
> □ 개인정보를 수집하고 이용하는 것에 동의합니다.
>
> **나. 건강 정보 수집 및 이용 동의**
>
> 1. 수집 항목 : <u>**건강 정보**</u>
>
> ⋮
>
> □ 건강 정보를 수집하고 이용하는 것에 동의합니다.

① '가'에서 '회사'는 개인정보 처리자, '회원'은 개인정보의 주체에 해당하겠군.
② '가'의 4-2는 정보 제공 동의를 거부할 경우 정보 주체가 받을 수 있는 불이익에 해당하겠군.
③ '가'에서 '회원'의 동의 여부를 확인하는 것은 '회원'의 개인정보자기결정권을 보호하기 위한 수단이겠군.
④ '나'의 1은 개인의 건강 정보가 고유 식별 정보에 해당하기 때문에 수집 항목을 강조하여 표시한 것이겠군.
⑤ '나'는 정보 주체의 사생활이 현저히 침해되는 것을 방지하는 차원에서 '가'와 별도로 동의를 받는 것이겠군.

총 문항				문항	맞은 문항					문항
개별 문항	1	2	3	4	5	6	7	8	9	10
채점										
개별 문항	11	12	13	14	15	16	17	18	19	20
채점										

10분 | 2021학년도 11월 학평 23~27번 | ★☆☆ | 정답 019쪽

[1~5] 다음 글을 읽고 물음에 답하시오.

유엔해양법협약은 해양의 이용을 둘러싸고 ⓐ 발생하는 국가 간의 상반된 이익을 절충하고 갈등을 해결하는 규범의 역할을 담당하고 있다.

유엔해양법협약에 따르면 해양을 둘러싸고 해당 협약에 대한 해석이나 적용에 관해 국가 간 분쟁이 발생하였을 때, 분쟁 당사국들은 우선 의무적으로 분쟁 해결에 관하여 신속히 의견을 ⓑ 교환해야 하고 교섭이나 조정 절차 등 국가 간 합의에 의한 평화적 수단을 통해 분쟁 해결을 위해 노력해야 한다. 이러한 평화적 분쟁 해결 수단을 거쳐야 할 의무를 당사국에 부과하는 이유는 국제법의 특성상, 분쟁 해결의 원리가 기본적으로 각 국가의 동의를 바탕으로 적용되기 때문이다. 그런데 만약 이러한 방법으로도 분쟁이 해결되지 못할 경우에는 구속력 있는 결정을 수반하는 절차에 들어가게 되는데 이를 강제절차라고 한다.

강제절차란 분쟁 당사국들이 국제적인 분쟁 해결 기구를 통해 분쟁을 해결하는 절차이다. 이때 당사국들은 자국의 이익이나 분쟁 내용 등을 고려해 분쟁 해결 기구를 선택할 수 있는데, 선택 가능한 기구에는 중재재판소, 국제해양법재판소 등 유엔해양법협약에 의해 설립된 분쟁 해결 기구들이 있다. 이 중 중재재판소는 필요할 때마다 분쟁 당사국 간의 합의를 통해 구성되고, 국제해양법재판소는 상설 기구로 재판관 임명이나 재판소 조직 등이 사전에 결정되어 있다. 만약 분쟁 당사국들이 분쟁 해결 기구를 선택하지 않았거나 양국이 동일한 선택을 하지 않은 경우에는 별도의 합의를 하지 않는 한, 사건이 중재재판소에 회부된다.

본안 소송을 담당하는 재판소가 분쟁에 대한 최종 판결을 내리기 위해서는 먼저 본안 소송 관할권의 존재 여부를 판단하여 확정하는 심리* 절차를 거쳐야 한다. 여기서 관할권이란 회부된 사건을 재판소가 다룰 수 있는 권한을 의미하는데, 이후 본안 소송의 관할권이 확정된 사안에 대해 해당 재판소는 재판 과정을 거쳐 분쟁에 대한 최종 판결을 내리게 된다.

그런데 재판의 최종 판결이 내려지기까지 일정 시간이 ⓒ 소요되기 때문에, 해당 재판소는 분쟁 당사국의 요청이 있으면 필요한 경우 잠정조치를 명령할 수 있다. 이때 잠정조치란 긴급한 상황에서 분쟁 당사국의 이익을 보호하거나 해양 환경의 중대한 피해를 방지할 목적으로 내려지는 구속력 있는 임시 조치이다. 잠정조치는 효력이 임시적이므로 본안 소송의 최종 판결이 내려지면 효력이 종료된다.

분쟁 당사국이 소송을 제기하여 재판소에 사건이 회부되면 소송 절차가 개시되고, 그 이후 분쟁 당사국들은 언제든지 잠정조치를 요청할 수 있다. 일반적으로 잠정조치는 사건이 회부된 재판소에서 ⓓ 담당하지만, 본안 소송의 재판소와 잠정조치를 명령하는 재판소가 다른 경우도 있다. 본안 소송과 마찬가지로 잠정조치도 관할권을 필요로 한다.

예를 들어 유엔해양법협약에 의한 중재재판소에 사건이 회부되었지만, 사안이 긴급하여 재판소 구성을 기다릴 수 없는 경우에 국제해양법재판소가 잠정조치를 담당할 수 있다. 이때 본안 소송을 담당하는 중재재판소의 관할권이 확정되지 않았더라도, 잠정조치가 요청된 국제해양법재판소에서 ㉠ 본안 소송의 관할권을 심리한 결과, 중재재판소가 관할권을 갖게 될 가능성이 예측되어야 국제해양법재판소는 ㉡ 잠정조치의 관할권을 가질 수 있다. 기본적으로 잠정조치에 대한 관할권은 본안 소송을 담당하는 재판소가 관할권을 갖게 될 가능성이 큰 경우에 인정되기 때문이다. 결국 사건이 회부된 중재재판소의 본안 소송의 관할권 존재 가능성이 예측되고, 분쟁 해결이 긴급하여 잠정조치의 필요성이 인정되면, 분쟁 당사국의 이익을 보호하거나 해양 환경의 중대한 피해를 ⓔ 방지하기 위해 국제해양법재판소가 잠정조치 재판을 통해 잠정조치를 명령할 수 있는 것이다.

* 심리: 사실 관계 및 법률관계를 명확히 하기 위하여 증거나 방법 따위를 심사하는 것.

1. 윗글에서 알 수 있는 내용으로 적절하지 않은 것은?

① 잠정조치 재판에서 내려진 결정은 구속력이 없는 임시 조치이다.
② 분쟁 당사국들은 자국의 이익을 고려하여 분쟁 해결 기구를 선택할 수 있다.
③ 유엔해양법협약에 따른 분쟁 해결 원리는 각 국가의 동의를 바탕으로 적용된다.
④ 국제해양법재판소는 유엔해양법협약에 의해 설립된 국제적인 분쟁 해결 기구이다.
⑤ 유엔해양법협약은 분쟁 당사국들에게 분쟁 해결에 대한 신속한 의견 교환 의무를 부과하고 있다.

2. <보기>는 '유엔해양법협약에 대한 모의재판' 수업에 사용된 사례이다. 윗글을 참고할 때 <보기>에 대한 반응으로 적절하지 않은 것은? [3점]

〈보 기〉

유엔해양법협약에 가입된 A국과 B국 간에 해양을 둘러싼 분쟁이 발생하였다. A국은 B국의 공장 건설로 인하여 자국의 인근 바다에 해양 오염 물질이 유출될 것을 우려하여, B국과 교섭을 시도하였으나 B국은 이에 응하지 않았다. 추후 A국은 국제해양법재판소를, B국은 중재재판소를 통한 재판을 원하였으나 합의를 이루지 못했다. 이후 절차에 따라 양국이 제기한 소송은 재판에 회부되었다. A국은 판결이 내려지기까지 오랜 시일이 걸릴 것을 염려하여 잠정조치를 바로 요청하였다. 이를 받아들여 재판소는 잠정조치를 명령하였다.

① A국이 잠정조치를 요청할 수 있었던 것은 B국과의 사건이 재판에 회부되었기 때문이겠군.
② A국이 요청한 결과 잠정조치 명령이 내려졌으므로 B국과의 본안 소송 재판은 종결되겠군.
③ A국이 B국에게 교섭을 시도한 것은 분쟁 당사국들에게 평화적 해결 수단을 거쳐야 할 의무가 있기 때문이겠군.
④ A국과 B국은 동일한 분쟁 해결 기구를 선택하지 않았으므로 두 국가 간 분쟁은 중재재판소를 통해 해결되겠군.
⑤ A국이 재판에 사건이 회부된 후 바로 잠정조치를 요청한 것은 B국으로 인한 자국의 해양 오염을 시급히 막기 위함이겠군.

3. 다음은 윗글에 제시된 분쟁 해결 절차를 도식화한 것이다. 이를 이해한 것으로 적절하지 않은 것은?

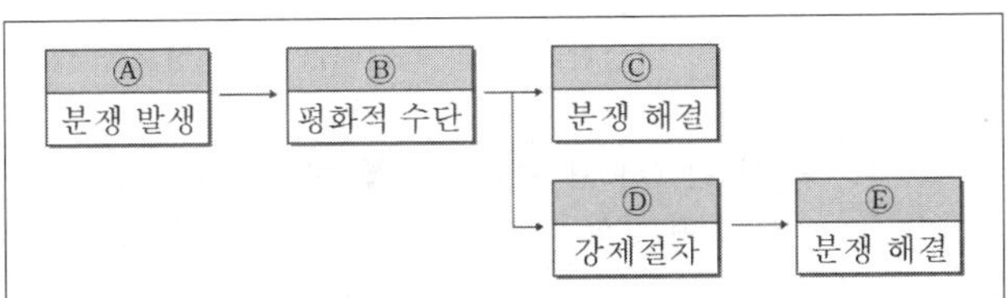

① Ⓐ는 유엔해양법협약의 해석과 적용에 대하여 국가 간 다툼이 있다는 것을 의미한다.
② Ⓓ를 진행하는 모든 분쟁 해결 기구는 분쟁이 발생하기 전에 재판소가 구성되어 있다.
③ Ⓑ를 통해 Ⓒ로 가는 과정은 분쟁 당사국 간 합의에 따라 진행된 것이다.
④ Ⓓ를 통해 Ⓔ로 가는 과정은 국제적 분쟁 해결 기구의 구속력 있는 결정을 통해 이루어진 것이다.
⑤ Ⓓ를 통해 Ⓔ로 가는 과정에서 잠정조치 명령이 내려졌다면 그 효력은 최종 판결 전까지만 유효하다.

4. ㉠, ㉡에 대한 이해로 가장 적절한 것은?
① ㉠의 존재 가능성이 예측되어야 ㉡은 인정된다.
② ㉠에 대한 판단에 앞서 ㉡의 존재 여부를 판단한다.
③ ㉡이 확정되지 않으면 ㉠은 인정되지 않는다.
④ 본안 소송의 최종 판결 이후 ㉠이 확정된다.
⑤ 본안 소송의 개시 시점은 ㉡의 인정 시점과 일치한다.

5. 문맥상 ⓐ ~ ⓔ와 바꿔 쓰기에 적절하지 않은 것은?
① ⓐ: 생겨나는
② ⓑ: 주고받아야
③ ⓒ: 짧아지기
④ ⓓ: 맡지만
⑤ ⓔ: 막기

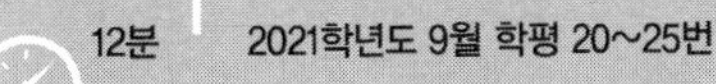

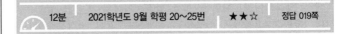

【6~11】 다음 글을 읽고 물음에 답하시오.

(가)

헌법은 국민의 기본권과 국가의 통치 조직을 규정한 최고의 기본법이다. 헌법의 특질인 '최고규범성'은 헌법이 국민적 합의에 의해 제정되었기 때문에 인정된다. 헌법의 하위에 있는 법규범들은 헌법으로부터 그 효력을 부여 받으며 존속을 보장 받으므로, 법률은 헌법에 합치되어야 하며 헌법을 위반하는 내용의 법률은 무효가 된다. 따라서 법률은 헌법에 모순되어서는 안 될 뿐만 아니라 적극적으로 헌법적 가치를 실현하여야 한다.

헌법의 최고규범성에도 불구하고 헌법은 규범 체계상 하위에 있는 법규범들과는 달리 스스로를 보장하지 않으면 안 된다. 다른 법규범들에는 상위의 법규범인 헌법이 있을 뿐만 아니라 국가 권력이라는 절대적인 강제 수단이 있어 그 효력이 보장되지만 헌법은 그렇지 못하다. 즉 헌법은 국가 권력이 그 효력을 부정하거나 침해할 수 없도록 헌법재판제도와 같은 장치를 스스로 마련하여 지니고 있다는 점에서 다른 법규범과는 상이한 특징을 갖는데, 이것이 바로 헌법의 '자기보장성'이다. 그러나 헌법재판은 일반 소송과 달리 국가 기관이 그 재판 결과를 ㉠ 따르지 않아도 이를 강제적으로 따르게 할 수 없는 한계가 있다. 헌법재판소의 결정은 국가 권력을 포함한 헌법의 적용을 받는 모든 대상들이 이를 존중하는 조건하에 실현된다. 예를 들면, 대여금 지급 소송에서 돈을 빌려 준 사람이 이기는 경우 그 사람은 법원의 도움을 얻어 돈을 빌린 사람이 가지고 있는 재산을 강제로 팔아 빌려 준 돈을 받을 수 있다. 하지만 헌법재판의 경우에는 어떠한 법률 조항에 대하여 헌법에 합치하지 아니하다며 입법자에게 개선 입법을 촉구하여도 입법부가 이를 따르지 않을 경우 헌법재판소가 입법부로 하여금 강제로 지키게 할 수 있는 수단이 따로 없다. 따라서 헌법의 최고 규범으로서의 효력은 (㉮)에 좌우된다고 할 수 있다.

헌법은 서로 다른 사람들 간에 존재하는 공통의 가치를 연결 고리로 하여 국가를 창설해 낸다. 헌법은 국가 내에서 이러한 공통의 가치를 최대한 실현할 수 있도록 갈등을 해결하고, 국가 작용을 체계화하기 위하여 그것을 담당할 기관과 절차를 규정한다. 그러나 헌법은 단순히 국가 작용을 체계화하고 국가 기관을 조직하는 데 그치지 않는다. 더 나아가서 헌법은 국가 작용을 담당하는 기관이 그 권한을 남용하여 오히려 국가가 추구하는 목적인 공통의 가치를 위험에 빠뜨리지 않도록 노력하고 있다. 이러한 헌법의 '권력제한성'을 통해 헌법은 처음부터 조직적인 측면에서 권력의 악용과 남용의 가능성을 배제하고 있다.

(나)

헌법을 바라보는 여러 관점 중 헌법해석학에 커다란 영향을 미친 헌법관으로는 법실증주의적 헌법관, 결단주의적 헌법관, 통합론적 헌법관을 들 수 있다.

법실증주의적 헌법관은 헌법을 국가의 조직과 작용에 관한 근본 규범으로 보는 관점으로, 권력자의 자의적 통치를 배제하고 법규범에 의한 통치를 지향하며 등장하였다. 국가는 강제적 법질서이고, 헌법은 실정 법질서에서의 최상위 규범이며, 국민은 법질서에 복종하는 존재라는 것이 법실증주의자들의 인식이었다. **법실증주의 헌법학자**들은 존재적 요소인 도덕·자연법 등을 배제하고 당위를 헌법학의 연구 대상으로 규정함으로써, 법학의 정확성과 엄격성, 법적 안정성 확보에 기여하였다. 그러나 법실증주의는 산업화, 다원화에 따라 변화하는 사회와 그에 따라 변화된 헌법을 이론적으로 설명하기 어려웠고, 정해진 법규범을 지나치게 강조하여 실정법 만능주의라는 비판을 받았다.

결단주의적 헌법관은 헌법을 헌법제정권력의 근본적 결단으로 보는 관점으로, 주권자인 헌법제정권력자의 의지를 강조하였다. 헌법은 내용적으로 올바르기 때문에 효력을 가지는 것이 아니라, 정치적 의지의 힘을 가진 자, 곧 헌법제정권력자의 의사에 의하여 정립되었기 때문에 정당성을 가진다고 보았다. 결단주의적 헌법관은 정치세력들의 일정한 타협의 결과, 즉 정치 결단적 요소를 인정하며 헌법의 현실적 배경을 설득력 있게 정리하였다. 그러나 헌법의 규범성을 경시하고 현실적 영향력만을 강조하여 국가를 권력 투쟁의 장이 되게 하고, 독재자의 결단이 곧 국민의 의사라는 논리로 권위주의적 독재 국가의 등장에 이론적 근거를 제공하였다는 비판을 받았다.

통합론적 헌법관은 헌법을 국가 통합을 위한 법질서로 보는 관점으로, 국가를 완전한 통일체로 보지 않고 지속적인 갱신의 과정으로 보았다. **통합론적 헌법학자**들은 적대적 정치세력으로 분열된 국가를 새로운 통일체로 형성하기 위한 도구로 헌법을 인식하며, 헌법이란 공감대적인 가치를 바탕으로 국가의 통합을 실현하고 촉진하기 위한 것이라고 보았다. 통합론적 헌법관은 헌법을 완성물이 아닌 하나의 과정으로 바라보며 오늘날의 민주주의적 상황과 다원적 산업 사회의 현실을 효과적으로 설명하였다. 그러나 통합의 중요성을 지나치게 강조한 나머지 헌법의 규범성을 소홀히 하고, 통합 과정을 너무 조화롭게만 보아 갈등의 요소를 경시했다는 비판을 받았다.

헌법이란 어느 한 요소에만 환원시킬 수 없는 국가라는 현상의 기본 질서이므로, 헌법의 본질을 설명하기 위해서는 복합적인 요소들을 종합적으로 고찰하여야 한다. 따라서 헌법의 효력이나 헌법의 해석이 문제되는 경우에는 세 가지 헌법관을 함께 생각할 수 있는 자세가 필요하다.

6. 다음은 (가), (나)를 읽고 학생이 작성한 활동지의 일부이다. ⓐ~ⓒ에 대한 평가를 바르게 짝지은 것은?

공통점	▪ 헌법의 다양한 특성을 드러내기 위해 정보를 병렬적으로 제시하고 있다. ………… ⓐ
차이점	▪ (가)는 (나)와 달리 헌법에 대한 서로 다른 견해를 통해 종합적인 절충안을 도출하고 있다. ….. ⓑ
	▪ (나)는 (가)와 달리 헌법과 관련한 여러 입장의 긍정적 측면과 부정적 측면을 함께 밝히고 있다. … ⓒ

	ⓐ	ⓑ	ⓒ
①	적절	적절	적절
②	적절	부적절	부적절
③	적절	부적절	적절
④	부적절	적절	적절
⑤	부적절	부적절	부적절

7. 자기보장성에 대한 이해로 가장 적절한 것은?

① 헌법은 국가 기관의 행위를 일반 소송을 통해 제한한다.
② 헌법은 주권자인 국민의 합의에 의해 규범성이 인정된다.
③ 헌법은 효력을 보장하기 위한 장치를 헌법 내에 마련한다.
④ 헌법은 규범 체계상 하위의 법규범에 의해 효력이 보장된다.
⑤ 헌법은 헌법에 의한 권력 남용의 가능성을 스스로 제한한다.

8. ㉮에 들어갈 내용으로 가장 적절한 것은?

① 헌법재판소의 결정 이행을 위한 강제 수단 마련
② 헌법에 의해 권한을 부여 받은 입법부의 독자성 보장
③ 최고 규범을 판단하는 기관인 헌법재판소의 법적 권위
④ 헌법의 실효성을 높이기 위한 국가 권력의 법적 제재 수단
⑤ 헌법의 내용을 실현하고자 하는 모든 구성원들의 적극적 의지

9. '통합론적 헌법학자'의 관점에서 '법실증주의 헌법학자'를 비판한 내용으로 가장 적절한 것은?

① 헌법을 통해 자의적 통치를 배제하고자 하는 것으로는 헌법의 규범성을 설명할 수 없다.
② 정해진 법규범을 지나치게 강조하는 것으로는 지속적으로 변화하는 사회와 헌법을 설명할 수 없다.
③ 존재적 요소를 헌법학의 연구 대상으로 규정하는 것으로는 다원적 산업 사회의 현실을 설명할 수 없다.
④ 국민을 법질서에 복종하는 존재로 인식하는 것으로는 헌법제정권력자로서의 국민의 의지를 설명할 수 없다.
⑤ 국가를 권력 투쟁의 장으로 보는 것으로는 분열된 국가를 새로운 통일체로 형성하는 도구로서의 헌법을 설명할 수 없다.

10. <보기>는 헌법재판소 판례의 일부이다. (가)와 (나)를 바탕으로 <보기>의 ⓐ, ⓑ에 대해 이해한 내용으로 적절하지 않은 것은? [3점]

<보 기>

<유통산업발전법 제12조의2 위헌소원(2016헌바 등 병합)>

■ 헌법 제119조 제2항에 따르면 국가는 경제주체 간의 조화를 통한 경제의 민주화를 위하여 경제에 관한 규제와 조정을 할 수 있다. ⓐ 심판대상조항은 구청장·군수·시장 등이 대형 마트에 대해 영업시간 제한 및 의무 휴업일 지정을 할 수 있도록 규정한 것인데, 이는 대형 마트와 중소 유통업의 상생 발전을 도모하기 위한 규제라 할 것이므로 입법 목적의 정당성이 인정된다. 따라서 심판대상조항은 헌법에 위배되지 아니한다.

<근로기준법 제35조 제3호 위헌소원(2014헌바3)>

■ 헌법 제32조 제3항에 따르면 근로조건의 기준은 인간의 존엄성을 보장하도록 법률로 정하여야 한다. ⓑ 심판대상조항은 해고예고제도에서 월급 근로자 중 6개월이 되지 못한 자를 적용 예외로 규정한 것인데, 돌발적 해고 시 해당 근로자의 생활이 곤란해지는 것을 막지 못하므로 근로자의 권리를 침해한다. 제도의 적용 대상 범위 등을 정하는 것은 입법자의 권한이나, 이 역시 헌법에 어긋나서는 안 된다. 따라서 심판대상조항은 헌법에 위배된다.

① 헌법의 최고규범성을 고려하면, ⓐ를 '경제주체 간의 조화'라는 헌법적 가치를 실현하기 위한 것으로 볼 수 있겠군.
② 헌법의 권력제한성을 고려하면, ⓑ와 관련된 '입법자의 권한'은 국가 공통의 가치를 실현하는 범위 내로 한정되어야 한다고 볼 수 있겠군.
③ 법실증주의적 헌법관에 따르면, ⓐ에는 '경제에 관한 규제와 조정'이라는 권력자의 통치 이념이 반영된 것으로 볼 수 있겠군.
④ 결단주의적 헌법관에 따르면, ⓑ에는 '인간의 존엄성을 보장'하여야 한다는 주권자의 의사가 반영되지 못한 것으로 볼 수 있겠군.
⑤ 통합론적 헌법관에 따르면, ⓐ에는 '경제의 민주화'라는 가치를 바탕으로 국가의 통합을 실현하려는 노력이 반영된 것으로 볼 수 있겠군.

11. 문맥상 ㉠의 단어와 가장 가까운 의미로 쓰인 것은?

① 우리는 명령을 따르며 급히 움직였다.
② 어머니를 따라 풍물 시장 구경을 갔다.
③ 나는 아버지의 음식 솜씨를 따를 수 없다.
④ 최근 개발에 따른 공해 문제가 불거지고 있다.
⑤ 의원들이 모두 의장을 따라 자리에서 일어섰다.

총 문항				문항	맞은 문항					문항
개별 문항	1	2	3	4	5	6	7	8	9	10
채점										
개별 문항	11	12	13	14	15	16	17	18	19	20
채점										

10분 | 2021학년도 6월 학평 21~25번 | ★☆☆ | 정답 021쪽

[1~5] 다음 글을 읽고 물음에 답하시오.

분쟁이 예견되거나 진행 중인 상황에서 후일 상대방이 사실을 번복하거나 그런 내용을 고지받지 못했다고 주장하는 것을 막기 위해 '내용증명'을 활용할 수 있다. 내용증명이란 누가, 언제, 누구에게, 어떤 내용의 문서를 보냈다는 사실을 우체국에서 공적으로 증명해 주는 특수한 우편 제도로, 이를 활용하면 ㉠ 향후 법적 분쟁의 소지를 줄일 수 있다.

내용증명은 개인 간 채권·채무 관계나 권리·의무를 더욱 명확하게 할 필요가 있을 때 주로 이용된다. 예를 들어 방문판매를 통해 충동적으로 구입한 화장품, 건강식품 등의 구매 계약을 철회 기간 내에 취소하고 싶을 때 사용할 수 있다. 특히 판매자와 연락이 되지 않는 등의 사유로 계약을 철회할 수 있는 기간 내에 철회가 불가능한 경우에도 사용한다.

내용증명은 다른 우편물과는 달리 우체국에 같은 내용의 문서 3부를 제출해야 한다. 이는 발신인, 수신인, 우체국 3자가 각각 동일한 내용의 문서를 소지하기 위함이다. 그 결과 발신인이 작성한 어떤 내용의 문서가 언제 누구에게 발송되었는지를 우체국장이 증명할 수 있게 되는 것이다. 그러나 이것이 문서의 내용이 맞다는 것까지 증명하는 것은 아니라는 점에 유의해야 한다. 내용증명 우편이 발송되었다는 사실은 입증하지만 문서 내용의 진위까지 입증하는 것은 아니므로 그 자체로 문제가 해결되는 것은 아니다.

그렇다면 내용증명은 어떠한 기능을 하는 것일까? 우선, 내용증명은 문서를 발송하였다는 것을 공적으로 증명하는 증거 효력을 갖는다. 만약 법적 대응 과정에서 내용증명을 제출한다면 상대방은 그와 같은 내용의 문서를 언제 받았다는 사실만큼은 문제 삼을 수 없다. 다음으로, 내용증명은 상대방에게 심리적 부담을 주어 그 내용의 이행을 실현하게 하기도 한다. 왜냐하면 내용증명을 보내는 사람이 추후 강력한 법적 대응을 이어갈 의지가 있음을 알리기 때문이다. 예를 들어 A에게 돈을 빌린 B가 채무 이행을 독촉하는 내용증명을 받으면 B는 A가 이후 법적 대응을 할 수도 있다는 심리적 부담을 느껴 자발적으로 돈을 갚을 가능성이 있다는 것이다.

또한 내용증명은 그 자체만으로는 단순히 최고*하는 것에 불과하지만, 소멸시효를 중단시키는 데 중요한 역할을 한다. 채권에는 소멸시효가 있기 때문에 제때 권리 행사를 하지 않으면 소멸시효가 만료되어 그 권리가 소멸된다. 따라서 소멸시효가 만료될 무렵까지 채무 이행이 이루어지지 않고 있다면 채권자는 소멸시효가 더 이상 진행되지 못하도록 중단시켜야 한다. 그러나 내용증명을 발송하였다고 하여 바로 소멸시효가 중단되는 것은 아니다. 내용증명을 보낸 날짜로부터 6개월 이내에 청구나 압류, 가압류, 가처분 등을 해야만 소멸시효가 중단되는 효력이 발생한다. 이러한 법적 대응을 하게 되면 해당 사안의 소멸시효가 내용증명을 보낸 시점에 중단되는 효력이 발생한다. 이렇게 소멸시효가 중단되면 그때까지 경과한 소멸시효의 기간은 무효가 되고 중단 사유가 종료된 때로부터 소멸시효가 새로이 시작된다.

[A] 내용증명을 작성할 때 정해진 양식이 있는 것은 아니지만 특정일에 특정 내용을 전달했다는 증거가 되므로 발신인, 수신인, 제목, 본문, 날짜 등이 순서대로 포함되어야 한다. 기재된 발신인 및 수신인의 주소와 이름은 반드시 봉투 겉면에 작성하는 주소, 이름과 일치하도록 해야 하고, 제목에는 손해 배상 청구 등과 같이 내용증명의 구체적 목적이 담겨야 한다. 본문에는 계약 경위와 같은 객관적 사실 관계와 요구 사항 등을 분명히 제시해야 한다. 날짜에는 발송 날짜를 쓰고 발신인의 도장을 찍거나 서명을 하도록 한다. 작성하면서 글자나 기호를 정정, 삽입 또는 삭제할 때에는 반드시 '정정', '삽입' 또는 '삭제'라는 문자 및 수정한 글자 수를 여백에 기재하고 그곳에 발송인의 도장 또는 지장을 찍거나 서명을 하여야 한다.

민법의 규정에 따라 문서의 우편 발송은 수신인에게 도달된 때로부터 효력이 발생한다. 그러나 방문판매 등의 청약 철회를 요청하는 내용증명의 경우에는 수신인의 수취 여부와 상관없이 서면을 발송한 날부터 발생한다. 내용증명으로 발송한 우편물은 3년간 우체국에서 보관한다. 발신인이나 수신인이 이를 분실할 경우 발송 우체국에 특수우편물수령증, 주민등록증 등을 제시해 본인임을 입증하면 보관 중인 내용증명의 열람을 청구할 수 있으며 필요시에는 복사를 요청할 수도 있다.

* 최고 : 다른 사람에게 일정한 행위를 할 것을 요구하는 통지를 냄.

1. 윗글에 대한 설명으로 가장 적절한 것은?

① 특정 제도의 특징과 기능을 구체적인 사례를 들어 소개하고 있다.
② 특정 제도의 형성 배경과 발달 과정을 순차적으로 서술하고 있다.
③ 특정 제도가 지닌 문제점과 한계를 다양한 측면에서 고찰하고 있다.
④ 특정 제도가 실시되었을 때 예상되는 장점과 단점을 분석하고 있다.
⑤ 특정 제도의 필요성을 언급한 뒤 그 속성을 유사한 대상에 빗대어 설명하고 있다.

2. 윗글의 내용과 일치하지 <u>않는</u> 것은?

① 내용증명을 받은 수신인은 심리적 부담감을 느끼고 문제 해결을 시도할 수 있다.
② 방문판매의 청약 철회를 요청하는 내용증명의 효력은 서면을 발송한 날부터 발생한다.
③ 내용증명 발송 직후 발신인이 이를 분실한 경우 발송 우체국에서 복사를 요청할 수 있다.
④ 내용증명을 위해 우체국에 같은 내용의 문서를 3부 제출하여 발신인도 그중 하나를 갖는다.
⑤ 계약을 철회할 수 있는 기간이 지난 후 발송한 내용증명도 법적 대응 과정에서 효력을 가질 수 있다.

3. [A]를 바탕으로 다음의 자료를 이해한 내용으로 적절하지 않은 것은?

내용증명

수신인 : □□시 □□구 □□동 □□번지 ◇◇ 상사 ······ ㉮

방문판매 계약 관련 ······ ㉯

1. 귀사의 발전을 기원합니다.

2. 본인의 아들 홍○○(만 16세)가 2021년 6월 1일 귀사의 서적 시리즈 1세트를 월 15,000원씩 20개월간 납입하기로 하고 ~~곧장~~ 계약하였습니다.

삭제 (홍길동인) ······ ㉰

3. 그러나 본인의 아들 홍○○은 미성년자로서, 민법상 행위무능력자가 책을 구입할 경우에는 반드시 법정대리인인 부모의 동의를 얻어야 하는데, 위 경우 법정대리인의 동의 없이 물품을 구입하였습니다. ······ ㉱

4. 이에 「방문판매 등에 관한 법률의 규정」에 따라 인도받은 서적을 반환합니다.

2021년 6월 3일
발신인 : 홍 길 동 (홍길동인) ······ ㉲

① ㉮: 봉투 겉면에 작성하는 것과 일치하도록 발신인의 주소와 이름을 추가해야 해.
② ㉯: 제목에 해당하는 부분이므로 발신인의 목적이 구체적으로 드러나도록 '계약 철회 요청'으로 작성하면 좋겠어.
③ ㉰: 두 글자를 삭제하였으므로 삭제한 글자 수까지 명시하여 '2자 삭제'로 적어야 해.
④ ㉱: 요구 사항이 분명하게 드러나도록 '따라서 이 계약의 취소를 요청합니다.'를 추가해야 해.
⑤ ㉲: 특정일에 전달받았다는 증거가 되도록 수신인이 내용증명을 받게 될 날짜를 밝혀야 해.

4. ㉠의 이유로 가장 적절한 것은?

① 수신인에게 분쟁을 철회할 것을 요청하기 때문에
② 수신인에게 의사 표시를 할 것을 주장하기 때문에
③ 발신인이 충동적으로 계약을 맺는 것을 막아 주기 때문에
④ 발신인이 의사 표시를 했음을 객관적으로 드러내기 때문에
⑤ 발신인이 주장하는 내용의 진위를 법적으로 입증하기 때문에

5. 윗글을 바탕으로 <보기>의 상황을 이해한 내용으로 가장 적절한 것은? [3점]

<보 기>

을은 갑에게 돈을 빌려주었으며, 해당 채무 관계의 소멸시효는 3년으로 2020년 12월 31일에 만료된다. 그런데 갑은 만료일이 다가오도록 을에게 채무를 이행하지 않고 있다. 이에 을은 주변의 조언을 받아 2020년 10월 31일에 채무 이행을 요구하는 내용증명을 보내어 갑에게 도달하였음을 확인하였다.

① 을이 갑에게 내용증명을 보낸 궁극적인 목적은 소멸시효 만료를 알리기 위함이다.
② 을이 보낸 내용증명으로 인해 소멸시효 만료일인 2020년 12월 31일로부터 중단 효력이 발생한다.
③ 을이 내용증명을 소멸시효 만료 2개월 전에 보냈으므로 중단 사유 종료 후 소멸시효가 2개월 연장된다.
④ 을이 이후 법적 대응을 할 뜻이 없다면 을이 돈을 받을 수 있는 권리는 2020년 12월 31일까지만 유지된다.
⑤ 을이 2021년 6월 30일까지 가압류, 가처분 등의 조치를 하면 소멸시효는 2020년 10월 31일에 중단된 것으로 본다.

12분 | 2020학년도 11월 학평 20~25번 | ★★☆ | 정답 022쪽

【6~11】 다음 글을 읽고 물음에 답하시오.

범죄인이 다른 나라로 도피하면 그 신병을 확보하기 어려워 처벌이 힘들다. 이 때문에 근대에 들어 각국은 국제법상 범죄인 인도제도를 발전시켰다. [범죄인인도제도]는 해외에서 죄를 범한 범죄인이 자국 영역으로 도피해 온 경우, 그를 처벌하기를 원하는 외국의 청구에 응해 해당자를 인도하는 제도이다.

범죄인인도제도는 서로 범죄인인도를 할 것을 합의하고 그에 대한 사항을 규정하는 국가 간의 조약인 범죄인인도조약을 기초로 이루어진다. 범죄인인도가 원만히 진행되려면 상대국의 사법제도에 대한 상호 신뢰가 필요하므로, 범죄인인도조약은 주로 양자조약의 형태로 발달하였으며 범세계적인 조약은 ㉠ 성립되지 않고 있다. 사전에 체결된 범죄인인도조약에 의해서만 상대국가에 대한 범죄인인도청구에 응할 의무가 발생하며, 어떤 국가가 범죄인인도조약을 맺지 않은 국가의 범죄인인도청구에 응해야 할 국제법상의 의무는 없다.

범죄인인도제도의 구체적인 내용은 범죄인인도조약에 따라 차이가 있지만, 전체적으로 표준화되어 있다고 할 만큼 국제적으로 공통되는 것이 많다. 우선 대부분의 범죄인인도조약은 처벌 가능한 최소 형기를 기준으로 인도대상범죄를 규정한다. 범죄인인도를 청구하는 청구국과 인도를 청구받는 피청구국 모두에서 범죄로 성립되고, 주로 해당 범죄의 형기가 징역 1년 이상에 해당하는 경우만을 인도대상으로 규정하는 방식이다. 여기에 부합하면 내국인이든 외국인이든 범죄인인도의 대상이 될 수 있다. 청구국의 범죄인인도청구가 공식적으로 외교 경로를 통해 전달되면, 피청구국은 범죄인인도청구에 응하여 실제로 범죄인을 인도할지를 결정한다. 이때 범죄인인도는 대부분 피청구국 법원의 허가를 받아야 한다.

범죄인인도조약에 의해 범죄인인도청구에 응할 의무가 있다고 해도 피청구국이 청구국에 범죄인을 반드시 인도해야 하는 것은 아니다. 범죄인인도거절 ㉡ 사유로는 피청구국이 범죄인인도를 할 수 없는 절대적 인도거절 사유와 범죄인인도를 하지 않을 수 있는 임의적 인도거절 사유가 있다.

절대적 인도거절 사유에는 대표적으로 다음과 같은 것들이 있다. 인도청구된 범죄에 대하여 이미 피청구국에서 재판이 진행 중이거나 피청구국에서 확정 판결을 받은 경우는 중복 처벌을 피하기 위해 범죄인인도가 허용되지 않는다. 그리고 피청구국에서 공소시효가 끝난 경우에도 범죄인인도가 거절된다.

또한 정치범도 일반적으로 범죄인인도가 불허된다. 정치범이란 국가나 국가 권력을 ㉢ 침해함으로써 성립하는 불법 행위를 저지른 사람을 말하는데, 정치범죄의 판단기준이 시대나 상황에 따라 달라질 수 있으므로 범죄인인도조약에 정치범죄의 정의가 포함되는 경우는 찾기 어렵다. 결국 어떤 행위가 정치범죄에 해당하는가의 판단은 피청구국에서 하게 된다. 대부분의 정치범죄가 일반 형사범죄로서의 성격도 함께 지니는 이른바 상대적 정치범죄인데, 일반적으로 범죄행위의 정치적 성격이 일반 형사범죄로서의 성격보다 우월할 때 그것을 정치범죄로 판단한다. 하지만 어떤 범죄는 정치적 성격이 있더라도 정치범죄로 인정될 수 없다. 예를 들어 국가원수나 그 가족의 생명·신체를 침해하는 행위는 정치범 불인도 대상에서 제외되며 이를 가해조항이라 부른다. 그리고 무고한 불특정 다수를 대상으로 하는 테러행위 등은 많은 범죄인인도조약에서 정치범죄로 인정되지 않는다고 규정하고 있다.

임의적 인도거절 사유는 범죄인인도조약에 따라 다르다. 우선 범죄인이 피청구국의 자국민일 경우 피청구국이 범죄인인도를 거절할 수 있게 하는 경우가 있다. 그런데 피청구국이 이런 자국민 불인도 조항에 따라 자국민 범죄인의 인도를 거절하고 범죄인을 처벌하지도 않으면, 결과적으로 범죄인이 처벌을 면할 수 있다. 이에 다수의 범죄인인도조약에는 피청구국이 자국민이라는 이유만으로 범죄인인도를 거절할 경우, 청구국의 요청이 있으면 피청구국은 기소 당국에 사건을 회부해야 한다는 조항을 넣기도 한다. 또 범죄인이 청구국에 인도된 뒤 비인도적인 대우를 받을 것이 ㉣ 예견될 때는 범죄인의 인권을 보호하기 위해 범죄인인도를 거절할 수 있게 하는 경우가 있다. 같은 이유에서 사형을 폐지한 피청구국은 청구국이 대상 범죄인을 사형에 처하지 않을 것이라는 ㉤ 보증을 하지 않을 경우 범죄인인도를 거절할 수 있게 하는 일도 많다.

범죄인이 청구국으로 인도되면 인도청구 사유가 되었던 범죄에 대해서만 처벌을 받는데, 다만 인도 후 새로 저지른 범죄나 피청구국이 처벌에 동의한 범죄 등은 인도청구 사유에 명시되지 않았어도 처벌이 가능하다. 이를 특정성의 원칙이라고 하며, 이 또한 범죄인의 인권을 보호하기 위한 장치로 볼 수 있다.

6. 윗글을 통해 해결할 수 있는 질문으로 적절하지 않은 것은?

① 범죄인인도조약의 개념은 무엇일까?
② 범죄인인도거절 사유로는 어떤 것들이 있을까?
③ 인도대상범죄를 규정하는 기준에는 무엇이 있을까?
④ 범죄인인도청구에 응할 의무는 무엇에 의해 발생하는 것일까?
⑤ 범죄인인도를 법원이 허가하면 범죄인의 신병은 언제 인도될까?

7. [범죄인인도제도]에 대한 설명으로 적절하지 않은 것은?

① 근대에 들어 발전한 국제법상의 제도이다.
② 범죄인인도조약에 따라 구체적인 내용에 차이가 있다.
③ 해외에 있는 범죄인의 신병을 확보하기 위한 제도이다.
④ 범세계적인 범죄인인도조약의 규정을 기초로 하여 운영되고 있다.
⑤ 원활하게 운영되기 위해서는 국가 간 사법제도에 대한 상호 신뢰가 필요하다.

※ 〈보기〉의 (가)와 (나)는 서로 범죄인인도조약을 맺고 있는 A국과 B국 사이의 가상 사례이다. 8번, 9번 물음에 답하시오.

〈보 기〉

(가) 제3국 국민인 X는 A국에서 경제 범죄를 저질러 구속영장이 발부되자 B국으로 탈주했다. A국은 B국에 X에 대한 범죄인인도를 청구했다. B국 법원은 X의 범죄가 인도대상범죄에 해당한다고 판단한 뒤 사건을 검토하여 X의 인도를 허가하기로 결정하였다. (단, X는 A국, B국 중 어떤 나라와도 범죄인인도조약을 맺고 있지 않은 나라의 국민이다.)

(나) A국 정부에 반대하는, A국 국민 Y가 그 정부를 전복하려는 활동의 하나로 A국의 무인 공공시설물을 파손하려다 발각된 뒤 B국으로 도피했고, A국은 B국에 Y에 대한 범죄인인도를 청구했다. B국 법원은 Y의 행위가 인도대상범죄에는 해당한다고 판단한 뒤, 해당 사건의 일반 형사범죄로서의 성격과 정치범죄로서의 성격을 검토한 후 이를 바탕으로 인도를 불허한다는 결정을 내렸다.

8. 윗글을 바탕으로 (가)와 (나)를 이해한 것으로 적절하지 않은 것은? [3점]

① A국과 B국의 법률에서는 X와 Y의 행위를 모두 범죄로 규정하고 있을 것이다.
② A국과 B국 간의 범죄인인도조약에 자국민 불인도 조항이 있더라도, X와 Y는 해당 조항의 적용대상이 되지 않을 것이다.
③ Y의 행위는 X의 행위와 달리 범죄인인도조약상 B국이 범죄인인도를 허가할 수 없는 절대적 인도거절 사유에 해당할 것이다.
④ X는 Y와 달리 B국과 범죄인인도조약을 체결하지 않은 국가의 국민이지만, B국은 X, Y 모두에 대한 A국의 범죄인인도청구에 응해야 할 의무를 질 것이다.
⑤ 인도가 청구된 범죄에 대해 X와 Y가 인도청구 전에 이미 B국에서 유죄 판결을 받았다면, B국은 X와 Y의 처벌을 위해 그 신병을 모두 A국으로 인도해야 할 것이다.

9. 윗글을 읽은 학생이 (나)에 대해 이해한 것으로 가장 적절한 것은?

① A국 법원이 B국 법원 대신 Y의 행위가 정치범죄로 인정받을 수 있는지 여부를 결정할 수 있겠군.
② B국 법원은 Y의 행위가 일반 형사범죄로서의 성격보다 정치적 범죄로서의 성격이 더 강한 범죄라고 판단했겠군.
③ A국은 범죄인인도를 청구하면서 Y의 행위가 가해조항의 적용을 받으므로 Y의 신병을 A국에 인도해야 한다고 주장했겠군.
④ B국 법원은 대부분의 범죄인인도조약에 명시된 정치범죄에 대한 정의를 기준으로 적용하여 Y의 행위의 정치적 성격을 판단했겠군.
⑤ B국 법원은 Y의 행위가 무고한 불특정 다수를 대상으로 하는 테러 행위가 아니므로 정치범 불인도의 대상에서 제외되어야 한다고 판단했겠군.

10. <보기>는 학습 자료로 만든 범죄인인도조약의 일부이다. 윗글을 읽은 학생이 <보기>에 대해 보인 반응으로 적절하지 않은 것은?

〈보 기〉

제4조
피청구국은 자국민을 인도할 의무는 없으나 재량에 따라 자국민을 인도할 권한을 갖는다. 자국민인 범죄인의 인도를 국적만을 이유로 거절하는 때에는, 피청구국은 청구국의 요청이 있을 경우 기소 당국에 사건을 회부하여야 한다.

제5조
인도청구되는 범죄가 청구국의 법률상 사형선고가 가능한 경우에는 피청구국은 해당 범죄인의 인도를 거절할 수 있다. 단, 청구국이 사형을 선고하지 않거나, 사형선고를 할 경우에도 집행하지 않는다고 보증하는 경우에는 그러하지 않다.

제6조
인도되는 범죄인은 피청구국에 의해 인도가 허용된 범죄, 인도 이후에 저지른 범죄, 피청구국이 처벌에 동의하는 범죄를 제외하고는 청구국에서 처벌될 수 없다.

① 제4조에는 피청구국이 자국민 범죄인의 인도를 거절하고 범죄인을 처벌하지도 않을 경우에 대비한 규정이 포함되어 있군.
② 제5조에는 청구국의 법률상 사형선고가 가능한 경우, 피청구국이 청구국에 보증을 할 필요가 있다는 내용이 포함되어 있군.
③ 제6조의 내용으로 보아 이 조항은 특정성의 원칙과 관련된 조항이라고 볼 수 있겠군.
④ 제4조와 제5조는 모두 임의적 인도거절 사유에 해당하는 조항이라고 볼 수 있겠군.
⑤ 제5조와 제6조는 범죄인인도의 대상이 되는 범죄인의 인권을 보호하기 위한 장치로 볼 수 있겠군.

11. ㉠ ~ ㉤의 사전적 의미로 적절하지 않은 것은?

① ㉠: 기관이나 조직체 따위를 만들어 일으킴.
② ㉡: 일의 까닭.
③ ㉢: 침범하여 해를 끼침.
④ ㉣: 앞으로 일어날 일을 미리 짐작함.
⑤ ㉤: 어떤 사물이나 사람에 대하여 책임지고 틀림이 없음을 증명함.

총 문항				문항	맞은 문항					문항
개별 문항	1	2	3	4	5	6	7	8	9	10
채점										
개별 문항	11	12	13	14	15	16	17	18	19	20
채점										

Ⅱ

12분 | 2020학년도 9월 학평 16~21번 | ★★☆ | 정답 023쪽

【1~6】 다음 글을 읽고 물음에 답하시오.

[A] 가계, 기업, 정부는 경제 주체로서 가계는 소비, 기업은 생산, 정부는 정책 결정 시 합리적인 선택을 하기 위해 노력한다. 이때 합리적인 선택을 하려면 편익과 비용을 충분히 고려하여 편익에서 비용을 뺀 순편익이 가장 큰 대안을 선택해야 한다. 편익이란 어떤 선택을 할 때 얻는 이득으로, 기업의 판매 수입과 같은 금전적인 것이나 소비자가 상품을 소비함으로써 얻는 정신적 만족감과 같은 비금전적인 것을 말한다. 비용이란 암묵적 비용 중 가장 큰 것과 명시적 비용을 합친 것이다. 암묵적 비용은 어떤 선택으로 인해 포기한 다른 대안의 가치를, 명시적 비용은 그 선택을 할 때 화폐로 직접 지불하는 비용을 말한다.

순편익은 한계편익과 한계비용이 같을 때 가장 커지는데, 한계편익은 어떤 선택에 의해 추가로 발생하는 편익이며 한계비용은 그 선택에 의해 추가로 발생하는 비용이다. 예를 들어, 볼펜을 1개 더 살지 고민하고 있는 소비자의 한계편익은 볼펜을 1개 더 사는 데에서 추가로 얻는 만족감이며, 한계비용은 볼펜을 1개 더 사기 위해 추가로 드는 비용이다.

기업은 상품을 얼마나 생산하면 이윤을 극대화할 수 있을지 한계비용과 한계수입을 고려해 합리적인 판단을 ⓐ <u>내릴</u> 수 있다. 기업 입장에서 한계비용은 상품 생산량을 한 단위 증가시키는 데 추가로 드는 비용이며, 한계수입은 상품을 한 단위 더 생산하여 판매할 때 추가로 얻는 수입이다. 완전경쟁시장에 있는 기업이라면 상품의 시장 가격 그 자체가 한계수입이 된다. 완전경쟁시장은 많은 수의 공급자와 수요자로 구성되어 있고 거래되는 상품이 동질적이므로 개별 공급자나 수요자가 시장 가격에 영향을 미칠 수 없다. 즉 기업이나 소비자는 시장에서 결정된 상품 가격을 주어진 것으로 받아들이며 이 가격이 기업의 한계수입이 된다. 상품을 사려는 사람들이 많아져 시장 수요가 증가하여 상품 가격이 오른다면, 한계수입도 그만큼 동일하게 오른다.

생산을 계속할 때 손실이 발생하는 상황이 아니라면, 기업은 한계비용과 한계수입이 일치하도록 생산량을 조절해 이윤을 극대화할 수 있다. 한계비용이 한계수입보다 큰 경우에는 상품 생산량을 한 단위 더 줄일 때 그로 인해 추가로 절약되는 비용이 줄어들 수입보다 크므로 생산량을 줄여 이윤을 증가시킬 수 있다. 이와 반대로 한계수입이 한계비용보다 큰 경우에는 생산량을 늘려 이윤을 증가시킬 수 있다.

그런데 생산을 계속할 때 이윤이 남는 것이 아니라 오히려 손실을 볼 수도 있기 때문에 어떤 상황에서 손실이 발생하는지 판단하는 것도 기업 입장에서 중요하다. 이때 고려할 수 있는 것 중 하나가 평균비용이다. 평균비용은 어떤 양의 상품을 생산하는 데 투입된 총비용을 생산량으로 나눈 것으로, 상품을 한 단위 생산하는 데 드는 평균적인 비용을 말한다. 여기에서 총비용은 고정비용과 가변비용으로 구분된다. 한계비용이 총비용 중 가변비용에만 영향을 받는 것과 달리, 평균비용은 고정비용과 가변비용에 모두 영향을 받는다. 고정비용은 생산량에 따라 변하지 않고 일정한 크기를 유지하는 비용으로, 생산량이 많든 적든 매달 똑같이 내야 하는 임대료가 그 예이다. 가변비용은 생산량에 따라 달라지는 비용으로, 각종 재료비, 상품 생산을 늘리기 위해 추가로 고용하는 직원에게 지급되는 보수 등이 그 예이다.

그렇다면 기업은 손실이 발생하는지 평균비용을 통해 어떻게 알 수 있을까? 총비용을 전부 회수하는 것이 언제라도 가능한 기업이 완전경쟁시장에 있다고 가정해 보자. 이 기업은 평균비용을 상품의 시장 가격과 비교해 보고 만약 가격이 평균비용곡선의 최저점에도 미치지 못한다면, 생산량이 얼마이든 그 가격에 상품을 판매해 보았자 손실을 피할 수 없다고 판단할 것이다. 그렇다면 투입된 총비용을 전부 회수하여 손실 발생을 막는 것이 이 기업에 합리적인 결정일 수 있다. 기업이 의도한 생산량에서의 평균비용이 시장 가격보다는 낮아야 이윤이 남는데, 어떻게 해도 손실을 피할 수 없다면 생산을 계속할 것인지 신중하게 고민해야 하는 것이다. ㉠ <u>이처럼 평균비용은 한계비용과 더불어 기업이 생산에 관한 의사 결정을 내릴 때 유용하게 활용된다.</u>

합리적 선택을 중심으로 생산에 관한 기업의 의사 결정을 살펴보는 것은 경제 활동을 더 잘 이해하게 한다는 점에서 의미가 있다. 특히, 기업의 생산 활동은 소비자의 수요를 충족해 주고 고용 증가, 경제 성장 등 사회 전체에 미치는 영향이 크다는 점에서 주의 깊게 살펴볼 필요가 있을 것이다.

1. 윗글의 내용 전개 방식으로 가장 적절한 것은?

① 합리적인 선택을 할 때의 장점을 제시하며 기업의 의사 결정 과정을 평가하고 있다.
② 합리적인 선택이 지닌 한계를 제시하며 기업의 사회적 책임에 대해 서술하고 있다.
③ 경제 주체가 되기 위한 조건을 제시하며 각 경제 주체가 수행하는 역할을 비교하고 있다.
④ 합리적인 선택을 하기 위한 방법을 제시하며 생산과 관련된 기업의 의사 결정에 대해 설명하고 있다.
⑤ 기업이 생산 활동을 할 때 고려하는 요소를 제시하며 생산량을 결정할 때의 어려움을 원인에 따라 분류하고 있다.

2. 윗글에서 알 수 있는 내용으로 적절하지 <u>않은</u> 것은?

① 총비용에서 고정비용을 제외한 나머지는 모두 가변비용이다.
② 완전경쟁시장의 개별 소비자는 시장 가격을 주어진 것으로 받아들인다.
③ 생산량과 상관없이 기업이 매달 똑같이 내야 하는 임대료는 한계비용에 영향을 준다.
④ 평균비용은 총비용이 생산된 상품에 똑같이 배분되었을 때 얼마인지를 나타내는 비용이다.
⑤ 같은 편익을 주는 대안이 여러 개 있다면 비용이 가장 적게 드는 것을 선택하는 것이 합리적이다.

3. 윗글을 참고할 때, ㉠의 의미를 추론한 내용으로 가장 적절한 것은?

① 평균비용은 고정비용이 얼마인지, 한계비용은 가변비용이 얼마인지 알아볼 때 유용하다.
② 평균비용은 시장 가격이 왜 오르는지, 한계비용은 시장 가격이 왜 떨어지는지 알아볼 때 유용하다.
③ 평균비용은 생산을 멈추어야 하는 시기가 언제인지, 한계비용은 생산에 드는 암묵적 비용이 얼마인지 알아볼 때 유용하다.
④ 평균비용은 생산을 중단할 만한 상품 가격이 얼마인지, 한계비용은 이윤을 늘리기 위해 도달해야 할 생산량이 얼마인지 알아볼 때 유용하다.
⑤ 평균비용은 생산량 증가로 총비용이 얼마나 늘어나는지, 한계비용은 상품 가격 하락으로 판매 수입이 얼마나 줄어드는지 알아볼 때 유용하다.

4. 윗글의 [A]를 참고할 때, [독서 후 심화 활동]을 수행한 내용으로 적절하지 <u>않은</u> 것은?

[독서 후 심화 활동] 글의 내용을 아래 상황에 적용해 보자.

3,000원을 가지고 가게에 간 갑은 각각 1,000원인 ○○ 과자와 △△ 음료수를 모두 사고 싶지만, 먼저 ○○ 과자 소비량을 합리적 선택을 통해 결정하기로 했다. 과자 소비량에 따른 비용과 편익은 아래 표와 같다. 비용에는 갑이 과자 소비로 포기한 음료수 소비의 가치를 금전적으로 환산해 반영했으며, 편익은 과자 소비의 만족감을 고려해 각 소비량만큼 과자를 사기 위해 갑이 지불할 마음이 있는 최대한의 금액으로 나타냈다. 갑의 소비에 영향을 미치는 다른 조건은 모두 무시한다.

○○ 과자 소비량(개)	비용(원)	편익(원)
0	0	0
1	2,500	4,000
2	5,500	7,500
3	9,000	9,500

① 갑이 과자 소비에서 얻는 순편익은 과자를 3개 살 때보다 1개 살 때 더 크겠군.
② 갑이 과자 소비량을 합리적으로 선택하여 과자를 샀다면 음료수 1개 값이 남겠군.
③ 갑이 과자 소비량을 0개에서 1개씩 늘릴 때마다 얻는 한계편익은 점점 줄어들겠군.
④ 갑이 과자 소비량을 2개에서 3개로 늘리기 위해 추가로 드는 비용은 추가로 얻는 만족감보다 크겠군.
⑤ 갑이 과자를 사기 위해 포기한 음료수 소비의 금전적 가치는 과자를 구입하는 개수가 늘어날수록 점점 작아지겠군.

5. <보기>는 완전경쟁시장에 있는 어느 기업에서 생산하는 상품과 관련된 비용과 수입을 나타낸 것이다. 윗글을 바탕으로 <보기>를 이해한 내용으로 가장 적절한 것은? [3점]

<보 기>

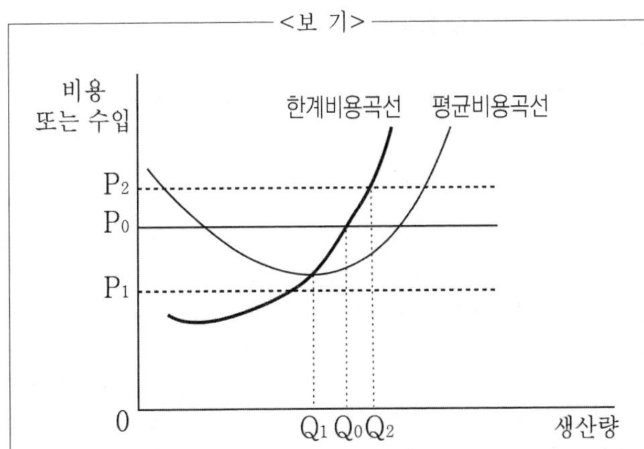

※ 현재 생산량은 Q_0, 상품의 시장 가격은 P_0임. 이 기업은 언제라도 총비용을 전부 회수할 수 있으며, 생산한 상품은 생산량이 얼마이든 모두 판매된다고 전제함.

① 생산량을 Q_0로 유지하면, 평균비용이 한계수입보다 작으므로 이윤이 극대화되겠군.
② 생산량을 Q_2로 늘리면, 한계비용이 한계수입보다 커지므로 이윤이 남지 않겠군.
③ 가격이 P_0로 유지되면, 생산량을 Q_1으로 줄여도 한계비용과 평균비용이 모두 줄어들기 때문에 이윤에는 변함이 없겠군.
④ 시장 수요의 감소로 가격이 P_1이 되면, 생산량을 Q_1으로 줄여야 평균비용이 제일 적게 들어가므로 손실을 0으로 만들 수 있겠군.
⑤ 시장 수요의 증가로 가격이 P_2가 되면, 한계수입이 한계비용보다 커지므로 생산량을 Q_2에 가깝게 늘릴수록 이윤이 증가하겠군.

6. 문맥상 의미가 ⓐ와 가장 가까운 것은?

① 동생이 기차에서 <u>내리면서</u> 나를 보았다.
② 심사위원은 그에 대해 평가를 <u>내리지</u> 않았다.
③ 그때는 이미 전국에 폭풍 주의보를 <u>내린</u> 뒤였다.
④ 선반 위에서 상자를 <u>내리려면</u> 사다리가 필요하다.
⑤ 그는 게시판의 글을 <u>내리는</u> 것이 좋겠다고 생각했다.

10분 | 2020학년도 6월 학평 38~42번 | ★★☆ | 정답 024쪽

【7~11】 다음 글을 읽고 물음에 답하시오.

국민참여재판이란, 일반 국민이 형사재판에 배심원으로 참여하여 법정 공방을 지켜본 후 피고인의 유・무죄에 대한 판단을 ㉠ 내리고 적정한 형을 제시하면 재판부가 이를 참고하여 판결을 선고하는 제도이다. 「국민의 형사재판 참여에 관한 법률」에 규정된 범죄 중 피고인이 신청하는 경우에 한해 진행되며, 피고인이 원한다 하더라도 적절하지 않다고 판단되는 경우 법원은 국민참여재판으로 진행하지 않을 수 있다.

국민참여재판에서 배심원 선정은 매우 중요하다. 배심원을 선정하기 전 법원은 먼저 필요한 배심원의 수와 예비배심원의 수를 결정한다. 법정형이 사형, 무기징역 등에 해당하는 사건의 경우에는 9인의 배심원이, 그 외의 경우에는 7인의 배심원이 재판에 참여하게 된다. 다만 피고인이 공소* 사실의 주요 내용을 인정했을 경우에는 5인의 배심원이 참여할 수 있다. 또한 법원은 배심원의 결원 등에 대비하여 5인 이내의 예비배심원을 둘 수 있는데, 이들은 평의*와 평결*만 참여할 수 없을 뿐 배심원과 동일한 역할을 수행한다. 배심원과 예비배심원을 합한 수만큼 인원을 선정한 후, 추첨을 통해 예비배심원을 선정한다. 누가 예비배심원인지는 평의에 들어가기 직전에 공개한다.

배심원 선정을 위해 해당 지방법원은 사전에 작성한 배심원후보예정자명부 중에서 필요한 수의 '배심원후보자'를 무작위로 추출하여 그들에게 배심원선정기일을 통지한다. 통지를 받은 배심원후보자는 법률에 규정되어 있는, 배심원이 될 수 없는 사유에 해당되지 않는 한 배심원선정기일에 출석해야 하며, 정당한 사유 없이 출석하지 않을 경우 과태료가 부과된다.

선정기일에 '출석한 배심원후보자'들 중에서 필요한 배심원과 예비배심원을 합한 수만큼을 추첨한다. 이렇게 선정된 '추첨된 배심원후보자'를 대상으로 검사와 변호인은 배심원 선정을 위해 여러 가지 질문을 하게 된다. 답변을 듣고 자신들에게 불리한 결정을 할 우려가 있다고 판단되는 경우 검사와 변호인은 재판부에 배심원후보자에 대한 기피신청을 할 수 있다. 기피신청에는 기피 이유를 제시하고 기피 여부를 재판부가 판단하는 '이유부기피신청'과 기피 이유를 제시하지 않아도 재판부에서 무조건 기피신청을 받아들여야 하는 '무이유부기피신청'이 있다. 일반적으로 '이유부기피신청'을 먼저 하고, 이것이 재판부에 의해 받아들여지지 않으면 '무이유부기피신청'을 한다. 다만 '무이유부기피신청'은 '이유부기피신청'과 달리 검사와 변호인 모두에게 인원 제한이 있는데, 배심원이 9인인 경우에는 각 5인, 배심원이 7인인 경우에는 각 4인, 배심원이 5인인 경우에는 각 3인까지 가능하다. 만약 기피신청이 받아들여지면, 추첨되지 않은 배심원후보자를 대상으로 그 인원만큼 다시 추첨하여 배심원후보자를 뽑고 질문과 기피신청을 반복하여 필요한 수만큼의 배심원과 예비배심원을 확정한다.

배심원 및 예비배심원 선정이 종결되면, 이들은 재판부와 함께 증거조사를 지켜보게 된다. 증거조사가 끝나면 재판장은 사건의 쟁점과 적용할 법률, 판단 원칙 등을 설명하고, 배심원 중 누가 예비배심원인지 알려준 후 배심원들에게 평의실로 이동하여 평의를 시작하게 한다. 평의가 시작되면 배심원은 법정에서 보고 들은 증거와 진술을 바탕으로 피고인의 유・무죄를 의논하게 된다. 배심원 사이에 유・무죄에 관한 의견이 만장일치로 정해지면 그에 따라 평결서를 작성하여 재판부에 제출한다. 만약 의견이 일치되지 않으면 반드시 재판부의 의견을 듣고 다시 평의를 진행한 후 다수결로 평결서를 작성하게 된다. 그리고 평결이 유죄인 경우에는 재판부와 함께 피고인에게 부과할 적정한 형에 대해 토의한 후 양형*에 대한 최종 의견을 재판부에 알려 준다.

이후 재판장은 피고인에게 유・무죄 여부와 유죄인 경우 그 형에 대한 판결을 선고하게 된다. 배심원의 평결과 양형 의견은 재판장이 판결을 할 때 권고적 효력만을 가진다. 하지만 재판장은 판결 선고 시 피고인에게 배심원의 평결 결과를 알려 주어야 하며, 만약 배심원의 평결 결과와 다른 판결을 선고할 때에는 피고인에게 반드시 그 이유를 설명하고 판결서에도 그 이유를 기재해야 한다. 재판장이 판결 종결을 알리면 배심원의 임무 역시 모두 끝나게 된다.

* 공소 : 검사가 법원에 특정 형사 사건의 재판을 청구함.
* 평의 : 피고인의 유·무죄를 판단하기 위한 배심원의 논의 절차.
* 평결 : 유·무죄에 대한 배심원의 최종적인 판단.
* 양형 : 형벌의 정도를 정하는 일.

7. 윗글에 대한 설명으로 가장 적절한 것은?

① 특정 제도의 형성 배경과 발달 과정을 서술하고 있다.
② 특정 제도가 진행되는 절차와 그 특징을 제시하고 있다.
③ 특정 제도의 변화 과정을 언급한 뒤 전망을 예측하고 있다.
④ 특정 제도가 실시되었을 때의 장점과 단점을 설명하고 있다.
⑤ 특정 제도가 지닌 문제점의 원인을 다양한 측면에서 분석하고 있다.

8. 윗글에 대한 이해로 가장 적절한 것은?

① 예비배심원은 재판이 끝날 때까지 모든 과정을 배심원과 함께 수행한다.
② 피고인이 원하지 않아도 법원의 결정에 따라 국민참여재판이 열릴 수 있다.
③ 배심원후보자가 배심원선정기일에 출석하지 않으면 배심원으로 선정될 수 없다.
④ 국민참여재판은 일반 국민들이 배심원으로 참여하여 직접 판결까지 선고하는 제도이다.
⑤ 재판장은 배심원의 평결과 다르게 판결하더라도 판결서에 관련된 내용을 기재하지 않아도 된다.

9. ㉠의 문맥적 의미와 가장 가까운 것은?

① 그는 그 문제에 대한 해답을 내렸다.
② 선행을 한 경찰관에게 훈장을 내렸다.
③ 포장을 줄여서 물건의 가격을 내렸다.
④ 차내의 공기가 탁해서 유리문을 내렸다.
⑤ 기상청은 전국에 폭풍 주의보를 내렸다.

10. 윗글을 바탕으로 <보기>를 이해한 내용으로 적절하지 <u>않은</u> 것은?

< 보 기 >

다음의 표는 배심원 확정 과정을 나타낸 것으로, 배심원선정기일에 출석한 배심원후보자는 모두 40명임.

	추첨된 배심원 후보자 수	이유부 기피신청이 받아들여진 후보자 수	무이유부 기피신청이 받아들여진 후보자 수	확정된 배심원 수
1차	14	3	3	8
2차	6	2	1	3
3차	3	×	×	3

① 3차에 걸쳐 필요한 수만큼의 배심원과 예비배심원을 모두 확정하였군.

② 검사와 변호인 모두 자신들이 신청할 수 있는 최대 인원만큼 '무이유부기피신청'을 하지 않았군.

③ 추첨된 배심원후보자에게 제기된 기피 이유가 재판부에 의해 정당하다고 인정된 경우는 모두 9명이군.

④ 출석한 배심원후보자 중 17명은 검사와 변호인에게 배심원 선정과 관련하여 어떠한 질문도 받지 못했겠군.

⑤ 1차에 추첨된 배심원후보자 수를 볼 때 법원은 이번 재판에 9명의 배심원과 5명의 예비배심원을 두기로 결정했었군.

11. 윗글을 바탕으로 <보기>의 사례를 이해한 내용으로 적절하지 <u>않은</u> 것은? [3점]

< 보 기 >

6월의 어느 날 김한국 씨는 국민참여재판의 배심원으로 참석해 달라는 등기우편을 받았다. 배심원선정기일 아침 △△지방법원을 찾아간 김한국 씨는 검사·변호인과의 질의응답 후 배심원으로 선정되었다. 늦은 밤까지 증거조사가 진행되었고, 배심원 교체 없이 진행된 평의에서는 유·무죄에 대한 의견이 만장일치가 되지 않았다. 치열한 재논의 끝에 유죄와 무죄에 대해 각 2:5의 의견으로 평결서를 작성하였고, 재판장은 최종적으로 피고인에게 무죄를 선고하였다.

① 등기우편을 받은 것으로 보아 김한국 씨는 △△지방법원에서 사전에 작성한 배심원후보예정자명부에 포함되어 있었군.

② 평의와 평결에 참여한 것으로 보아 김한국 씨는 예비배심원이 아닌 배심원으로 선정되었군.

③ 배심원 수를 감안하면 해당 사건은 법정형으로 사형이나 무기징역을 선고할 수 있는 사건은 아니었겠군.

④ 작성된 평결서를 감안하면 평의 도중 재판부의 의견을 들어보는 과정 없이 배심원 간에만 논의가 진행되었겠군.

⑤ 평결서와 판결을 감안하면 재판부와 배심원 간에 피고인의 양형에 대한 논의는 이루어지지 않았겠군.

Ⅱ

총 문항			문항	맞은 문항					문항
개별 문항	1	2	3	4	5	6	7	8	9	10
채점										
개별 문항	11	12	13	14	15	16	17	18	19	20
채점										

11분 2020학년도 3월 학평 38~42번 ★★★ 정답 025쪽

【1~5】 다음 글을 읽고 물음에 답하시오.

시장은 수요와 공급이 일치하지 않는 불균형이 발생할 경우 가격 변화에 의해 균형을 회복한다. 예를 들어, 시장에서 초과 공급이 발생하면 가격 하락으로 수요량이 늘고 공급량이 줄면서 균형이 회복된다. 이러한 시장의 가격 조정 기능과 관련하여 거시 경제학에서는 시간대를 단기와 장기로 구분한다. 단기는 가격 조정이 원활히 이루어지지 않아 시장 불균형이 지속되는 시간대이며, 장기는 신축적 가격 조정에 의해 시장 균형이 달성되는 시간대이다. 그런데 단기의 지속 시간, 즉 시장 불균형이 발생한 이후 다시 균형을 회복하는 데 걸리는 시간에 대해 서로 다른 입장들이 존재해 왔다.

1930년대 이전까지 경제학의 주류를 이루었던 ㉠ 고전학파는, 시장은 가격의 신축적인 조정에 의해 항상 ⓐ 균형을 달성한다고 보았다. 이른바 '보이지 않는 손'에 의한 시장의 자기 조정 능력을 신뢰하는 입장으로, 이에 따르면 단기는 존재하지 않는다. 즉 불균형이 발생할 경우 즉시 가격이 변화하여 시장은 균형을 회복한다는 것이다. 따라서 고전학파는 호황이나 불황이 나타나는 경기 변동 현상은 발생하지 않는다고 보았다.

하지만 케인즈는 고전학파의 주장과 달리 장기에는 가격이 신축적이지만 단기에는 ⓑ 경직적이라고 생각했다. 그는 오랜 경기 침체와 대규모의 실업이 발생했던 1930년대 대공황의 원인이 이러한 시장의 가격 경직성에 있다고 주장했다. 가격 경직성이 심할수록 소비나 투자 등 총수요*가 변동할 때 극심한 경기 변동 현상이 유발된다고 보았기 때문이다. 또한 노동 시장에서의 가격인 임금이 경직적인 경우 기업의 노동 수요 감소가 임금 하락으로 상쇄되는 대신 대규모 실업을 불러일으킨다고 주장했다.

이러한 케인즈의 주장은 ㉡ 케인즈학파에 의해 발전된다. 케인즈학파는 경기 변동을 시장 균형으로부터의 이탈과 회복, 즉 불균형 상태와 균형 상태가 반복되는 현상으로 보고, 총수요 변동이 유발한 불균형 상태가 가격 경직성으로 말미암아 오래 지속될 수 있다고 보았다. 따라서 이들은 정부가 재정 정책이나 통화 정책 등 경기 안정화 정책을 통해 경제의 총수요를 ⓒ 관리함으로써 경기 변동을 조절해야 한다고 주장했다. 가격 경직성의 존재에도 불구하고 정부의 '보이는 손'을 통해 시장의 균형이 회복될 수 있다고 본 것이다. 특히 1950년대 이후 컴퓨터의 발달과 통계학의 발전으로 거시 계량 모형이 개발되어 경기 예측과 정책 효과 분석에 이용됨에 따라 케인즈학파는 정책을 통해 ⓓ 경기 변동을 제거할 수 있을 것으로 기대했다.

그러나 케인즈학파는 이후 여러 비판에 직면했다. 특히 1970년대, ㉢ 새고전학파는 케인즈학파의 거시 계량 모형에 오류가 있음을 지적했다. 케인즈학파의 거시 계량 모형은 소비와 소득, 금리와 통화량 등 거시 경제 변수들 간의 상관관계를 가정한 방정식으로 구성되었는데, 이러한 방정식의 계수는 과거의 자료를 통해 통계적인 방법으로 추정되었다. 하지만 새로운 정보가 전해지면 경제 주체들은 기존에 보유하고 있던 정보에 추가된 정보를 반영하여 합리적으로 ⓔ 기대를 형성하고 이에 따라 반응을 바꾸므로, 방정식의 계수 혹은 방정식 자체가 바뀌어야 한다. 새고전학파는 케인즈학파가 거시 경제 변수 간의 관계를 임의로 가정하고 과거 자료만으로 이 관계를 추정하려 했다는 점을 비판하면서, 경제 주체의 합리적 선택에 대한 미시적 분석을 바탕으로 거시 경제 현상을 분석해야 한다고 주장했다. 이에 따라 이들은 시장 불균형이 발생한 경우 가격이 조정되는 속도는 매우 빠르다는 고전학파의 전제를 유지하면서, 경기 변동을 균형 자체가 변화하는 현상으로 분석했다. 그리고 총수요 변동이 아닌 기술 변화가 지속적인 경기 변동을 유발한다고 주장했다.

[A] 이에 대응해 케인즈학파는 경제 주체의 합리적 선택을 미시적으로 분석하는 새고전학파의 방법론을 받아들여 새케인즈학파로 발전하였다. 하지만 새케인즈학파는 경제 주체들이 합리적 선택을 한 결과로 가격 경직성이 나타난다고 설명함으로써, 경제 주체들이 합리적으로 기대를 형성하더라도 가격 경직성으로 인해 경기 변동이 발생할 수 있다고 주장했다. 그리고 이러한 가격 경직성의 근거로 '메뉴 비용 이론'과 '효율 임금 이론'을 제시했다. 메뉴 비용이란 기업이 가격을 변화시킬 때 발생하는 유·무형의 비용을 지칭한다. 메뉴 비용 이론에 따르면 기업은 제품 가격을 변화시킴으로써 얻을 수 있는 이득과 메뉴 비용을 비교하여 가격을 변화시키며, 이에 따라 제품 시장의 가격 경직성이 발생할 수 있다. 또한 효율 임금은 노동자의 생산성을 유도하는 임금을 말하는데, 효율 임금 이론은 노동자의 생산성이 임금을 결정한다는 전통적인 임금 이론과 달리 임금이 높을수록 노동자의 생산성이 높아진다고 주장했다. 기업이 노동자에게 높은 임금을 지급함으로써 노동자의 이직과 태만을 방지할 수 있기 때문이라는 것이다. 이와 같이 새케인즈학파는 케인즈학파가 임의로 가정하였던 가격 경직성의 근거를 입증하는 데 주력하면서, 총수요 관리 정책은 여전히 효과를 갖는다고 주장하였다.

* 총수요 : 한 나라의 모든 경제 주체들이 소비 또는 투자의 목적 등으로 사려고 하는 제품과 서비스의 총합.

1. 윗글의 내용과 일치하는 것은?

① 고전학파와 새고전학파는 경기 변동의 존재 여부에 대해 서로 다른 입장을 보였다.
② 새고전학파는 시장에 나타난 가격 경직성을 미시적 분석을 통해 해소할 수 있다고 보았다.
③ 케인즈는 노동 시장에 나타나는 임금 경직성이 극심한 고용량의 변화를 방지한다고 보았다.
④ 케인즈는 단기에는 가격이 신축적으로 변화해도 수요와 공급의 불일치를 해소할 수 없다고 보았다.
⑤ 새케인즈학파는 메뉴 비용의 존재로 인해 제품 시장에서 가격이 조정되는 속도가 빠르다고 보았다.

2. <보기>의 '모형'에 대한 ㉠, ㉡의 해석을 추론한 내용으로 적절하지 않은 것은?

< 보 기 >

<그림>은 총수요 변동에 따른 국민 총소득 변화를 나타낸 모형이다. Y^*는 장기 균형 국민 총소득 수준을, AD 곡선은 총수요를 나타낸다. 총수요가 증가하면 AD 곡선이 우측으로, 감소하면 좌측으로 평행 이동한다고 가정한다.

예를 들어, 총수요가 AD_0이고 물가가 P_0, 국민 총소득이 Y^*인 상태에서 총수요가 AD_2로 증가한 경우, 총수요 증가에 따라 물가가 P_2까지 상승하면 국민 총소득은 Y^*로 동일하지만, 물가가 P_0에 고정돼 있으면 국민 총소득은 Y_2로 증가한다. 이때 국민 총소득이 Y^*보다 큰 경우는 호황을, Y^*보다 작은 경우는 불황을 나타낸다.

(단, 총수요는 AD_1과 AD_2 사이에서만 변동한다고 가정한다.)

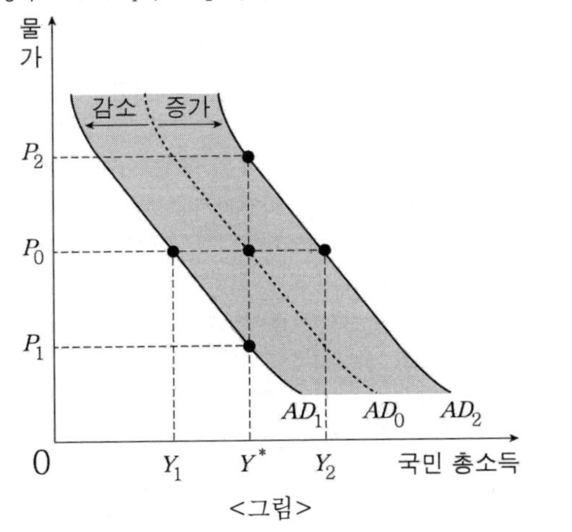

<그림>

① ㉠: 호황이나 불황은 발생하지 않으므로, AD 곡선이 이동하더라도 국민 총소득이 Y^*로 일정할 것이다.

② ㉠: 시장은 항상 균형 상태에 있으므로, AD 곡선이 이동하더라도 물가가 P_0이고 국민 총소득이 Y^*인 장기 균형이 항상 성립할 것이다.

③ ㉡: 단기에는 가격 경직성으로 말미암아 총수요 변동이 시장 불균형을 유발하므로, AD 곡선이 이동할 때 물가는 P_1과 P_2 사이의 폭보다 작은 폭으로 변화하여 국민 총소득은 Y^*를 이탈할 것이다.

④ ㉡: 가격 경직성이 심할수록 총수요 변동에 따라 극심한 경기 변동이 유발되므로, 물가가 완전히 경직적이라면 AD 곡선이 이동할 때 물가가 P_0에 고정되어 국민 총소득의 변동성은 Y_1에서 Y_2까지 나타날 것이다.

⑤ ㉡: 가격 경직성이 존재하더라도 정부가 '보이는 손'을 통해 경기 변동을 제거할 수 있으므로, 경기 안정화 정책이 유효하다면 물가가 P_0에 고정되더라도 국민 총소득이 Y^*로 일정할 수 있을 것이다.

3. <보기>의 '경제학자 갑'의 정책 제안에 대해 ㉢이 할 수 있는 비판으로 가장 적절한 것은? [3점]

< 보 기 >

경제학자 갑은 소득과 통화량이 늘어날수록 소비가 증가할 것이라고 가정하고, 이를 반영하여 소비 예측 모형을 개발하였다. 그리고 K국의 지난 10년간의 자료를 통계적으로 분석하여 모형의 계수를 추정하였다. 모형의 분석 결과, 갑은 통화량이 증가한 경우 다음 달의 소비가 증가한다는 결론을 도출한 뒤, 통화량을 늘리는 정책을 K국 정부에 제안하였다. K국 정부는 갑의 제안을 받아들이고 2020년 4월 1일에 확장적 통화 정책을 시행하겠다고 발표하였다.

(단, 현재는 2020년 3월 12일이며, K국은 매년 12월 31일에 해당 시점의 통화량을 발표한다.)

① K국의 확장적 통화 정책이 2019년의 통화량에 대한 K국 국민들의 합리적 기대 형성에 영향을 미쳐 K국 국민들의 반응이 바뀔 수 있다는 점을 고려하지 않았다.

② K국 정부가 확장적 통화 정책을 발표한 이후 통화량에 대한 K국 국민들의 예상이 달라짐에 따라 정책 효과 분석도 달라져야 한다는 점을 고려하지 않았다.

③ 확장적 통화 정책으로 인해 K국의 통화량이 변화할 경우, 2020년 이전의 자료는 배제한 채 소비의 변화를 예측해야 한다는 점을 고려하지 않았다.

④ 2020년 4월 1일에 확장적 통화 정책을 시행함으로써 2020년 12월 30일까지는 K국 국민들의 소비가 변화하지 않을 것이라는 점을 고려하지 않았다.

⑤ K국 정부의 인위적인 통화량 조절로 유발된 총수요 변동이 불황을 불러일으킬 수 있다는 점을 고려하지 않았다.

4. [A]를 이해한 내용으로 가장 적절한 것은?

① 기업이 이윤 추구를 위해 제품 가격과 임금을 결정한 결과로 시장에 가격 경직성이 나타날 수 있다.
② 경제 주체들이 합리적으로 기대를 형성하는 경우에는 총수요 관리 정책이 경기 변동을 줄이는 역할을 할 수 없다.
③ 기업이 공급자로 참여하는 제품 시장과 수요자로 참여하는 노동 시장에서의 기업의 행동 차이로 인해 시장의 가격 경직성이 제거될 수 있다.
④ 메뉴 비용의 크기가 클수록 제품 가격의 변동성 역시 커진다는 것을 밝힐 수 있다면, 제품 시장에 존재하는 가격 경직성의 근거를 입증할 수 있다.
⑤ 기업이 노동 시장의 균형 임금보다 높은 임금을 노동자에게 지급함으로써 생산성을 높일 수 있다면, 노동의 초과 수요가 발생하더라도 임금이 하락할 수 있다.

5. ⓐ~ⓔ를 문맥상 바꿔 쓴 것으로 적절하지 <u>않은</u> 것은?

① ⓐ: 수요와 공급이 일치한다고
② ⓑ: 즉시 바뀌지 않는다고
③ ⓒ: 적절한 수준으로 변화시킴으로써
④ ⓓ: 시장 균형을 없앨 수
⑤ ⓔ: 미래를 예상하고

 13분 | 2019학년도 11월 학평 21~26번 | ★★★ | 정답 026쪽

【6~11】 다음 글을 읽고 물음에 답하시오.

파생상품이란 기초자산의 가치 변동에 따라 가격이 결정되는 금융상품이다. 이때 기초자산은 농축산물이나 원자재 같은 실물 자산뿐만 아니라 주식이나 채권 등 가격이 매겨질 수 있는 모든 대상을 의미하는데, 기초자산의 가치 변동에 따른 파생상품의 가격 변화는 거래 당사자에게 손익을 발생시킨다.

파생상품은 기초자산에 해당하는 거래대상의 미래 가격이 불확실하기 때문에 미래의 특정 시점에서 발생할 수 있는 손실의 위험에 대비하기 위해 만들어졌다. 파생상품이 만들어지기 이전에는, 이러한 불확실성으로 인해 거래대상을 팔려는 매도자는 가격 하락에 대한, 거래대상을 사려는 매수자는 가격 상승에 대한 두려움이 클 수밖에 없었다. 그래서 거래 당사자들은 그들의 이해관계가 일치하는 경우 기초자산을 계약 체결 시점에 정해 놓은 가격과 수량으로 미래의 특정 시점, 즉 계약 만기 시점에 인수·인도하기로 약속하는 계약을 통해 미래의 위험에 대비하고자 하였다. 19세기 중반 이전까지는 ㉠<u>선도</u>라는 파생상품이 이러한 계약으로서 기능하였다. 그런데 선도는 정해진 가격으로 계약과 동시에 물품을 인수·인도하는 현물 거래와는 형태가 달랐다. 그래서 선도의 경우 거래 당사자들이 자기가 거래하고자 하는 물품의 가격, 수량, 만기 시점 등에 있어 이해관계가 일치하는 거래 상대방을 찾기가 어려웠다. 또한 계약을 체결했더라도 만기 이전에 그 계약을 임의로 파기할 위험이 높다는 불안정성이 늘 존재했다.

이런 문제점을 해결하기 위해, 경제 활동의 규모가 커지게 된 19세기 중반부터는 ㉡<u>선물</u>이라는 파생상품이 나타났다. 선물은 기초자산을 계약 체결 시점에 정해 놓은 가격과 수량으로 계약 만기 시점에 거래한다는 점에서는 선도와 동일하다. 하지만 공인된 거래소에서 거래가 이루어진다는 점에서는 차이가 있다. 거래소의 역할은 다음과 같다. 첫째, 이해관계가 일치하는 거래 당사자들이 쉽게 만날 수 있는 장을 마련해 주었다. 둘째, 거래 당사자들 사이에서 거래의 매개적 역할을 하였다. 셋째, 거래와 관련된 다양한 제도적 장치를 마련해 주었다. 이를 통해 거래 안정성이 확보되어 계약 만기 전에 이루어지는 선물 거래로 차익을 얻고자 하는 사람들의 거래가 활발하게 이루어지게 되었다. 그 결과, 선물은 미래의 위험에 대비하려는 수단이자 현재의 이익 창출을 위한 투자 수단으로 활성화되었다.

선물 거래의 안정성을 확보하기 위한 제도적 장치로는 반대거래, 증거금, 일일정산 등이 있다. 반대거래는 계약 만기 시점 이전에 거래 당사자들이 원할 경우 언제든지 선물을 거래할 수 있는 장치이다. 이를 통해 선물 거래의 당사자는 바뀌지만, 정해진 가격과 수량의 기초자산을 만기 시점에 인수·인도하는 계약 자체는 유지되므로 안정적인 거래가 가능해진다. 증거금은 계약 당사자가 해당 계약을 확실히 이행한다는 것을 보증하여 거래의 안정성을 확보하기 위한 장치인데, 대표적으로 개시증거금과 유지증거금이 있다. 개시증거금은 계약 당사자가 선물 거래를 시작하기 위해 맡겨야 하는 증거금으로, 계약 체결 시점에 정해진 기초자산의 가격에 수량을 곱한 액수의 일부이므로 상대적으로 적은 금액이다. 유지증거금은 선물 거래가 유지되기 위한 최소한의 증거금을 의미한다. 일일정산은 선물 거래가 유지되는 동안 날마다 당일의 거래 마감 시점의 가격으로 선물 거래 당사자의 손익을 계산하여 이를 증거금에서 차감 또는 가산하는 장치이다. 이를 통해, 거래 당사자들은 매일매일의 손익을 따지면서 반대거래 여부를 결정할 수 있기 때문에 거래의 안정성이 확보된다. 한편 일일정산의 결과 특정 거래자의 증거금 계좌 잔고가 유지증거금 이하로 떨어졌을 경우 거래소는 계약의 이행 가능성을 회복하기 위해 증거금 계좌 잔고가 개시증거금 이상이 되도록 증거금의 추가 납부를 요구하는데 이를 마진콜이라고 한다. 이러한 마진콜을 충족하기 전까지 마진콜을 받은 당사자의 일일정산은 불가능하다.

주식을 기초자산으로 하는 선물 거래를 통해 만기 시점과 반대거래 시점에서의 손익 계산 방법을 파악해 보면 다음과 같다. 현재 시점에서 A가 B에게 특정 기업의 주식을 미래의 특정 시점에, 정해진 수량만큼 정해진 가격으로 사겠다는 계약을 B와 체결한다. 이는 곧 A가 B에게 그 계약, 즉 선물을 산 것을 의미한다. 계약 체결 시점의 선물 가격은 계약 만기 시점에 거래하기로 정한 주식 한 주당 가격이다. 만약 이 계약이 만기 시점까지 유지된다면 A의 손익은 계약 만기 시점의 주식 가격에서 계약 체결 시점의 선물 가격을 뺀 것에 거래승수*를 곱하고, 이것에 다시 계약 수*를 곱한 금액이 된다. 이때 B의 손익은 A의 손익과 정반대가 된다. 그런데 만약 계약 만기 시점 이전에 A가 C에게 자신이 보유한 선물을 파는 반대거래가 이루어져 A와 B 사이의 선물 거래 관계가 청산되는 경우를 가정해 보자. A의 손익은 A가 B와 계약을 만기까지 유지한 경우 A의 손익 계산 방법에서, 계약 만기 시점의 주식 가격을 반대거래가 이루어진 시점의 선물 가격으로 바꾸기만 하면 된다. 이때 B의 손익은 A의 손익과 정반대가 된다. 한편 앞에서 언급한 반대거래가 발생하면 그 시점에서 A는, 선물 계약에 따른 만기 시점의 주식 거래와 관련된 B에 대한 의무를 C에게 넘기게 된다. 그러므로 선물 계약의 만기 시점이 되면 C는 계약에서 정한 대로 특정 기업의 주식을 정해진 가격과 수량으로 B에게 사게 된다.

* 거래승수: 선물 거래의 수량을 표준화하기 위해 곱해 주는 수치.
* 계약 수: 선물 거래의 표준화된 단위를 1계약이라고 할 때, 그 계약의 수량.

6. 윗글에서 다룬 내용이 아닌 것은?

① 파생상품의 전망
② 파생상품의 종류
③ 파생상품의 정의
④ 파생상품의 기능
⑤ 파생상품의 등장 배경

7. ㉠과 ㉡에 대한 설명으로 적절하지 않은 것은?

① ㉠과 ㉡은 모두 기초자산의 가치 변동에 따라 거래 당사자의 손익이 결정되는 금융상품이다.
② ㉠은 ㉡과 달리 계약을 체결하더라도 만기 이전에 그 계약을 임의적으로 파기할 위험이 높았다.
③ ㉠은 ㉡과 달리 계약 체결 시점에 정해 놓은 가격과 수량으로 미래의 특정 시점에 기초자산을 거래한다는 계약이다.
④ ㉡은 ㉠과 달리 거래의 안정성을 확보하기 위해서 반대거래, 증거금, 일일정산 등의 제도적 장치를 갖추고 있다.
⑤ ㉡은 ㉠과 달리 이해관계가 일치하는 거래 당사자들의 매개적 역할을 하는 공인된 거래소에서 거래가 이루어진다.

8. 윗글을 바탕으로 <보기>를 이해한 내용으로 적절하지 않은 것은?

〈보 기〉

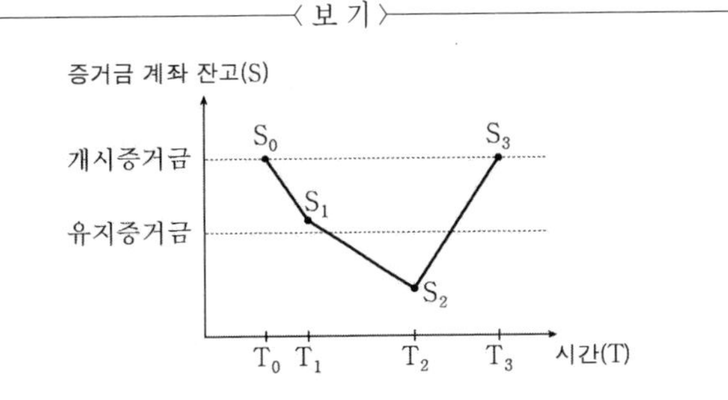

T_0: 20○○년 3월 3일 계약 체결 시점
T_1: 20○○년 3월 3일 거래 마감 시점
T_2: 20○○년 3월 4일 거래 마감 시점
T_3: 20○○년 3월 5일 거래 시작 시점

(단, T_0 ~ T_3에서는 반대거래가 이루어지지 않았으며, 증거금 계좌에서 일일정산을 제외한 인출은 없었다고 가정함.)

① T_0에서는 S_0이 개시증거금에 해당하는 금액이므로 선물 거래의 시작이 가능하다.
② T_0에서 T_1이 될 때 S_0이 S_1로 하락한 것은 일일정산에 의해 손해를 본 만큼의 금액이 증거금에서 차감되었기 때문이다.
③ T_1에서는 S_1이 유지증거금에 해당하는 금액보다 크기 때문에 선물 거래의 유지가 가능하다.
④ T_2에서는 유지증거금에 해당하는 금액에서 S_2를 뺀 만큼을 추가로 입금하라는 마진콜이 발생한다.
⑤ T_2의 S_2보다 높아진 금액인 S_3은 개시증거금에 해당하는 금액이므로 T_3에서는 일일정산이 가능해진다.

9. 윗글과 <보기>를 읽은 학생이 보일 수 있는 반응으로 가장 적절한 것은?

〈보 기〉

선물 거래에서 발생할 수 있는 레버리지 효과란 개시증거금만으로도 거래를 시작할 수 있어 선물 가격 변동의 몇 배에 해당하는 큰 수익을 얻게 되는 것을 의미한다. 그러나 반대로 큰 손실을 입게 될 가능성도 크다.

① 정해진 가격으로 계약 이전에 물품을 인수·인도하는 현물 거래가 이루어지면 레버리지 효과가 발생하겠군.
② 레버리지 효과가 발생하면 만기 시점 이전에 기초자산을 거래할 수 있게 되어 거래의 안정성이 확보되겠군.
③ 개시증거금은 계약 체결 시점에 정해진 기초자산의 가격과 수량을 곱한 액수의 일부이기 때문에 레버리지 효과가 발생하겠군.
④ 레버리지 효과가 발생하면 가치가 커진 기초자산의 수량이 늘어나서 개시증거금이 줄어들기 때문에 큰 수익을 얻게 되겠군.
⑤ 선물 가격은 항상 일정하게 유지되기 때문에 개시증거금으로 인한 레버리지 효과에 의해 거래 당사자의 손익은 정반대가 되겠군.

※ **윗글과 〈보기〉를 바탕으로 10번과 11번 물음에 답하시오.**

〈보 기〉

[상황]

20○○년 5월 10일, 갑은 △△ 기업의 주식을 한 주당 15만 원의 가격으로 6월 8일에 을에게 사겠다는 5계약을 체결한다. 그런데 5월 30일에 갑은 보유한 선물을 병에게 파는 반대거래를 한다. 그리고 이 선물은 6월 8일까지 반대거래 없이 유지된다.

[주식 가격과 선물 가격의 변화 (단위: 만 원)]

가격 \ 일자	5월 10일	5월 30일	6월 8일
주식 가격	13	10	7
선물 가격	15	12	8

(단, 거래승수는 10주로 하고, 거래 수수료 등 거래 비용은 없다고 가정함.)

10. 윗글을 바탕으로 <보기>의 '상황'을 이해한 내용으로 적절하지 않은 것은? [3점]

① 5월 10일에 갑과 을의 선물 거래가 이루어질 때 갑은 을에 대해서 선물의 매수자, 을은 갑에 대해서 선물의 매도자가 된다.
② 5월 30일에 갑과 병의 반대거래가 이루어질 때 갑과 을 사이의 선물 거래 관계는 청산된다.
③ 5월 30일에 갑과 병의 반대거래가 이루어질 때 갑은 병에 대해서 선물의 매도자, 병은 갑에 대해서 선물의 매수자가 된다.
④ 6월 8일에 선물 계약에 따른 주식의 거래가 이루어질 때 갑과 을 사이의 주식 거래 관계는 청산된다.
⑤ 6월 8일에 선물 계약에 따른 주식의 거래가 이루어질 때 을은 병에 대해서 주식의 매도자, 병은 을에 대해서 주식의 매수자가 된다.

11. 다음은 윗글과 <보기>를 읽은 학생이 보인 반응이다. ⓐ와 ⓑ에 들어갈 내용으로 가장 적절한 것은?

갑이 5월 30일에 병과 반대거래를 하는 경우 갑의 손익은 (ⓐ) 만 원이 되는데, 만약에 반대거래를 하지 않고 선물을 만기까지 유지했다면 갑의 손익은 (ⓑ)만 원이 되었을 것이다.

	ⓐ	ⓑ
①	−150	−350
②	−150	−400
③	−30	−80
④	15	40
⑤	250	400

총 문항	문항				맞은 문항				문항
개별 문항	1	2	3	4	5	6	7	8	9	10
채점										
개별 문항	11	12	13	14	15	16	17	18	19	20
채점										

과 학

• 고2 국어 독서 •

Ⅲ 과 학

출제 트렌드

과학은 물리학, 화학, 생물학, 의학, 지구과학 등 다양한 분야의 과학 지식과 정보를 제시하는 분야입니다. 과학 지문은 과학적 현상과 원리를 논리적 과정에 따라 보여 주면서 객관적인 이론이 뒷받침되는 경우가 많으므로, 주어진 자료의 해석을 명확하게 하고 지문 속 다양한 용어의 정의와 예시를 이해해야 합니다. 또한 시간이 부족할 수 있으므로 정보의 경중을 판단하는 능력이 필요합니다. 2021학년도, 2022학년도 시험에서는 비교적 평이한 난이도의 지문들이 출제되었으나, 과학 지식이 상대적으로 부족한 수험생은 기본적인 어휘를 몰라서 시간을 많이 들이고도 정확히 이해하지 못하는 경우도 있음을 유의해야 합니다. 과학 분야에서는 그림이나 표, 그래프와 같은 시각 자료들을 지문과 연결시키는 문제가 자주 출제되므로 해당 유형의 문제에 익숙해질 필요가 있습니다.

시행	출제 지문	문제 수	난이도
2022학년도 6월 학평	안구의 구조와 방수의 기능	5문제 출제	★★☆
2021학년도 9월 학평	식물의 독과 동물의 독	4문제 출제	★☆☆
2021학년도 6월 학평	차원해석의 이해와 의의	5문제 출제	★★☆

1등급 꿀팁

하나 _ 각 문단의 핵심 키워드를 중심으로 정보를 파악하자.

두울 _ 지문에 제시된 여러 용어와 개념을 명확히 이해하며 읽자.

세엣 _ 실험 과정이나 흐름, 순서를 놓치지 말고 파악하자.

네엣 _ 그림이나 그래프 등의 시각 자료는 제시된 정보를 바탕으로 해석하자.

다섯 _ 지문의 내용이 어려울수록 빠르게 읽기보다 정확하게 읽는 습관을 들이자.

여섯 _ 과학 원리를 다른 상황에 적용하는 문제를 풀 때는 반드시 지문 속 내용을 바탕으로 적용해야 함을 잊지 말자.

일곱 _ 지문을 구조화하고 이미지화하는 연습을 통해 전체적인 내용의 설계를 확인하자.

다음 글을 읽고 물음에 답하시오.

시각기관인 눈은 시각을 감지하는 데에 관여하는 안구, 안구를 움직이는 근육이나 안구를 보호하는 눈꺼풀과 같은 부속 기관으로 이루어져 있다. 이 중 안구는 두개골의 오목한 부위인 안와에 들어있는 공 모양의 구조물이다.

<그림>의 안구를 보면, 안구벽은 세 층으로 되어 있다. 바깥층은 공막인데, 검은자위 부분에서 투명하게 변형되어 ㉠ 각막을 이룬다. 각막은 빛을 통과시켜 망막에 상을 맺게 해준다. 중간층은 ㉡ 맥락막, 섬모체 등으로 구성된다. 맥락막에는 안구의 각 부분에 영양분을 공급하는 혈관 중 다수가 밀집해 있어 빛의 통과를 막아, 빛이 공막으로 분산되지 않도록 하여 상이 잘 맺히도록 한다. 섬모체는 수정체와 가느다란 실로 연결되어 있어, 수정체가 물체의 원근에 따라 초점을 조절하는 것을 돕는다. 안쪽층은 빛을 감지하는 ㉢ 망막이다. 안구벽 안쪽에는 유리체가 넓은 부위를 차지하고 있고, 유리체의 앞쪽에는 수정체가 자리 잡고 있다.

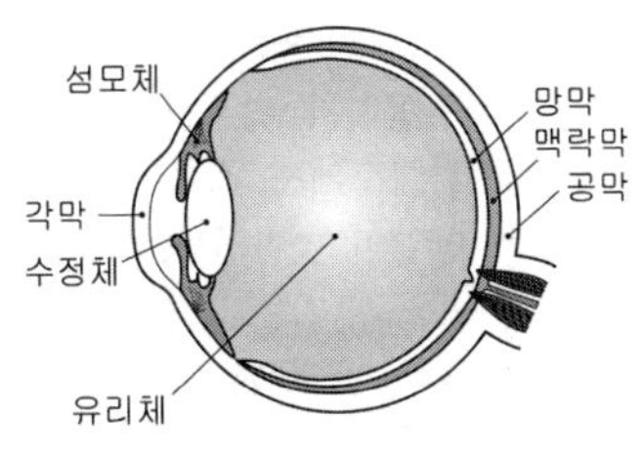

<그림>

그런데 이러한 안구는 단단하지 않다. 단단하지 않은 물체가 기압에 저항해 원래의 모양을 유지하기란 쉽지 않다. 내부 기압이 외부 기압보다 낮으면 물체는 찌그러지며, 반대의 경우에는 부풀어 오를 수 있다. 빛을 수용하고 상을 맺게 하는 눈의 특성상, 약간의 모양 변화로도 빛의 방향이 ⓐ 틀어져 초점이 달라지기 때문에 정확한 안구 형태를 유지하는 것은 매우 중요하다.

이를 일차적으로 담당하는 것은 유리체이다. 안구 내부에서 가장 많은 면적을 채우고 있는 유리체는 투명한 젤 형태의 물질이다. 유리체는 안구 내압을 적정하게 유지함으로써 맥락막에 대하여 망막을 지지해 주고, 안구벽의 붕괴를 방지함으로써 안구의 형태를 유지하는 역할을 한다. 하지만 눈은 단순한 구조가 아니기에, 이것만으로는 안구 전체뿐 아니라 안구를 구성하는 각 부분을 정확한 형태로 유지하기 어렵다.

이 경우 가장 문제가 되는 것이 각막과 수정체 사이의 '안방'이라는 공간이다. 만약 이 공간이 비어 있다면 외부에서 누르는 기압과 이에 대응하기 위해 유리체가 밀어내는 압력 때문에 각막과 수정체는 서로 달라붙거나 찌그러질 가능성이 높다. 그러면 수정체가 원활하게 움직이기가 어려워진다. 따라서 눈은 수정체와 각막 사이의 공간에 채워진 방수로 적절한 내부 압력을 유지한다.

'방에 든 물'을 뜻하는 방수(房水)는 투명한 약알칼리성 액체로, 눈물과는 구별된다. 방수는 안방에 들어차 각막의 형태를 유지하고, 혈관 분포가 없어 투명한 구조인 각막이나 수정체에 영양분을 공급하고 노폐물을 배출하는 역할을 한다. 단순히 공간을 채우는 것만이 아니라 영양분을 공급한다는 것은 방수가 순환되는 물이라는 전제를 포함한다. 섬모체에서 만들어진 방수는 안방을 채우고 섬유주라는 조직을 통해 배출된 후 슐렘관으로 흡수되어 심장으로 들어가 혈액에 합류된다.

눈의 구조와 시력 유지를 위해 꼭 필요한 방수는 적정량이 제대로 흘러야 한다. 제 역할을 다한 방수는 흘러나가야 하는데, 섬유주의 구조 변화나 슐렘관에 이상이 생기는 등의 이유로 이 과정이 원활하지 않으면 문제가 발생한다. 방수의 배출 여부와 관계없이 섬모체는 계속 방수를 만들어내기 때문에 결국 과도한 방수로 안압이 높아진다. 그 결과 안구의 모든 조직에 압력이 가해져 문제가 생기는데, 그중 특히 약한 조직인 시신경이 먼저 심하게 손상을 받게 된다.

39. 윗글을 참고할 때, <보기>의 ㉮~㉰에 들어갈 말로 적절한 것은?

<보 기>

안방이 비어 있다면, 외부에서 누르는 기압에 대응하기 위해 유리체가 (㉮)는 압력 때문에 안방이 찌그러질 가능성이 높다. 따라서 방수가 이 공간을 채우는데, 만약 방수의 공급량에 비해 배출량이 (㉯)지게 되면 안압이 (㉰)하여 시신경이 손상된다.

	㉮	㉯	㉰
①	밀어내	적어	상승
②	밀어내	적어	하강
③	밀어내	많아	상승
④	당기	많아	하강
⑤	당기	많아	상승

문제풀이

과학 지문 독해에서 가장 중요한 것은 '원리'를 이해하는 것이다. 특히 비례/반비례 관계나 인과 관계, 선후 관계를 헷갈리지 않아야 하며 상승/하강, 증가/감소 등의 정보를 정확하게 파악해야 한다.

❶ 다섯 번째 문단에서 안방이 비어 있다면 외부에서 누르는 기압과 이에 대응하기 위해 유리체가 밀어내(㉮)는 압력 때문에 각막과 수정체가 서로 달라붙거나 찌그러질 가능성이 높다고 하였다. 또한 마지막 문단에서 방수는 배출 여부와 관계없이 계속 공급되므로 배출이 원활하지 않아 공급량에 비해 배출량이 적어(㉯)지면, 안압이 상승(㉰)하여 시신경이 손상된다고 하였다.

11분 | 2022학년도 6월 학평 38~42번 | ★★☆ | 정답 027쪽

【1~5】 다음 글을 읽고 물음에 답하시오.

시각기관인 눈은 시각을 감지하는 데에 관여하는 안구, 안구를 움직이는 근육이나 안구를 보호하는 눈꺼풀과 같은 부속 기관으로 이루어져 있다. 이 중 안구는 두개골의 오목한 부위인 안와에 들어있는 공 모양의 구조물이다.

<그림>의 안구를 보면, 안구벽은 세 층으로 되어 있다. 바깥층은 공막인데, 검은자위 부분에서 투명하게 변형되어 ㉠ 각막을 이룬다. 각막은 빛을 통과시켜 망막에 상을 맺게 해준다. 중간층은 ㉡ 맥락막, 섬모체 등으로 구성된다. 맥락막에는 안구의 각 부분에 영양분을 공급하는 혈관 중 다수가 밀집해 있어 빛의 통과를 막아, 빛이 공막으로 분산되지 않도록 하여 상이 잘 맺히도록 한다. 섬모체는 수정체와 가느다란 실로 연결되어 있어, 수정체가 물체의 원근에 따라 초점을 조절하는 것을 돕는다. 안쪽층은 빛을 감지하는 ㉢ 망막이다. 안구벽 안쪽에는 유리체가 넓은 부위를 차지하고 있고, 유리체의 앞쪽에는 수정체가 자리 잡고 있다.

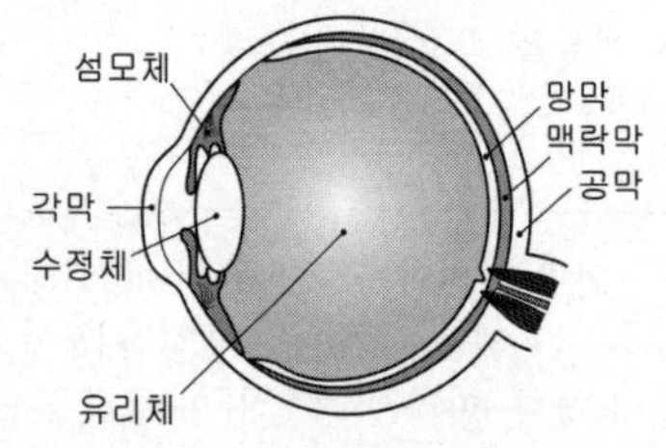

<그림>

그런데 이러한 안구는 단단하지 않다. 단단하지 않은 물체가 기압에 저항해 원래의 모양을 유지하기란 쉽지 않다. 내부 기압이 외부 기압보다 낮으면 물체는 찌그러지며, 반대의 경우에는 부풀어 오를 수 있다. 빛을 수용하고 상을 맺게 하는 눈의 특성상, 약간의 모양 변화로도 빛의 방향이 ⓐ 틀어져 초점이 달라지기 때문에 정확한 안구 형태를 유지하는 것은 매우 중요하다.

이를 일차적으로 담당하는 것은 유리체이다. 안구 내부에서 가장 많은 면적을 채우고 있는 유리체는 투명한 젤 형태의 물질이다. 유리체는 안구 내압을 적정하게 유지함으로써 맥락막에 대하여 망막을 지지해 주고, 안구벽의 붕괴를 방지함으로써 안구의 형태를 유지하는 역할을 한다. 하지만 눈은 단순한 구조가 아니기에, 이것만으로는 안구 전체뿐 아니라 안구를 구성하는 각 부분을 정확한 형태로 유지하기 어렵다.

이 경우 가장 문제가 되는 것이 각막과 수정체 사이의 '안방'이라는 공간이다. 만약 이 공간이 비어 있다면 외부에서 누르는 기압과 이에 대응하기 위해 유리체가 밀어내는 압력 때문에 각막과 수정체는 서로 달라붙거나 찌그러질 가능성이 높다. 그러면 수정체가 원활하게 움직이기가 어려워진다. 따라서 눈은 수정체와 각막 사이의 공간에 채워진 [방수]로 적절한 내부 압력을 유지한다.

'방에 든 물'을 뜻하는 방수(房水)는 투명한 약알칼리성 액체로, 눈물과는 구별된다. 방수는 안방에 들어차 각막의 형태를 유지하고, 혈관 분포가 없어 투명한 구조인 각막이나 수정체에 영양분을 공급하고 노폐물을 배출하는 역할을 한다. 단순히 공간을 채우는 것만이 아니라 영양분을 공급한다는 것은 방수가 순환되는 물이라는 전제를 포함한다. 섬모체에서 만들어진 방수는 안방을 채우고 섬유주라는 조직을 통해 배출된 후 슐렘관으로 흡수되어 심장으로 들어가 혈액에 합류된다.

눈의 구조와 시력 유지를 위해 꼭 필요한 방수는 적정량이 제대로 흘러야 한다. 제 역할을 다한 방수는 흘러나가야 하는데, 섬유주의 구조 변화나 슐렘관에 이상이 생기는 등의 이유로 이 과정이 원활하지 않으면 문제가 발생한다. 방수의 배출 여부와 관계없이 섬모체는 계속 방수를 만들어내기 때문에 결국 과도한 방수로 안압이 높아진다. 그 결과 안구의 모든 조직에 압력이 가해져 문제가 생기는데, 그중 특히 약한 조직인 시신경이 먼저 심하게 손상을 받게 된다.

1. 윗글에 대한 이해로 적절하지 <u>않은</u> 것은?

① 각막은 공막과 달리 투명하다.
② 수정체는 빛이 통과할 수 있는 구조이다.
③ 유리체는 맥락막에 대하여 망막을 지지해 준다.
④ 섬모체는 수정체와 연결되어 물체의 원근을 감지한다.
⑤ 방수는 슐렘관을 거쳐 심장으로 들어가 혈액에 합쳐진다.

2. 윗글을 참고할 때, <보기>의 ㉮~㉰에 들어갈 말로 적절한 것은?

< 보 기 >

안방이 비어 있다면, 외부에서 누르는 기압에 대응하기 위해 유리체가 (㉮)는 압력 때문에 안방이 찌그러질 가능성이 높다. 따라서 방수가 이 공간을 채우는데, 만약 방수의 공급량에 비해 배출량이 (㉯)지게 되면 안압이 (㉰)하여 시신경이 손상된다.

	㉮	㉯	㉰
①	밀어내	적어	상승
②	밀어내	적어	하강
③	밀어내	많아	상승
④	당기	많아	하강
⑤	당기	많아	상승

3. ㉠~㉢에 대한 이해로 적절한 것은?

① ㉠에는 영양분을 공급하는 혈관이 다수 밀집되어 있다.
② ㉢은 수정체가 초점을 조절하는 것을 돕는다.
③ ㉠과 ㉡은 안구를 보호하는 데 필요한 부속 기관이다.
④ ㉡은 빛의 분산을 막아 ㉢에서 상을 맺는 것을 돕는다.
⑤ ㉢을 통과한 빛이 ㉠에서 감지된다.

4. 윗글의 방수와 <보기>의 눈물을 비교한 내용으로 적절하지 않은 것은? [3점]

< 보 기 >

눈물은 윗눈꺼풀 안쪽의 누선에서 분비된다. 눈을 깜박일 때마다 눈물은 안구 표면 전체를 적시는데, 특히 각막을 고르게 덮어준다. 이때 눈물은 각막에 습기를 지속적으로 공급하고, 안구의 운동을 원활하게 한다. 또한 먼지나 병균을 씻어내어 안구를 청결하게 유지한다. 제 역할을 다한 눈물은 안쪽 눈구석에 있는 누점을 통해 누관을 타고 콧속으로 배출된다. 정상적인 눈물은 분비와 배출의 비율이 일정 수준으로 유지되어야 한다.

① 방수는 섬유주를 통해, 눈물은 누점을 통해 배출된다.
② 방수는 각막에 영양분을, 눈물은 각막에 습기를 공급한다.
③ 방수는 안구의 형태를 유지하는 데, 눈물은 안구의 청결 상태를 유지하는 데 기여한다.
④ 방수와 눈물은 모두 적정한 양이 유지되어야 정상적인 상태라고 볼 수 있다.
⑤ 방수와 눈물은 모두 안구 표면을 적셔 안구가 원활하게 움직일 수 있도록 한다.

5. ⓐ와 문맥적 의미가 가장 유사한 것은?

① 날아가던 공이 오른쪽으로 틀어졌다.
② 늦잠을 자는 바람에 계획이 틀어졌다.
③ 햇볕에 오래 두었더니 목재가 틀어졌다.
④ 마음이 틀어져서 아무 말도 하지 않았다.
⑤ 초등학교 때부터 사귀던 친구와 틀어졌다.

8분 | 2021학년도 9월 학평 35~38번 | ★☆☆ | 정답 028쪽

【6~9】 다음 글을 읽고 물음에 답하시오.

우리 주변에 존재하는 생물들 중에는 독을 가진 경우가 흔하다. 이러한 생물들은 위협적인 상대로부터 자신을 보호하거나 종족을 보존하기 위해 독을 이용한다. 특히 동물은 사냥감을 포획하기 위한 수단으로도 독을 사용한다. 이와 같은 독은 식물과 동물에 따라 다양한 특징을 보인다.

식물 독의 주성분은 대부분 알칼로이드라는 물질인데 이는 질소를 함유하는 염기성 유기화합물을 일컫는 것으로, 그 예에는 투구꽃의 '아코니틴'과 흰독말풀의 '아트로핀'이 있다. 아코니틴과 아트로핀은 모두 동물의 신경계에서 '근육에 가해진 자극이나 뇌가 내린 명령'에 관한 정보가 전달되는 것을 방해한다. 먼저 ㉠ 아코니틴은 신경 세포의 나트륨 이온 통로를 계속 열어두기 때문에 나트륨 이온을 세포 안으로 다량 유입시킨다. 이로 인해 이온의 농도 차에 의한 나트륨 이온의 이동이 정상적으로 일어나지 않아, 전기 신호인 활동 전위*가 신경 세포에서 일어나지 못하게 된다. 그러면 아세틸콜린이 분비되지 않아, 결국 호흡 곤란으로 이어질 수 있다. 하지만 적정량을 사용하면 진정 효과 등의 약리 작용이 있기 때문에 아코니틴을 진통제의 성분으로 이용하기도 한다.

한편 아트로핀은 부교감 신경의 시냅스에서 아세틸콜린 대신에 아세틸콜린 수용체와 결합함으로써 아세틸콜린의 작용을 방해한다. 여기서 아세틸콜린은 활동 전위에 의해 신경 세포 말단에 있는 시냅스 소포에서 분비된 후, 다른 신경 세포로 정보를 전달하는 물질이다. 아세틸콜린의 분비가 억제되거나 아세틸콜린이 아세틸콜린 수용체와 결합하지 못하면 신경의 흥분이 억제되어 근육은 이완되지만 아세틸콜린이 과잉 분비되면 그 반대 현상이 일어난다. 아트로핀은 아세틸콜린과 화학 구조가 유사하기 때문에 아세틸콜린 수용체와 결합함으로써 시냅스에서 이루어지는 정보 전달을 방해하게 된다. 이를 이용해 아트로핀은 ⓐ 일부 독의 해독제로 쓰이기도 한다.

반면 동물 독은 독의 성질이 제각기 다르다. 대표적으로 뱀의 독에는 주로 단백질 계열의 50~60종의 성분이 있으며, 뱀마다 독의 작용에도 큰 차이가 있다. 코브라에게 물리면 '오피오톡신'이 시냅스에서 아세틸콜린 수용체와 결합해 근육으로의 정보 전달이 방해된다. 이와 달리 살무사에게 물리면 '크로탈로톡신'이라는 독이 혈액 내의 혈구 세포와 혈소판 등을 파괴한다. 이로 인해 근육이 괴사되고 출혈이 멈추지 않아 죽게 된다. 한편 복어는 '테트로도톡신'이라는 알칼로이드 계열의 독소를 가지고 있다. ㉡ 테트로도톡신은 신경 세포의 나트륨 이온 통로를 차단함으로써 나트륨 이온이 들어오지 못하게 하기 때문에 활동 전위가 일어나지 않는다. 이로 인해 아세틸콜린이 분비되지 않는다. 특히 테트로도톡신은 복어가 스스로 만들어 내는 것이 아니라, 복어가 먹이로 섭취한 플랑크톤에 의해 축적되거나 복어 체내에 기생하는 균에 의해 만들어진다는 특징이 있다.

독이 우리 몸에 유입되면 해독제를 신속하게 투여하는 것이 중요하다. 해독제로는 산과 염기의 반응을 이용한 중화제, 독소 분자를 분해하는 효소, 유입된 독과 서로 반대 작용을

Ⅲ

하는 독을 활용할 수 있다.

* 활동 전위 : 생물체의 세포나 조직이 활동할 때 일어나는 전압 변화.

6. 윗글에서 답을 찾을 수 있는 질문에 해당하지 않는 것은?

① 아코니틴에 의해 나타나는 증상은 무엇일까?
② 복어의 독소는 무엇에 의해 만들어지는 것일까?
③ 알칼로이드가 질소를 함유하는 이유는 무엇일까?
④ 살무사에게 물리면 출혈이 멈추지 않는 이유는 무엇일까?
⑤ 오피오톡신과 크로탈로톡신의 작용에는 어떤 차이가 있을까?

7. ⓐ의 이유로 가장 적절한 것은?

① 아트로핀이 아세틸콜린을 분해하는 물질의 작용을 방해하기 때문에
② 아트로핀이 아세틸콜린을 소모하여 부교감 신경의 흥분을 유도하기 때문에
③ 아트로핀이 아세틸콜린을 분비시켜 신경계의 정보 전달을 유도하기 때문에
④ 아트로핀이 아세틸콜린의 작용을 방해해 부교감 신경의 흥분을 억제하기 때문에
⑤ 아트로핀이 아세틸콜린의 분비를 억제하고 다른 신경전달물질을 활성화하기 때문에

8. ㉠과 ㉡에 대한 설명으로 가장 적절한 것은?

① ㉠은 ㉡과 달리 나트륨 이온의 농도 차이를 일정하게 유지시킨다.
② ㉠은 ㉡과 달리 세포 안으로 나트륨 이온이 들어오지 못하도록 방해한다.
③ ㉡은 ㉠과 달리 아세틸콜린과 화학 구조가 유사하다.
④ ㉡은 ㉠과 달리 아세틸콜린의 분비에 영향을 미치지 않는다.
⑤ ㉠과 ㉡은 모두 신경 세포에서 활동 전위가 일어나지 못하게 방해한다.

9. 윗글을 바탕으로 <보기>를 이해한 내용으로 적절하지 않은 것은? [3점]

<보 기>

○ A의 잎에는 알칼로이드에 속하는 스코폴라민이 포함되어 있는데, 강한 쓴맛 때문에 동물에게 먹히지 않는다. 스코폴라민이 몸속에 들어오면 아세틸콜린 수용체와 결합하므로 멀미약의 성분으로 이용된다.
○ B는 꼬리에 있는 독침에서 분비되는 단백질 계열의 카리브도톡신을 이용한다. 카리브도톡신이 먹잇감인 곤충의 몸속에 들어가면 활동 전위가 계속 일어나도록 하기 때문에 시냅스 말단에서는 아세틸콜린이 과잉 분비된다.

① A의 스코폴라민은 시냅스에서 이루어지는 정보 전달을 방해하는 작용을 하겠군.
② B의 카리브도톡신은 신경의 흥분을 억제하므로 근육으로의 정보 전달을 방해하겠군.
③ A의 스코폴라민은 근육을 이완시키고, B의 카리브도톡신은 근육을 수축시키겠군.
④ A의 스코폴라민은 산성 물질을, B의 카리브도톡신은 단백질 분해 효소를 해독제로 활용할 수 있겠군.
⑤ A에게 스코폴라민은 자신을 보호하기 위한, B에게 카리브도톡신은 사냥감을 포획하기 위한 수단이겠군.

총 문항				문항	맞은 문항					문항
개별 문항	1	2	3	4	5	6	7	8	9	10
채점										
개별 문항	11	12	13	14	15	16	17	18	19	20
채점										

10분 2021학년도 6월 학평 38~42번 ★★☆ 정답 029쪽

【1~5】 다음 글을 읽고 물음에 답하시오.

과학과 공학에서 '차원'이란 길이, 질량, 시간과 같이 일반화된 물리량의 성질을 말한다. 이러한 차원은 흔히 단위로 나타내는데 길이 단위인 미터(m), 질량 단위인 킬로그램(kg), 시간 단위인 초(s) 등이 있다. "학교까지의 거리는 100m이다."라고 말할 때, 미터(m)는 거리를 나타내는 '단위'이고, 거리는 길이 '차원'에 해당한다. 미터(m), 킬로미터(km)처럼 하나의 차원을 표시하는 단위는 여러 개일 수 있다. 차원은 대괄호를 사용해 표현하는데, 지름, 거리 등은 길이 차원이므로 [길이]로 표현한다. 면적은 길이 곱하기 길이이므로 [길이^2]으로 표현하는데, [길이]와 [길이^2]은 물리량의 성질이 다르므로 서로 다른 차원이다. 속도는 길이 나누기 시간이므로 [길이/시간]으로 차원을 표현한다. 이러한 차원을 ⓐ분석하여 단순 비교가 어려운 물리량 변수들 사이의 관계를 미루어 알아내는 방법을 '차원해석'이라 한다. 차원해석을 위해서는 차원의 동일성과 무차원화를 이해해야 한다.

물리적 수식 양변의 각 항들은 동일한 차원을 지녀야 하는데, 이를 ㉠'차원의 동일성'이라 한다. 차원의 동일성을 통해 물리량 변수들의 관계를 알 수 있다. 예를 들어 'v(속도)=s/t(거리/시간)'라는 수식에서 [속도]와 [길이/시간]은 차원이 같다. 이를 통해 속도, 거리, 시간 세 변수들의 관계가 드러난다. 위의 식에서 [길이/시간]과 같이 한 차원으로 다른 차원을 나누는 것은 가능함을 알 수 있다. 이처럼 한 차원으로 다른 차원을 곱하거나 나눌 때는 차원의 동일성이 유지된다. 차원이 같은 항을 더하거나 빼면 차원의 동일성이 유지되지만, 차원이 다른 항을 더하거나 빼면 차원의 동일성이 유지되지 않는다. 그래서 [속도]=[길이/시간]+[질량]과 같은 수식은 성립할 수 없다. 수식에서 2, π와 같은 상수들은 차원을 갖지 않아 무시한다.

다음으로 '무차원화'란 차원을 지닌 변수나 수식을 차원이 없는 상태로 만드는 작업을 말한다. 차원은 단위로 나타내므로 차원이 없다는 것은 단위가 없다는 의미이다. 간단한 무차원화 방법으로 어떤 기준이 되는 양을 놓고 이 양과 상대적인 크기를 비교하는 것이 있다. 전체 인원(N)에서의 순위(n)가 있을 때 기준이 되는 양인 전체 인원으로 순위를 나누면 무차원화되어 상대적인 크기(n/N)만 남는다. 예를 들어, 참가 선수 100명(N) 중에서 10위(n)를 했다면 n/N=0.1에 해당하고, 20명 중 10위를 했다면 n/N=0.5에 해당한다. 무차원화된 수는 0에서 1 사이의 값을 갖는데, 0.1과 0.5와 같이 차원이 없어져 상대적인 크기의 비교가 가능해진다.

[A] 무차원화는 변수들 사이의 관계를 나타낼 때에도 편리하다. 이때는 차원을 가진 두 개의 변수 x와 y의 관계 대신, 두 변수를 기준이 되는 양(A, B)으로 나누어 각각을 무차원화한 X, Y의 관계를 그래프로 나타낼 수 있다. 이때 X는 x/A, Y는 y/B 값이다.

차원의 동일성과 무차원화를 고려하며 다음과 같은 차원해석을 해볼 수 있다. 지상에서 질량 m인 물체를 위쪽을 향해 속도 v로 던졌을 때 도달하는 최대 높이를 구하려고 한다. 최대 높이(h)는 물체의 질량(m), 던지는 속도(v), 중력가속도(g)에 의해 결정될 것이라 ⓑ가정한다. h의 값은 각 변수들의 거듭제곱의 ⓒ조합으로 이루어진다고 생각할 수 있다.

[B] 이를 $[h]=[m^a v^b g^c]$로 나타낼 수 있다. 각 변수의 차원은 [h]=[길이], [m]=[질량], [v]=[길이/시간], [g]=[길이/시간^2]이다. 양변의 차원이 동일해야 하므로 a=0, b=2, c=−1이 되면 우변에서 [길이] 외의 차원은 없어져 좌변처럼 [길이]가 된다. 따라서 차원해석을 한 결과는 다음과 같이 ⓓ정리할 수 있다.

$$h = C(v^2 / g)$$

중력가속도(g)는 정해진 값이 있으므로, 결론적으로 이 식에서 위로 던진 물체의 최대 높이(h)는 질량과 관계가 없으며(m^0), 속도의 제곱에 비례한다(v^2)는 것을 알 수 있다. 이렇게 차원해석으로 실험 없이 단순히 각 변수들의 차원만 분석해도 꽤 구체적인 결과를 ⓔ도출할 수 있다. 남은 변수들과의 관계를 고려해 실험을 하면 상수값 C를 도출할 수 있는데, 과학에서 상수값 C의 수치를 아는 것보다 변수들 간의 관계를 이해하는 것이 훨씬 중요하다.

차원해석을 활용하면 변수가 많아 복잡한 과학적, 공학적 문제의 의미를 일반화하고 단순화할 수 있다. 그래서 차원이 달라서 비교할 수 없었던 변수들끼리 비교하는 것이 가능하게 될 뿐 아니라, 그것의 실험이나 작업량을 확연히 줄일 수 있다.

1. 윗글의 표제와 부제로 가장 적절한 것은?

① 무차원화의 의미와 의의
  – 차원의 동일성이 지닌 의미를 중심으로
② 무차원화의 여러 가지 방법들
  – 차원의 동일성과 변수들의 관계를 중심으로
③ 차원해석의 역사와 방법
  – 다양한 무차원화 이론을 중심으로
④ 차원해석의 이해와 의의
  – 차원의 동일성과 무차원화의 이해를 중심으로
⑤ 차원해석의 기능과 효율성
  – 단위와 차원의 분류를 중심으로

2. ㉠을 고려해 <보기>의 수식을 분석한 내용으로 적절한 것은?

<보 기>

어떤 면적 A를 구하는 식이 'A=2(B×C)+πD'라 가정한다.

① B, C, D 모두 [길이]이어야 수식이 성립한다.
② B, C, D 모두 [길이^2]이어야 수식이 성립한다.
③ B와 C는 [길이], D는 [길이^2]이어야 수식이 성립한다.
④ B와 D는 [길이], C는 [길이^2]이어야 수식이 성립한다.
⑤ B는 [길이^2], C와 D는 [길이]이어야 2와 π의 영향으로 차원이 같아져 수식이 성립한다.

3. [A]를 바탕으로 <보기>를 이해한 내용으로 적절하지 않은 것은? [3점]

<보 기>

<그림1>은 '시간(t)'과 '몸무게(m)'라는, 차원이 있는 두 변수로 나타낸 사람(㉮)과 어느 개(㉯)의 성장 곡선이다. <그림2>는 두 변수를 무차원화한 '무차원 시간(t/T)'과 '무차원 몸무게(m/M)'의 관계를 그래프로 나타낸 것이다.

(단, ㉮의 수명(T)은 80년, 성체 몸무게(M)는 68kg, ㉯의 수명(T)은 10년, 성체 몸무게(M)는 10kg이라 가정한다.)

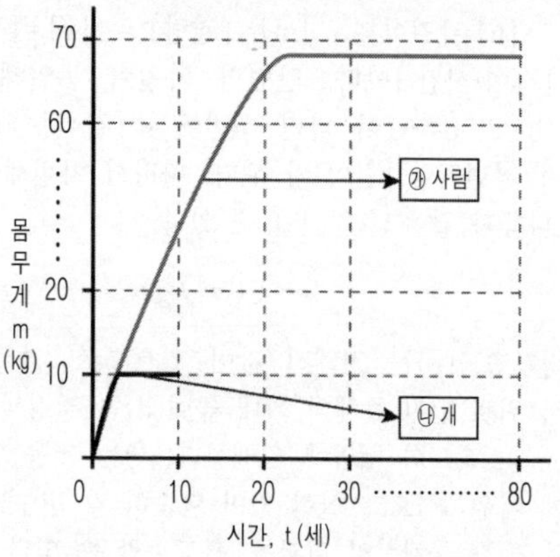

<그림 1> 차원이 있는 변수로 표시된 성장 곡선

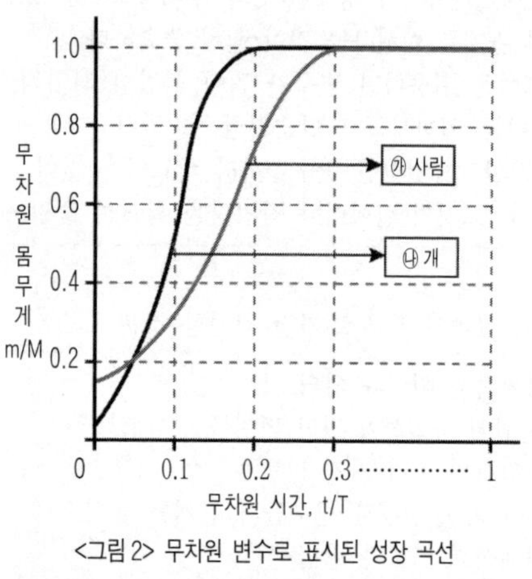

<그림 2> 무차원 변수로 표시된 성장 곡선

① <그림1>에서는 ㉮와 ㉯가 각각 시간에 따라 몸무게가 어떻게 변화하는지를 두 변수의 관계로 파악할 수 있다.
② <그림1>에서는 ㉮와 ㉯의 수명이 달라 둘의 몸무게 변화 과정에 대한 상대적인 크기를 비교하기 어렵다.
③ <그림2>에서 첫 교차 지점까지를 제외하면 ㉯보다 ㉮의 성장이 대체로 빠르다는 것을 알 수 있다.
④ <그림2>에서 ㉯가 성체 몸무게에 도달하는 시점은 ㉮가 성체 몸무게에 도달하는 시점보다 빠르다.
⑤ <그림2>는 몸무게(m)를 성체 몸무게(M)로, 시간(t)을 수명(T)으로 나누어 0에서 1 사이의 값으로 나타내었다.

4. [B]에 대한 학생의 반응으로 적절한 것은?

① 변수들의 관계보다 상수값 C를 아는 게 중요하군.
② g를 제곱하여서 양변의 차원을 동일하게 만들었군.
③ 차원해석으로 h는 v와 무관하다는 것을 알 수 있군.
④ 물체의 질량을 달리하며 실험을 반복할 필요가 없겠군.
⑤ a, b, c의 합이 1이 되면 좌변은 차원이 없는 상태가 되겠군.

5. ⓐ ~ ⓔ의 사전적 의미로 적절하지 않은 것은?

① ⓐ : 얽혀 있거나 복잡한 것을 풀어서 개별 요소나 성질로 나눔.
② ⓑ : 사실인지 아닌지 분명하지 않은 것을 임시로 인정함.
③ ⓒ : 여럿을 모아 한 덩어리로 짬.
④ ⓓ : 흐트러지거나 혼란스러운 상태에 있는 것을 한데 모으거나 치워서 질서 있는 상태가 되게 함.
⑤ ⓔ : 시간이나 물건의 양 따위를 헤아리거나 잼.

8분 | 2020학년도 9월 학평 33~36번 | ★★☆ | 정답 030쪽

【6~9】 다음 글을 읽고 물음에 답하시오.

바이러스는 체내에 들어와 문제를 일으킬 수 있어 주의해야 할 대상이다. 생명체와 달리, 바이러스는 세포가 아니기 때문에 스스로 생장이 불가능하다. 그래서 바이러스는 살아 있는 숙주 세포에 기생하고, 그 안에서 증식함으로써 살아간다. 바이러스는 바깥을 둘러싸는 피막의 유무에 따라 구조가 달라진다. 피막이 있는 바이러스는 피막의 바깥에 부착 단백질이 박혀 있고 피막 안에는 캡시드라는 단백질이 있다. 캡시드 안에는 핵산이 있는데, 핵산은 DNA와 RNA 중 하나로만 구성된다. 이러한 구조를 갖는 바이러스는 숙주 세포에 어떻게 감염하는 것일까?

[A] 바이러스의 감염 가능 여부는 숙주 세포 수용체의 특성에 따라 결정된다. 바이러스는 감염이 가능한 숙주 세포와 접촉한 후 바이러스 피막의 부착 단백질을 이용해 숙주 세포 수용체에 달라붙는다. 달라붙은 부위를 통해 바이러스가 숙주 세포 내부로 침투하고, 바이러스의 핵산이 캡시드로부터 분리되어 숙주 세포 내부로 빠져나온다. 이후 핵산은 효소를 이용하여 복제된다. 핵산이 DNA일 경우 숙주 세포에 있는 효소를 그대로 이용하고, 반면 RNA일 경우 숙주 세포에 있는 효소를 이용해 자신에 맞는 효소를 합성한다. 또한 핵산은 mRNA라는 전달 물질을 통해 단백질을 합성한다. 합성된 단백질의 일부는 캡시드가 되어 복제된 핵산을 둘러싸고 다른 일부는 숙주 세포막에 부착되어 바이러스의 부착 단백질이 될 준비를 한다. 그 후 단백질이 부착된 숙주 세포막이 캡시드를 감싸 피막이 되면서 증식된 바이러스가 숙주 세포 밖으로 배출된다.

우리 몸은 주로 위의 과정을 통해 지속감염이 일어나기도 하고 위와는 다른 과정을 거쳐 급성감염이 일어나기도 한다. ㉠ <u>급성감염</u>은 일반적으로 짧은 기간 안에 일어나는데, 바이러스는 감염된 숙주 세포를 증식 과정에서 죽이고 바이러스가 또 다른 숙주 세포에서 증식하며 질병을 일으킨다. 시간이 흐르면서 체내의 방어 체계에 의해 바이러스를 제거해 나가면 체내에는 더 이상 바이러스가 남아 있지 않게 된다. 반면 ㉡ <u>지속감염</u>은 급성감염에 비해 상대적으로 오랜 기간 동안 바이러스가 체내에 잔류한다. 지속감염에서는 바이러스가 장기간 숙주 세포를 파괴하지 않으면서도 체내의 방어 체계를 회피하며 생존한다. 지속감염은 바이러스의 발현 양상에 따라 잠복감염과 만성감염, 지연감염으로 나뉜다.

잠복감염은 초기 감염으로 증상이 나타난 후 한동안 증상이 사라졌다가 특정 조건에서 바이러스가 재활성화되어 증상을 다시 동반한다. 이때 같은 바이러스에 의한 것임에도 첫 번째와 두 번째 질병이 다르게 발현되기도 한다. 잠복감염은 질병이 재발하기까지 바이러스가 감염성을 띠지 않고 잠복하게 되는데, 이러한 상태의 바이러스를 프로바이러스라고 부른다. 만성감염은 감염성 바이러스가 숙주로부터 계속 배출되어 항상 검출되고 다른 사람에게 옮길 수 있는 감염 상태이다. 하지만 사람에 따라서 질병이 발현되거나 되지 않기도 하며 때로는 뒤늦게 발현될 수도 있다는 특성이 있다. 지연감염은 초기 감염 후 특별한 증상이 나타나지 않다가, 장기간에 걸쳐 감염성 바이러스의 수가 점진적으로 증가하여 반드시 특정 질병을 유발하는 특성이 있다.

6. 윗글의 내용과 일치하지 <u>않는</u> 것은?

① 피막이 있는 바이러스는 숙주 세포막의 효소와 결합하여 숙주 세포 내부로 침투한다.
② 피막이 있는 바이러스의 핵산이 DNA라면 캡시드 안에 RNA는 존재하지 않는다.
③ 바이러스가 숙주 세포에 기생하는 이유는 세포가 아니기 때문이다.
④ 피막이 있는 바이러스의 가장 바깥에는 부착 단백질이 있다.
⑤ 피막이 있는 바이러스는 캡시드를 피막이 감싸고 있다.

Ⅲ

7. <보기>는 특정 바이러스 감염 과정의 일부를 그림으로 나타낸 것이다. [A]를 바탕으로 <보기>를 이해한 내용으로 적절하지 <u>않은</u> 것은? [3점]

<보 기>

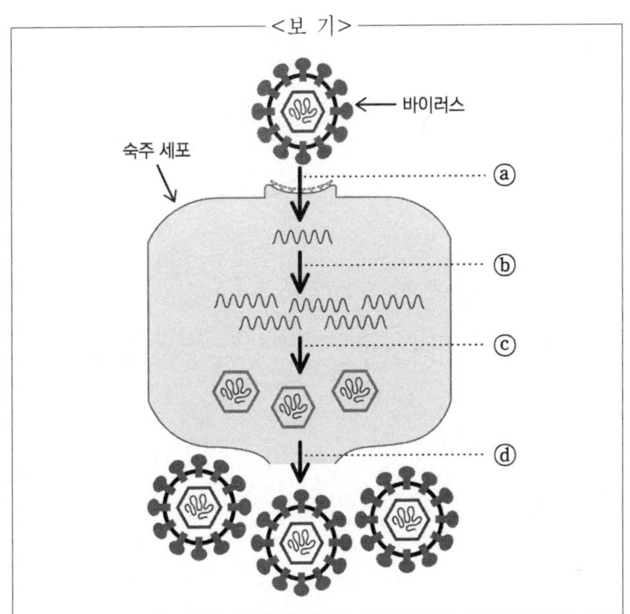

① ⓐ에서 바이러스의 핵산이 숙주 세포 내부로 빠져 나오려면, 바이러스 피막의 부착 단백질을 이용하는 과정이 필요하다.
② ⓑ에서 숙주 세포의 효소를 그대로 이용하지 않는다면, 이 바이러스의 핵산은 RNA이다.
③ ⓑ에서 캡시드가 분리되며 빠져나온 효소는 ⓒ에서 다시 캡시드를 형성하는 데 도움을 준다.
④ ⓒ에서 바이러스의 핵산을 둘러싸거나 ⓓ에서 바이러스의 부착 단백질이 되는 물질은 mRNA를 통해 합성된다.
⑤ ⓓ에서는 배출되는 바이러스의 피막이 숙주 세포의 구성 요소를 통해 만들어진다.

8. ㉠과 ㉡에 대한 설명으로 적절한 것은?

① ㉠은 ㉡과 달리 체내에서 감염성 바이러스의 수가 점진적으로 증가한다.
② ㉠은 ㉡에 비해 바이러스가 체내의 방어 체계를 오랫동안 회피한다.
③ ㉡은 ㉠과 달리 바이러스가 증식하는 과정에서 숙주 세포를 소멸시킨다.
④ ㉡은 ㉠에 비해 감염한 바이러스가 체내에 장기간 남아 있게 된다.
⑤ ㉠과 ㉡은 체내의 바이러스가 질병을 발현하는지 여부에 따라 구분된다.

9. 윗글을 참고할 때, <보기>에 대한 반응으로 적절하지 않은 것은?

<보 기>

◦ '수두-대상포진 바이러스(VZV)'에 감염되면, 처음에는 미열과 발진성 수포가 생기는 수두가 발병한다. 시간이 지나면 자연적으로 치료되나 'VZV'를 평생 갖고 살아가게 된다. 그러다가 신체의 면역력이 저하되면 피부에 통증과 수포가 생겨날 수 있는데, 이를 대상포진이라 한다.
◦ 'C형 간염 바이러스(HCV)'에 감염된 환자의 약 80%는 해당 바이러스를 보유하고도 증세가 나타나지 않아 감염 여부를 인지하지 못하다가 우연히 알게 되기도 한다. 하지만 감염 환자의 약 20%는 간에 염증이 나타나고 이에 따른 합병증이 나타나기도 한다.

① 수두를 앓다가 나은 사람은 대상포진이 발병하지 않았을 때 'VZV' 프로바이러스를 갖고 있겠군.
② 'VZV'를 가진 사람의 피부에 통증과 수포가 발생하는 것은 'VZV'가 다시 활성화되는 특정 조건이 되겠군.
③ 'HCV'에 감염된 사람은 간 염증을 앓고 있지 않더라도 타인에게 바이러스를 옮길 수 있겠군.
④ 'HCV'에 감염된 사람은 나이와 상관없이 간 염증이 나타날 수도 있고 전혀 나타나지 않을 수도 있겠군.
⑤ 'VZV'나 'HCV'에 의한 질병이 발현된 상황이라면, 모두 체내에 잔류한 바이러스가 주변 세포를 감염시키고 있겠군.

총 문항				문항	맞은 문항				문항
개별 문항	1	2	3	4	5	6	7	8	9	10
채점										
개별 문항	11	12	13	14	15	16	17	18	19	20
채점										

Day 15 과학

10분 | 2020학년도 6월 학평 26~30번 | ★★☆ | 정답 031쪽

【1~5】 다음 글을 읽고 물음에 답하시오.

인체는 끊임없이 세균과 바이러스, 기생충과 같은 외부 물질의 공격을 받는다. 이들은 주로 감염이나 질병의 원인이 되므로 인체는 이와 같은 외부 물질의 침입에 저항하고 방어하는 작용을 하게 되는데, 이를 면역 반응이라 한다. 따라서 건강하다는 것은 면역 반응이 활발하여 외부 물질들을 완벽하게 제거하는 상태를 의미하는 것으로 이해하기 쉽다.

그러나 면역 반응이 과도해지면 오히려 인체에 해를 끼치기도 한다. 최근 급증하는 알레르기나 천식, 자가면역질환은 불필요한 면역 반응으로 인해 발생한다. 면역계가 일반적으로는 해가 되지 않는 물질들인 꽃가루나 먼지뿐만 아니라 자신의 조직까지 제거해야 할 대상으로 인식하여 공격하는 것이다. 그런데 이와 같은 면역계 과민 반응으로 인한 질병들은 의료 환경이 발달한 선진국에서 점점 더 증가하는 추세이다. 그렇다면 이와 같은 면역계 과민 반응이 나타나는 이유는 무엇일까?

과학자들은 그 이유를 인체가 수백만 년 동안 진화해 온 환경에서 찾았다. 인체는 무균 지대나 청정 지대가 아니라 세균과 바이러스, 기생충 등과 함께 진화해 왔다. 즉 이들 침입자는 인체의 면역계로부터 자신을 보호하기 위해 면역 반응을 억제하도록 진화했고, 인체는 면역 반응을 억제하는 외부 물질의 침입에 대비하여 면역 반응을 일으키도록 진화했다. 그런데 현대 의학의 발달과 환경 개선으로 바이러스 등이 줄어들게 되자 면역 반응이 지나치게 된 것이다. 이를 위생가설이라고 한다. 위생가설에 따르면 바이러스에 접할 기회가 줄어든 깨끗한 환경이 오히려 질병의 원인이 된다.

위생가설은 인체가 외부 물질과의 공존 속에서 면역 반응의 균형을 찾는다는 시사점을 주었다. 모든 외부 물질들이 배척되기만 한다면 면역 반응에 제동을 걸어줄 존재가 사라지므로 균형이 깨어지는 것이다. 그렇다면 면역계는 어떻게 외부 물질과 공존할 수 있을까? 장(腸)에 존재하는 미생물을 통해 이를 설명할 수 있다. 우리 장 안에는 몸 전체의 세포 수보다 10여 배나 더 많은 장내미생물이 살고 있는데, 이는 면역계가 이들의 존재를 인정하고 받아들였기 때문이다.

면역계를 구성하는 면역세포들은 인체에 유입된 외부 물질을 인지하고 이를 제거하는 면역 반응을 일으킨다. 중추적 역할을 하는 면역세포는 수지상세포와 T세포이다. 수지상세포는 말 그대로 세포막이 나뭇가지처럼 기다랗게 뻗어 나와 있는 모양의 세포이다. 수지상세포는 인체에 침입한 외부 물질을 인지하고, 소장과 대장 주변에 분포한 림프절에서 미성숙T세포를 조력T세포와 세포독성T세포로 분화시킨다. 이 두 종류의 T세포가 몸 안에 침입한 이물질을 없애는 역할을 한다.

그런데 장내미생물은 조력T세포나 세포독성T세포의 공격을 피하기 위해 수지상세포에 영향을 미쳐 그 성격을 바꿔놓는다. 즉 수지상세포가 면역 반응을 일으키지 못하게 만드는 것이다. 이렇게 성격이 변한 수지상세포를 조절수지상세포라고 부른다. 조절수지상세포는 림프절에서 미성숙T세포를 조절T세포로 성숙시키는데, 조절T세포는 조력T세포나 세포독성T세포와는 달리 면역 반응을 억제하는 역할을 한다. 그 결과 장내미생물은 외부 물질이면서도 면역계와 공존할 수 있게 된 것이다.

장내미생물은 조절T세포를 통해 자신의 생존을 꾀하지만 그 결과 인체의 면역계는 면역 반응의 강약을 조절하게 된다. 조절T세포가 면역계 과민 반응으로 인한 질병을 치료하는 역할을 담당하게 된 것이다. 실제로 알레르기 환자의 몸에 조절T세포가 작용하면 과민 면역 반응으로 인해 발생한 염증이 억제되면서 증상이 완화된다. 이처럼 조절T세포를 만들게 하는 데 외부 물질인 장내미생물이 중요한 역할을 한다는 사실이 밝혀지면서 면역계와 공존하는 외부 물질에 대한 인식의 전환이 일어나게 되었다.

1. 윗글에 대한 설명으로 가장 적절한 것은?

① 면역 반응이 일어나는 과정을 분석하여 가설의 수정이 필요함을 제안하고 있다.
② 면역계 과민 반응의 원인을 설명하여 면역 반응에 대한 통념에 변화를 주고 있다.
③ 면역 반응에 대한 상반된 관점을 소개하고 각각의 관점이 지닌 한계를 설명하고 있다.
④ 면역계 과민 반응의 해결 방안을 제시하고 예상되는 반론을 반박하면서 주장을 강화하고 있다.
⑤ 면역 반응에 주도적 역할을 하는 면역세포를 생성 위치에 따라 분류한 뒤 각각의 역할을 구체화하고 있다.

2. 윗글을 통해 답을 확인할 수 <u>없는</u> 질문은?

① 장내미생물이 인체에서 어떻게 생존할 수 있을까?
② 인체가 바이러스를 접할 기회가 줄어든 이유는 무엇일까?
③ 면역계 과민 반응으로 인해 일어나는 질병에는 어떤 것이 있을까?
④ 위생가설에 따를 때 깨끗한 환경이 인체에 미치는 긍정적 변화는 무엇일까?
⑤ 인체가 외부 물질을 제거하지 않고 공존할 때 어떤 이익을 얻을 수 있을까?

Ⅲ

3. 윗글을 이해한 내용으로 적절하지 <u>않은</u> 것은?

① 인체의 면역계는 과도한 면역 반응을 스스로 조절하는 능력이 있다.
② 인체가 건강하다는 것은 면역 반응의 강약이 조절되는 것을 의미한다.
③ 외부 물질이 인체에 유해한 경우도 있지만 유해하지 않은 경우도 있다.
④ 현대 의학의 발달과 환경 개선은 면역 반응이 지나치게 된 원인에 해당한다.
⑤ 장내미생물은 자신을 공격 대상으로 인식하지 못하도록 면역계에 영향을 미친다.

4. 윗글을 바탕으로 <보기>를 이해한 내용으로 적절하지 <u>않은</u> 것은?

< 보 기 >

다음은 윗글에서 설명한 면역계의 작용을 도식화한 것이다.

(가) (나)

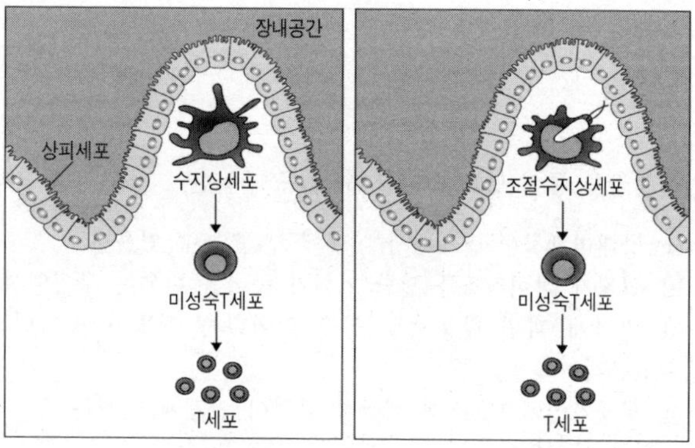

① (가)의 수지상세포는 (나)의 조절수지상세포와 달리 외부 물질을 제거해야 할 대상으로 인지한다.
② (가)의 T세포는 (나)의 T세포와 달리 몸 안에 침입한 이물질을 없애는 역할을 한다.
③ (나)의 미성숙T세포는 (가)의 미성숙T세포와 달리 두 종류의 면역세포로 분화되지 않는다.
④ (나)의 T세포는 (가)의 T세포와 달리 과민 면역 반응으로 발생한 염증을 억제하는 역할을 한다.
⑤ (가)와 (나)의 작용은 모두 외부 물질의 유입을 막음으로써 인체를 보호하기 위해 일어난다.

5. <보기>를 활용하여 윗글을 보충하고자 할 때, 그 구체적 방안으로 가장 적절한 것은? [3점]

< 보 기 >

최근 기생충이 특정한 질병의 치료에 효과가 있는 것으로 밝혀졌다. 해당 질병을 가진 환자의 뇌 조직을 관찰한 결과, 그 질병 역시 면역계 과민 반응과 연관이 있다는 것이 알려지면서 기생충을 이용한 치료가 시도되었고, 이것이 성과를 거두고 있다.

① 외부 물질과 공존하여 면역 반응이 균형을 이루게 됨을 보여주는 사례로 활용한다.
② 외부 물질이 면역 반응을 활발하게 하는 역할을 함을 뒷받침하는 사례로 활용한다.
③ 인체가 무균 지대나 청정 지대에서 진화를 거듭해 왔음을 드러내는 사례로 활용한다.
④ 면역계가 환경의 발전에 따라 지속적으로 적응하며 변화하고 있음을 설명하는 사례로 활용한다.
⑤ 인체에 침입한 유해한 외부 물질들을 제거하는 면역계의 중요성을 설명하는 사례로 활용한다.

11분 | 2020학년도 3월 학평 33~37번 | ★★★ | 정답 031쪽

【6~10】 다음 글을 읽고 물음에 답하시오.

[A] 약은 생체의 작용에 영향을 미쳐 생물학적 효과를 내기 위한 목적으로 이용하는 의약품을 말한다. 약은 생체에서 수용체와 결합하여 유익 작용 및 유해 작용을 나타내는 방식을 취하기도 한다. 이 경우 약은 생체의 리간드와 유사한 화학적 분자 구조를 가진 성분을 포함하는데, 이러한 성분으로 인해 약은 생체 내에서 리간드로 기능한다. 여기서 리간드란 수용체와 결합하여 신경 자극이나 화학 반응과 같은 생물학적 반응을 촉발할 수 있는 물질이다. 생체 내에서 수용체와 친화성이 높은 리간드가 결합하면, 리간드와 결합한 수용체의 작용에 의해 생체의 변화가 일어나기도 하고, 수용체에 의해 리간드의 구조 변화가 일어남으로써 이후의 생물학적 반응이 유도되기도 한다. 이러한 점에서 약은 특정 수용체와 결합할 수 있는 리간드를 인위적으로 생체에 증가시킴으로써 리간드와 결합한 수용체의 수가 일정 시간 동안 일정 수준 이상이 되게 하여 효과를 낸다고 할 수 있다.

대체로 약은 병원체에 작용하거나 생체에 직접 작용하는 방식으로 생물학적 효과를 낸다. 박테리아나 바이러스에 의한 질병의 치료에 활용되는 항생제나 항바이러스제 등은 전자의 방식에 해당하는 경우가 많다. 가령 박테리아에 의한 질병 치료에 사용되는 ㉠ 설파제는, 인간과 박테리아가 모두 대사 과정에서 엽산이라는 물질을 필요로 하는데 엽산을 섭취하여 사용할 수 있는 인간과 달리 박테리아는 엽산을 스스로 만들어야만 한다는 점을 이용한다. 박테리아는 엽산을 만들기 위한 수용체를 가지고 있는데, 파라아미노벤조산(PABA)이 그 수용체와 결합하여 최종적으로 엽산이 된다. 박테리아에 감염된 환자가 설파제를 복용하면 설파제는 체내에서 화학적 변화를 거쳐 PABA와 분자 구조가 매우 유사한 설파닐아마이드가 되어 PABA가 결합할 수용체와 먼저 결합한다. 이로 인해 박테리아는 엽산을 만들지 못하고 결국 죽게 된다.

항바이러스제는, 스스로는 증식하지 못하고 다른 세포에 기생하여 DNA 복제 과정을 거치며 증식하는 바이러스의 특성을 활용하여, 바이러스에 감염된 세포의 증식을 막는 방식으로 바이러스 확산을 억제하기도 한다. ㉡ 뉴클레오사이드 유도체를 포함한 항바이러스제가 이러한 방식의 약에 해당한다. 뉴클레오사이드 유도체는 뉴클레오타이드와 유사하지만, 뉴클레오사이드 유도체가 세포의 DNA나 RNA의 수용체와 결합하면 결과적으로 DNA 복제 과정이 이루어지지 않는다. 또한 뉴클레오사이드 유도체는 바이러스에 감염된 세포와는 쉽게 결합하지만 감염되지 않은 세포와는 잘 결합하지 않는 특성이 있다. 이 때문에 뉴클레오사이드 유도체는 바이러스에 감염된 세포들이 더 이상 증식하지 못하게 할 수 있으며, 이를 통해 바이러스 확산을 억제한다.

한편 신경작용제는 신경전달물질의 작용에 관여하는 방식으로 사람의 정신이나 행동에 영향을 주는 생물학적 효과를 내는 약이다. 하나의 뉴런에서 발생한 전기 신호는 뉴런 말단에 도달하여 신경전달물질을 분비하게 하고, 이러한 신경전달물질은 연접한 다른 뉴런에 존재하는 수용체에 화학 신호를 전달함으로써 연접한 뉴런 간에 신호를 전달하는 매개체의 역할을 한다. 우울증과 관련된 것으로 알려진 신경전달물질인 세로토닌이나 노르에피네프린은, 보통 후(後)연접 뉴런 수용체에서 기능을 다하고 전(前)연접 뉴런에 재흡수되는 과정을 거치는데, 이 과정에서 뉴런 간 연접 틈새에서 세로토닌이나 노르에피네프린의 농도가 낮아지면 우울증이 나타나는 것으로 알려져 있다. [항우울제]는 연접 틈새에서 이들 신경전달물질의 부족을 해소하는 방식으로 약효를 낸다. TCA 항우울제는 전연접 뉴런의 수용체와 결합하여 신경전달물질의 재흡수가 일어나지 않도록 하는 방식으로, SNRI 항우울제는 신경전달물질의 재흡수를 억제하거나 후연접 뉴런의 수용체와 결합하는 방식으로, 연접 틈새에서 신경전달물질의 농도가 높아진 것과 같은 효과를 낸다.

대부분의 약들은 약효가 여러 가지인 경우가 많기 때문에 두 가지 약을 함께 복용하면 이들 약의 일차적인 약효는 서로 다를지라도 이차적인 약효는 같을 수 있어, 공통되는 이차적인 약효가 한층 커질 수 있다. 이와 같이 약들이 서로 도와 약효를 높이는 효과를 상승효과라고 한다. 한편 약을 장기간 남용하게 되면 수용체의 민감도가 떨어지게 되어, 결과적으로 기존과 동일한 효과를 내기 위해서 더 많은 약을 필요로 하게 되는 내성이 생길 수 있다.

6. 윗글의 내용과 일치하지 <u>않는</u> 것은?

① 약을 두 종류 이상 함께 복용하면 상승효과가 나타날 수 있다.
② 약은 생체의 신경 자극이나 화학 반응을 조절하는 효과를 낼 수 있다.
③ 약은 생체에서 수용체와 결합하여 유익 작용과 유해 작용을 나타낼 수 있다.
④ 약은 생체의 리간드와 유사한 물질을 포함하여 생체의 생물학적 반응을 조절할 수 있다.
⑤ 약은 생체의 대사 작용에 관여하는 물질을 제거함으로써 병원체를 직접적으로 죽게 할 수 있다.

7. [A]를 이해한 내용으로 가장 적절한 것은?

① 생체에서 리간드에 의해 수용체의 구조에 변화가 일어나면 세포의 기능에 변화가 일어난다.
② 생체에서 생물학적 반응이 일어나면 수용체와 리간드는 동일한 화학적 분자 구조로 변화된다.
③ 약을 복용하면 리간드와 결합된 수용체의 수가 일정 시간 동안 복용 전보다 많은 정도가 유지된다.
④ 약의 효과를 높이기 위해서는 약이 생체의 리간드와 친화성이 높은 리간드를 많이 포함하고 있어야 한다.
⑤ 수용체와 동일한 화학적 분자 구조를 가진 물질을 포함한 약은 생체에서 생물학적 효과를 더 크게 일으킨다.

8. ㉠, ㉡에 대한 설명으로 적절하지 않은 것은?

① ㉠은 생체 내에서 화학적 변화를 거친 후 약효를 발휘한다.
② ㉠은 병원체가 대사 과정에서 필요로 하는 물질의 생성을 방해하여 병원체의 사멸을 유도한다.
③ ㉡은 바이러스에 감염된 세포의 DNA 복제 과정에 개입하여 바이러스의 확산을 억제한다.
④ ㉠과 ㉡ 모두 병원체와 병원체에 감염될 수 있는 생체의 차이를 활용하여 생물학적 효과를 낸다.
⑤ ㉠과 ㉡ 모두 병원체와 생체가 공통적으로 필요로 하는 물질을 사용하여 병원체의 확산을 억제한다.

9. <보기>는 항우울제의 작용을 이해하기 위한 그림이다. <보기> 이해한 내용으로 적절하지 않은 것은? [3점]

< 보 기 >

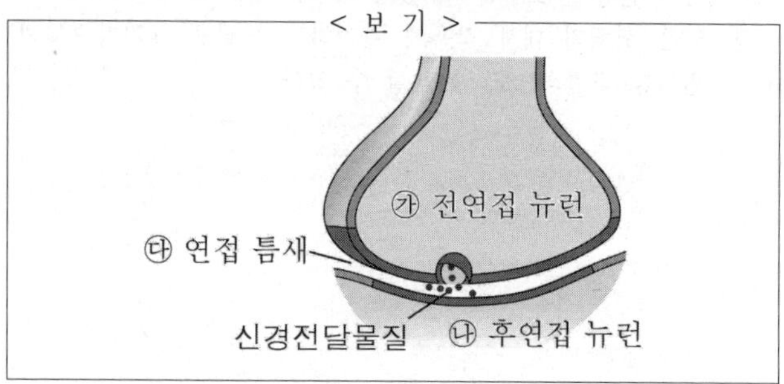

① 보통 ㉮에서 분비된 세로토닌이나 노르에피네프린은 ㉯에 작용한 후 다시 ㉮로 재흡수된다.
② SNRI 항우울제는 ㉯에 지속적으로 흡수됨으로써 ㉰에서 신경전달물질의 농도가 높아지는 효과를 낸다.
③ 우울증의 치료를 위해 ㉰에서 세로토닌이나 노르에피네프린의 농도가 높아지도록 하는 방식을 활용한다.
④ ㉰에서 신경전달물질의 농도가 높은 상태로 장기간 유지되면 수용체의 민감도가 떨어지게 된다.
⑤ 항우울제는 ㉮나 ㉯의 수용체와 결합하여 우울증이 발현되는 원인을 완화하는 효과를 낸다.

10. 윗글을 바탕으로 <보기>에 대해 보인 반응으로 적절하지 않은 것은?

< 보 기 >

생체의 리간드인 히스타민은 알레르기와 염증의 발생, 위산 분비 등에 모두 관여하는 것으로 알려져 있다. 항히스타민약으로 개발된 메피라민은 알레르기와 염증에는 효과가 있지만 위산 분비 조절에는 거의 효과가 없었다. 이에 연구자들은 히스타민과 친화성을 갖는 두 종류 이상의 수용체가 있을 것으로 가정하고, 위산 분비를 조절하는 새 항히스타민약을 개발하였다.

① 새 항히스타민약을 개발한 연구자들은 히스타민이 알레르기와 염증 발생에 관여하는 수용체 및 위산 분비에 관여하는 수용체 모두와 친화성을 갖는다고 가정했을 것이다.
② 메피라민은 위산 분비에 관여하는 수용체보다 알레르기와 염증 발생에 관여하는 수용체와 친화성이 높을 것이다.
③ 메피라민과 새 항히스타민약은 모두 히스타민과 유사한 화학적 분자 구조를 가진 성분을 포함할 것이다.
④ 메피라민과 새 항히스타민약은 모두 생체에서의 위산 분비 조절을 일차적인 약효로 가질 것이다.
⑤ 새 항히스타민약은 메피라민보다 위산 분비에 관여하는 수용체와 더 높은 친화성을 가질 것이다.

총 문항				문항	맞은 문항					문항
개별 문항	1	2	3	4	5	6	7	8	9	10
채점										
개별 문항	11	12	13	14	15	16	17	18	19	20
채점										

12분 | 2019학년도 6월 학평 25~30번 | ★★☆ | 정답 033쪽

【1~6】 다음 글을 읽고 물음에 답하시오.

고래의 유선형 몸매나 북극곰의 흰색 털처럼 주어진 환경에 어울리는 생물학적 '적응'은 어떻게 일어났을까? 찰스 다윈은 『종의 기원』에서 '자연선택에 의한 진화'를 그 해답으로 제시하였다. 개체*의 번식에 도움이 되는 유전적 변이만을 여러 세대에 걸쳐 우직하게 골라내는 자연선택의 과정이 결국 환경에 딱 맞는 개체를 만들어낸다는 것이다. 다윈은 자연선택이 각 개체의 적합도(fitness), 즉 번식 성공도를 높이는 방향으로 ⓐ 일어난다고 보았다.

그렇다면 자신은 번식을 하지 않으면서 집단을 위해 평생 헌신하는 일벌이나 일개미의 행동은 어떻게 설명할 수 있을까? 다윈은 그와 같은 경우 집단의 번성에 이득을 주므로 자연선택이 되었다고 결론을 내렸는데, 이것은 자연선택이 개체에게 이득이 되는 방향으로 일어난다는 그의 기본적인 생각에서 벗어난 것이었다.

윌리엄 해밀턴은 다윈 이론의 틀 안에서 일벌이나 일개미와 같은 개체의 이타적 행동이 자연선택 되는 과정을 규명하고자 하였다. 즉, 다윈 시대에는 없던 '유전자' 개념을 진화 이론에 도입함으로써, 개체 자신의 번식 성공도는 낮추면서 상대방의 번식 성공도를 높이는 이타적 행동이 여러 세대를 거치면서 결국은 개체 자신에게 이득이 되는 방향으로 자연선택이 됨을 입증하려 한 것이다.

다윈이 정리한 자연선택의 과정을 해밀턴은 각 개체가 다음 세대에 자신의 유전자 복제본을 더 많이 남기는 과정으로 보았다. 이때 행위 당사자인 개체는 자기 자신의 번식 성공도를 높임으로써 직접 자신의 유전자 복제본을 남길 수도 있지만, 자신과 유전자를 공유할 확률이 있는 상대의 번식 성공도를 높이는 데 도움을 줌으로써 간접적으로 자신의 유전자 복제본을 남길 수도 있다. 쉽게 설명하면, 철수는 스스로 자식을 많이 낳음으로써 직접 자신의 유전자 복제본을 다음 세대에 남길 수도 있지만, 유전자를 공유하고 있는 동생 영수가 자식을 많이 낳도록 도움으로써 자신의 유전자 복제본을 다음 세대에 남길 수도 있는 것이다. 해밀턴은 전자는 '직접 적합도'를 높이는 것으로, 후자는 ㉠ '간접 적합도'를 높이는 것으로 설명하며, 개체의 자연선택은 두 적합도를 합한 '포괄 적합도'를 높이는 방향으로 일어난다고 보았다.

해밀턴에 따르면 이타적 행동 또한 개체의 포괄 적합도를 높이는 방향으로 자연선택이 일어난다. 그런데 이타적 행동은 개체 자신의 번식 성공도인 직접 적합도를 낮추게 되므로 그를 상쇄하고도 남을 정도로 간접 적합도를 높일 수 있어야 자연선택이 일어날 수 있다. 즉, 개체 자신이 남기는 유전자 복제본에 대한 손실보다 유전자를 공유할 확률이 있는 상대방을 통해 남기는 유전자 복제본에 대한 이득이 더 클 때 이타적 행동은 선택되는 것이다.

이때 개체와 상대방이 유전자를 공유할 확률을 '유전적 근연도'라 하는데, 유전적으로 100% 같은 경우는 유전적 근연도가 1이 된다. 유전적 근연도의 값이 클수록 개체와 상대방이 유전자를 공유할 가능성이 크므로, 개체가 상대방을 통해 자신의 유전자 복제본을 남길 수 있는 가능성 또한 커진다.

[A] 이를 바탕으로 해밀턴은 아래와 같은 '해밀턴 규칙'을 도출하였다.

rb > c (단, b>c>0으로 가정함.)

즉, 이타적 행동은 그로 인해 상대방이 얻는 이득(b)이 충분히 커서 1보다 작은 유전적 근연도(r)를 가중하더라도 개체가 감수하는 손실(c)보다 클 때 선택된다는 것을 확인할 수 있다. 이러한 해밀턴의 규칙은 이득, 손실, 유전적 근연도의 세 가지 변수를 활용하여 이타성이 진화하는 조건을 알려 준다.

해밀턴의 '포괄 적합도 이론'은 다윈의 이론을 발전시켜 이타성이 왜 진화했는지를 매끄럽게 설명함으로써 진화생물학자들이 이타적 행동에 대해 통찰력을 가질 수 있는 계기를 제공하였으며, 자연선택이 유전자의 수준에서 일어난다는 점을 분명히 하여 이후 진화에 대한 연구의 길잡이가 되었다.

* 개체 : 하나의 독립된 생물체

1. 윗글의 표제와 부제로 가장 적절한 것은?

① 진화생물학의 발전 과정
 – 적합도에 관한 논쟁을 중심으로
② 해밀턴 규칙의 성립 조건
 – 유전자, 개체, 집단의 위계성을 중심으로
③ 자연선택을 통한 생물학적 적응
 – 유전적 근연도 값을 중심으로
④ 포괄 적합도 이론의 의의와 한계
 – 진화의 패러다임 변화를 중심으로
⑤ 이타적 행동이 자연선택 되는 이유
 – 해밀턴의 이론을 중심으로

2. 윗글을 이해한 내용으로 적절하지 않은 것은?

① 개체가 주어진 환경에 적응한 것은 자연선택의 결과이다.
② 유전적 근연도는 두 개체 간에 유전자를 공유할 확률을 의미한다.
③ 개체의 포괄 적합도를 높이는 데 기여하지 못하는 유전적 변이는 자연선택에서 도태된다.
④ 해밀턴은 다윈이 살았던 시기에는 없었던 개념을 적용하여 이타적 행동의 진화를 설명하였다.
⑤ 진화생물학자들은 이타성이 진화하는 다양한 이유를 제시하여 해밀턴의 이론을 뒷받침하였다.

Ⅲ

3. [A]를 바탕으로 할 때, ㉮ ~ ㉰에 들어갈 말로 적절한 것은?

> 두 개체 사이의 유전적 근연도가 (㉮), 손실에 비해 이득이 (㉯) 이타적 행동은 선택되기 (㉰).

	㉮	㉯	㉰
①	낮을수록	작을수록	쉽다
②	낮을수록	클수록	어렵다
③	높을수록	작을수록	쉽다
④	높을수록	클수록	쉽다
⑤	높을수록	작을수록	어렵다

4. <보기>를 참고하여 일벌에 대해 이해한 내용으로 적절하지 않은 것은? [3점]

> <보기>
>
> 성 염색체에 의해 성이 결정되는 사람과 달리, 벌은 염색체 수에 의해 성이 결정된다. 한 짝의 염색체를 가지면 수컷, 두 짝의 염색체를 가지면 암컷이 된다. 암컷들은 수벌에게서 받는 한 짝의 염색체를 공유하고, 나머지 한 짝은 여왕벌이 가지고 있는 두 짝의 염색체 중에서 하나를 물려받는다. 암컷은 발육 과정에서 여왕벌과 일벌로 분화되는데, 그중 일벌은 번식을 포기하고 평생 친동생을 키우며 산다.

① 일벌들 간의 유전적 근연도는 1이다.
② 일벌의 직접 적합도는 0으로 볼 수 있다.
③ 일벌이 살아가는 모습은 이타적 행동으로 볼 수 있다.
④ 일벌의 간접 적합도를 높이는 방향으로 자연선택이 일어난다.
⑤ 일벌이 친동생을 키우는 것은 결국 개체 자신에게 이득이 되기 때문이다.

5. ㉠의 이유로 가장 적절한 것은?

① 개체 수준의 자연선택을 결정하는 요소이기 때문에
② 행위 당사자와 상대방의 유전자가 동일하기 때문에
③ 상대방을 통해 자신의 유전자 복제본을 남기는 것이 어렵기 때문에
④ 행위 당사자의 번식 성공도와 상대방의 번식 성공도는 무관하기 때문에
⑤ 다음 세대에 남기는 자신의 유전자 복제본 개수에 영향을 미칠 수 있기 때문에

6. 밑줄 친 단어 중, ⓐ와 문맥적 의미가 가장 유사한 것은?

① 사람마다 일어나는 시간이 다르다.
② 자동차가 지나가자 흙먼지가 일어났다.
③ 한류 열풍이 새로운 형태로 일어나고 있다.
④ 심사 결과를 발표하자 큰 환호성이 일어났다.
⑤ 그들은 자리에서 일어나 문을 향해 걸어갔다.

11분 | 2019학년도 3월 학평 26~30번 | ★★★ | 정답 033쪽

【7~11】 다음 글을 읽고 물음에 답하시오.

물질은 여러 가지 다른 상(phase)으로 ⓐ존재할 수 있다. 물질의 상이란 화학적 조성은 물론 물리적 상태가 전체적으로 균질한 물질의 형태를 말하며, 일반적으로 고체, 액체, 기체로 ⓑ구분된다. 고체는 일정한 부피와 모양을 가지고 있으며, 물질을 구성하는 원자들이 각자의 위치를 중심으로 결합되어 서로 고정된 상태이다. 액체는 일정한 부피를 가지나 모양이 일정하지는 않으며, 물질을 구성하는 분자 간 인력이 분자 위치를 고정할 만큼 강하지 못하여 분자가 액체 내부를 무질서하게 돌아다니는 상태이다. 기체는 부피와 모양이 모두 일정하지 않으며, 물질을 구성하는 분자 간 인력이 매우 작은 편으로 기체의 분자 간 평균적인 거리는 고체나 액체일 경우에 비해 매우 먼 상태이다.

물질은 압력과 온도 조건의 변화에 따라 다른 상으로 변할 수 있다. 화학적 조성의 변화는 ⓒ수반되지 않으면서 물질의 상이 전환되는 현상을 상변화(phase change)라 하며, 압력은 동일하지만 온도가 더 높은 조건에서 존재하는 상일 때의 물질을 높은 상 물질이라고 한다. 이러한 모든 상변화에서는 물질의 내부 에너지 변화가 일어나는 특징이 있다.

상평형 그림(phase diagram)은 닫힌계*에서 압력과 온도 조건의 변화에 따른 물질의 상변화를 나타낼 수 있는 방법이다. 아래의 <그림>은 물의 상평형 그림으로, 압력과 온도 조건에 따른 물의 상을 보여 준다. 상평형 그림에서 상과 상 사이의 선들을 상 경계라고 하는데, 선의 각 점은 두 상이 평형을 이루는 압력과 온도 조건을 나타내며, 상 경계는 두 상이 평형을 이루는 압력과 온도 조건의 집합이 된다. 상평형 그림에서 고체상과 액체상이 평형을 이루는 조건을 융해 곡선, 기체상과 고체상이 평형을 이루는 조건을 승화 곡선, 기체상과 액체상이 평형을 이루는 조건을 증기 압력 곡선이라 한다.

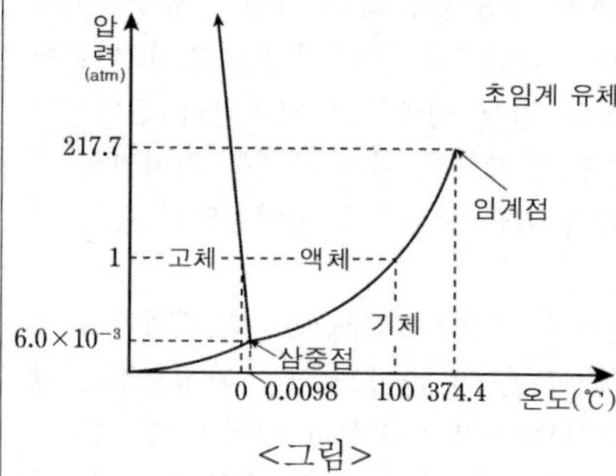

<그림>

[A] 닫힌계에서 기체상과 액체상이 평형을 이루는 상태에 대해 설명해 보자. 액체가 기체로 상이 전환되는 것은, 같은 온도에서도 액체의 분자가 각각 서로 다른 에너지를 가지고 있을 수 있어서 그중 높은 에너지를 갖는 분자가 증발할 수 있기 때문이다. 액체의 분자들을 한데 묶어 두는 분자 간 인력이 존재함에도 불구하고, 액체의 표면에 있는 분자들은 각각 다른 정도의 운동 에너지를 갖기 때문에 그중 운동 에너지가 큰 분자들은 분자 간 인력을 극복하고 증발하여 기체 상태로 변한다. 하지만 기체의 분자들 일부는 반대로 에너지를 잃고 응결되어 액체로 변한다. 그리고 이러한 과정의 초기에는 액체의 표면을 떠나는 분자의 수가 돌아오는 수보다 훨씬 많으나, 기체의 분자 수 증가로 기체의 압력 또한 높아져 액체의 표면에서 응결되는 분자 수 또한 증가하게 된다. 결국 분자들의 증발 또는 응결은 지속적으로 이루어지고 있으나, 특정한 압력과 온도 조건에서 액체의 증발 속도와 기체의 응결 속도는 같아지게 되어 거시적으로 평형을 유지하게 된다. 그리고 이러한 상태에서의 압력과 온도 조건들이 상평형 그림의 증기 압력 곡선이 된다.

한편, 위 <그림>에서 고체와 기체 사이의 상 경계를 따라가면 두 선이 ⓓ 분기하는 점이 나타난다. 이 점은 세 개의 상이 평형을 이루며 공존하는 상태로, ㉠ 삼중점(triple point)이라고 한다. 그리고 액체와 기체 사이의 상 경계를 따라가면 선이 끝나는 임계점을 만나는데, 이때의 온도를 임계 온도, 압력을 임계 압력이라 한다. 임계 온도는 아무리 압력을 높여도 기체가 액화되지 않는 온도이며, 임계 압력은 아무리 온도를 높여도 액체가 증발되지 않는 압력으로, 임계점에서 두 상은 액체도 기체도 아닌 초임계 유체를 ⓔ 형성한다.

* 닫힌계: 주위와 물질 교환을 하지 않으나 에너지 교환은 할 수 있는 계.

7. 윗글에 대한 설명으로 가장 적절한 것은?

① 물질의 상과 상변화 개념을 제시하고, 상평형 그림을 활용하여 물질의 상변화를 설명하고 있다.
② 물질의 상을 구분하고, 압력 변화에 따라 물질을 구성하는 원자나 분자가 달라지는 원인을 분석하고 있다.
③ 물질이 물리적 형태에 따라 나타내는 특성들을 제시하고, 다양한 물질의 예를 들어 각 특성들을 설명하고 있다.
④ 물질의 상과 상변화의 관련성을 설명하고, 압력과 온도 변화에 따른 물질의 화학적 조성 변화 원인을 분석하고 있다.
⑤ 물질의 상변화 과정에서 나타나는 압력과 온도 사이의 상관성을 분석하고, 물질의 화학적 변화 이유를 제시하고 있다.

8. <보기>와 윗글의 <그림>을 관련지어 이해한 내용으로 적절하지 않은 것은?

< 보 기 >

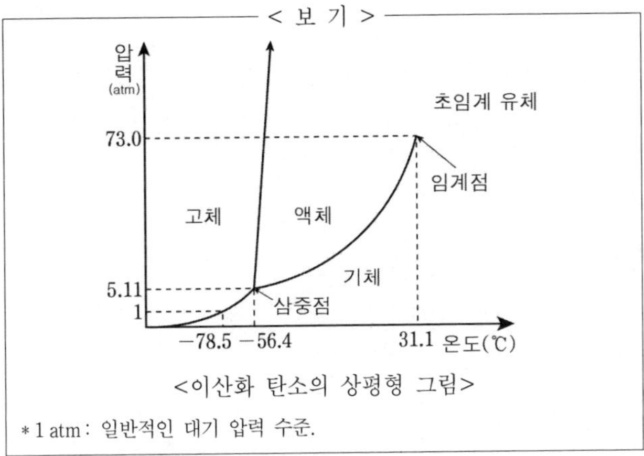

<이산화 탄소의 상평형 그림>

* 1 atm: 일반적인 대기 압력 수준.

① 이산화 탄소는 물에 비해 임계점이 상대적으로 더 낮은 압력과 온도 조건에 있군.
② 이산화 탄소는 물과 달리 일반적인 대기 압력 수준에서 액체로 존재할 수 없겠군.
③ 물과 이산화 탄소는 동일한 압력 조건에서 고체, 액체, 기체 중 기체가 높은 상 물질이겠군.
④ 물은 이산화 탄소와 달리 온도가 높아질수록 고체와 액체 간 평형을 이루는 압력이 낮아지겠군.
⑤ 물과 이산화 탄소는 어떤 압력과 온도 조건에서도 고체에서 기체로의 상변화가 일어날 수 없겠군.

9. [A]를 참고하여 <보기>를 이해한 내용으로 적절하지 않은 것은? [3점]

< 보 기 >

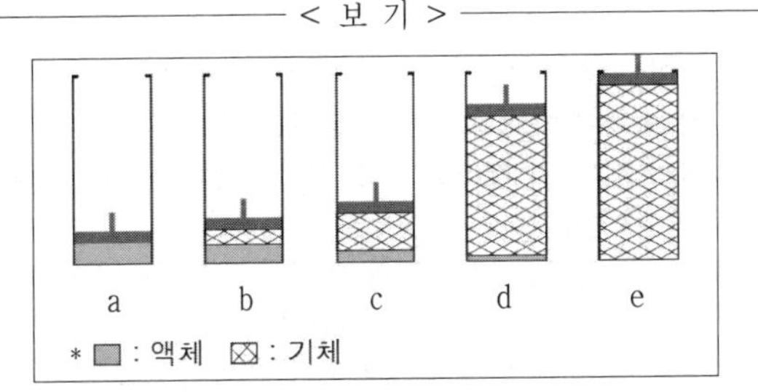

위 그림은 액체가 담긴 밀폐된 용기의 피스톤을 위로 당기는 과정을 단계적으로 도식화한 것이다. 그림의 a ~ e는 일정한 온도에서 압력의 감소에 따라 연속적으로 일어나는 액체에서 기체로의 전환을 보여 준다. a에서 e의 순서로 진행되며, a는 액체 상태, c만 상평형 상태, e는 기체 상태이다.

① a에서 e까지의 과정에서 액체의 분자 수는 감소하고 기체의 분자 수는 증가할 것이다.
② b는 액체의 표면을 떠나는 분자의 수가 기체에서 액체로 돌아오는 분자의 수보다 많은 상태일 것이다.
③ c는 액체의 분자가 증발하는 속도와 기체의 분자가 응결하는 속도가 같은 상태일 것이다.
④ c에서 e까지의 과정에서 액체의 분자와 기체의 분자는 모두 분자 간 인력이 커질 것이다.
⑤ e는 a에 비해 분자 간 평균적인 거리가 먼 상태일 것이다.

10. ㉠에 대한 이해로 가장 적절한 것은?

① 물질이 분자 수준에서는 상변화가 일어나고 있으나 거시적으로는 세 가지 상이 평형을 유지하고 있는 상태를 의미한다.
② 물질이 일정한 부피와 모양을 유지하면서 화학적 조성과 물리적 형태에는 변화가 없는 상태를 의미한다.
③ 물질이 세 가지 상으로 구별되나 압력과 온도의 변화에도 특정한 상을 유지하려는 상태를 의미한다.
④ 물질을 구성하는 분자 간의 인력이 강해지나 물질의 내부 에너지는 증가하는 상태를 의미한다.
⑤ 물질의 내부 에너지가 증가하며 지속적으로 압력과 온도가 상승하는 상태를 의미한다.

11. ⓐ ~ ⓔ의 사전적 의미로 적절하지 <u>않은</u> 것은?

① ⓐ : 현실에 실제로 있음.
② ⓑ : 일정한 기준에 따라 전체를 몇 개로 갈라 나눔.
③ ⓒ : 어떤 일과 더불어 생김.
④ ⓓ : 나뉘어서 갈라짐.
⑤ ⓔ : 어떤 물건의 형상을 본뜸.

총 문항				문항	맞은 문항					문항
개별 문항	1	2	3	4	5	6	7	8	9	10
채점										
개별 문항	11	12	13	14	15	16	17	18	19	20
채점										

10분 | 2018학년도 11월 학평 28~32번 | ★★☆ | 정답 034쪽

【1~5】 다음 글을 읽고 물음에 답하시오.

자동 조종 장치는 조종사가 비행 전에 미리 입력한 데이터에 따라 자동으로 비행 경로 및 고도를 유지해 주는 장치이다. 자동 조종 장치에서 관성 항법 장치라고 불리는 감지 센서는, 다양한 비행 상황에 대응하기 위해 비행기의 이동 방향, 이동 거리, 속도 등을 지속적으로 정확하게 측정하는 역할을 한다. 이 장치의 핵심은 가속도 센서와 자이로스코프인데, 이를 통해 측정된 값을 계산하여 운항 정보를 파악함으로써 비행기가 정해진 경로로 운항할 수 있게 되는 것이다.

비행기의 운항 정보를 파악하려면 직선 운동과, 각의 변화가 일어나는 회전 운동인 각운동을 이해해야 한다. 가속도 센서는 비행기의 직선 운동에 의한 방향, 속도, 이동 거리의 변화를 감지하는 장치이다. 비행기는 3차원 공간에서 운동하므로 위치나 이동 정보를 측정하기 위해서는 세 가지 축이 필요하다. 따라서 가속도 센서 역시 세 개가 필요하다. 즉 비행기의 맨 앞부분에서 꼬리까지를 기준으로 한 수평축, 비행기의 한 쪽 날개 끝에서 반대쪽 날개 끝을 기준으로 한 수평축, 비행기 동체의 윗부분에서 수직으로 아랫부분까지를 기준으로 한 수직축에서의 직선 운동을 측정하는 가속도 센서가 각각 필요하다. 예를 들어 비행기가 수평 방향으로만 가속하면서 직진할 때 어떠한 외부의 힘도 작용하지 않는다고 가정한다면, 수평축에서의 직선 운동을 측정하는 가속도 센서가 작동하여 이동 거리와 속도 등을 측정할 수 있다. 그리고 지구상의 모든 물체에는 중력이 작용하므로 수직 방향의 가속도 값은 기본적으로 중력 값을 바탕으로 측정된다.

그런데 가속도 센서는 직선 운동에서의 방향과 거리, 속도만 측정할 수 있고, 비행기가 외부의 힘에 의해 갑자기 기울어지는 것과 같은 각의 변화는 정확히 측정하지 못한다. 운항 중인 비행기가 좌우로 기울어지는 것은 맨 앞부분에서 꼬리까지를 회전축으로 한 회전 운동이고, 비행기의 머리 부분이 위로 들리거나 아래로 기우는 것은 비행기의 한 쪽 날개 끝에서 반대쪽 날개 끝을 회전축으로 한 회전 운동이다. 그리고 비행기가 좌우로 선회*를 하는 경우는 동체의 윗부분에서 수직으로 아랫부분까지를 회전축으로 한 회전 운동이다. 이와 같은 세 가지의 회전 운동을 측정하기 위해서는 세 개의 자이로스코프가 필요하다.

그렇다면 자이로스코프의 구조와 원리는 무엇일까? 기본적인 자이로스코프의 구조는 <그림>과 같다. 자이로스코프는 팽이처럼 회전 운동을 하는 회전자 1개와, 짐벌 2개로 구성되어 있다. 회전자는 회전축을 중심으로 모터에 의해 고속으로 회전 운동을 하고, 짐벌 A는 회전축의 양 끝을 잡아주며, 짐벌 B와 90도로 연결되어 있다. 짐벌 A와 짐벌 B는 베어링으로 연결되어 있어 짐벌 A와 짐벌 B가 이루는 각은 90도보다 크거나 작아질 수 있다.

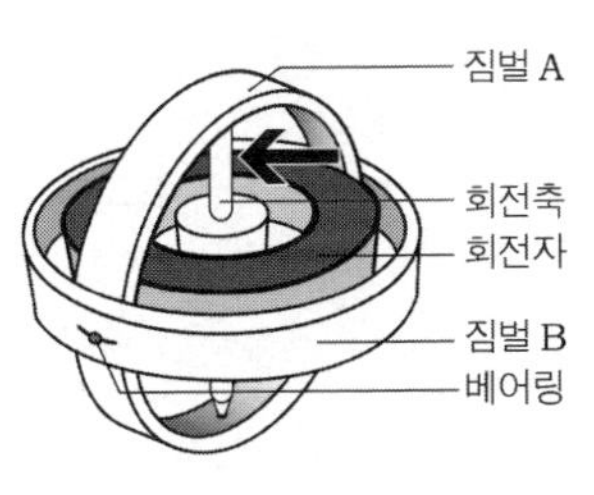

<그림>

[A] 한편 자이로스코프는 다음과 같은 두 가지 물리적 특성을 바탕으로 작동된다. 먼저, 회전자가 고속으로 회전 운동을 하기 때문에, 외부로부터 힘이 작용하지 않는 한 회전 관성에 의해 회전축의 방향이 변하지 않는다는 특성이 있다. 이로 인해 회전자의 회전축과 연결된 짐벌 A 역시 어느 방향으로도 기울어지지 않고 균형을 유지하게 된다.

다음으로, 자이로스코프의 축에 외부로부터 힘이 가해지면 힘이 가해진 축이 아닌, 그 축과 90도를 이루는 방향으로 힘이 전달되어 나타난다는 특성이 있다. 예를 들어 돌고 있던 팽이가 쓰러지려고 할 경우 팽이채로 팽이의 측면에 힘을 가하면 그 측면과 90도를 이루는 팽이의 회전축으로 힘이 전달되어 회전축이 더 빨리 회전하게 되면서 팽이가 쓰러지지 않고 계속 돌게 된다. 이와 같은 원리로 자이로스코프의 경우 회전자가 고속으로 회전하는 상태이기 때문에 <그림>의 화살표 방향으로 외부의 힘이 가해질 경우 회전축과 90도를 이루는 짐벌 B로 그 힘이 전달되어 짐벌 B가 움직이게 된다. 이때 짐벌 A는 회전 관성으로 인해 균형을 유지하기 때문에 움직이지 않고, 짐벌 B는 외부의 힘에 의해 기울어지게 되므로 짐벌 A를 기준으로 짐벌 B가 이루는 각의 변화가 발생하게 된다. 그러면 정해진 시간 안에 얼마만큼의 각의 변화가 일어나는지 그 각속도를 측정하여 비행기의 기울어진 방향과 정도를 정확하게 파악할 수 있다.

만약 다른 움직임이 없는 상태에서 비행기가 앞으로만 직선 운동을 한다면, 비행기의 맨 앞부분에서 꼬리까지를 기준으로 하는 가속도 센서가 작동할 것이다. 하지만 하강기류를 만나 비행기의 머리가 아래로 향하면서 속도 변화와 각의 변화를 동반한 운동을 한다면, 가속도 센서는 시간에 따른 속도와 이동 거리의 변화를 측정한다. 그리고 한 쪽 날개 끝에서 반대쪽 날개 끝을 축으로 한 비행기의 회전 운동을 측정하는 자이로스코프가 각의 변화를 감지하게 된다. 이처럼 가속도 센서와 자이로스코프로 측정된 값들을 통해 비행기의 정확한 위치를 파악함으로써 비행기가 원래의 궤도로 ⓐ <u>돌아오는</u> 데에 도움을 주는 것이다.

*선회: 항공기가 곡선을 그리듯 진로를 바꿈

1. 윗글의 내용 전개 방식으로 가장 적절한 것은?
① 대상의 구성 요소를 기능에 따라 구분하여 설명하고 있다.
② 대상의 구조 변화가 초래할 수 있는 결과를 예측하고 있다.
③ 대상의 형성과 발달 과정을 중심으로 내용을 전개하고 있다.
④ 대상이 지닌 문제점의 원인을 다양한 측면에서 분석하고 있다.
⑤ 대상의 유용성과 한계를 지적하여 새로운 전망을 제시하고 있다.

2. 윗글을 바탕으로 <보기>를 이해한 내용으로 적절하지 않은 것은? [3점]

〈 보 기 〉

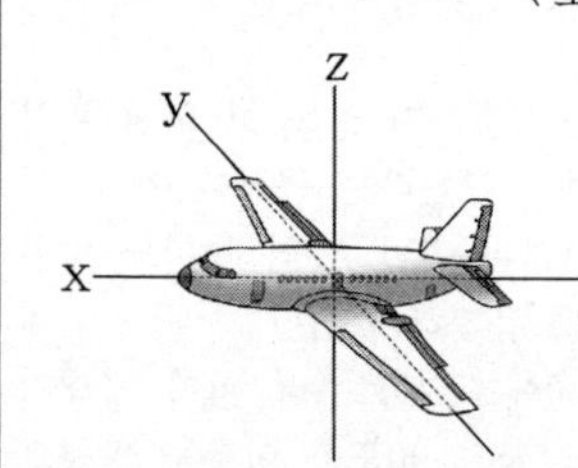

현재 비행기는 일정한 속도를 유지하며 x축 방향으로 직선 운동하고 있으며, 이때 관성 항법 장치의 가속도 센서와 자이로스코프는 정상 작동하고 있다.

① 비행기의 앞머리가 들리는 경우, y축을 기준으로 한 비행기의 회전 운동을 감지하는 자이로스코프가 각의 변화를 감지하겠군.
② 비행기가 좌우로 기울어지는 경우, x축을 기준으로 한 비행기의 회전 운동을 감지하는 자이로스코프가 각의 변화를 감지하겠군.
③ 비행기가 오른쪽으로 갑자기 선회하는 경우, z축을 기준으로 한 비행기의 회전 운동을 감지하는 자이로스코프가 각의 변화를 감지하겠군.
④ 비행기가 x축 방향으로 수평을 유지한 채 수직으로 하강하는 경우, z축을 기준으로 한 직선 운동을 감지하는 가속도 센서가 이동 거리와 속도를 측정하겠군.
⑤ 비행기가 왼쪽으로 선회하면서 속도와 각의 변화를 동반하는 경우, 가속도 센서는 속도 변화를, y축을 기준으로 한 비행기의 회전 운동을 감지하는 자이로스코프는 각의 변화를 감지하겠군.

3. <보기>는 윗글의 [A]를 도식화한 것이다. 윗글을 참고하여 <보기>를 이해한 내용으로 적절하지 않은 것은?

〈 보 기 〉

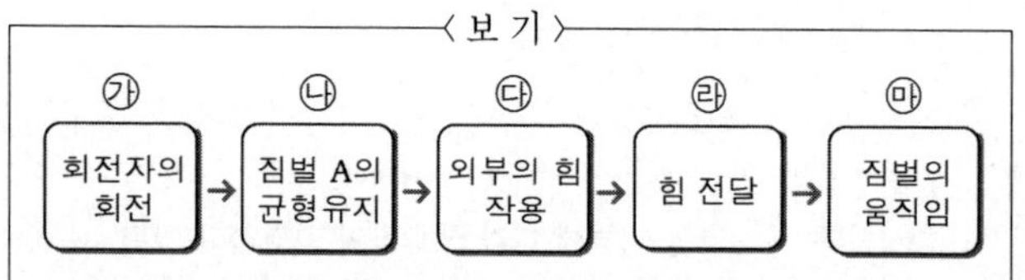

① 특별한 힘이 작용하지 않으면 ㉮에서 회전축의 방향은 변하지 않겠군.
② 짐벌 A의 양끝이 회전축에 연결되어 있지 않다면 ㉯가 일어나지 않겠군.
③ ㉮에서 일어나는 회전축의 회전은 ㉰의 작용이 있어야만 계속될 수 있겠군.
④ ㉰로 인해 발생한 ㉱는 회전축과 90도를 이루는 짐벌 B에 영향을 미치겠군.
⑤ ㉰에서의 외부 힘으로 인해 ㉲에서는 짐벌 A와 짐벌 B가 이루는 각이 변화하게 되겠군.

4. 윗글을 참고하여 <보기>의 ㉠ ~ ㉢에 들어갈 말로 적절한 것을 고른 것은?

〈 보 기 〉

가속도 센서가 부착된 외발 자전거를 타고 직선으로 달릴 때 정확한 움직임의 변화를 측정하기 위해서는 수평 방향의 측정값뿐 아니라 수직 방향에 작용하는 (㉠)도 고려해야 한다. 한편 페달을 밟으면 바퀴가 돌아가는데 이때 바퀴의 중심은 (㉡)이/가 된다. 이후 일정 속도 이상이 되면 페달을 밟지 않아도 바퀴의 (㉢) 때문에 자전거는 계속 앞으로 나아갈 수 있다.

	㉠	㉡	㉢
①	중력 값	회전축	회전 관성
②	중력 값	회전자	회전 관성
③	중력 값	회전자	직선 운동
④	각속도	회전축	회전 관성
⑤	각속도	회전축	직선 운동

5. 밑줄 친 단어의 문맥적 의미가 ⓐ와 가장 유사한 것은?
① 추석이 <u>돌아왔다</u>.
② 그는 고향으로 <u>돌아왔다</u>.
③ 이제 나의 발표할 차례가 <u>돌아왔다</u>.
④ 노력한 만큼 대가가 <u>돌아오는</u> 법이다.
⑤ 우리는 <u>돌아오는</u> 휴일에 등산을 갈 것이다.

8분 | 2018학년도 9월 학평 29~32번 | ★★☆ | 정답 035쪽

【6~9】 다음 글을 읽고 물음에 답하시오.

우리가 섭취한 영양소로부터 생활에 필요한 에너지를 얻거나 몸에 필요한 물질을 합성하는 과정은 모두 화학 반응에 의해 이루어진다. 이 화학 반응의 속도를 변화시키는 물질이 촉매이다. 촉매는 정촉매와 부촉매로 구분되는데, 활성화 에너지와 반응 속도를 통해 설명할 수 있다. 활성화 에너지란 어떤 물질이 화학 반응을 일으키기 위해 필요한 최소한의 에너지이다. 활성화 에너지가 낮아지면 반응 속도가 빨라지고, 활성화 에너지가 높아지면 반응 속도가 느려지게 된다. 이러한 활성화 에너지를 낮추는 것이 정촉매이고, 활성화 에너지를 높이는 것이 부촉매이다.

우리 몸속에도 이러한 촉매가 존재하는데, 효소가 그러하다. 대부분의 효소는 생체 내에서 화학 반응을 빠르고 쉽게 일어나게 한다. 예를 들어 소화 효소인 펩신이 분비되어 우리는 음식물을 오랫동안 위장에 담고 있지 않고 소화시킬 수 있는 것이다. 효소를 구성하는 주성분은 단백질이며 각 효소는 고유의 입체 구조를 갖는다. 효소는 촉매로 작용하는 과정에서 반응물과 일시적으로 결합한다. 효소에서 반응물과 결합하여 화학 반응이 일어나게 하는 특정 부분을 활성 부위라고 하며, 활성 부위와 결합하는 반응물을 기질이라고 한다. 효소에 의한 촉매 과정에서 효소의 활성 부위와 기질의 3차원적 입체 구조가 맞으면 효소·기질 복합체가 일시적으로 형성되는데, 이처럼 한 종류의 효소가 한 종류의 기질에만 작용하는 것을 효소의 기질 특이성이라 한다. 촉매 과정이 끝나면 기질은 생성물로 바뀌며, 효소·기질 복합체로부터 분리된 효소는 처음과 동일한 화학적 상태로 복귀하여 다음 반응을 준비한다.

그런데 어떤 화학 물질은 효소와 결합하여 효소의 작용을 방해하는데, 이러한 물질을 저해제라고 한다. 저해제는 효소 반응을 방해하는 방식에 따라 ㉠<u>경쟁적 저해제</u>와 ㉡<u>비경쟁적 저해제</u>로 나누어진다. 먼저 경쟁적 저해제는 기질과 유사한 3차원적 입체 구조를 지니고 있어, 기질이 결합할 효소의 활성 부위에 기질 대신에 경쟁적 저해제가 결합하여 효소·기질 복합체의 형성을 저해한다. 경쟁적 저해제는 기질의 농도가 증가하면 저해 효과는 감소한다. 다음으로 비경쟁적 저해제는 효소의 활성 부위가 아닌 효소의 다른 부위에 결합하여 효소의 입체 구조를 변형시킴으로써 효소의 활성 부위에 기질이 결합하지 못하게 한다. 그 결과 효소·기질 복합체가 형성되지 않아 효소의 작용을 저해한다. 비경쟁적 저해제가 작용하는 경우에는 기질의 농도가 증가해도 저해 효과는 감소하지 않는다.

6. 윗글의 표제와 부제로 가장 적절한 것은?

① 촉매의 개념과 종류
　– 활성화 에너지와 반응의 방향성을 중심으로
② 생체 내 효소의 촉매 반응
　– 효소의 작용과 저해제의 기능을 중심으로
③ 촉매와 효소의 화학적 정의
　– 반응 전후의 상태 및 기질 특이성을 중심으로
④ 효소가 관여하는 화학 반응의 속도
　– 주변 온도와 기질의 농도가 미치는 영향을 중심으로
⑤ 효소가 우리 몸속에서 하는 여러 가지 역할
　– 정촉매와 부촉매의 특성을 중심으로

7. 윗글에 대한 이해로 적절하지 <u>않은</u> 것은?

① 효소는 생체 내의 화학 반응에서 활성화 에너지를 조절하는 역할을 한다.
② 촉매는 몸에 필요한 물질을 합성하는 화학 반응에서 반응 속도에 영향을 미친다.
③ 기질의 구조와 효소의 활성 부위의 구조가 다르면 효소 촉매 반응은 일어나지 않는다.
④ 촉매 과정에서 반응물과 일시적으로 결합하는 효소는 고유의 입체 구조를 가지고 있다.
⑤ 효소·기질 복합체에서 분리된 효소는 다른 종류의 기질에 맞는 입체 구조로 변형되어 다음 반응을 준비한다.

Ⅲ

8. ㉠과 ㉡에 대한 설명으로 적절한 것은?

① ㉠과 달리 ㉡은 효소의 입체 구조를 변형시키는 역할을 한다.
② ㉡과 달리 ㉠은 효소·기질 복합체의 형성을 방해한다.
③ ㉠과 ㉡은 모두 기질과 유사한 입체 구조를 가지고 있다.
④ ㉠과 ㉡은 모두 효소의 활성 부위가 아닌 곳에 결합한다.
⑤ ㉠과 ㉡은 모두 기질의 농도 증가가 저해 효과에 영향을 미친다.

9. 다음은 촉매 반응을 설명하기 위한 그래프이다. 윗글을 바탕으로 <보기>를 이해한 것으로 적절한 것은? [3점]

<보 기>

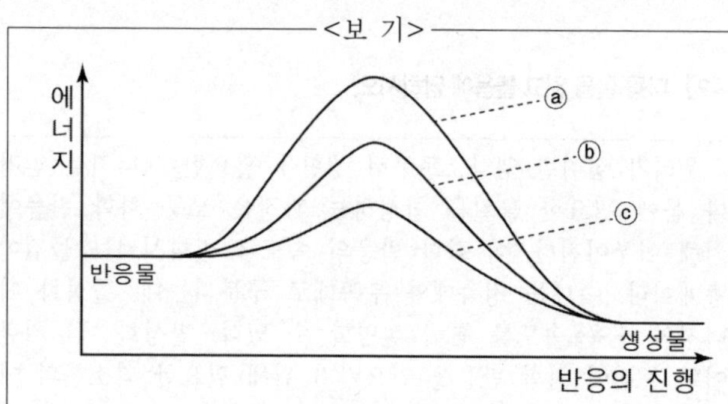

단, ⓐ, ⓑ, ⓒ에서 반응물의 종류와 양은 동일하며, 촉매를 제외한 모든 요인은 동일하다.

① ⓐ를 촉매가 없는 그래프라고 가정할 때, ⓑ는 반응물에 부촉매를 넣은 그래프이겠군.
② ⓒ를 촉매가 없는 그래프라고 가정할 때, ⓐ는 반응물에 정촉매를 넣은 그래프이겠군.
③ 생성물을 만들어내는 화학 반응 속도는 ⓒ가 ⓑ보다 빠르겠군.
④ ⓐ, ⓑ, ⓒ에서 반응에 필요한 활성화 에너지는 동일하겠군.
⑤ ⓐ, ⓑ, ⓒ에서 동일한 양의 생성물을 만들기 위해 필요한 시간은 모두 동일하겠군.

총 문항				문항	맞은 문항				문항
개별 문항	1	2	3	4	5	6	7	8	9	10
채점										
개별 문항	11	12	13	14	15	16	17	18	19	20
채점										

기술

• 고2 국어 독서 •

Day 18

데이터 송수신	2022학년도 9월 학평
인공지능 음성 언어 비서 시스템의 자연어 처리 기술	2022학년도 3월 학평
터치스크린 패널에 사용되는 정전용량방식	2021학년도 11월 학평

Day 19

타워 크레인의 구성과 원리	2021학년도 3월 학평
유형거의 구조적 특징	2018학년도 6월 학평

기술

출제 트렌드

기술은 통신/디지털 기술, 전자/전기 기술, 의료 기술, 건축 기술 등 생활 기술과 산업 기술 전체를 아우르는 광범위한 내용을 다루는 분야입니다. 기술 지문은 기술이 발전함에 따라 점점 더 다양한 소재가 출제되고 있는데, 분야의 특성상 평균 난도도 높은 편이며 때때로 매우 어렵게 출제되는 경우가 있으니 주의해야 합니다. 2022학년도 시험에서는 9월 학력평가에 출제된 데이터 송수신 방법을 다룬 지문이 특히 난도가 높았습니다. 기술 지문에서는 해당 기술의 원리와 구조 등을 설명하고 논리적으로 작동 과정과 세부 구성 등을 보여 줍니다. 또 기술의 한계점을 서술하거나, 한 기술을 다른 기술에 적용하는 식의 흐름을 자주 볼 수 있습니다. 낯선 용어가 많이 등장하더라도 차근차근 분석하다 보면 오히려 쉽게 정답을 찾을 수 있기도 하므로 기술 지문의 구조에 익숙해지는 연습이 필요합니다. 또한 최근 활발히 대두되는 소재들에 관심을 갖고 미리 알아 두는 것도 도움이 됩니다.

시행	출제 지문	문제 수	난이도
2022학년도 9월 학평	데이터 송수신	5문제 출제	★★★
2022학년도 3월 학평	인공지능 음성 언어 비서 시스템의 자연어 처리 기술	4문제 출제	★★☆
2021학년도 11월 학평	터치스크린 패널에 사용되는 정전용량방식	4문제 출제	★★☆

1등급 꿀팁

하나 _ 첫 문단에서 핵심 내용을 빠르고 정확하게 이해하자.

두울 _ 각종 키워드의 관계를 구조적으로 파악하자.

세엣 _ 지문을 이해하는 데 주어진 시각 자료를 적극 활용하자.

네엣 _ 지문과 〈보기〉에 주어지는 자료를 정확하게 해석하는 연습을 하자.

다섯 _ 기술의 바탕이 되는 과학적 원리와 논리적 사고를 전제로 학습하자.

여섯 _ 해당 기술의 필요성, 구현 과정, 원리, 특징 등을 세세하게 체크하자.

일곱 _ 평소 생활 속에서 접하고 있는 다양한 기술들이 소재가 될 수 있음을 유의하자.

다음 글을 읽고 물음에 답하시오.

최근 스마트폰이나 자동차 등에서 인공지능 음성 언어 비서 시스템이 사용되고 있다. 이 시스템이 제대로 작동하기 위해서는 사용자의 음성이 올바르게 인식되어야 한다. 그런데 불분명하게 발음하거나 여러 단어를 쉼 없이 발음하는 경우 시스템이 어떻게 이를 올바른 문장으로 인식할 수 있을까? 이럴 때는 입력된 음성 언어를 문자 언어로 변환한 다음, 통계 데이터를 활용하여 단어나 문장의 오류를 보정하는 자연어 처리 기술이 사용된다. 이러한 기술에는 철자 오류 보정 방식과 띄어쓰기 오류 보정 방식이 있다.

[A] 철자 오류 보정 방식은 교정 사전과 어휘별 통계 데이터를 ㉠ 기반으로 잘못된 문자열*을 올바른 문자열로 바꿔 주는 방식이다. 철자 오류 보정은 '전처리, 오류 문자열 판단, 교정 후보 집합 생성, 최종 교정 문자열 탐색' 과정을 거친다. 먼저 '전처리'는 입력 문장에서 사용자의 발음이 불분명하게 입력되어 시스템에서 처리가 불가능한 문자열을 처리가 가능한 문자열로 바꿔 주는 과정이다. 가령, '실크'가 '싥'으로 인식될 경우, '싥'이라는 음절이 국어에 쓰이지 않으므로 '실크'로 바꿔 준다. 이렇게 전처리가 끝나면 다음 단계인 '오류 문자열 판단' 단계로 넘어간다. 이 단계에서는 입력된 문장을 어절 단위의 문자열로 ㉡ 구분하여, 각 문자열이 교정 사전의 오류 문자열에 존재하는지 여부를 확인한다. 교정 사전이란 오류 문자열과 이를 수정한 교정 문자열이 쌍을 이루어 구축되어 있는 사전이다. 예를 들어 사람들이 자주 틀리는 어휘인 '할려고'의 경우, 교정 사전의 오류 문자열에 '할려고', 이를 수정한 교정 문자열에 '하려고'가 들어가 있다.

처리된 문자열이 교정 사전의 오류 문자열에 존재하지 않을 경우 바로 결과 문장으로 도출되지만, 존재할 경우 '교정 후보 집합 생성' 단계로 넘어간다. 이 단계에서는 오류 문자열과 교정 문자열 모두를 교정 후보로 하는 교정 후보 집합을 ㉢ 생성한다. 예컨대 처리된 문자열이 '할려고'일 경우, '할려고'와 '하려고' 모두를 교정 후보로 하는 교정 후보 집합을 생성한다. 그런 다음 '최종 교정 문자열 탐색' 단계로 넘어간다. 여기서는 철자 오류가 거의 없는 교과서나 신문 기사와 같은 자료에서 어휘들의 사용 빈도를 추출한 어휘별 통계 데이터를 활용하여, 교정 후보 중 사용 빈도가 높은 문자열을 최종 교정 문자열로 선택하여 결과 문장을 도출한다. 만일 통계 데이터에서 '할려고'의 사용 빈도가 1회, '하려고'의 사용 빈도가 100회라면 '하려고'를 최종 교정 문자열로 선택하는 것이다.

띄어쓰기 오류 보정 방식은 잘못된 띄어쓰기를 통계 데이터와 비교하여 올바른 띄어쓰기로 바꿔 주는 방식이다. 이를 위해서는 입력된 문장의 띄어쓰기를 시스템에서 처리할 수 있도록 이진법으로 변환하는 과정이 요구된다. 이 과정에서 음절의 좌나 우, 혹은 음절의 사이에 공백이 있을 때 1, 공백이 없을 때 0으로 표기한다. 가령 '동생이 밥 을 먹었다'라는 문장에서 '밥'은 음절의 좌, 우에 모두 공백이 있으므로 이를 이진법으로 나타내 '1밥1'이 되는데, 이를 편의상 '밥(11)'로 나타낸다. 같은 방법으로 '밥 을'은 두 음절의 좌, 사이, 우에 모두 공백이 있으므로 '밥을(111)'이 되고, '밥 을 먹'은 '밥을먹(1110)'이 된다. 이때 문장의 처음과 끝은 공백이 있는 것으로 처리한다. 이렇게 띄어쓰기를 이진법으로 변환한 다음, 올바르게 띄어쓰기가 구현된 문장에서 ㉣ 추출한 통계 데이터와 비교한다. 그 결과 빈도수가 높은 띄어쓰기 결과에 맞춰 띄어쓰기 오류를 보정한다. 만약 통계 데이터에서 '밥을(111)'의 빈도수가 낮고 '밥을(101)'의 빈도수가 높을 경우, 이에 따라 '밥 을'은 '밥을'로 띄어쓰기가 보정된다.

(생략)

* 문자열 : 데이터로 다루는 일련의 문자.

39. [A]를 참고로 하여 <보기>의 ㉮~㉱를 설명한 내용으로 적절하지 않은 것은? [3점]

< 보 기 >

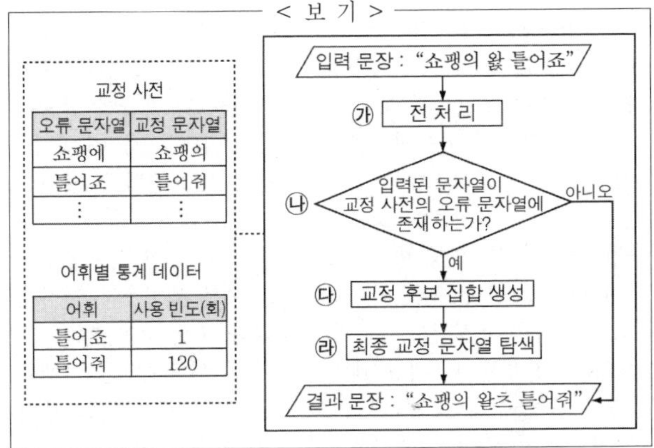

① ㉮ : '왌'를 '왈츠'로 교정하여 처리가 가능한 문자열로 바꿔 준다.
② ㉯ : '쇼팽의'를 교정 사전에서 확인한 결과 오류 문자열에 해당하지 않으므로 결과 문장으로 바로 보낸다.
③ ㉯ : '틀어죠'를 교정 사전에서 확인한 결과 오류 문자열에 해당하므로 '교정 후보 집합 생성' 단계로 보낸다.
④ ㉰ : '틀어죠'가 교정 사전의 오류 문자열에 있으므로 '틀어줘'만을 교정 후보로 하는 교정 후보 집합을 생성한다.
⑤ ㉱ : 어휘별 통계 데이터를 적용하여 사용 빈도가 높은 '틀어줘'를 최종 교정 문자열로 선택한다.

문제풀이

39번은 철자 오류 보정 방식을 이해하고 구체적인 상황에 적용하는 문제이다. 기술 분야에서는 이처럼 과정이나 상태를 도식화하여 보여 주는 경우가 있는데, 이는 기술의 작동 방식과 과정을 한눈에 이해하는 데 도움을 주기도 하므로 잘 활용하도록 하자.

② 세 번째 문단에서 처리된 문자열이 교정 사전의 오류 문자열에 존재하지 않을 경우 바로 결과 문장으로 도출된다고 하였다. 따라서 '쇼팽의'라는 문자열은 교정 사전의 오류 문자열에 존재하지 않으므로 결과 문장으로 바로 보낸다는 것은 적절하다.

③ '오류 문자열 판단' 단계에서는 어절 단위로 구분한 각 문자열이 교정 사전의 오류 문자열에 존재하는지 여부를 확인하고, 존재하는 경우 '교정 후보 집합 생성'의 단계로 넘어간다. 따라서 '틀어죠'라는 문자열을 교정 사전에서 확인한 결과 오류 문자열에 해당한다면 '교정 후보 집합 생성' 단계로 보낼 것이다.

❹ 세 번째 문단에서 '교정 후보 집합 생성' 단계에서는 오류 문자열과 교정 문자열 모두를 교정 후보로 하는 교정 후보 집합을 생성한다고 하였다. 따라서 이 단계에서는 '틀어줘'만을 교정 후보로 하는 것이 아니라, '틀어죠'와 '틀어줘' 모두를 교정 후보로 하는 교정 후보 집합을 생성할 것이다.

Day 18 기술

11분 | 2022학년도 9월 학평 28~32번 | ★★★ | 정답 036쪽

[1~5] 다음 글을 읽고 물음에 답하시오.

데이터를 주고받을 때, 송신 측은 데이터별로 고유하게 부여된 순서 번호에 ⓐ따라 순차적으로 데이터를 송신하고, 수신 측은 데이터의 순서 번호에 맞추어 송신 측에 응답 데이터를 보내준다. 만약 수신 측에서 데이터 전송 오류가 발생한 것을 파악했다면 오류가 발생한 데이터를 다시 전송해 주도록 송신 측에 요청해야 한다. 이때 자동 반복 요청 방식(ARQ)을 주로 사용한다. ARQ에서 오류가 없는 데이터가 도착할 때 송신 측에 보내는 수신 측의 응답을 ACK, 전송받은 데이터에서 오류가 검출될 경우에 보내는 수신 측의 응답을 NAK라고 한다. 그런데 송신 측에서는 데이터를 전송한 시점부터 타이머를 작동해 지정된 시간 동안 수신 측으로부터 아무런 응답이 없는 경우 '타임 아웃'으로 간주한다. 타임 아웃은 수신 측이 송신 측에 응답을 하지 않거나, 송신 측과 수신 측이 주고받는 데이터가 상대 측에 도달하지 못하고 전송이 중단된 경우에 발생한다. 송신 측은 타임 아웃이 되는 동시에 데이터를 재전송한다.

ARQ는 정지-대기 ARQ, 고-백-앤 ARQ, 선택적 재전송 ARQ 등으로 그 유형을 나눌 수 있다. 정지-대기 ARQ는 가장 단순한 자동 반복 요청 방식으로, 수신 측은 송신 측으로부터 받은 데이터를 먼저 수신 측의 버퍼*인 수신 윈도우에 저장한 후 오류 검사를 실시한다. 그 결과에 따라 수신 측은 ACK 또는 NAK를 전송한 후 해당 데이터를 수신 윈도우에서 삭제한다. 송신 측이 수신 측으로부터 ACK를 수신하면 그다음 데이터를 전송하고, NAK를 수신하거나 타임 아웃이 되면 그에 해당하는 데이터를 재전송한다.

고-백-앤 ARQ는 송신 측이 수신 측의 응답을 기다리지 않고 연속해서 순서 번호가 부여된 데이터를 전송하는 방식으로, 오류가 발생하면 오류가 발생한 데이터를 포함하여 이후에 전송된 모든 데이터를 재전송한다. 이 방식에서 수신 측은 데이터를 수신 윈도우에 하나씩 저장하는데, 송신 측으로부터 오류가 없는 데이터를 수신한 경우에는 무조건 ACK를 ⓑ보내지만 오류가 있는 데이터를 수신한 경우에는 NAK를 보내거나 무시할 수 있다. 그리고 오류가 발생한 순번 이후의 데이터에 대해서는 수신을 거부한다. 오류가 있는 데이터에 대해 NAK를 보내는 방식을 명시적 방법, NAK를 보내지 않고 무시하는 방식을 묵시적 방법이라고 한다. 명시적 방법을 사용할 경우 송신 측은 NAK를 수신하거나 타임 아웃이 되면 이에 해당하는 데이터부터 순서대로 모든 데이터를 재전송하지만, 묵시적 방법을 사용할 경우 송신 측은 타임 아웃 시간 동안 ACK를 수신하지 않았을 때만 이에 해당하는 데이터부터 순서대로 모든 데이터를 재전송한다.

선택적 재전송 ARQ는 데이터 전송의 기본 원리가 고-백-앤 ARQ와 ⓒ같지만, 오류가 발생할 경우 송신 측에서는 오류가 발생한 데이터만 재전송한다. 수신 측은 먼저 도착한 데이터의 오류 검사가 끝나지 않았더라도 수신한 데이터는 모두 수신 윈도우에 저장한다. 오류가 발생한 이후의 순번 데이터는 ACK를 보내지 않고 수신 윈도우에 저장한 다음, 재전송된 데이터가 도착하면 해당 데이터에 대한 ACK를 보낸 후, 수신 윈도우에 저장된 데이터와 함께 순서 번호를 맞추어 다음 단계로 전달한다. 이 방식 역시 명시적 방법과 묵시적 방법으로 ⓓ나눌 수 있다.

그런데 NAK를 수신하거나 타임 아웃이 발생하여 송신 측이 데이터를 재전송하기 위해서는 송신 측에게도 전송한 데이터를 저장하기 위한 버퍼가 필요한데, 이 버퍼를 송신 윈도우라고 한다. 송신 윈도우에 보관된 데이터는 수신 측에게 전송되었으나, 아직 ACK를 받지 못한 데이터라 할 수 있다. 송신 측이 수신 측으로부터 ACK를 받지 않고도 전송할 수 있는 데이터의 최대 개수를 송신 윈도우 크기라고 한다. 또한 수신 측이 전송받은 데이터에 대한 응답을 보내지 않고도 저장할 수 있는 데이터의 최대 개수를 수신 윈도우 크기라 하는데, 이러한 윈도우의 크기는 데이터 통신 방식에 따라 차이가 난다. 정지-대기 ARQ는 송신 측과 수신 측 모두 하나의 데이터와 그 데이터에 대한 응답 값을 주고받는다는 점에서 송신 윈도우와 수신 윈도우의 크기는 모두 1이 된다. 이와 달리 고-백-앤 ARQ의 경우 송신 측은 ACK를 받지 않아도 여러 개의 데이터를 전송할 수 있기 때문에 수신 윈도우의 크기만 1이 된다. ㉠<u>선택적 재전송 ARQ는 수신 윈도우 크기가 여러 개의 데이터를 송신할 수 있는 송신 윈도우의 크기와 같아 데이터를 더욱 빠르게 전송할 수 있다</u>.

한편 송신 윈도우에 저장된 데이터의 관리는 일반적으로 데이터의 전송이 순서 번호를 기반으로 ⓔ이루어지는 '슬라이딩 윈도우 프로토콜*'에 의해 진행되는데, 이 프로토콜에서는 낮은 순서 번호부터 차례로 데이터 전송이 처리되며 ACK의 회신에 따라 윈도우에 새로 추가될 데이터의 순서 번호도 순차적으로 높은 번호로 이동한다. 이 과정에서 순서 번호에 해당하는 데이터들이 수신 측에 전송된다. 예를 들어, 순서 번호의 최댓값이 9, 송신 윈도우의 크기가 3인 데이터를 전송할 경우, 먼저 '0번, 1번, 2번' 3개의 데이터를 전송한다. 0번 데이터에 대한 ACK가 도착하면 0번 데이터는 송신 윈도우에서 삭제되고, 3번 데이터가 송신 윈도우에 저장되어 수신 측으로 전송된다. 만약 동시에 1번과 2번 데이터의 ACK가 도착하면 송신 윈도우에는 3번 데이터만 남게 되기 때문에 4번과 5번 데이터가 송신 윈도우에 저장되어 수신 측으로 전송된다. 이러한 방식으로 데이터를 전송하다 9번 데이터에 대한 ACK가 도착했다면 다음에 전송되는 데이터는 순서 번호가 0이 되며, 송신 측의 데이터가 모두 전송될 때까지 이 과정이 반복된다.

* 버퍼 : 동작 속도가 크게 다른 두 장치 사이에 접속되어 속도 차를 조정하기 위하여 이용되는 일시적인 저장 장치.
* 프로토콜 : 컴퓨터와 컴퓨터 사이, 또는 한 장치와 다른 장치 사이에서 데이터를 원활히 주고받기 위하여 약속한 여러 가지 규약.

1. 윗글을 통해 알 수 있는 내용으로 가장 적절한 것은?

① 정지-대기 ARQ에서 수신 측은 NAK를 보낸 후에도 해당 데이터를 수신 윈도우에 저장한다.
② 고-백-앤 ARQ에서 수신 윈도우는 정지-대기 ARQ와 마찬가지로 데이터를 하나씩 저장한다.
③ 선택적 재전송 ARQ와 고-백-앤 ARQ 모두 송신 측은 ACK를 수신한 후에 다음 순번의 데이터를 전송한다.
④ 송신 윈도우의 크기는 송신 측이 수신 측으로부터 동시에 받을 수 있는 ACK의 최대 개수에 따라 결정된다.
⑤ 데이터 전송 과정에서 송신 측이 보내는 데이터는 송신 윈도우 크기보다 큰 순서 번호부터 전송된다.

2. 윗글을 바탕으로 <보기>의 '슬라이딩 윈도우 프로토콜'을 이해한 것으로 적절하지 <u>않은</u> 것은?

<보 기>

송신 측에서 수신 측에 전송하려는 데이터의 개수는 12개이다. 송신 측은 순서 번호의 최댓값을 5로 설정한 후, 슬라이딩 윈도우 프로토콜을 이용하여 데이터를 전송하였다. 아래는 데이터 전송 과정에서 송신 윈도우의 데이터 저장 상태를 도식화한 것이다.

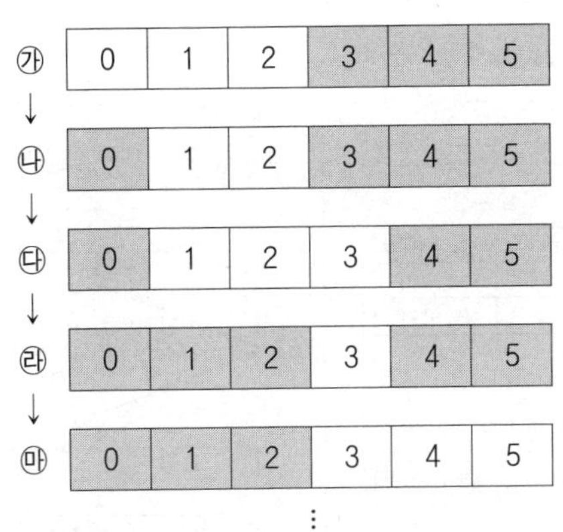

* ㉮: 송신 윈도우의 최초 저장 상태
* □: 윈도우에 저장된 데이터 / * ■: 윈도우에 저장되지 않은 데이터

① ㉮를 통해 알 수 있는 송신 윈도우의 크기는 3이다.
② ㉰에서 순서 번호 '3'에 해당하는 데이터가 저장된 것은 ㉮에서 보낸 데이터의 ACK가 모두 도착했기 때문이다.
③ '㉯→㉰' 과정에서 송신 윈도우에 추가된 데이터의 수는 '㉱→㉲' 과정에서 송신 윈도우에 추가된 데이터의 수보다 적다.
④ ㉲에서 전송한 데이터에 대한 ACK가 모두 도착했다면, 바로 다음에 전송되는 데이터의 순서 번호는 ㉮와 같다.
⑤ '㉮→㉲'의 과정이 한 번 더 반복된 후 송신 측이 보낸 데이터의 ACK가 모두 도착했다면, 송신 윈도우에 저장된 데이터의 수는 0개이다.

3. ㉠의 이유를 추론한 것으로 가장 적절한 것은?

① 먼저 도착한 데이터부터 순서대로 데이터 오류 검사를 실시하기 때문에
② 오류 검사가 끝나면 수신 윈도우에 저장된 데이터가 모두 삭제되기 때문에
③ 수신 윈도우에 저장된 데이터의 순번과 상관없이 ACK를 보낼 수 있기 때문에
④ 순번이 빠른 데이터의 오류 검사가 끝나지 않아도 데이터의 수신이 가능하기 때문에
⑤ 데이터에 오류가 발생하면 해당 데이터가 재전송될 때까지 데이터 수신을 거부하기 때문에

4. <보기>는 자동 반복 요청 방식을 이용한 데이터 전송 오류 제어 과정의 일부를 도식화한 것이다. 윗글을 참고하여 <보기>를 이해한 내용으로 적절하지 <u>않은</u> 것은? [3점]

<보 기>

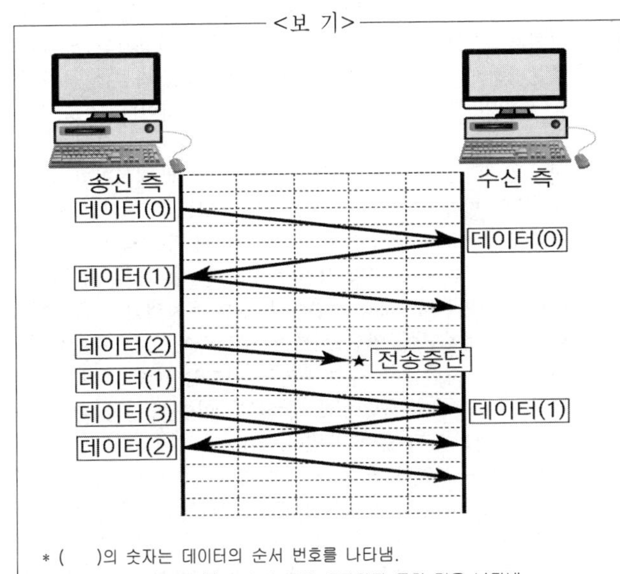

* ( )의 숫자는 데이터의 순서 번호를 나타냄.
* 최초 전송된 데이터(2)는 수신 측에 도달하지 못한 것을 나타냄.

① 데이터(1)을 재전송한 후 데이터(3)을 전송하는 것을 보니 <보기>의 오류 전송은 선택적 재전송 ARQ 방식에 해당하겠군.
② 처음 수신한 데이터(1)에 대한 응답 값을 수신 측이 전송하지 않은 것으로 보아 <보기>는 묵시적 방법에 해당하겠군.
③ 데이터(1)을 전송한 후 데이터(1)을 재전송하는 데 걸린 시간은 '타임 아웃'으로 설정된 시간에 해당되겠군.
④ 송신 측이 데이터(2)를 재전송한 이유는 최초 전송된 데이터(2)에 대해 수신 측이 NAK를 보내지 않았기 때문이겠군.
⑤ 수신 측이 데이터(3)과 재전송된 데이터(2)에 대해 ACK를 보낸다면 데이터(2)와 데이터(3)은 순서 번호에 맞추어 다음 단계로 전달되겠군.

5. 문맥상 ⓐ~ⓔ의 단어와 가장 가까운 의미로 쓰인 것은?

① ⓐ: 그들은 법에 <u>따라</u> 문제를 해결했다.
② ⓑ: 관중들은 선수들에게 응원을 <u>보내느라</u> 정신이 없었다.
③ ⓒ: 여행을 할 때에는 신분증 <u>같은</u> 것을 가지고 다녀야 한다.
④ ⓓ: 수익은 공정하게 <u>나누어야</u> 불만이 생기지 않는다.
⑤ ⓔ: 열심히 노력했더니 소원이 <u>이루어졌다</u>.

IV

8분 | 2022학년도 3월 학평 38~41번 | ★★☆ | 정답 037쪽

【6~9】 다음 글을 읽고 물음에 답하시오.

최근 스마트폰이나 자동차 등에서 인공지능 음성 언어 비서 시스템이 사용되고 있다. 이 시스템이 제대로 작동하기 위해서는 사용자의 음성이 올바르게 인식되어야 한다. 그런데 불분명하게 발음하거나 여러 단어를 쉼 없이 발음하는 경우 시스템이 어떻게 이를 올바른 문장으로 인식할 수 있을까? 이럴 때는 입력된 음성 언어를 문자 언어로 변환한 다음, 통계 데이터를 활용하여 단어나 문장의 오류를 보정하는 자연어 처리 기술이 사용된다. 이러한 기술에는 철자 오류 보정 방식과 띄어쓰기 오류 보정 방식이 있다.

[A] 철자 오류 보정 방식은 교정 사전과 어휘별 통계 데이터를 ㉠ 기반으로 잘못된 문자열*을 올바른 문자열로 바꿔 주는 방식이다. 철자 오류 보정은 '전처리, 오류 문자열 판단, 교정 후보 집합 생성, 최종 교정 문자열 탐색' 과정을 거친다. 먼저 '전처리'는 입력 문장에서 사용자의 발음이 불분명하게 입력되어 시스템에서 처리가 불가능한 문자열을 처리가 가능한 문자열로 바꿔 주는 과정이다. 가령, '실크'가 '싥'으로 인식될 경우, '싥'이라는 음절이 국어에 쓰이지 않으므로 '실크'로 바꿔 준다. 이렇게 전처리가 끝나면 다음 단계인 '오류 문자열 판단' 단계로 넘어간다. 이 단계에서는 입력된 문장을 어절 단위의 문자열로 ㉡ 구분하여, 각 문자열이 교정 사전의 오류 문자열에 존재하는지 여부를 확인한다. 교정 사전이란 오류 문자열과 이를 수정한 교정 문자열이 쌍을 이루어 구축되어 있는 사전이다. 예를 들어 사람들이 자주 틀리는 어휘인 '할려고'의 경우, 교정 사전의 오류 문자열에 '할려고', 이를 수정한 교정 문자열에 '하려고'가 들어가 있다.

처리된 문자열이 교정 사전의 오류 문자열에 존재하지 않을 경우 바로 결과 문장으로 도출되지만, 존재할 경우 '교정 후보 집합 생성' 단계로 넘어간다. 이 단계에서는 오류 문자열과 교정 문자열 모두를 교정 후보로 하는 교정 후보 집합을 ㉢ 생성한다. 예컨대 처리된 문자열이 '할려고'일 경우, '할려고'와 '하려고' 모두를 교정 후보로 하는 교정 후보 집합을 생성한다. 그런 다음 '최종 교정 문자열 탐색' 단계로 넘어간다. 여기서는 철자 오류가 거의 없는 교과서나 신문 기사와 같은 자료에서 어휘들의 사용 빈도를 추출한 어휘별 통계 데이터를 활용하여, 교정 후보 중 사용 빈도가 높은 문자열을 최종 교정 문자열로 선택하여 결과 문장을 도출한다. 만일 통계 데이터에서 '할려고'의 사용 빈도가 1회, '하려고'의 사용 빈도가 100회라면 '하려고'를 최종 교정 문자열로 선택하는 것이다.

띄어쓰기 오류 보정 방식은 잘못된 띄어쓰기를 통계 데이터와 비교하여 올바른 띄어쓰기로 바꿔 주는 방식이다. 이를 위해서는 입력된 문장의 띄어쓰기를 시스템에서 처리할 수 있도록 이진법으로 변환하는 과정이 요구된다. 이 과정에서 음절의 좌나 우, 혹은 음절의 사이에 공백이 있을 때 1, 공백이 없을 때 0으로 표기한다. 가령 '동생이 밥 을 먹었다'라는 문장에서 '밥'은 음절의 좌, 우에 모두 공백이 있으므로 이를 이진법으로 나타내 '1밥1'이 되는데, 이를 편의상 '밥(11)'로 나타낸다. 같은 방법으로 '밥 을'은 두 음절의 좌, 사이, 우에 모두 공백이 있으므로 '밥을(111)'이 되고, '밥 을 먹'은 '밥을먹(1110)'이 된다. 이때 문장의 처음과 끝은 공백이 있는 것으로 처리한다. 이렇게 띄어쓰기를 이진법으로 변환한 다음, 올바르게 띄어쓰기가 구현된 문장에서 ㉣ 추출한 통계 데이터와 비교한다. 그 결과 빈도수가 높은 띄어쓰기 결과에 맞춰 띄어쓰기 오류를 보정한다. 만약 통계 데이터에서 '밥을(111)'의 빈도수가 낮고 '밥을(101)'의 빈도수가 높을 경우, 이에 따라 '밥 을'은 '밥을'로 띄어쓰기가 보정된다.

이러한 방법들은 모두 올바른 단어나 문장에서 추출된 통계 데이터를 기반으로 보정이 이루어진다는 공통점이 있다. 보정의 정확도를 ㉤ 향상시키기 위해서는 통계 데이터의 양을 늘리는 것이 요구되지만, 이 경우 데이터 처리 속도가 감소하게 된다는 단점이 있다. 이러한 문제점을 해결하기 위해 최근 보정의 정확도와 데이터의 처리 속도를 모두 향상시키기 위한 방안이 지속적으로 연구되고 있다.

* 문자열 : 데이터로 다루는 일련의 문자.

6. 윗글에서 알 수 있는 내용으로 적절하지 않은 것은?

① 잘못 입력된 문장이 보정되지 않으면 음성 언어 비서 시스템이 제 기능을 발휘하지 못한다.
② 음성 인식 오류를 보정할 때는 사용자의 음성 언어를 문자 언어로 변환하는 과정이 선행된다.
③ 철자 오류 보정 방식은 각 단계마다 입력된 문장을 음절 단위로 구분하여 데이터를 처리한다.
④ 띄어쓰기 오류 보정 방식에서 입력된 문장의 처음과 끝은 공백이 있는 것으로 처리된다.
⑤ 통계 데이터에 포함된 데이터의 양을 늘리면 보정의 정확도는 증가하지만 처리 속도는 감소한다.

7. [A]를 참고로 하여 <보기>의 ㉮~㉱를 설명한 내용으로 적절하지 않은 것은? [3점]

< 보 기 >

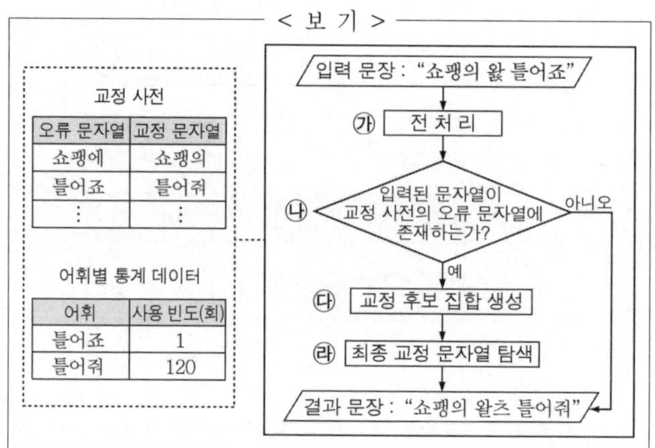

① ㉮ : '왌'를 '왈츠'로 교정하여 처리가 가능한 문자열로 바꿔 준다.
② ㉯ : '쇼팽의'를 교정 사전에서 확인한 결과 오류 문자열에 해당하지 않으므로 결과 문장으로 바로 보낸다.
③ ㉯ : '틀어죠'를 교정 사전에서 확인한 결과 오류 문자열에 해당하므로 '교정 후보 집합 생성' 단계로 보낸다.
④ ㉰ : '틀어죠'가 교정 사전의 오류 문자열에 있으므로 '틀어줘'만을 교정 후보로 하는 교정 후보 집합을 생성한다.
⑤ ㉱ : 어휘별 통계 데이터를 적용하여 사용 빈도가 높은 '틀어줘'를 최종 교정 문자열로 선택한다.

8. 윗글을 바탕으로 할 때, ㄱ ~ ㅁ에서 <보기>의 띄어쓰기 오류 보정이 일어난 이유로 가장 적절한 것은?

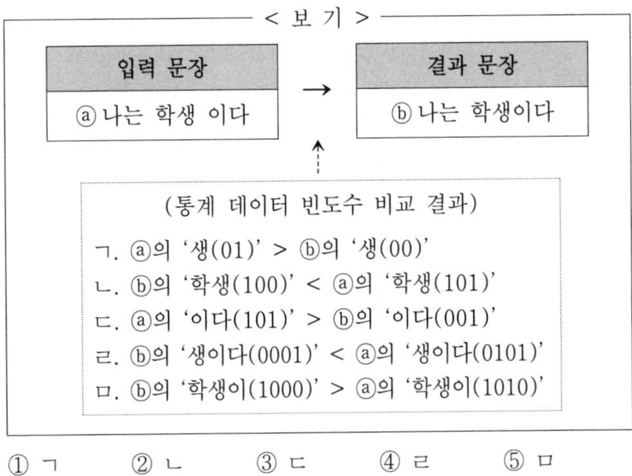

< 보 기 >
입력 문장
ⓐ 나는 학생 이다
결과 문장
ⓑ 나는 학생이다
(통계 데이터 빈도수 비교 결과)
ㄱ. ⓐ의 '생(01)' > ⓑ의 '생(00)'
ㄴ. ⓑ의 '학생(100)' < ⓐ의 '학생(101)'
ㄷ. ⓐ의 '이다(101)' > ⓑ의 '이다(001)'
ㄹ. ⓑ의 '생이다(0001)' < ⓐ의 '생이다(0101)'
ㅁ. ⓑ의 '학생이(1000)' > ⓐ의 '학생이(1010)'

① ㄱ ② ㄴ ③ ㄷ ④ ㄹ ⑤ ㅁ

9. 문맥에 맞게 ㉠ ~ ㉤을 바꿔 쓴 것으로 적절하지 <u>않은</u> 것은?

① ㉠: 바탕으로
② ㉡: 나누어
③ ㉢: 만든다
④ ㉣: 고친
⑤ ㉤: 높이기

【10~13】 다음 글을 읽고 물음에 답하시오.

터치스크린 패널은 스크린의 특정 지점을 직접 접촉하면 그 위치를 파악하여 해당 위치에 설정된 기능을 직관적으로 조작할 수 있도록 설계된 장치를 말한다. 터치스크린 패널 중 정전용량방식의 패널은 전기가 통하는 전도성 물체를 스크린에 접촉했을 때 발생하는 정전용량*의 변화를 측정하여 접촉된 위치를 파악한다. 터치스크린 패널에 사용되는 정전용량방식에는 일반적으로 표면정전방식과 투영정전방식이 있다.

㉠ <u>표면정전방식</u>은 패널의 네 모서리에 있는 각각의 감지회로가 동시에 정전용량의 변화를 감지하여 전도성 물체의 접촉 위치를 파악하는 방식이다. 표면정전방식에서는 패널의 표면에 덮인 전도성 투명 필름이 전도성 물체의 접촉을 인식하는 센서 역할을 한다. 센서에 전도성 물체가 접촉하게 되면 물체의 전하량과 패널의 전하량의 차이에 의해 전압이 변화하고, 이로 인해 형성된 전기장은 정전용량을 변화시킨다. 네 모서리에 있는 감지회로는 정전용량의 변화된 정도를 측정하여 물체가 접촉된 위치를 파악하는 것이다. 표면정전방식은 투영정전방식에 비해 구조가 단순하고 단가가 낮다는 장점이 있다. 하지만 접촉된 위치를 대략적으로만 파악할 수 있어 정확도가 낮고 한 번에 하나의 접촉만 인식할 수 있기 때문에 여러 지점을 접촉했을 때 인식이 불가능하다는 단점이 있다.

투영정전방식은 접촉을 감지할 수 있는 센서를 패널의 일정한 구역마다 배치하여 활용하는 방식으로 ㉡ <u>자기정전방식</u>과 ㉢ <u>상호정전방식</u>으로 나눌 수 있다. 자기정전방식은 패널에 전도성 물체가 접촉하면 물체의 전하량과 패널의 전하량의 차이에 의해 전압이 변화하고, 이때 형성된 전기장에 의해 증가하는 정전용량을 측정하는 방식이라는 점에서 그 원리가 표면정전방식과 유사하다. 하지만 자기정전방식은 표면정전방식과 달리 하나의 층에 여러 개의 행과 열의 형태로 배치된 각각의 센서들을 활용한다. 센서가 특정 지점의 접촉을 인식하면 센서의 각 행과 열의 끝에 배치된 감지회로가 접촉 지점에서 일어난 정전용량의 변화를 감지하고, 이를 바탕으로 행과 열의 교차점인 접촉 위치를 정교하고 빠르게 파악할 수 있다.

반면 상호정전방식은 가로축으로 배열된 센서인 구동 라인과 세로축으로 배열된 센서인 감지 라인이 두 개의 층을 이루고 있다. 패널에 전도성 물체와의 접촉이 없을 때 구동 라인에서는 전압에 의해 전기장이 형성되며, 이 전기장은 모두 감지 라인으로 들어가 일정한 크기의 전기장을 유지하여 구동 라인과 감지 라인 사이에 상호 정전용량을 형성한다. 하지만 패널에 전도성 물체가 접촉하게 되면 일정한 크기를 유지하던 전기장의 일부가 접촉된 물체로 흡수된다. 전기장이 물체에 흡수되면 구동 라인과 감지 라인 사이에 형성된 상호 정전용량이 감소하며 전기장의 크기 역시 줄어든다. 이때 접촉이 정확하게 일어날수록 해당 지점에 전기장이 더 많이 줄어들게 된다. 결국 패널에는 접촉 전과는 다른 전기장의 흐름이 나타나 상호 정전용량이 변화하고 구동 라인과 감지 라인의 교차점인 터치좌표쌍이 인식된다. 이때 터치좌표쌍은 구동 라인과 감지 라인이 개별적으로 인식된 교차점이기에 하나의 패널에서는 여러 개의 터치좌표쌍이 만들어질 수 있다.

이후 터치좌표쌍의 정보를 터치 컨트롤러가 디지털 신호로 변환해 이미지로 처리하여 중앙처리장치(CPU)에 전달함으로써 해당 터치스크린 패널은 전도성 물체의 접촉 여부 및 접촉한 위치를 최종적으로 판단하게 된다. 이러한 상호정전방식은 구동

Ⅳ

라인과 감지 라인의 교차점을 개별적으로 인식하는 과정을 거치기에 측정 시간이 많이 소요되지만, Ⓐ두 지점을 접촉하는 멀티 터치가 가능하여 최근 스마트폰이나 태블릿과 같은 기기에 많이 활용되는 추세이다.

* 정전용량: 물체가 지니고 있는 전하의 용량. 여기서 전하는 물체가 가지고 있는 전기적 성질을 의미함.

10. 윗글의 내용과 일치하지 않는 것은?

① 터치스크린 패널은 직접적인 접촉을 통한 직관적 조작이 가능하다.
② 자기정전방식은 접촉점에 해당하는 행과 열의 교차점을 터치 지점으로 인식한다.
③ 표면정전방식을 실현하기 위해서는 스크린에 전도성이 없는 투명 필름을 입혀야 한다.
④ 상호정전방식에서는 수집된 행과 열의 정보가 터치 컨트롤러에서 이미지로 처리된다.
⑤ 투영정전방식은 표면정전방식보다 구조가 복잡하지만 더욱 정교한 좌표 인식이 가능하다.

11. ㉠~㉢에 대해 이해한 내용으로 적절하지 않은 것은?

① ㉠~㉢은 모두 전도성 물체의 접촉에 따른 정전용량의 변화를 측정한다.
② ㉠~㉢은 모두 패널에 있는 센서를 이용하여 접촉 부분의 위치를 알아내는 방식이다.
③ ㉠과 달리 ㉡은 하나의 접촉점을 인식하기 위해 두 개 이상의 감지회로를 활용하는 방식이다.
④ ㉡과 달리 ㉢은 센서층이 두 개의 층을 이루고 있다.
⑤ ㉢과 달리 ㉡은 접촉 부분에서 증가하는 정전용량을 감지하는 방식이다.

12. 윗글을 읽고 <보기>를 이해한 반응으로 적절하지 않은 것은? [3점]

〈보 기〉

다음은 터치스크린 패널의 작동 원리를 이해하기 위해 설정된 자료이다. <자료 1>은 터치스크린 패널의 한 종류를 도식화한 것이고, <자료 2>는 <자료 1>의 ⓐ~ⓒ 지점에 형성된 전기장의 크기를 나타낸 그래프이다.

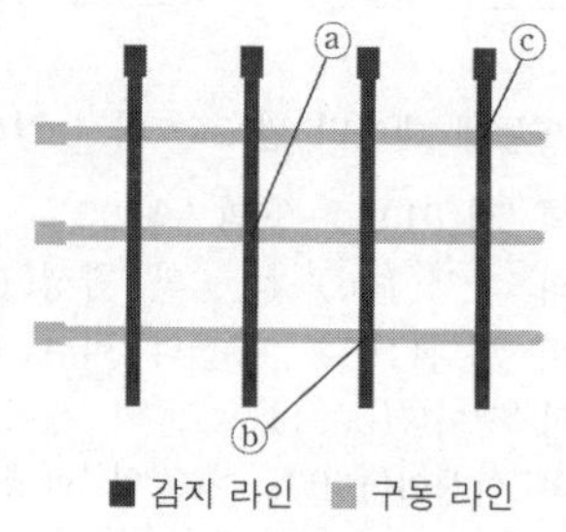

<자료 1>

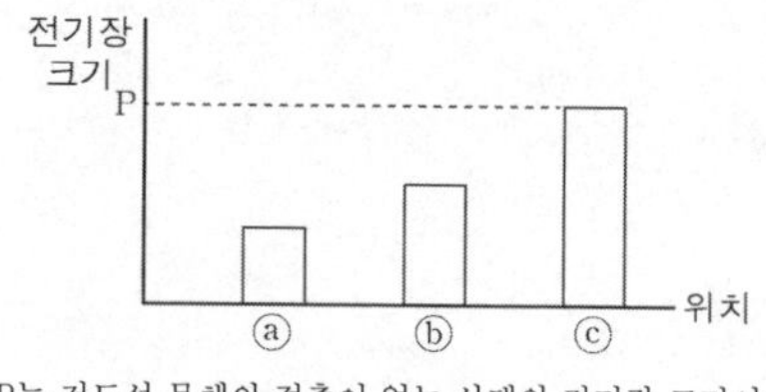

* 단, P는 전도성 물체의 접촉이 없는 상태의 전기장 크기이다.

<자료 2>

① ⓐ에서 접촉된 물체가 흡수한 전기장의 크기는 ⓑ에서 접촉된 물체가 흡수한 전기장의 크기보다 크겠군.
② 전기장의 크기로 보아 ⓑ보다 ⓐ에서 더 정확한 접촉이 이루어진 것으로 볼 수 있겠군.
③ ⓒ에서는 구동 라인에서 발생한 전기장의 크기와 감지 라인으로 들어가는 전기장의 크기가 일치하겠군.
④ ⓒ와 달리 ⓑ에서는 감지 라인으로 들어가야 할 전기장의 일부가 접촉된 물체로 흘러들어 갔겠군.
⑤ ⓐ와 ⓒ에서는 구동 라인과 감지 라인 사이에서 형성된 상호 정전용량이 감소했겠군.

13. Ⓐ에 대한 이유를 추론한 것으로 가장 적절한 것은?

① 교차점의 위치를 빠르게 측정할 수 있기 때문이다.
② 중앙처리장치가 행과 열의 정보를 분할하기 때문이다.
③ 센서의 행과 열 끝에 감지회로가 배치되어있기 때문이다.
④ 구동 라인과 감지 라인의 교차점이 개별적으로 인식되기 때문이다.
⑤ 하나의 패널에서 한 개의 터치좌표쌍만 만들어질 수 있기 때문이다.

총 문항				문항	맞은 문항					문항
개별 문항	1	2	3	4	5	6	7	8	9	10
채점										
개별 문항	11	12	13	14	15	16	17	18	19	20
채점										

9분 | 2021학년도 3월 학평 24~27번 | ★★★ | 정답 039쪽

【1~4】 다음 글을 읽고 물음에 답하시오.

고층 건물을 건설하는 현장을 보면 우뚝 솟아 있는 타워 크레인이 사람들의 시선을 끈다. 타워 크레인은 수십 톤에 ⓐ달하는 중량물을 들어 올리는 건설 기계 장비이다. 그렇다면 타워 크레인은 어떻게 수십 톤의 무거운 건설 자재를 들어 올릴 수 있는 것일까?

타워 크레인은 <그림>과 같이 기초부, 마스트, 텔레스코핑 케이지, 운전실, 지브, 트롤리, 후크 블록 등으로 구성된다. 기초부는 타워 크레인을 지지하는 부분이고, 마스트는 타워 크레인을 지지하는 기둥이다. 텔레스코핑 케이지는 타워 크레인의 높이를 조절하는 장치로, 유압 장치를 통해 운전실을 들어 올린 후 마스트와 운전실 사이의 빈 공간에 단위 마스트를 끼워 넣어 높이를 조절한다.

권상 장치 타이바 트롤리 메인 지브 운전실 카운터 지브 후크 블록 평형추 선회 장치 텔레스코핑 케이지 마스트 기초부

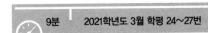

운전실은 타워 크레인을 ⓑ제어하는 곳으로, 하단에는 중량물을 수평으로 이동시키는 선회 장치가 있고, 상단의 타워 헤드에는 지브의 인장력을 보강하면서 평형 유지를 돕는 타이바가 ⓒ연결되어 있다. 지브는 카운터 지브와 메인 지브로 구성되는데, 카운터 지브는 길이가 짧으며 일정한 무게의 콘크리트 평형추가 고정되어 있는 부분이고, 메인 지브는 길이가 길고 중량물을 들어 올리는 역할을 하는 부분이다. 트롤리는 메인 지브의 레일을 통해 중량물을 수평으로 이동시키는 역할을 한다.

카운터 지브와 메인 지브의 길이가 다름에도 불구하고 지브가 한쪽으로 기울어지지 않고 평형을 이룰 수 있는 것은 무엇 때문일까? 그것은 바로 지레의 원리로 설명할 수 있다. 지레에는 작용점, 받침점, 힘점이 있는데, 작용점에 가하는 힘을 F, 작용점에서 받침점까지의 거리를 D, 힘점에 작용하는 힘을 f, 힘점에서 받침점까지의 거리를 d라고 할 때, FD = fd이면 지레는 어느 한쪽으로 기울어지지 않고 평형을 이루게 된다. 마찬가지로 타워 크레인의 평형추는 작용점, 운전실 지점은 받침점, 트롤리는 힘점에 해당하는데, 타워 크레인은 두 지브의 길이가 다르기 때문에 길이가 짧은 카운터 지브에 무거운 평형추를 설치하여 길이가 긴 메인 지브와 평형을 이루도록 한다. 그런데 타워 크레인은 메인 지브에 있는 트롤리의 위치에 따라 들어 올릴 수 있는 중량물의 무게가 달라진다. 메인 지브의 바깥쪽에서 들어 올린 중량물을 메인 지브 안쪽으로 이동시키는 것은 자유롭지만, ㉠반대로 메인 지브의 안쪽에서 들어 올린 중량물을 메인 지브 바깥쪽으로 이동시키지 못할 수도 있다.

[A] 타워 크레인이 수십 톤에 달하는 무거운 건축 자재를 들어 올릴 수 있는 것은 중량물을 매다는 후크 블록에 움직도르래를 사용하기 때문이다. 후크 블록의 움직도르래는 와이어로프를 통해 권상 장치와 연결되어 있다. 권상 장치는 그 안에 있는 전동기의 회전 방향에 따라 와이어로프를 원통 모양의 드럼에 감거나 풀어 중량물을 들어 올리거나 내린다. 도르래를 사용할 때의 역학 관계는 '일의 양(W) = 줄을 당긴 힘(F) × 감아올린 줄의 길이(S)'로 나타낼 수 있다. 동일한 무게의 물체를 들어 올린 높이가 같다면 권상 장치가 물체를 들어 올리기 위해 한 일의 양이 같다. 그런데 고정도르래만 사용할 때와 비교해, 움직도르래 1개를 사용하여 지상에서 같은 높이로 물체를 들어 올리면, 일의 양은 같지만 도르래 양쪽으로 물체의 무게가 반씩 ⓓ분산되기 때문에 물체를 들어 올리는 힘의 크기는 1/2로 줄어들게 되고, 감아올린 줄의 길이는 2배로 길어진다. 이러한 움직도르래를 타워 크레인에서 추가적으로 사용할 때마다 동일한 무게의 중량물을 같은 높이로 들어 올릴 때 권상 장치가 사용하는 힘의 크기가 더 ⓔ감소하지만, 권상 장치가 감아올리는 와이어로프의 길이는 더 길어지게 된다. 하지만 여러 개의 움직도르래를 사용하게 되면 여러 가닥의 와이어로프가 바람에 의해 꼬여 손상되는 일이 발생할 수 있기 때문에 사용할 수 있는 움직도르래의 개수가 제한된다.

1. 윗글을 통해 알 수 있는 내용이 아닌 것은?

① 타이바는 길이가 다른 두 개의 지브가 한쪽으로 기울어지지 않도록 돕는 역할을 한다.
② 타워 크레인으로 들어 올린 중량물의 수평 이동은 트롤리와 선회 장치에 의해 이루어진다.
③ 후크 블록에 여러 개의 움직도르래가 사용되면 와이어로프가 꼬여 손상될 가능성이 높아진다.
④ 타워 크레인이 중량물을 들어 올릴 때와 내릴 때에 권상 장치에 있는 전동기의 회전 방향은 반대가 된다.
⑤ 타워 크레인의 높이를 높이기 위해서는 텔레스코핑 케이지의 유압 장치를 이용해 마스트를 들어 올려야 한다.

2. ㉠의 이유로 가장 적절한 것은?

① 평형추와 운전실 사이의 거리와 평형추의 무게가 고정되어 있기 때문에
② 평형추와 운전실 사이의 거리에 비해 트롤리와 운전실 사이의 거리가 가까워지기 때문에
③ 트롤리와 운전실 사이의 거리가 멀어질수록 힘점과 받침점 사이의 거리가 가까워지기 때문에
④ 카운터 지브에 설치된 평형추의 무게와 권상 장치에 있는 중량물의 무게의 비가 달라지기 때문에
⑤ 트롤리가 메인 지브의 바깥쪽으로 이동할수록 평형추가 있는 카운터 지브 쪽으로 타워 크레인이 기울어지기 때문에

3. [A]를 바탕으로 <보기 1>을 이해한 내용을 <보기 2>와 같이 정리할 때, (ㄱ), (ㄴ)에 들어갈 말로 적절한 것은? [3점]

< 보 기 1 >

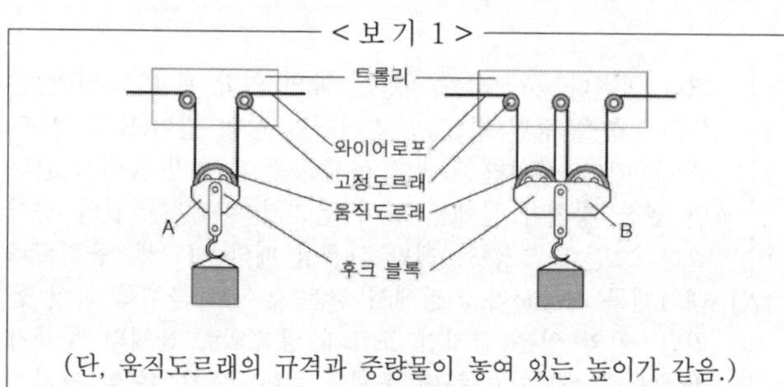

(단, 움직도르래의 규격과 중량물이 놓여 있는 높이가 같음.)

< 보 기 2 >

A, B를 이용해 같은 무게의 중량물을 각각 들어 올릴 때, 권상 장치가 감아올린 와이어로프의 길이가 같다면 권상 장치가 중량물을 들어 올릴 때 사용한 힘의 크기는 (ㄱ), 들어 올린 중량물의 높이는 (ㄴ).

	(ㄱ)	(ㄴ)
①	A가 B보다 크고	A가 B보다 높다
②	A가 B보다 크고	A가 B보다 낮다
③	A가 B보다 작고	A가 B보다 높다
④	A가 B보다 작고	A가 B보다 낮다
⑤	A와 B가 같고	A와 B가 같다

4. 문맥에 맞게 ⓐ ~ ⓔ를 바꿔 쓴 것으로 적절하지 <u>않은</u> 것은?

① ⓐ: 이르는
② ⓑ: 받치는
③ ⓒ: 이어져
④ ⓓ: 나뉘기
⑤ ⓔ: 줄지만

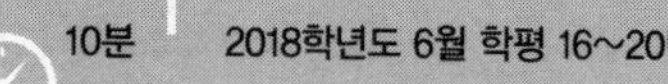

★★☆ 정답 040쪽

[5~9] 다음 글을 읽고 물음에 답하시오.

정조 임금이 애초 10년을 잡았던 수원 화성의 ⓐ <u>공사</u>를 2년 7개월 만에 끝낼 수 있었던 까닭은 무엇일까? 그것은 정약용이 발명한 '유형거(游衡車)'라는 특별한 수레 덕분이었다. 『화성성역의궤』의 기록에 따르면 성을 쌓는 돌을 운반할 때 유형거를 이용함으로써 공사 기간을 단축하고 비용도 크게 절약할 수 있었다고 한다.

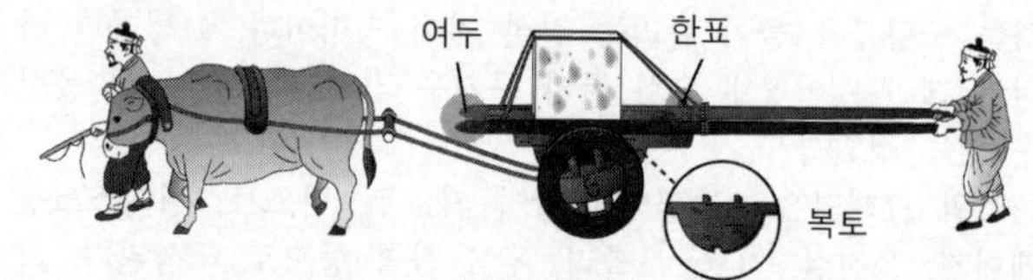

그렇다면 기존의 수레에 비해 유형거가 공학적으로 높은 평가를 받는 까닭은 무엇일까? 첫째, 여느 수레는 짐을 나르는 ⓑ <u>기능</u>에만 치우쳐 있는 것에 비해, 유형거는 짐을 쉽게 운반할 수 있을 뿐만 아니라 짐을 싣는 작업도 지렛대의 원리를 반영하여 쉽게 할 수 있도록 설계되었다. 유형거는 무게를 견디고 분산시키는 바퀴와 복토, 짐을 싣는 곳인 차상, 수레 손잡이, 여두 등으로 이루어져 있다. 돌부리에 찔러 넣어 돌을 들어 올리는 여두(輿頭)는 소 혀와 같은 모양으로 만들어 돌을 쉽게 올려놓을 수 있도록 하였고, 수레 손잡이는 끝부분을 점점 가늘고 둥글게 하여 손으로 쉽게 조작하도록 하였다. 이 손잡이 부분을 잡고 올리면 여두가 낮아져 돌을 쉽게 차상에 올려놓을 수 있고, 다시 손잡이를 내리면 돌이 손잡이 쪽으로 미끄러지게 된다.

[A] 둘째, 유형거는 소에서 얻는 주동력 외에 보조 동력을 더할 수 있었다. 이는 수레가 흔들림에 따라 싣고 있는 돌이 차상 위에서 앞뒤로 움직이는 것을 이용한 것으로, 바퀴 축과 차상 사이에 설치한 '복토(伏兎)'라는 반원형의 장치 덕분이다. 상식적으로는 복토로 인해 짐을 싣는 부분이 높아져 수레가 흔들리는 만큼 무게 중심도 계속 변화하여 수레를 안정적으로 ⓒ <u>운용</u>하기 어렵다. 그럼에도 복토를 설치함으로써 얻을 수 있는 보조 동력을 정약용은 놓치지 않았던 것이다. 즉, 유형거가 움직일 때 수레 손잡이를 들어 올리면 돌은 정지 마찰력을 극복하고 견인줄에 의해 멈출 때까지 수레의 진행 방향으로 여두 부근까지 미끄러지는데, 이때 생긴 에너지는 수레에 추진력을 더한다. 그리고 수레 손잡이를 내리면 이번에는 돌이 다시 수레의 진행 방향 반대쪽으로 미끄러지다가 한표(限表)라고 하는 조그만 나무토막에 걸려 멈추게 되는데, 이때 발생하는 에너지는 수레가 나아가는 것을 방해한다. 하지만 바퀴 축을 중심으로 보았을 때 여두까지의 거리가 길고 한표까지의 거리는 짧은 것을 생각하면, 추진력에 비해 나아가는 것을 방해하는 힘은 작으므로 결국 수레를 운전하는 ⓓ <u>입장</u>에서는 그만큼 보조 동력을 얻는 셈이다. 실제 『화성성역의궤』에서도 1치(약 3㎝)쯤 물러섰다가 1자(약 30㎝) 정도 앞으로 나아간다고 밝히고 있다.

셋째, 유형거는 손잡이의 조작으로 수레에 가해지는 충격을 완화시킬 수 있었다. 기존의 수레는 거친 길을 달리면서 받는 충격을 완화하기가 힘들었으나, 유형거는 수레를 운용하는 사람이 손에 익은 경험을 통해 유형거가 받는 충격을 감지하고 그 힘을 상쇄하기 위하여 손잡이를 ⓔ조작하는 방식으로 완충 제어를 하였다. 언덕을 오를 때는 손잡이를 올리고 내려갈 때는 손잡이를 내림으로써 수레가 앞뒤로 흔들거리며 진동하는 현상을 제어하는 것이다. 마찬가지로 왼쪽으로 돌 때에는 왼쪽이 올라가므로 왼쪽 손잡이를 누른다. 또 갑자기 출발할 때는 손잡이를 올리고, 갑자기 정지할 때는 손잡이를 내리는 등 사람의 능동적인 손잡이 조작에 의해 좀더 안정적으로 수레를 운용할 수 있게 된 것이다.

이상으로 볼 때 유형거는 단순한 수레라고 할 수 없다. 유형거는 편리하게 짐을 실을 수 있는 지게차이자 운행 중 덤으로 얻을 수 있는 보조 동력까지 갖추고, 불안정한 수레의 움직임을 보다 안정적으로 제어할 수 있는 완충 장치까지 갖춘 위대한 발명품이었다.

5. 윗글의 표제와 부제로 가장 적절한 것은?

① 유형거의 우수성
 – 구조적 특징 분석을 중심으로
② 유형거의 미학적 특성
 – 복토의 운용상 장점을 중심으로
③ 효과적인 운반 수단이 된 유형거
 – 실제 운용한 사람의 경험을 중심으로
④ 수레 발달의 역사
 – 기존 수레와 유형거의 차이를 중심으로
⑤ 유형거의 변화 과정
 – 유형거의 장단점과 작동 원리를 중심으로

6. <보기>를 활용하여 '유형거'에 대해 이해한 내용으로 적절하지 않은 것은? [3점]

<보 기>

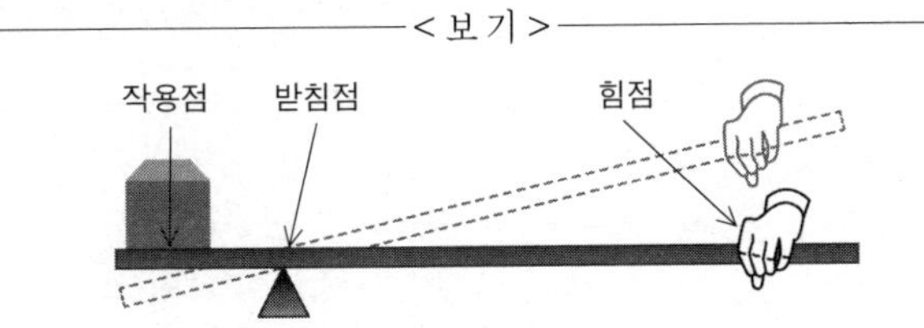

※ 지렛대에서 힘점과 받침점 사이가 멀수록, 작용점과 받침점 사이가 가까울수록 힘점에 가하는 힘이 작아도 작용점에 작용하는 힘은 커진다.

① 수레 손잡이 쪽에 한표를 두어 힘점에 가해지는 힘을 늘리려 했겠군.
② 손잡이는 되도록 길게 만들어 작용점에 더 큰 힘이 작용하도록 의도했겠군.
③ 여두와 바퀴 축의 거리를 가깝게 만들어 작은 힘으로도 무거운 돌을 싣도록 했겠군.
④ 여두를 특수한 형태로 만들어 작용점에 작용하는 힘이 더 효과적으로 전달되도록 했겠군.
⑤ 유형거의 여두는 작용점으로, 바퀴 축은 받침점으로, 손잡이는 힘점으로 기능하도록 설계했겠군.

7. [A]를 참고하여 <보기>를 이해한 내용으로 적절하지 않은 것은?

<보 기>

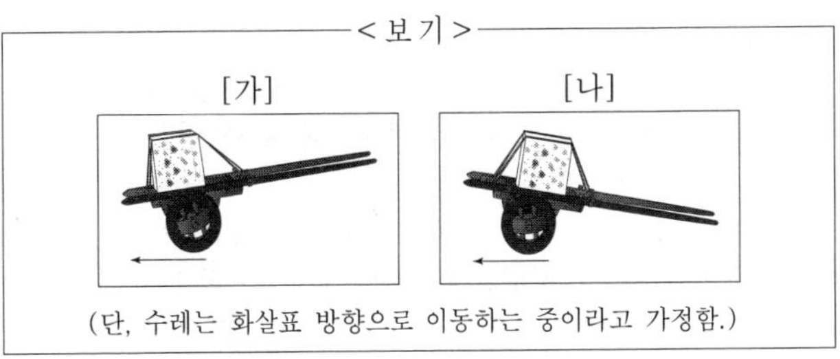

(단, 수레는 화살표 방향으로 이동하는 중이라고 가정함.)

① [가]에서 돌은 수레 진행 방향으로 미끄러지며 추진력을 만들어 낼 것이다.
② [나]에서 돌은 수레 진행 역방향으로 미끄러지고, 힘도 역방향으로 더해질 것이다.
③ [가], [나] 과정을 거치는 동안 수레의 무게 중심은 변화가 없을 것이다.
④ [가], [나] 과정에서 돌이 미끄러지는 까닭은 정지 마찰력을 극복하였기 때문일 것이다.
⑤ [가], [나] 과정을 반복한다면 수레는 운행 중 보조 동력을 꾸준히 얻을 수 있을 것이다.

8. 윗글을 바탕으로 다음 질문에 답하고자 할 때, ㉠~㉢에 들어갈 말로 적절한 것은?

> <교사의 질문> 유형거가 평지에서 급출발을 하여 언덕길을 오른 후 갈림길에서 오른쪽으로 돌았다고 할 때, 사람은 유형거의 손잡이를 어떻게 제어해야 할까요?
>
> <학생의 답변> 급출발 시에 손잡이를 올리고, 언덕길에서 손잡이를 (㉠), 갈림길에서 (㉡) 손잡이를 (㉢) 합니다.

	㉠	㉡	㉢
①	올린 후	오른쪽	눌러야
②	올린 후	오른쪽	올려야
③	올린 후	왼쪽	눌러야
④	내린 후	오른쪽	눌러야
⑤	내린 후	왼쪽	올려야

9. 문맥을 고려할 때, 밑줄 친 말이 ⓐ~ⓔ의 동음이의어가 아닌 것은?

① ⓐ: 정부는 자국 공사(公使)를 소환하려 하였다.
② ⓑ: 그는 나무를 깎는 기능(技能)을 연마하였다.
③ ⓒ: 지구의 자원을 효율적으로 운용(運用)해야 한다.
④ ⓓ: 경기장 입구는 입장(入場)하는 사람들로 북새통이다.
⑤ ⓔ: 사건을 조작(造作)하여 여론을 유리하게 돌리려 했다.

총 문항				문항	맞은 문항					문항
개별 문항	1	2	3	4	5	6	7	8	9	10
채점										
개별 문항	11	12	13	14	15	16	17	18	19	20
채점										

예술 및 복합

• 고2 국어 독서 •

예술 및 복합

출제 트렌드

예술은 음악, 미술, 건축, 공연, 사진 등 다양한 분야의 예술에 대한 이해와 예술 사조, 장르에 대한 정의, 흐름 등을 다루는 분야입니다. 예술 작품을 감상하고 비평하는 안목을 필요로 하지만 이는 수험생의 자의적 판단이 아닌 글쓴이의 입장에 따라 이루어져야 함을 명심해야 합니다. 또한 여러 작가와 작품을 비교하는 문제가 빈번하게 출제되니 공통점과 차이점을 체크해 가면서 읽어야 합니다. 예술 지문은 다른 분야의 지문에 비해 출제 빈도가 낮으며, 인문 지문과 주제 복합으로 출제되는 경우가 많습니다.

복합 지문은 인문과 과학, 과학과 기술, 인문과 예술 등 두 가지 분야가 융합된 주제를 다룹니다. 그러나 복합 지문이라고 해서 특별히 다를 것은 없으며, 의외로 구조가 단순한 경우도 많으니 다른 지문과 마찬가지로 문단별로 핵심어와 중심 내용 파악에 집중하면 됩니다.

시행	출제 지문	문제 수	난이도
2022학년도 11월 학평	정수 처리 기술	4문제 출제	★★☆
2022학년도 3월 학평	아도르노의 철학과 표현주의 회화	6문제 출제	★☆☆
2021학년도 3월 학평	플로티노스의 미학	5문제 출제	★★☆
2021학년도 3월 학평	진화론과 이타적 인간에 대한 이론	6문제 출제	★★★

1등급 꿀팁

하나 _ 예술 지문은 다른 지문에 비해 비교적 내용이 쉬우므로 실수하지 말자.
두울 _ 지문을 눈으로만 읽지 말고 밑줄과 기호 등을 적극적으로 활용하자.
세엣 _ 예술 지문에 자주 쓰이는 어휘들은 미리 배경지식으로 알아 두자.
네엣 _ 핵심 제재와 그것에 대한 설명을 놓치지 말고 이해하자.
다섯 _ 복합 지문도 결국 내용 이해와 세부 요소들 간의 관계 파악이 핵심임을 알자.
여섯 _ 지문의 구조나 내용 전개 방식, 어휘에 관한 문제는 지문을 읽으면서 동시에 풀자.
일곱 _ 추론이나 적용이 필요한 문제는 사고력을 활용하되 반드시 지문 속에서 근거를 찾도록 하자.

다음 글을 읽고 물음에 답하시오.

미의 본질에 대한 최초의 연구는 고대 그리스 피타고라스 학파에 의해서 이루어졌는데, 이들은 미가 물질적인 대상의 형식적인 구조 속에 표현되는 객관적인 법칙이라고 생각하였다. 피타고라스는 수를 이 세상의 근원으로 보았기 때문에 아름다움은 그 대상을 구성하는 여러 요소들 간의 수적인 비례에 의한 것이라는 균제 이론을 내세웠다. 피타고라스의 철학은 그 후 플라톤, 아리스토텔레스 등 서양 철학사를 주도한 이들에게 수용되어 균제 이론은 서양 미학의 하나의 전통이 되었다.

플로티노스는 몇 가지 이유를 들어 미의 본질은 균제로 대표되는 수적 비례에 있는 것이 아니라고 주장한다. 균제 이론은 부분과 부분, 또는 부분과 전체의 관계 속에서 아름다움을 찾는 것이다. 플로티노스는 균제를 이루고 있는 대상이라 하더라도 아름답지 않은 경우가 있을 수 있으며, 균제를 이루지 않는 단순한 색이나 소리도 아름다울 수 있음을 내세운다. 또한 그는 품위 있는 행동이나 훌륭한 법률과 같은 것들도 아름다울 수 있는데, 그러한 비물질적인 특질에 어떻게 균제를 적용할 수 있는지 반문한다.

미의 본질에 대한 전통적인 견해를 부정한 플로티노스는 균제를 대체할 수 있는 미의 본질을 정신에서 찾았다. 플라톤은 이 세계를 이데아계와 현상계로 나누고, 현상계는 이데아계를 본떠서 생겨난 것이라고 생각했는데, 플로티노스도 플라톤과 마찬가지로 세상을 이데아계인 예지계와 감각세계인 현상계로 구분했다. 그러나 두 세계가 근본적으로 단절되어 있다고 본 플라톤과는 달리 플로티노스는 '유출(流出)'과 '테오리아(theōria)'의 개념을 통해 이 둘이 연결되어 있다고 주장했다. 플로티노스에 의하면 세상의 근원인 '일자(一者)'는 가장 완전하고 충만한 원천으로 마치 광원(光源)과도 같아서 만물은 일자의 빛이 흘러넘침, 즉 유출에 의해 순차적으로 생성된다. 일자로부터 가장 먼저 나온 것은 절대적이며 초개별적인 '정신'이고, 정신으로부터 우주 영혼과 개별 영혼들이 산출된다. 일자, 정신, 영혼 이 세 가지 존재자들이 비물질적인 예지계를 구성한다. 이를 뒤이어 감각적 존재자들의 현상계가 출현하는데, 먼저 영혼으로부터 실재하는 감각 대상들의 세계인 자연이 유출되며, 다시 자연으로부터 가장 낮은 단계의 존재자들인 아무런 형상이 없는 질료*들이 유출된다.

ⓐ 일자에서 ⓑ 정신, ⓒ 영혼, ⓓ 자연, ⓔ 질료로의 유출은 존재의 완전성 정도에 따라 순차적으로 이루어지는 것으로 자기 동일성의 타자적 발현이라 할 수 있다. 따라서 유출로 연결된 존재 간에는 어떤 동일성이 유지되어 있으며, 위계질서를 가진다. 이처럼 예지계와 현상계는 분리되어 있는 것처럼 보이나 질적으로는 서로 연결되어 있다는 것이 플로티노스의 주장이다. 이런 생각에 의거하여 미(美)는 마치 빛이 그 광원에서 멀어질수록 밝기가 약해지듯이, 일자에서 질료로 내려갈수록 점차 추(醜)에 가까워지게 된다.

미에 대한 플로티노스의 이런 생각으로 인해 그는 예술의 가치에 대해 플라톤과 다른 입장을 취했다. 플라톤은 예술이 이데아계를 모방한 현상계를 다시 모방하는 것에 불과하다고 폄하했다. 하지만 아름다움이 실질적으로 정신에서 비롯된 것으로 보고 질적이고 정신적인 미의 중요성을 높이 평가한 플로티노스에게 예술은 모방의 모방이 아니라 정신의 아름다움과 진리를 물질화하는 것이 된다. 플로티노스에게 있어 미의 형상은 본래 정신에 있는 것이지만 예술가의 영혼에도 정신의 속성인 미의 형상이 내재해 있다. 이때 영혼 안에 있는 미의 형상을 질료에 실현시키는 것이 바로 예술이다. 그러므로 예술이란 ㉠ 귀납적 표상으로 형성되는 관념상을 그리는 행위가 아니라 선험적 관념상, 즉 ㉡ 연역적 표상을 현상계의 감각적인 것으로 유출시키는 행위인 것이다. 예술가는 이렇게 질료에 미의 형상을 부여함으로써 자연이 부족하게 가지고 있는 것을 보완한다. 그런 의미에서 플로티노스는 플라톤처럼 예술을 예지계와 현상계 다음에 위치시키지 않는다. 그에게 있어 예술은 예지계와 현상계 중간에 있는 것이다.

플로티노스는 예술을 우리 영혼이 현상계에서 일자로 올라가기 위해 딛고 서야 할 디딤돌이라고 보았다. 영혼은 근원인 일자의 속성을 지니고 있지만 동일한 근원이 다른 모습으로 나타났기에 근원에서 벗어난 것이기도 하다. 그래서 우리 인간은 자신의 영혼이 일자와 동일한 것을 공유한다는 것을 잊고 물질세계의 감각적인 것에 매몰되어 있다. 우리의 영혼이 일자와 합일해야 한다고 본 플로티노스는 영혼이 내면을 관조함으로써 자신의 근원인 일자를 상기할 수 있으며, 일자로 돌아갈 수 있다고 했다. 이렇게 일자로부터의 유출로 생성된 각 단계의 존재들이 거꾸로 예지계의 일자에게로 회귀하는 상승 운동이 '테오리아'이다. 테오리아를 위해서는 자신의 영혼에 정신의 미가 존재하고 있다는 사실부터 깨달아야 하는데, 이것을 깨닫게 해 주는 것이 바로 감각적인 미이다. 플로티노스가 예술을 중시하는 것은 예술이 미적 경험을 환기하여 테오리아를 일으키는 강력한 추동력을 갖고 있기 때문이다.

(생략)

* 질료 : 물체의 생성과 변화의 바탕이 되는 재료.

33. ⓐ ~ ⓔ에 대한 플로티노스의 생각으로 적절하지 않은 것은?

① ⓐ의 속성은 위계적 차등에 따라 ⓑ, ⓒ, ⓓ, ⓔ로 전해진다.
② ⓐ에 가까운 정도를 기준으로 하여 미, 추를 판단할 수 있다.
③ ⓐ ~ ⓔ는 동일성을 함유하면서 질적으로 서로 연결되어 있다.
④ 유출은 ⓐ에서 ⓔ로, 테오리아는 ⓔ에서 ⓐ로 향하는 방향성을 갖는다.
⑤ ⓐ, ⓑ, ⓒ의 예지계와 ⓓ, ⓔ의 현상계는 정신에 의해 상호 보완적 관계를 유지한다.

문제풀이

예술 분야 중에서도 미학에 관한 지문이 출제되면 그 성격이 인문 지문과 유사하다고 할 수 있다. 즉 플로티노스라는 학자의 관점 이해가 지문 독해의 중점이 되는 것이다. 이때 학자의 관점과 그가 제시한 개념을 묻는 33번과 같은 문제가 반드시 출제된다.

② '미(美)는 ~ 일자에서 질료로 내려갈수록 점차 추(醜)에 가까워지게 된다.'라고 한 것을 통해 플로티노스가 일자에 가까운 정도를 기준으로 미, 추를 판단할 수 있다고 보았음을 알 수 있다.

③ 일자에서 정신, 영혼, 자연, 질료로의 유출은 자기 동일성의 타자적 발현으로 그 존재들은 서로 간에 동일성이 유지되어 있으며 질적으로 연결되어 있다는 것이 플로티노스의 주장이다.

❺ 플로티노스는 예지계와 현상계가 유출과 테오리아의 개념을 통해 연결되어 있다고 주장했다. 유출은 예지계에서 현상계의 방향으로 이루어지며 각 존재 간에는 위계질서가 있다고 하였고, 테오리아는 각 단계의 존재들이 예지계의 일자에게로 회귀하는 상승 운동이라고 하였다. 따라서 예지계와 현상계가 정신에 의해 상호 보완적 관계를 유지한다고 볼 수는 없다.

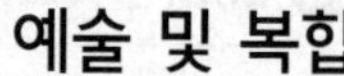

8분	2022학년도 11월 학평 22~25번	★★☆	정답 041쪽

[1~4] 다음 글을 읽고 물음에 답하시오.

오염된 물을 사용 목적에 맞게 정화하는 정수 처리 기술에서 침전 과정은 부유하는 오염 물질을 가라앉혀 물의 탁도를 제거하는 것을 목적으로 한다. 부유물이 물보다 비중이 큰 경우, 다른 물질과의 상호 작용 없이 중력만으로 가라앉힐 수 있는데 이를 '보통 침전 방식'이라고 한다. 하지만 중력만으로 침전시키기 어려운 콜로이드 입자와 같은 물질들은 화학 약품을 이용하여 입자들을 응집시켜 가라앉히는 방식을 사용하는데 이를 '약품 침전 방식'이라고 한다.

일반적으로 미세한 입자들은 입자 간의 거리가 일정 거리 이하로 좁혀지면 서로를 끌어당기는 ㉠ <u>반데르발스 힘</u>의 영향을 받아 응집하게 된다. 하지만 물속에서 부유하는 미세한 콜로이드 입자들은 수산화 이온과의 결합 등으로 인해 음(−) 전하를 띠고 있어 서로를 밀어내는 ㉡ <u>전기적 반발력</u>의 영향을 받기 때문에 일정 거리 이하로 입자들의 거리가 좁혀지지 않는다. 그 결과 콜로이드 입자들은 물속에서 균일하게 분산되어 안정성을 가지고 부유하게 된다. 이런 입자의 안정성은 물의 탁도를 높이는 주요한 원인이 된다.

약품 침전 방식에서는 응집제를 주입하여 전기적 중화 작용과 가교 작용을 통해 콜로이드 입자의 영향으로 발생한 물의 탁도를 낮추는 과정을 거치게 된다. 이때 사용된 응집제는 보편적으로 알루미늄염과 철염 등의 양이온계 응집제로 이들은 물과 화학 반응을 하면서 단계적으로 다양한 종류의 화합물을 형성하게 된다.

우선 전기적 중화 작용에서는 탁도가 높은 물에 주입된 응집제가 물과 화학 반응을 거쳐 양(+) 전하의 금속 화합물을 형성하고, 이 화합물이 음(−) 전하를 띤 콜로이드 입자와 결합하면 콜로이드 입자 간 전기적 반발력이 감소하게 된다. 그 결과 콜로이드 입자들이 불안정화되고 물 분자 운동이나 물의 흐름에 의해 움직이다가 반데르발스 힘이 작용할 정도로 가까워지게 되면 서로 응집하여 침전이 가능한 작은 플록을 형성하게 된다. 이러한 전기적 중화 작용은 응집제 주입 후 극히 단시간 안에 이루어지기 때문에 콜로이드 입자와 금속 화합물이 빠르게 결합하여 반응하게 하기 위해 물을 빠르게 젓는 급속 교반을 해야 한다.

다음으로 가교 작용에서는 전기적 중화 작용에서 형성된 작은 플록을 더 크게 만든다. 침전 속도를 높이기 위해서는 플록의 크기가 더 커져야 하는데, 반데르발스 힘만으로는 플록의 크기를 키우는 데 한계가 있기 때문이다. 응집제의 주입으로 형성된 화합물 중 긴 사슬 형태의 고분자 화합물은 플록과 플록을 연결하는 일종의 가교 역할을 하게 된다. 이런 작용을 통해 연결된 여러 플록들은 하나의 큰 플록이 되어 중력의 영향을 받아 빠르게 침전한다. 이러한 가교 작용 과정에서는 침전에 용이한 큰 플록을 만들기 위해 플록이 다른 플록과 연결될 때 접촉 시간을 늘려 주고, 연결이 깨지지 않도록 물을 천천히 저어 주어야 한다. 이를 완속 교반이라고 한다.

한편, 이와 같은 과정을 거쳐 탁도가 낮아진 물에, 전기적 중화 작용과 가교 작용에서 반응하지 못한 응집제가 많이 남아 있게 되면 전기적으로 중화되었던 콜로이드 입자들이 오히려 양(+) 전하를 띠게 된다. 이를 전하 역전 현상이라고 한다. 이렇게 되면 콜로이드 입자들이 재안정화되면서 물의 탁도는 다시 높아진다. 이 상태에서 여분의 응집제는 물과 화학 반응을 통해 최종적으로 침전성 금속 화합물을 형성하게 되고, 이 화합물은 마치 그물망처럼 콜로이드 입자들을 흡착하면서 가라앉는데 이를 체 거름 현상이라고 한다.

1. 윗글에서 알 수 있는 내용으로 적절하지 <u>않은</u> 것은?

① 급속 교반은 콜로이드 입자와 금속 화합물의 결합을 촉진한다.
② 약품 침전 방식은 콜로이드 입자의 응집을 위해 화학 약품을 이용한다.
③ 부유물의 비중이 물보다 큰 경우 중력만으로 부유물을 침전시킬 수 있다.
④ 물을 빠르게 저어 플록끼리 접촉할 시간을 늘리면 체 거름 현상이 나타난다.
⑤ 양이온계 응집제는 물과 화학 반응하여 다양한 종류의 화합물을 형성한다.

2. ㉠, ㉡에 대한 이해로 가장 적절한 것은?

① ㉠은 입자가 일정 거리 안에서 서로를 밀어내는 힘이라고 할 수 있다.
② ㉠은 입자가 물속에서 균일하게 분산할 수 있게 해 주는 힘이라고 할 수 있다.
③ ㉡은 입자 간의 거리가 멀어지면 발생하는 힘이라고 할 수 있다.
④ ㉡은 입자가 띠고 있는 전하의 성질로 인해 작용하는 힘이라고 할 수 있다.
⑤ ㉠과 ㉡은 모두 입자가 이온과 결합할 때 형성되는 힘이라고 할 수 있다.

3. <보기>는 응집제의 투입에 따른 물의 탁도 변화를 설명하기 위한 그래프이다. 윗글을 읽은 학생들이 <보기>에 대해 보인 반응으로 적절하지 않은 것은? [3점]

〈보 기〉

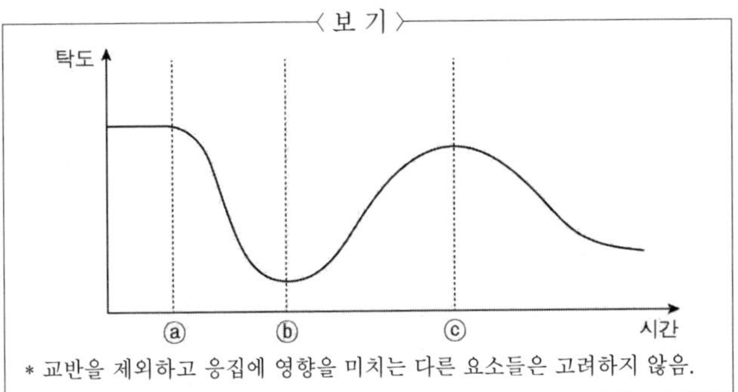

* 교반을 제외하고 응집에 영향을 미치는 다른 요소들은 고려하지 않음.

① ⓐ에서 주입된 응집제는 ⓐ와 ⓑ 사이에서 콜로이드 입자 간의 거리를 좁히는 작용을 하겠군.
② ⓐ와 ⓑ 사이에서 형성된 고분자 화합물은 플록과 플록을 연결하여 침전에 용이한 큰 플록을 만들겠군.
③ ⓐ와 ⓑ 사이에서 탁도가 급속하게 낮아진 것은 가교 작용으로 형성된 플록의 침전 속도가 높아졌기 때문이라고 할 수 있겠군.
④ ⓑ와 ⓒ 사이에서 탁도가 다시 높아진 것은 ⓐ에서 주입된 응집제가 전기적 중화 작용과 가교 작용에서 반응하지 못하고 남아 있는 것이 원인으로 작용했기 때문이겠군.
⑤ ⓒ 이후 탁도가 낮아지는 것은 ⓑ에서 형성된 긴 사슬 형태의 화합물이 콜로이드 입자들과 흡착하여 침전했기 때문이겠군.

4. <보기>는 윗글을 읽은 학생이 정리한 내용의 일부이다. ㉮~㉱에 들어갈 말로 적절한 것은?

〈보 기〉

오염된 물에 존재하는 콜로이드 입자는 수산화 이온과의 결합 등의 원인으로 (㉮)된 상태에서 부유한다. 응집제를 주입하면 (㉯)이/가 일어나고 콜로이드 입자는 (㉰)된다. 응집제를 과다하게 주입하면 (㉱)이/가 나타난다.

	㉮	㉯	㉰	㉱
①	안정화	전하 역전	불안정화	전기적 중화
②	불안정화	전기적 중화	안정화	전하 역전
③	안정화	전기적 중화	불안정화	전하 역전
④	불안정화	전하 역전	안정화	전기적 중화
⑤	안정화	전기적 중화	불안정화	전기적 중화

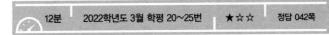

12분 | 2022학년도 3월 학평 20~25번 | ★☆☆ | 정답 042쪽

【5~10】 다음 글을 읽고 물음에 답하시오.

(가)

16~18세기 유럽의 계몽주의는 구시대의 권위에 반대하여 합리적 이성을 통해 인류의 진보를 꾀하려 한 이념이다. 이는 17세기 과학 혁명과 함께 근대의 시작을 알리며, 중세의 어둠에서 벗어난 서구인들에게 이성에 기초한 사회야말로 인류에게 자유와 풍요를 선사할 것이라는 희망을 안겨 주었다. 그러나 아도르노는 "완전히 계몽된 지구에는 재앙의 ⓐ <u>징후</u>만이 빛나고 있다."라고 하며 계몽에 대해 다른 입장을 제시하였다.

아도르노는 계몽의 전개를, '자연에 대한 지배'와 '인간에 대한 지배'에서, '인간의 내적 자연에 대한 지배'로 이어지는 과정으로 설명하였다. 첫 번째 단계인 자연에 대한 지배는 인간이 자연의 위협에서 벗어나 자기 보존을 꾀하기 위해 자연을 지배하는 것이다. 뉴턴에 의해 완성된 근대 과학 혁명은 사람들로 하여금 미신과 환상에서 벗어나 자연에 대한 합리적이고 경험적인 지식을 갖게 하였다. 이를 무기로 인간은 지배와 피지배라는 사회적 관계를 공고히 하여 자연에 맞서는 집단적 힘을 키움으로써 자연을 지배할 수 있게 되었다.

그런데 사회적 지배 양식이 강화되면서 계몽의 두 번째 단계인 인간에 대한 지배로 이어진다. 이 과정에서 이성은 사물의 본질을 인식하는 본연의 기능에서 벗어나, 인간과 자연을 지배하기 위한 도구적 이성으로 변질된다. 이는 합리성이라는 ⓑ <u>미명</u> 아래 오로지 목적 달성을 위한 도구로 사용되는 이성이라 할 수 있다. 사회 전체가 도구적 이성에 의해 총체적으로 관리되면서, 개인은 자율성과 비판적 사유 능력을 상실한 채 목적 달성을 위한 수단으로 전락하였다. 그 결과 사회는 점차 전체를 위해 개인의 자유와 권리를 억압하는 전체주의적 경향을 띠게 되었다.

자연과 인간 사회의 지배자가 된 인간은, 계몽의 마지막 단계로 인간의 내적 자연마저 지배하게 된다. 내적 자연이란, 감정이나 욕망과 같이 인간의 내면에 있는 자연적 요소를 말한다. 이는 비합리적일 뿐만 아니라 목적 달성의 방해 요소라고 여겨졌으므로 사회적으로 통제 가능한 합리적 주체가 되기 위해 인간은 스스로 내적 자연을 억압해야만 했다. 역설적이게도 자연에 대한 폭력적 지배가 인간 스스로에 대한 폭력적 지배로 ⓒ <u>귀결</u>된 것이다. 그로 인해 인간은 존재의 허무감이나 자기 소외로 인한 불안과 절망을 감당해야 했다. 아도르노는 『오디세이아』에 나오는 [세이렌의 일화]를 계몽의 전개 과정이 집약적으로 드러난 알레고리*로 보고 그 과정을 설명하였다.

이처럼 아도르노는 근대 문명이 파국으로 치닫게 된 원인을 계몽의 전개 과정, 즉 인간의 자기 보존에서 시작되어 자연에 대한 지배와 인간의 내적 자연에 대한 지배로까지 이어진 결과로 보았다. 특히 인간의 자율성을 억압하는 전체주의, 히틀러에 의한 나치즘과 유대인 학살은, 지배 논리로 전화(轉化)* 된 근대 이성이 얼마나 폭력적이고 비합리적일 수 있는지 단적으로 보여 준다. 이러한 관점에서 아도르노는 ㉠ <u>"이성의 차가운 빛 아래 새로운 야만의 싹이 자라난다."</u>라며 애도하였다.

* 알레고리: A를 말하기 위해 B를 사용하여 그 유사성을 적절히 암시하면서 A를 상징적으로 나타내는 방법.

V

* 전화 : 질적으로 바뀌어서 달리 됨.

(나)

고대의 신화, 그리고 중세의 신 중심의 사고에서 벗어난 근대 서구인들에게 이성은 인류를 구원할 빛이자 진리였다. 그러나 이성을 ⓓ 맹신한 결과 전쟁의 비극과 물질문명의 병폐를 경험한 유럽인들은, 이성에 대한 깊은 회의감과 함께 인간의 실존 문제에 관심을 갖게 되었다. 특히 전쟁의 소용돌이 한가운데 있던 독일의 젊은 예술가들은 사회·정치적 긴장 상태에 항거하며, 그동안 근대 이성의 그늘에 가려 소외되어 왔던 인간의 내면을 회화를 통해 분출하고자 하였는데, 이러한 예술 운동을 표현주의라고 부른다.

표현주의는 한 마디로 '감정을 표현한다.'라는 의미이다. 기존의 사실주의 회화가 대상을 있는 그대로 표현하려고 한 반면, 표현주의 회화는 눈에 보이는 대상의 모습이 아닌 작가의 감정이나 내면 등을 표현하려고 하였다. 표현주의 화가인 마티스는 『화가 노트』에서 "회화는 결국 표현이다."라고 주장하면서, 표현이 눈으로 본 것을 눈에 전달하는 것이 아니라 마음으로 느낀 것을 마음에 전달하는 수단임을 강조하였다. 이는 회화의 기본 목적이 대상을 사실적으로 재현하는 것이라는 전통적 규범을 거부하였다는 점에서 아방가르드* 운동의 일종이라 할 수 있다.

표현주의는 화가의 감정을 표현하는 데 중점을 두기 때문에 대상의 색이나 형태가 왜곡되어 나타난다는 특징이 있다. 특히 색의 경우, 각각의 색감이 주는 주관적 느낌을 통해 작가가 느끼는 감정이나 감각을 표현하려 하였다. 따라서 표현주의 작품에서는 사물이 갖는 고유한 색은 무시된 채 내면을 드러내기 위해 작가가 자의적으로 선택한 색이 사용되었다. 또한 순간적으로 분출되는 강렬한 감정을 포착하는 과정에서, 다소 과장되고 거친 붓놀림이 특징적으로 나타났다. 이러한 방법을 통해 표현주의는 전쟁 이후 사회의 불안감이나 인간의 근원적 고통을 화폭에 담아내었다.

표현주의는 ⓔ 도외시되어 온 인간의 감정을 표현하려 했다는 점에서, 회화의 영역을 대상의 외면에 국한하지 않고 인간의 내면까지 확장시킨 운동으로 평가받았다. 이는 훗날 선이나 형, 색 등의 조형 요소를 통해 작가의 감정을 표현하는 현대 추상 미술이 등장하는 기반이 되었다.

* 아방가르드 : 기성의 예술 관념이나 형식을 부정하고 혁신적 예술을 주장한 예술 운동.

5. (가)와 (나)의 공통점으로 가장 적절한 것은?

① 근대 사회에 내재된 여러 문제와 이의 해결 방안을 분석하고 있다.
② 근대 사회가 발전하게 된 과정을 예술적 관점에서 고찰하고 있다.
③ 근대 사회의 부정적인 측면에 대한 비판적인 입장을 제시하고 있다.
④ 근대 사회의 특성을 상반된 관점에서 분석한 두 이론을 소개하고 있다.
⑤ 근대 사회의 과학 혁명을 이어 가기 위한 당시 사람들의 노력을 설명하고 있다.

6. ㉠과 같이 말한 의도로 가장 적절한 것은?

① 계몽에 대한 반작용으로 다시 자연으로 회귀하려는 사회적 움직임을 옹호하고 있다.
② 인류의 진보를 지향했던 계몽주의가 인류의 자율성을 억압하는 방향으로 역행한 것을 경고하고 있다.
③ 신화적 상상력을 기반으로 인간이 자연을 지배하는 과정에서 이성의 힘이 약화되는 것을 우려하고 있다.
④ 인간 소외 문제를 해결해야 한다는 사회적 요구를 반영하여 인간의 집단적 힘이 필요함을 제안하고 있다.
⑤ 근대 문명의 추악한 현실을 극복하기 위해 인간의 자기 보존에 대한 욕망을 회복해야 함을 강조하고 있다.

7. (가)의 내용을 고려할 때 <보기>의 Ⓐ, Ⓑ에 해당하는 단계로 가장 적절한 것은?

< 보 기 >

아도르노는 인간을 유혹해 제물로 삼는 세이렌을 자연의 위협으로 보고, 오디세우스가 여기에서 벗어나는 과정을 계몽의 전개 과정과 연계하여 설명하였다.

세이렌의 일화

바다 요정 세이렌은 섬을 지나는 사람들을 아름다운 노랫소리로 유혹해 제물로 삼는다. 세이렌의 유혹에 빠지지 않고 섬을 지나기 위해 Ⓐ 오디세우스는 부하들의 귀를 밀랍으로 막아 아무 소리도 듣지 못하게 만들고, 노를 저어 섬을 지나갈 것을 지시한다. 그리고 Ⓑ 아름다운 노랫소리의 유혹에 빠지려는 욕망을 스스로 억압하기 위해 돛대에 자신의 몸을 묶어 움직이지 못하게 한다. 세이렌의 섬을 지날 때 노랫소리가 들려오자 오디세우스는 이성을 잃고 풀어 달라고 애원하지만, 부하들은 아무 소리도 듣지 못한 채 힘차게 노를 저어 무사히 섬을 지나간다.

	Ⓐ	Ⓑ
①	인간에 대한 지배	자연에 대한 지배
②	인간에 대한 지배	내적 자연에 대한 지배
③	내적 자연에 대한 지배	인간에 대한 지배
④	내적 자연에 대한 지배	자연에 대한 지배
⑤	자연에 대한 지배	인간에 대한 지배

8. (나)에서 알 수 있는 내용으로 적절하지 않은 것은?

① 근대 이성에 회의를 느낀 유럽인들은 인간 실존의 문제에 관심을 갖게 되었다.
② 표현주의는 전쟁을 경험한 독일의 젊은 예술가들을 중심으로 등장한 예술 운동이다.
③ 마티스에 의하면 표현의 의미는 눈으로 본 것을 눈에 전달하는 수단이라 할 수 있다.
④ 표현주의는 대상의 외면에만 국한하지 않고 인간의 감정까지 다루었다는 평가를 받는다.
⑤ 표현주의는 대상을 사실적으로 재현하지 않았다는 점에서 당시 혁신적인 예술 운동이었다.

9. (가)의 '아도르노'와 (나)의 '표현주의'의 관점에서 <보기>의 작품을 감상한 내용으로 적절하지 않은 것은? [3점]

< 보 기 >

표현주의의 작가인 뭉크의 작품 「절규」에서는, 해골의 형상을 한 남자가 공포에 가득 찬 표정으로 귀를 틀어막으며 비명을 지르고 있다. 그 뒤로 핏빛으로 물든 하늘과 검은색 강물을 꿈틀거리듯 왜곡하여 표현함으로써 존재의 허무감에서 오는 불안과 고통을 감상자들이 그대로 느낄 수 있도록 하였다.

뭉크, 「절규」

① (가) : 작가가 표현하려고 한 감정은 근대 이성에 의해 억눌려 온 인간의 내적 자연으로 볼 수 있겠군.
② (가) : 작가가 전달하는 불안과 고통은 이성이 팽배했던 근대 사회에서 한 개인이 느꼈던 존재의 허무감과 관련이 있다고 볼 수 있겠군.
③ (나) : 해골 형상과 꿈틀거리는 강물은 작가가 느끼는 공포를 표현하기 위해 의도적으로 형태를 왜곡한 것이라고 볼 수 있겠군.
④ (나) : 비명을 지르는 남자의 모습을 회화적 전통에 따라 표현함으로써 감상자도 그 고통을 그대로 느끼게 한 것으로 볼 수 있겠군.
⑤ (나) : 강물의 검은색은 실제 색이라기보다는 작가가 느끼는 고통을 효과적으로 표현하기 위해 자의적으로 선택한 색이 사용된 것으로 볼 수 있겠군.

10. ⓐ~ⓔ의 사전적 의미로 적절하지 않은 것은?

① ⓐ : 겉으로 나타나는 낌새.
② ⓑ : 어떤 사실을 자세히 따져서 바로 밝힘.
③ ⓒ : 어떤 결말이나 결과에 이름.
④ ⓓ : 옳고 그름을 가리지 않고 덮어놓고 믿는 일.
⑤ ⓔ : 상관하지 아니하거나 무시함.

V

총 문항				문항	맞은 문항					문항
개별 문항	1	2	3	4	5	6	7	8	9	10
채점										
개별 문항	11	12	13	14	15	16	17	18	19	20
채점										

10분
2021학년도 3월 학평 32~36번
★★☆
정답 043쪽

【1~5】 다음 글을 읽고 물음에 답하시오.

미의 본질에 대한 최초의 연구는 고대 그리스 피타고라스학파에 의해서 이루어졌는데, 이들은 미가 물질적인 대상의 형식적인 구조 속에 표현되는 객관적인 법칙이라고 생각하였다. 피타고라스는 수를 이 세상의 근원으로 보았기 때문에 아름다움은 그 대상을 구성하는 여러 요소들 간의 수적인 비례에 의한 것이라는 균제 이론을 내세웠다. 피타고라스의 철학은 그 후 플라톤, 아리스토텔레스 등 서양 철학사를 주도한 이들에게 수용되어 균제 이론은 서양 미학의 하나의 전통이 되었다.

플로티노스는 몇 가지 이유를 들어 미의 본질은 균제로 대표되는 수적 비례에 있는 것이 아니라고 주장한다. 균제 이론은 부분과 부분, 또는 부분과 전체의 관계 속에서 아름다움을 찾는 것이다. 플로티노스는 균제를 이루고 있는 대상이라 하더라도 아름답지 않은 경우가 있을 수 있으며, 균제를 이루지 않는 단순한 색이나 소리도 아름다울 수 있음을 내세운다. 또한 그는 품위 있는 행동이나 훌륭한 법률과 같은 것들도 아름다울 수 있는데, 그러한 비물질적인 특질에 어떻게 균제를 적용할 수 있는지 반문한다.

미의 본질에 대한 전통적인 견해를 부정한 플로티노스는 균제를 대체할 수 있는 미의 본질을 정신에서 찾았다. 플라톤은 이 세계를 이데아계와 현상계로 나누고, 현상계는 이데아계를 본떠서 생겨난 것이라고 생각했는데, 플로티노스도 플라톤과 마찬가지로 세상을 이데아계인 예지계와 감각세계인 현상계로 구분했다. 그러나 두 세계가 근본적으로 단절되어 있다고 본 플라톤과는 달리 플로티노스는 '유출(流出)'과 '테오리아(theōria)'의 개념을 통해 이 둘이 연결되어 있다고 주장했다. 플로티노스에 의하면 세상의 근원인 '일자(一者)'는 가장 완전하고 충만한 원천으로 마치 광원(光源)과도 같아서 만물은 일자의 빛이 흘러넘침, 즉 유출에 의해 순차적으로 생성된다. 일자로부터 가장 먼저 나온 것은 절대적이며 초개별적인 '정신'이고, 정신으로부터 우주 영혼과 개별 영혼들이 산출된다. 일자, 정신, 영혼 이 세 가지 존재자들이 비물질적인 예지계를 구성한다. 이를 뒤이어 감각적 존재자들의 현상계가 출현하는데, 먼저 영혼으로부터 실재하는 감각 대상들의 세계인 자연이 유출되며, 다시 자연으로부터 가장 낮은 단계의 존재자들인 아무런 형상이 없는 질료*들이 유출된다.

ⓐ <u>일자</u>에서 ⓑ <u>정신</u>, ⓒ <u>영혼</u>, ⓓ <u>자연</u>, ⓔ <u>질료</u>로의 유출은 존재의 완전성 정도에 따라 순차적으로 이루어지는 것으로 자기 동일성의 타자적 발현이라 할 수 있다. 따라서 유출로 연결된 존재 간에는 어떤 동일성이 유지되어 있으며, 위계질서를 가진다. 이처럼 예지계와 현상계는 분리되어 있는 것처럼 보이나 질적으로는 서로 연결되어 있다는 것이 플로티노스의 주장이다. 이런 생각에 의거하여 미(美)는 마치 빛이 그 광원에서 멀어질수록 밝기가 약해지듯이, 일자에서 질료로 내려갈수록 점차 추(醜)에 가까워지게 된다.

미에 대한 플로티노스의 이런 생각으로 인해 그는 예술의 가치에 대해 플라톤과 다른 입장을 취했다. 플라톤은 예술이 이데아계를 모방한 현상계를 다시 모방하는 것에 불과하다고 폄하했다. 하지만 아름다움이 실질적으로 정신에서 비롯된 것으로 보고 질적이고 정신적인 미의 중요성을 높이 평가한 플로티노스에게 예술은 모방의 모방이 아니라 정신의 아름다움과 진리를 물질화하는 것이 된다. 플로티노스에게 있어 미의 형상은 본래 정신에 있는 것이지만 예술가의 영혼에도 정신의 속성인 미의 형상이 내재해 있다. 이때 영혼 안에 있는 미의 형상을 질료에 실현시키는 것이 바로 예술이다. 그러므로 예술이란 ㉠ <u>귀납적 표상으로 형성되는 관념상을 그리는 행위</u>가 아니라 선험적 관념상, 즉 ㉡ <u>연역적 표상을 현상계의 감각적인 것으로 유출시키는 행위</u>인 것이다. 예술가는 이렇게 질료에 미의 형상을 부여함으로써 자연이 부족하게 가지고 있는 것을 보완한다. 그런 의미에서 플로티노스는 플라톤처럼 예술을 예지계와 현상계 다음에 위치시키지 않는다. 그에게 있어 예술은 예지계와 현상계 중간에 있는 것이다.

플로티노스는 예술을 우리 영혼이 현상계에서 일자로 올라가기 위해 딛고 서야 할 디딤돌이라고 보았다. 영혼은 근원인 일자의 속성을 지니고 있지만 동일한 근원이 다른 모습으로 나타났기에 근원에서 벗어난 것이기도 하다. 그래서 우리 인간은 자신의 영혼이 일자와 동일한 것을 공유한다는 것을 잊고 물질세계의 감각적인 것에 매몰되어 있다. 우리의 영혼이 일자와 합일해야 한다고 본 플로티노스는 영혼이 내면을 관조함으로써 자신의 근원인 일자를 상기할 수 있으며, 일자로 돌아갈 수 있다고 했다. 이렇게 일자로부터의 유출로 생성된 각 단계의 존재들이 거꾸로 예지계의 일자에게로 회귀하는 상승 운동이 '테오리아'이다. 테오리아를 위해서는 자신의 영혼에 정신의 미가 존재하고 있다는 사실부터 깨달아야 하는데, 이것을 깨닫게 해 주는 것이 바로 감각적인 미이다. 플로티노스가 예술을 중시하는 것은 예술이 미적 경험을 환기하여 테오리아를 일으키는 강력한 추동력을 갖고 있기 때문이다.

이처럼 예술가의 내면, 나아가 그 원형인 정신세계의 아름다움을 담은 예술의 가치를 높이 평가한 플로티노스의 미 이론은 인간의 영혼과 초월적인 존재의 신성함을 표현하려 했던 중세의 비잔틴 예술을 탄생하게 했다. 또한 가시적인 외부 세계의 재현을 부정하고 현실 세계에서 벗어난 예술을 이해할 수 있는 단초를 제공하였다는 점에서 그의 미 이론은 낭만주의와 현대 추상 회화의 근본을 마련하였다는 평가를 받는다.

* 질료 : 물체의 생성과 변화의 바탕이 되는 재료.

1. 윗글에서 언급된 내용이 <u>아닌</u> 것은?

① 미에 대한 피타고라스학파의 인식
② 플로티노스가 분류한 예술의 유형
③ 균제 이론에 대한 플로티노스의 시각
④ 플라톤과 플로티노스 예술관의 차이
⑤ 플로티노스의 미 이론이 지니는 의의

2. ⓐ~ⓔ에 대한 플로티노스의 생각으로 적절하지 <u>않은</u> 것은?

① ⓐ의 속성은 위계적 차등에 따라 ⓑ, ⓒ, ⓓ, ⓔ로 전해진다.
② ⓐ에 가까운 정도를 기준으로 하여 미, 추를 판단할 수 있다.
③ ⓐ~ⓔ는 동일성을 함유하면서 질적으로 서로 연결되어 있다.
④ 유출은 ⓐ에서 ⓔ로, 테오리아는 ⓔ에서 ⓐ로 향하는 방향성을 갖는다.
⑤ ⓐ, ⓑ, ⓒ의 예지계와 ⓓ, ⓔ의 현상계는 정신에 의해 상호 보완적 관계를 유지한다.

3. 윗글의 '피타고라스', '플라톤', '플로티노스'가 <보기>에 대해 보일 수 있는 반응으로 적절하지 <u>않은</u> 것은?

< 보 기 >

기원전 1~2세기 경에 만들어진 것으로 알려진 「밀로의 비너스」 석상은 양팔이 잘려 있는 모습으로 발견되었는데, 이데아계에 존재하는 비너스 여신의 모습을 키가 머리 길이의 8배를 이루는 황금비율로 형상화하였다.

① 피타고라스는 비너스 석상이 황금비율이라는 수적 비례를 지켰기에 미의 본질을 구현했다고 평가했겠군.
② 플라톤은 이데아계와 현상계는 단절되었기 때문에 이데아계의 여신을 비너스 석상과 동일시할 수 없다고 보았겠군.
③ 플라톤은 비너스 석상은 이데아계를 직접 모방한 것으로 인간에게 이데아계를 지향하게 하는 작품이라고 인정했겠군.
④ 플로티노스는 비너스 석상이 감상자로 하여금 일자로 회귀하는 테오리아를 일으킨다는 점에서 높게 평가했겠군.
⑤ 플로티노스는 돌을 질료로 하여 예술가가 자신의 영혼에 내재된 미를 비너스 석상으로 형상화한 것으로 인식했겠군.

4. 윗글의 '플로티노스'와 <보기>의 '칸딘스키'의 공통된 예술관으로 가장 적절한 것은?

< 보 기 >

칸딘스키의 추상은 세잔, 입체파, 몬드리안 식의 그것과는 다르다. 그의 추상은 사물의 단계적 단순화로 시작하여 종국에 그 본원적 모습을 밝히는 것이 아니라 직관적인 방법으로 정신이나 초월적인 것을 구현해 내기 위한 것이었다. 그에게 있어 예술은 형이상학적 관념을 구현하는 것으로 예술가는 그것의 발견자 내지 전달자이다.

① 정신의 아름다움과 진리를 질료를 통해 물질화할 수 없다고 본 점
② 예술이 바람직한 삶의 자세에 대한 형이상학적 깨달음을 줄 수 있다고 본 점
③ 객관적인 법칙이 형식적인 구조 속에 표현될 때 미적 가치가 구현될 수 있다고 본 점
④ 초월적인 존재의 미적 가치를 드러내기 위해서는 감각적 미를 탈피해야 한다고 본 점
⑤ 예술의 본질이 현실 세계에서 감각적으로 지각되지 않는 관념을 표현하는 데 있다고 본 점

5. 다음은 윗글의 ㉠, ㉡과 관련한 독서 활동 과정이다. 과제 해결 단계의 (A), (B)에 들어갈 말로 적절한 것은? [3점]

과제 설정	• 글의 맥락을 고려할 때 ㉠, ㉡의 의미는 무엇일까?
자료 조사	• 백과사전에서 '귀납', '연역', '표상'의 의미 찾기 <귀납> - 개개의 현상으로부터 보편적 원리를 도출하는 것 <연역> - 보편적 원리로부터 개개의 현상을 이끌어내는 것 <표상> - 마음이나 의식에 나타나는 것
의미 구성	• 조사 내용을 바탕으로 의미 구성해 보기 ㄱ. 현상계의 경험에서 도출한 보편적 미를 형상화하는 행위 ㄴ. 일자에서 비롯된 미의 형상을 발견해 질료에 담는 행위 ㄷ. 질료의 형식적 구조에서 비물질적 특성을 도출하는 행위 ㄹ. 영혼이 내면을 관조하여 자연에 존재하는 미를 발견하는 행위
과제 해결	• 구성 내용 중 적절한 것을 골라 과제 해결하기 → ㉠은 (A)이고, ㉡은 (B)이다.

	(A)	(B)
①	ㄱ	ㄴ
②	ㄱ	ㄷ
③	ㄴ	ㄷ
④	ㄴ	ㄹ
⑤	ㄷ	ㄹ

V

13분 | 2021학년도 3월 학평 37~42번 | ★★★ | 정답 044쪽

【6~11】 다음 글을 읽고 물음에 답하시오.

(가)

다윈은 같은 종에 속하는 개체들이 생존 경쟁에서 살아남아 번식하면 그 형질 중 일부가 자손에게 전달돼 진화가 일어난다는 '자연 선택설'을 주장하였다. 그런데 개체가 다른 개체들과의 생존 경쟁에서 이기기 위해서는 이기적인 행동을 할 수밖에 없지만, 자연계에서는 동물들의 이타적 행동이 자주 ⓐ 관찰된다. 이에 진화론을 옹호하는 학자들은 동물의 이타적 행동을 설명하는 이론을 제시하였다.

해밀턴은 개체들의 이타적 행동은 자신과 같은 유전자를 공유하는 친족들의 생존과 번식에 도움을 줌으로써 자신의 유전자를 후세에 많이 전달하기 위한 행동이라는 ㉮ 혈연 선택 가설을 제시하였다. ㉠ 해밀턴의 법칙에 의하면, '$r \times b - c > 0$'을 만족할 때 개체의 이타적 유전자가 진화한다. 이때 'r'은 유전적 근연도로 이타적 행위자와 이의 수혜자가 유전자를 공유할 확률을, 'b'는 이타적 행위의 수혜자가 얻는 이득을, 'c'는 이타적 행위자가 ⓑ 감수하는 손실을 의미한다. 부나 모가 자식과 같은 유전자를 공유할 확률은 50%이고, 형제자매 간에 같은 유전자를 공유할 확률도 50%이다. r은 2촌인 형제자매를 기준으로 1촌이 늘어날 때마다 반씩 준다. 가령, 행위자가 세 명의 형제를 구하고 죽는다면 '$0.5 \times 3 - 1 > 0$'이므로 행위자의 유전자는 그의 형제들을 통해 다음 세대로 퍼지게 된다. 이러한 해밀턴의 이론은 유전자의 개념으로 동물의 이타적 행동을 설명한 것으로, 이타적 행동의 진화에 얽힌 수수께끼를 푸는 중요한 열쇠로 평가된다.

도킨스는 ㉯『이기적 유전자』에서 동물의 이타적인 행동은 유전자가 다른 유전자와의 생존 경쟁에서 살아남아 더 많은 자신의 복제본을 퍼뜨리기 위한 행동이라고 설명하였다. 그에 따르면 유전자란 다음 세대에 다른 DNA 서열로 대체될 수 있는 DNA 단편으로, 염색체상에서 임의의 어떤 DNA 단편은 그와 동일한 위치나 순서에 있는 다른 유전자들과 경쟁 관계에 있다. 그는 다윈과 같은 기존의 진화론자와 달리 생존 경쟁의 주체를 유전자로 보고 개체는 단지 그러한 유전자를 다음 세대로 전달하는 운반체에 불과하다고 보았다. 그러므로 이타적으로 보이는 개체의 행동은 겉보기에만 그럴 뿐, 실은 유전자가 다른 DNA와의 생존 경쟁에서 이기기 위한 이기적인 행동인 셈이다. 이러한 도킨스의 이론은 유전자의 이기성으로 동물의 여러 행동을 설명하여 과학계에 큰 반향을 불러일으켰으나, 개체를 단순히 유전자의 생존을 돕는 수동적 존재로 보았다는 점에서 비판을 받기도 하였다.

(나)

경제학적 관점에서 이타적 행동이란 자신의 손해를 감수하면서 타인에게 이익을 주는 행동이기 때문에 이기적 사람들과 이타적 사람들이 공존할 경우 이타적 사람들은 자연히 ⓒ 도태될 수밖에 없다. 그럼에도 불구하고 우리 주변에는 여전히 이타적 행동을 하는 사람들이 존재한다. 이에 대해 최근 진화적 게임 이론에서는 '반복-상호성 가설'과 '집단 선택 가설'을 통해 사람들이 이타적 행동을 하는 이유 및 이타적 인간이 진화하는 이유에 대해 설명하고 있다.

㉰ 반복-상호성 가설에서는 자신이 이기적으로 행동할 경우 상대방도 이기적인 행동으로 보복할 수 있기 때문에 이를 피하기 위해 이타적 행동을 한다고 주장하는데, 이를 게임 이론 중 하나인 [TFT 전략]으로 설명한다. TFT 전략이란 상대방이 협조할지 배신할지 모르고 선택이 매회 동시에 일어나는 상황에서 처음에는 무조건 상대방에게 협조하고 그다음부터는 상대방이 바로 전에 사용한 방법을 모방하는 전략이다. 즉 상대방이 이타적으로 행동하면 자신도 이타적으로, 상대방이 이기적으로 행동하면 자신도 이기적으로 행동하는 것이다. 이러한 행동이 반복되면 점점 상대방의 배신 횟수는 줄고 협조 횟수는 늘어 서로에게 이득이 되는 결과를 얻게 된다. 반복-상호성 가설은 혈연관계가 아닌 사람들 사이의 이타적 행동을 설명하는 데 ⓓ 유용하지만 반복적이지 않은 상황에서 나타나는 이타적 행동을 설명하는 데는 한계가 있다.

㉱ 집단 선택 가설에서는 이타적 구성원이 많은 집단이 그렇지 않은 집단과의 생존 경쟁에 유리하기 때문에 이타적 인간이 진화한다고 설명한다. 개인 간의 생존 경쟁에서 우월한 개인이 생존하는 개인 선택에서는 이기적 인간이 살아남는 데 유리하지만, 집단 간의 생존 경쟁에서 우월한 집단이 생존하는 집단 선택에서는 이타적 구성원이 많은 집단일수록 식량을 구하거나 다른 집단과의 분쟁에 효과적으로 ⓔ 대응할 수 있기 때문에 생존할 확률이 높다. 따라서 집단 선택에 의해 이타적인 구성원이 많은 집단이 생존하게 되면 자연히 이를 구성하는 이타적 인간도 진화하게 된다. 실제로 인류는 혹독한 빙하기를 거쳐 살아남은 존재라는 점에서 집단 선택 가설은 설득력을 얻는다. 하지만 이타적인 구성원이 많은 집단이라 하더라도 그 안에는 이기적인 구성원도 함께 존재하기 마련이다. 그러므로 집단 선택에 의해서 이타적인 구성원이 진화하기 위해서는 ㉡ 집단 선택이 일어나는 속도가 개인 선택이 일어나는 속도를 압도해야 한다. 그러나 사회생물학에서는 집단 선택의 속도가 현저하게 느리다는 점을 들어 집단 선택 가설은 논리적으로만 가능할 뿐이라고 비판하고 있다. 이에 대해 최근 집단 선택 가설에서는 개인 선택이 일어나는 속도를 늦추고 집단 선택의 효과를 높이는 장치로서 법과 관습과 같은 제도에 주목하면서, 집단 선택의 유효성을 높일 수 있는 방안에 대해서도 연구를 진행하고 있다.

6. (가)와 (나)의 서술상의 공통점으로 가장 적절한 것은?

① 이타적 행동을 설명하는 대립된 이론을 절충하고 있다.
② 이타적 행동을 정의한 후 구체적 유형을 분류하고 있다.
③ 이타적 행동에 관한 이론들을 통시적으로 고찰하고 있다.
④ 이타적 행동을 설명하는 이론의 발전 방향을 전망하고 있다.
⑤ 이타적 행동에 관한 이론과 그에 대한 평가를 제시하고 있다.

7. ㉠을 이해한 내용으로 적절하지 않은 것은?

① 유전적 근연도에 초점을 맞춰 이타적 행위를 설명하고 있다.
② 개체의 이기적 행동에 숨겨진 이타적 동기에 대해 설명하고 있다.
③ 이타적 행위자와 그의 수혜자가 삼촌 관계일 경우 r은 0.25가 된다.
④ 이타적 행위자와 수혜자가 부모 자식이나 형제자매 관계일 경우 r은 같다.
⑤ 이타적 행위자와 그의 수혜자가 혈연관계일 때, b와 c가 같으면 이타적 유전자가 진화하지 않는다.

8. (나)의 TFT 전략을 참고할 때 <보기>의 질문에 대한 답으로 적절한 것은?

< 보 기 >

다음은 A와 B의 협조 여부에 따른 보수(편익과 비용의 합)를 행렬로 나타낸 것이다. A와 B가 상대방의 선택을 모르고 선택이 동시에 이루어지는 상황에서 A만 'TFT 전략'을 사용한다고 가정하자. B가 첫 회에만 비협조 전략을 사용한다면, B가 두 번째 회까지 얻게 되는 보수의 합은 얼마인가?

		B	
	전략	협조	비협조
A	협조	(1, 1)	(−1, 2)
	비협조	(2, −1)	(0, 0)

<(2, −1)은 A가 비협조 전략, B가 협조 전략을 사용할 때, A의 보수가 2, B의 보수가 -1임을 나타냄.>

① 0 ② 1 ③ 2 ④ 3 ⑤ 4

9. ㉡의 이유를 추론한 내용으로 가장 적절한 것은?

① 집단 선택의 속도가 개인 선택의 속도보다 느릴 경우, 이타적 구성원의 수가 천천히 증가하기 때문에
② 개인 선택으로 이타적인 구성원이 먼저 소멸한 후, 집단 선택에 의해 이기적인 구성원이 소멸하기 때문에
③ 집단 선택이 천천히 일어날 경우 집단 간의 생존 경쟁이 발생하지 않아 집단 선택이 일어나지 않기 때문에
④ 개인 선택으로 이타적인 구성원이 먼저 소멸하면, 이타적 구성원을 진화하게 하는 집단 선택이 발생할 수 없기 때문에
⑤ 개인 선택의 속도가 집단 선택의 속도보다 빠를 경우, 이타적인 구성원이 많은 집단이 개인 선택에 불리해지기 때문에

10. ㉮ ~ ㉱를 바탕으로 <보기>를 이해한 내용으로 적절하지 <u>않은</u> 것은? [3점]

< 보 기 >

ㄱ. 개미의 경우, 수정란(2n)은 암컷이 되고, 미수정란(n)은 수컷이 된다. 여왕개미가 낳은 암컷들은 부와는 1, 모와는 0.5, 자매와는 0.75의 유전적 근연도를 갖는다. 암컷 중 여왕개미가 되지 못한 일개미들은 직접 번식을 하지 않고 여왕개미가 낳은 수많은 자신의 자매들을 돌보며 목숨을 걸고 개미 군락을 지키는 역할을 한다.

ㄴ. 현재 지구상에는 390여 개의 부족이 수렵과 채취에 의존해 살아가고 있다. 이러한 부족은 대체로 몇 개의 서로 다른 친족들로 구성되어 있으며, 평등주의적 부족 질서 아래 사냥감을 서로 나누어 먹는 식량 공유 관습을 가지고 있다. 이는 개인의 사냥 성공률이 낮은 상황에서 효과적인 생존 방식이라 할 수 있다.

① ㄱ: ㉮에서는 일개미가 자식을 낳지 않고 자매들을 돌보는 것을 부보다 모의 유전자를 후세에 더 많이 전달하기 위한 전략으로 보겠군.
② ㄱ: ㉯에서는 일개미가 목숨을 걸고 개미 군락을 지키는 것을 다른 DNA와의 생존 경쟁에서 이기기 위한 유전자의 이기적인 행동으로 보겠군.
③ ㄴ: ㉰에서는 자신이 식량을 나눠 주지 않으면 사냥에 실패했을 때 자신도 얻어먹지 못할 수 있기 때문에 식량 공유 관습이 생긴 것으로 보겠군.
④ ㄴ: ㉱에서는 식량 공유 관습을 이기적인 구성원도 식량을 공유하게 함으로써 이타적 구성원이 사회에서 사라지지 않도록 하는 제도로 보겠군.
⑤ ㄴ: ㉮에서는 혈연관계가 없는 구성원과의 식량 공유를 설명할 수 없지만, ㉱에서는 협업을 통해 집단의 생존 확률을 높이는 행동으로 보겠군.

11. 밑줄 친 단어가 ⓐ ~ ⓔ와 동음이의어인 것은?

① ⓐ: 그는 형의 모습을 유심히 <u>관찰</u>하였다.
② ⓑ: 이 사전은 여러 전문가가 <u>감수</u>하였다.
③ ⓒ: 그 기업은 경쟁사에 밀려 <u>도태</u>되었다.
④ ⓓ: 이것은 장소를 검색하는 데 <u>유용</u>하다.
⑤ ⓔ: 우리는 적극적으로 상황에 <u>대응</u>하였다.

총 문항	문항				맞은 문항				문항
개별 문항	1	2	3	4	5	6	7	8	9	10
채점										
개별 문항	11	12	13	14	15	16	17	18	19	20
채점										

22

10분 | 2020학년도 11월 학평 26~30번 | ★★☆ | 정답 046쪽

[1~5] 다음 글을 읽고 물음에 답하시오.

세상에는 너무 작아서 눈으로 볼 수 없는 세계가 많다. 사람의 눈으로 볼 수 있는 가시광선 영역은 파장이 길기 때문에 단백질 분자 구조와 같은 물질의 내부 구조는 관찰할 수 없다. 그래서 미세한 물질의 내부 구조를 파악하기 위해서는 보다 짧은 파장의 빛의 영역까지 활용할 수 있어야 하는데, 이때 활용 가능한 빛이 바로 방사광이다. [방사광]이란 빛의 속도에 가깝게 빠른 속도로 운동하는 전자가 방향을 바꿀 때, 바뀐 운동 궤도 곡선의 접선 방향으로 방출되는 좁은 퍼짐의 전자기파를 가리킨다.

방사광은 적외선, 가시광선, 자외선, X선에 이르는 다양한 파장을 가진 빛으로, 실험 목적에 따라 파장을 선택하여 사용할 수 있는 파장 가변성을 ⓐ지닌다. 그리고 방사광은 휘도가 높은 빛이다. 휘도란 빛의 집중 정도를 나타내는 것으로, 빛의 세기가 크면 클수록, 그리고 빛의 퍼짐이 작으면 작을수록 높은 휘도 값을 갖는다. 예를 들어 방사광에서 실험을 위해 선택된 X선은, 기존에 쓰던 X선보다 휘도가 수만 배 이상이라서 이를 활용하면 물질의 정보를 보다 자세하게 얻을 수 있다.

방사광은 자연에서는 별이 수명을 다해 폭발할 때 발생하기도 하지만, 이를 연구에 활용하는 것은 어려우므로 고성능 슈퍼현미경이라고도 불리는 방사광가속기를 사용해 인위적으로 만들어 사용한다. 방사광가속기는 일반적으로 크게 전자입사장치, 저장링, 빔라인 등으로 구성되어 있다. 전자입사장치는 전자를 방출시킨 뒤 빛의 속도에 가깝게 가속시켜 저장링으로 주입하는 장치로, 전자총과 선형가속기로 구성된다. 전자총은 고유한 파장을 가진 금속에 그 파장보다 짧은 파장의 빛을 가하면 전자가 방출되는 광전효과를 활용하여 지속적으로 전자를 방출시킨다. 이때 방출되는 전자는 상대적으로 속도가 느려 높은 에너지를 가지지 못하므로, 선형가속기에서는 음(-)전하를 띤 전자가 양(+)전하를 띤 양극 쪽으로 움직이려는 전기적인 힘의 원리를 활용하여 전자를 가속시킨다. 선형가속기에서 빛의 속도에 근접하게 된 전자는 이후 저장링으로 보내진다.

저장링은 휨전자석, 삽입장치, 고주파 공동장치 등으로 구성되어 있고, 일반적으로 n각형 모양으로 설계하여 n개의 직선 부분과 n개의 모서리 부분으로 이루어져 있다. 저장링의 모서리 부분에는 전자의 방향을 조절해 주는 휨전자석을 설치하여 전자가 지속적으로 궤도를 따라 회전할 수 있도록 한다. 전자는 휨전자석을 지나면서 자석 주위의 자기장의 힘을 받아 휘게 되는데, 이때 전자의 운동 궤도 곡선의 접선 방향으로 방사광이 방출된다. 저장링의 직선 부분에는 N극과 S극을 번갈아 배열한 삽입장치가 설치되어 있다. 전자는 삽입장치에서 자기장의 영향을 받아 N극과 S극의 사이에서 주기적으로 방향이 바뀌며 구불구불하게 움직이게 되는데, 방향이 주기적으로 바뀔 때마다 방사광이 방출된다. 이렇게 방출된 방사광은, 위상이 동일한 방사광과 서로 중첩되면서 진폭이 커지는 간섭 현상이 나타난다. 그래서 삽입장치에서 중첩되어 진폭이 커진 방사광은, 휨전자석에서 방출된 방사광보다 큰 에너지를 지닌 더 밝은 방사광이 된다. 이때 휨전자석과 삽입장치를 통과하며 방사광을 방출한 전자는 에너지를 잃게 되고, 고주파 공동장치는 이러한 전자에 에너지를 보충하여 전자가 계속 궤도를 돌게 한다.

마지막으로 빔라인은 실험 목적에 맞도록 방사광에서 원하는 파장을 분리시켜 실험에 이용하는 장치로, 크게 진공 자외선 빔라인과 X선 빔라인으로 나눌 수 있다. 진공 자외선 빔라인에서는 주로 기체 상태의 물질의 구조나 고체 표면에서의 물질의 구조 등에 관한 실험들이 이루어지고, X선 빔라인에서는 다른 빛보다 상대적으로 짧은 파장을 가진 X선의 특성을 이용하여 주로 물질의 내부 구조, 원자 배열 등에 대한 실험이 이루어진다. 특히 X선 빔라인들 중 하나인 ㉠X선 현미경은 최대 15 나노미터 정도 되는 생체 조직 등과 같은 물질의 내부 구조까지도 확대하여 관찰할 수 있다. X선은 가시광선과 달리 유리 렌즈나 거울을 써서 굴절시키거나 반사시키기 어렵다. 그래서 X선 현미경은, 강력한 전자기장으로 X선을 굴절시켜 빛을 모을 수 있는 특수 금속 렌즈를 이용해 X선을 실험에 활용한다.

1. 윗글을 이해한 내용으로 적절하지 않은 것은?

① 실험 목적에 따라 빔라인의 종류는 달라질 수 있다.
② 휨전자석의 개수는 저장링의 모양에 따라 달라질 수 있다.
③ 빛의 집중 정도는 빛의 세기와 퍼짐에 따라 달라질 수 있다.
④ 전자는 양전하를 띤 양극 쪽으로 움직이려는 전기적인 힘이 있다.
⑤ 금속의 고유한 파장보다 긴 파장의 빛을 금속에 쏘면 전자를 방출시킬 수 있다.

2. [방사광]에 대한 설명으로 적절하지 않은 것은?

① 실험 목적에 따라 파장을 선택해 사용할 수 있는 빛이다.
② 방사광가속기에서 연구 목적으로 가속시키는 전자기파이다.
③ 자연적으로 발생하기도 하고 인위적으로 만들 수도 있는 빛이다.
④ 휘도가 높아 물질에 대한 자세한 정보를 얻을 수 있게 하는 빛이다.
⑤ 빛의 속도에 가깝게 운동하는 전자가 방향을 바꿀 때 방출되는 전자기파이다.

3. <보기>는 방사광가속기의 주요 장치를 도식화한 것이다. 윗글을 바탕으로 <보기>를 이해한 내용으로 적절하지 <u>않은</u> 것은? [3점]

〈 보 기 〉

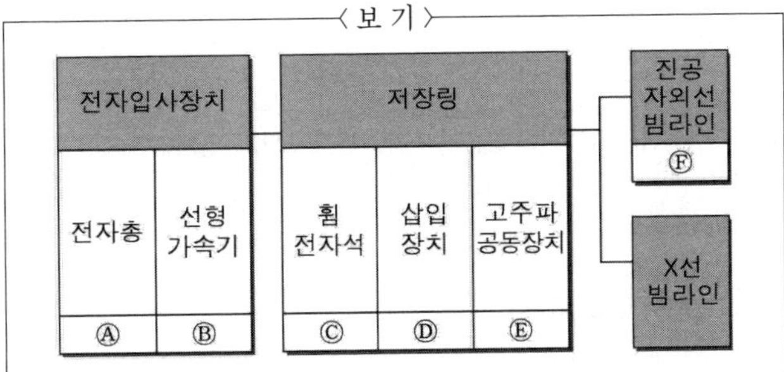

① Ⓐ에서 광전효과를 활용하여 방출시킨 전자는 Ⓑ에서 빛의 속도에 가깝게 가속되어 높은 에너지를 갖게 되겠군.

② 전자는 Ⓒ를 지나면서 자석 주위의 자기장의 힘을 받아 방향이 바뀌면서 궤도를 따라 회전할 수 있게 되겠군.

③ Ⓒ에서 방출된 방사광이 Ⓓ에서 방출된 방사광보다 밝은 이유는 Ⓓ에서 방사광이 서로 중첩되어 진폭이 더 커졌기 때문이겠군.

④ Ⓒ와 Ⓓ를 통과하며 에너지가 손실된 전자는 Ⓔ로부터 에너지를 공급받아 궤도를 계속 돌게 되겠군.

⑤ Ⓕ는 실험 목적에 맞게 방사광에서 원하는 파장을 분리시켜 실험에 이용하는 장치이겠군.

4. 윗글의 ㉠과 <보기>의 ㉡을 비교한 내용으로 가장 적절한 것은?

〈 보 기 〉

㉡ <u>광학 현미경</u>은 가시광선을 굴절시켜 빛을 모을 수 있는 유리 렌즈를 이용해 물질의 표면을 확대하는 실험 장치이다. 일반적으로 광학 현미경의 렌즈 배율을 최대로 높이면 크기가 200 나노미터 정도 되는 물질까지 관찰할 수 있다.

① ㉠과 달리 ㉡은 물질의 내부 구조를 관찰할 수 있는 장치이다.

② ㉡과 달리 ㉠은 빛이 굴절하는 성질을 이용하여 실험하는 장치이다.

③ ㉡과 달리 ㉠은 유리 렌즈를 활용하여 빛을 모아 물질을 확대하는 장치이다.

④ ㉡은, ㉠에서 사용하는 빛의 영역이 아닌 인간의 눈으로 볼 수 없는 빛의 영역을 이용하는 장치이다.

⑤ ㉠은, ㉡에서 사용하는 빛보다 상대적으로 짧은 파장의 빛을 이용하여 물질을 관찰할 수 있는 장치이다.

5. 문맥상 ⓐ와 가장 가까운 의미로 쓰인 것은?

① 그는 딸의 사진을 품속에 <u>지니고</u> 다닌다.

② 그는 일을 성사시킬 책임을 <u>지니고</u> 있다.

③ 그는 어릴 때의 모습을 그대로 <u>지니고</u> 있었다.

④ 그는 유년 시절의 추억을 가슴 속에 <u>지니고</u> 살았다.

⑤ 그는 자신의 이론이 보편성을 <u>지니고</u> 있다고 주장했다.

10분 | 2019학년도 11월 학평 16~20번 | ★★☆ | 정답 046쪽

【6~10】 다음 글을 읽고 물음에 답하시오.

고속도로 이용 요금을 요금소에서 납부하는 방법은 여러 가지가 있다. 그중 '전자요금징수시스템(ETC)'을 이용하면 차량이 달리는 중에 자동으로 요금 납부가 가능하기 때문에 편리하다. 그렇다면 전자요금징수시스템은 어떠한 과정과 방식으로 작동하는 것일까?

[A] 전자요금징수시스템이 작동되는 과정은 다음과 같다. 우선 차량이 요금소의 첫 번째 게이트를 통과할 때, 차량 단말기와 첫 번째 게이트에 설치된 제1기지국 간에 통신이 일어난다. 제1기지국은 차량 단말기로부터 전송받은 요금 징수 관련 데이터를 잃어버리지 않도록 임시 저장소에 보관하면서 거의 동시에 지역요금소 ETC 서버로 전송한다. 지역요금소 ETC 서버는 이 데이터를 분석한 후, 도로공사 요금정산센터의 서버로 전송해서 도로공사 요금정산센터의 서버가 징수할 요금에 관한 데이터를 찾도록 요청한다. 이렇게 찾아진 데이터는 다시 지역요금소 ETC 서버를 거쳐 두 번째 게이트에 설치된 제2기지국을 경유하여 차량 단말기로 전송된다. 이때 이 데이터가 수신되면 차량 단말기를 통해 요금이 징수되며, 그 후 요금 징수 결과가 안내표시기를 통해 운전자에게 안내된다.

이러한 과정에서 차량 단말기와 기지국 간에는 무선으로 데이터 전송이 이루어진다. 이때 통신 규약에 따라 정해진 전자요금징수시스템의 데이터 처리 방식은 시분할 방식이다. 이는 동일한 크기로 분할된 시간의 단위인 타임 슬롯을 차량 단말기에서 전송된 각각의 데이터에 할당하여 데이터를 처리하는 방식이다. 타임 슬롯은 차량이 진입하지 않아도 항상 만들어지는데, 차량이 지나가게 되면 규약으로 정해진 데이터 종류의 순서에 따라 데이터에 타임 슬롯이 할당된다. 차량 한 대가 지나가는 경우 데이터에 할당된 타임 슬롯들에 의해 하나의 집합체가 구성되는데 이를 프레임이라고 한다. 이때 타임 슬롯이 데이터에 할당되는 방식과 프레임이 구성되는 방식은 시분할 방식의 종류에 따라 동기식과 비동기식으로 ⓐ <u>나누어</u> 볼 수 있다.

동기식 시분할 방식은 통신 규약에 따라 타임 슬롯을 데이터 종류 각각에 지정해 놓는다. 그리고 데이터가 전송되면 그 데이터의 종류에 지정된 타임 슬롯이 해당 데이터에 할당된다. 하지만 데이터가 전송되지 않으면 타임 슬롯은 빈 채로 남아 있게 된다. 그래서 하나의 프레임에 포함된 타임 슬롯의 개수는 차량마다 동일하다. ㉠ <u>결국 동기식 시분할 방식은 데이터를 처리하는 과정에서 오류가 발생할 가능성은 낮지만, 데이터에 할당되지 않은 타임 슬롯이 존재할 수 있다는 점에서 타임 슬롯이 일부 낭비된다.</u>

비동기식 시분할 방식은 전송되는 데이터가 없는 경우 타임 슬롯을 비워 두지 않고 다음 순서에 해당하는 데이터에 타임 슬롯이 할당된다. 그래서 하나의 프레임에 포함된 타임 슬롯의 개수는 차량에 따라 다를 수 있다. 그리고 데이터의 종류에 따라 정해진 타임 슬롯이 해당 종류의 데이터에 할당되지 않기 때문에 전송되는 모든 데이터마다 그 데이터의 종류를 확인할 수 있는 주소 필드를 포함시켜 프레임이 구성된다. ㉡ <u>결국 비동기식 시분할 방식은 타임 슬롯이 낭비되지는 않지만, 데이터를 처리하는 과정에서 오류가 발생할 가능성이 상대적으로 높다.</u>

최근 통신 기술의 발전과 교통 환경의 변화에 의해 새로운 장비가 도입되거나 통신 규약이 바뀌기도 하는 등 전자요금징수시스템의 변화는 계속되고 있다.

V

6. 윗글의 내용과 일치하지 <u>않는</u> 것은?

① 전자요금징수시스템을 이용하면 요금 납부를 편리하게 할 수 있다.
② 차량 단말기와 기지국 간에는 데이터 전송이 무선으로 이루어진다.
③ 시분할 방식에서 타임 슬롯은 차량이 진입하지 않아도 항상 만들어진다.
④ 타임 슬롯은 동일한 크기로 분할된 시간의 단위들에 의해 구성된 집합체이다.
⑤ 비동기식 시분할 방식은 전송되는 모든 데이터마다 주소 필드를 포함시켜 프레임이 구성된다.

7. 윗글의 [A]를 바탕으로 <보기>의 ㉮ ~ ㉲를 이해한 것으로 적절하지 <u>않은</u> 것은?

〈 보 기 〉

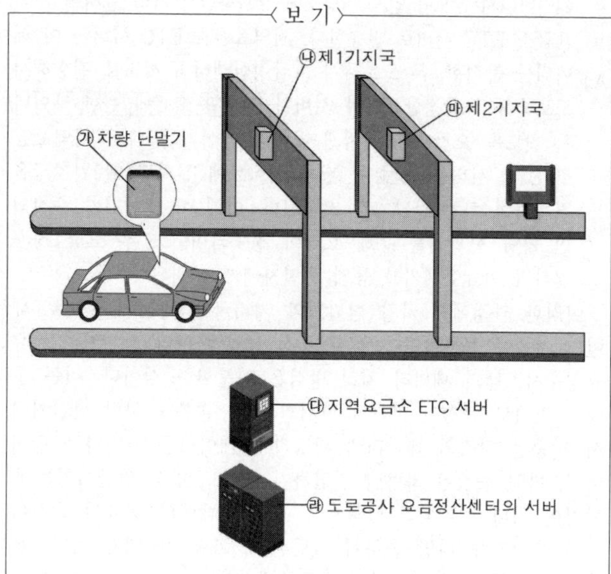

① ㉮에서 ㉯로 '요금 징수 관련 데이터'가 전송된다.
② ㉯에서 ㉰로 '요금 징수 관련 데이터'가 전송된다.
③ ㉲에서 ㉮로 '징수할 요금에 관한 데이터'가 전송된다.
④ ㉰에서 ㉱로 '요금 징수 관련 데이터'가 전송되고, ㉰에서 ㉲로 '징수할 요금에 관한 데이터'가 전송된다.
⑤ ㉱에서 ㉰로 '징수할 요금에 관한 데이터'가 전송되고, ㉱에서 ㉮로 '요금 징수 관련 데이터'가 전송된다.

8. 윗글을 읽은 학생이 ㉠과 ㉡에 대해 <보기>와 같이 정리했다고 할 때, Ⓐ ~ Ⓒ에 들어갈 말로 가장 적절한 것은?

〈 보 기 〉

(Ⓐ)은 동기식이 상대적으로 높고, 비동기식이 상대적으로 낮다. 또한 데이터 처리 과정의 효율성은 동기식이 상대적으로 (Ⓑ), 비동기식이 상대적으로 (Ⓒ).

	Ⓐ	Ⓑ	Ⓒ
①	오류 발생 가능성	낮고	높다
②	오류 발생 가능성	높고	낮다
③	데이터 손실 가능성	높고	낮다
④	데이터 처리 과정의 정확성	낮고	높다
⑤	데이터 처리 과정의 정확성	높고	낮다

9. <보기>는 □□ 요금소에서의 데이터 처리와 관련하여 설정된 내용이다. 윗글을 읽은 학생들이 <보기>에 대해 보인 반응으로 적절하지 <u>않은</u> 것은? [3점]

〈 보 기 〉

[상황]

□□ 요금소에 전자요금징수시스템으로만 운영하는 하나의 차로를 1번 차량과 2번 차량이 시간의 간격을 두지 않고 순서대로 지나갔다.

[데이터의 전송 유무]

데이터의 종류 / 차량 구분(시분할 방식)	Ⅰ-1	Ⅰ-2	Ⅰ-3	Ⅰ-4
1번 차량 (동기식)	유	무	유	유
2번 차량 (비동기식)	유	유	유	무

※ 통신 규약에 따라 정해진 내용

Ⅰ. 데이터 종류의 순서	Ⅰ-1. 차량이 정상적으로 진입함 Ⅰ-2. 후불 카드를 사용함 Ⅰ-3. 차량 소유주와 카드 소지자가 일치함 Ⅰ-4. 요금 감면 대상임
Ⅱ. 데이터의 전송 유무	유: 데이터 종류에 해당하는 내용과 일치함 무: 데이터 종류에 해당하는 내용과 불일치함

[타임 슬롯(TS)의 흐름]

	TS_1	TS_2	TS_3	TS_4	TS_5	TS_6	TS_7	TS_8	

(단, 두 차량 사이의 타임 슬롯은 존재하지 않고 1번 차량의 타임 슬롯은 TS_1부터 시작함.)

① TS_2는 비워지는 타임 슬롯으로 이는 1번 차량이 후불 카드를 사용하는 차량이 아니기 때문이겠군.
② TS_3과 TS_7은 모두 차량 소유주와 카드 소지자가 일치하는지의 여부를 확인할 수 있는 타임 슬롯이겠군.
③ TS_4에는 요금 감면 대상이라는 데이터가 담겨 있고, TS_8에는 요금 감면 대상이 아니라는 데이터가 담겨 있겠군.
④ TS_1을 통해서는 1번 차량이 정상적으로 진입했는지를, TS_7을 통해서는 2번 차량의 차량 소유주와 카드 소지자가 일치하는지를 파악할 수 있겠군.
⑤ TS_5에는 차량이 정상적으로 진입한 것에 대한 데이터가 담겨 있다는 것을, TS_6에는 후불 카드를 사용한다는 것에 대한 데이터가 담겨 있다는 것을 확인할 수 있겠군.

10. 밑줄 친 부분의 문맥적 의미가 ⓐ와 가장 유사한 것은?

① 사과를 세 조각으로 <u>나누었다</u>.
② 나는 그와 피를 <u>나눈</u> 형제이다.
③ 학생들을 청군과 백군으로 <u>나누었다</u>.
④ 두 사람이 서로 반갑게 인사를 <u>나누었다</u>.
⑤ 그들은 기쁨과 슬픔을 함께 <u>나누며</u> 산다.

총 문항				문항	맞은 문항					문항
개별 문항	1	2	3	4	5	6	7	8	9	10
채점										
개별 문항	11	12	13	14	15	16	17	18	19	20
채점										

13분 | 2019학년도 9월 학평 16~21번 | ★★★ | 정답 047쪽

【1~6】 다음 글을 읽고 물음에 답하시오.

패러다임이란 한 시대 사람들의 견해나 사고를 지배하고 있는 이론적 틀이나 개념의 집합체를 뜻하는 말로 과학철학자인 토머스 쿤이 새롭게 제시하여 널리 쓰이는 개념이다. 쿤은 패러다임 속에서 진행되는 연구 활동을 정상 과학이라고 하였으며, 기존의 패러다임에서는 예상하지 못했던 현상을 변칙 사례라고 하였다. 쿤은 정상 과학이 변칙 사례를 설명해 내기도 하나 중요한 변칙 사례가 미해결 상태로 남으면 새로운 패러다임으로의 급격한 대체 과정, 즉 과학혁명이 일어난다고 ⓐ 보았다. 그러나 쿤은 옛 패러다임과 새로운 패러다임 중 어떤 패러다임이 더 우월한지는 판단할 수 없다고 주장하였다.

18세기 말 라부아지에가 새로운 연소 이론을 확립하기 전까지의 패러다임은 플로지스톤이라는 개념으로 연소 현상을 설명하는 것이었다. 그리스어로 '불꽃'을 뜻하는 플로지스톤은 18세기 초 베허와 슈탈이 제안한 개념으로, 가연성 물질이나 금속에 포함되어 있을 것이라고 생각했던 물질이다. 베허와 슈탈은 종이, 숯, 황처럼 잘 타는 물질에 플로지스톤이 많이 포함되어 있으며, 연소는 물질에 포함되어 있던 플로지스톤이 방출되는 과정이라고 주장하였다. 또한 플로지스톤 개념으로 물질의 굳기, 광택, 색의 변화를 설명하기도 하였는데, 플로지스톤을 잃은 물질은 쉽게 부스러지며 탁하고 어둡게 된다고 보았다. 연소 현상뿐만 아니라 금속이 녹스는 현상, 음식이 소화되는 생화학 작용 등 다양한 현상이 플로지스톤 이론을 통해 이해될 수 있었다.

18세기 중반 캐번디시는 자신이 순수한 플로지스톤을 추출하는 데 성공했다고 믿었다. 캐번디시는 금속을 산에 녹일 때 발생하는 기체가 매우 잘 타는 성질을 ⓑ 띠고 있음을 발견하고 이 기체를 '가연성 공기'라고 명명하였다. 녹슨 금속을 산에 녹일 때는 이 기체가 발생하지 않았으므로 ㉠ 이 기체는 금속에 있던 플로지스톤이 빠져 나온 것이라고 생각하였다. 이후 캐번디시는 이 가연성 공기를 태울 때 물이 형성되는 현상을 관찰하기도 하였다.

18세기 후반 프리스틀리는 캐번디시가 발견한 가연성 공기를 활용하여 금속회*를 금속으로 환원하는 실험을 시행하였다. 먼저 프리스틀리는 물을 채운 넓적한 그릇에 빈 유리그릇을 엎어 놓고 그 안에 가연성 공기를 채웠다. 그리고 그 안에 금속회를 놓고 렌즈로 햇빛을 모아 가열하였다. 프리스틀리는 금속회가 플로지스톤을 흡수하여 금속이 될 것이라고 예측하였는데 예측대로 금속회는 금속이 되었다. 또한 유리그릇 안쪽의 수위가 높아지는 현상이 관찰되었는데 이는 유리그릇 안에 있던 플로지스톤이 소모된 증거라고 보았다. 금속에서 나온 기체가 가연성이라는 점, 그 기체를 활용하여 금속회를 금속으로 만들 수 있다는 점이 모두 플로지스톤 패러다임 안에서 설명된 것이다.

그런데 라부아지에는 금속이 녹슬 때 질량이 변화한다는 사실에 주목하며 플로지스톤 이론에 의문을 가졌다. 라부아지에는 연소 현상에서도 그러한 질량 변화가 있을 것이라고 보고 정밀하게 질량을 측정할 수 있는 기구를 동원하여 실험을 시행하였다. 라부아지에는 밀폐된 유리병 안에서 인과 황을 가열한 후에 가열 전과 비교하여 인과 황의 질량이 늘어난다는 사실을 확인하였고, 이때 질량이 증가한 양은 유리병에는 연소 반응에서 발생하거나 소모되는 기체를 모아 정확히 질량을 측정하면 반응 전후의 총 질량은 변화가 없다는 사실을 근거로, 연소는 플로지스톤을 잃는 것이 아니라 공기 중의 산소와 결합하는 현상이라고 주장하였다.

가연성 공기를 태울 때 물이 형성된다는 캐번디시의 관찰 결과를 토대로 라부아지에는 프리스틀리의 실험을 자신의 이론으로 재해석하였다. 프리스틀리의 실험에서 나타난 현상은 플로지스톤과 금속회가 결합한 것이 아니라 금속회에 있던 산소가 유리그릇으로 방출된 것이며, 이 산소는 유리그릇을 채우고 있던 가연성 공기와 결합하여 물이 되었을 것이라는 설명이었다. 프리스틀리의 기존 실험은 물 위에서 시행되었기 때문에 새롭게 형성된 물을 관찰하기 어려웠으나 같은 실험을 물이 아닌 수은 위에서 다시 시행하자 수은 위에 소량의 물이 형성되는 현상을 관찰할 수 있었다.

이후 플로지스톤 학파는 기존 패러다임 안에서 이론을 일부 수정하여 라부아지에의 이론을 반박하기도 하였으나 정확한 질량 측정을 기반으로 한 라부아지에의 핵심적인 문제 제기는 끝내 명확하게 설명해 내지 못했다. 결국 플로지스톤이라는 개념과 그것으로 연소 현상을 이해하려는 패러다임은 ⓒ 사라지고, 연소를 산소와의 결합으로 이해하는 새로운 패러다임이 자리 잡게 되었다. 또한 물질의 성질을 추상적으로 설명하는 것에서, 정밀한 측정 도구를 활용하여 실험 과정을 정량화하는 것으로 화학 연구의 패러다임이 ⓓ 바뀌었다.

쿤은 과학사의 이러한 장면들을 통해 과학적 진보는 누적적인 것이 아니라 혁명적인 것이라고 주장하였다. 정상 과학의 시기에는 패러다임이라는 인식의 틀 안에서 퍼즐을 맞추는 활동을 수행하는 것일 뿐 새로운 과학 지식을 만들어 내지는 못한다는 것이다. 더 나아가 쿤은, 하나의 이론 체계를 ⓔ 받아들인다는 것은 그것의 개념, 법칙, 가정을 포함한 패러다임 전체를 믿는 행위이므로 새로운 패러다임을 옛것과 비교하여 어떤 패러다임이 더 우월한 것인지 평가할 논리적 기준은 있을 수 없다고 보았다. 쿤의 과학혁명 가설은 과학의 발전을 새롭게 바라보는 통찰력 있는 관점으로서 많은 과학자들로 하여금 기존 패러다임으로 설명되지 않는 변칙 사례에 주목하게 하였고, 고정된 틀 속에서 문제를 해결하려 한 정상 과학을 반성적으로 바라볼 수 있게 하였다.

* 금속회(Calx) : 금속의 산화물.

V

1. 윗글에 대한 이해로 적절하지 않은 것은?

① 라부아지에는 연소 실험 전후에 물질의 질량을 정밀하게 측정하였다.

② 베허와 슈탈은 종이가 플로지스톤을 많이 포함하고 있기 때문에 잘 타는 것이라고 보았다.

③ 플로지스톤 패러다임에서는 음식이 소화되는 과정을 플로지스톤이 빠져 나가는 것으로 이해하였다.

④ 라부아지에는 금속을 산에 녹일 때 나온 기체가 가연성을 띤다는 캐번디시의 실험 결과를 반박하였다.

⑤ 쿤의 과학혁명 가설은 기존의 이론적 틀 안에서 문제를 해결하려 하는 태도를 반성적으로 바라볼 수 있게 하였다.

2. 캐번디시가 ㉠과 같이 판단한 이유로 가장 적절한 것은?

① 이 기체는 잘 타는 성질을 갖고 있고 타면서 물이 형성되었기 때문에

② 이 기체는 금속에 많이 포함되어 있고 금속이 녹슬면서 나온 것이기 때문에

③ 이 기체는 산에 많이 포함되어 있고 금속을 산에 녹일 때 나온 것이기 때문에

④ 이 기체는 잘 타는 성질을 갖고 있고 녹슬지 않은 금속에서만 나온 것이기 때문에

⑤ 이 기체는 녹슨 금속을 산에 녹일 때는 나오지 않고 가열할 때만 나온 것이기 때문에

3. 윗글을 참고할 때 라부아지에가 갖게 된 의문의 내용으로 가장 적절한 것은?

① 금속이 플로지스톤을 잃어 녹슨 것이라면 녹슬기 전보다 질량이 늘어나야 하지 않을까?

② 금속이 플로지스톤을 잃어 녹슨 것이라면 녹슬기 전보다 질량이 줄어들어야 하지 않을까?

③ 금속이 플로지스톤을 잃어 녹슨 것이라도 녹슬기 전후의 질량은 동일하여야 하지 않을까?

④ 금속이 플로지스톤을 얻어 녹슨 것이라면 녹슬기 전보다 질량이 늘어나야 하지 않을까?

⑤ 금속이 플로지스톤을 얻어 녹슨 것이라도 녹슬기 전후의 질량은 동일하여야 하지 않을까?

4. 윗글을 바탕으로 <보기>를 이해한 것으로 적절하지 않은 것은? [3점]

<보 기>

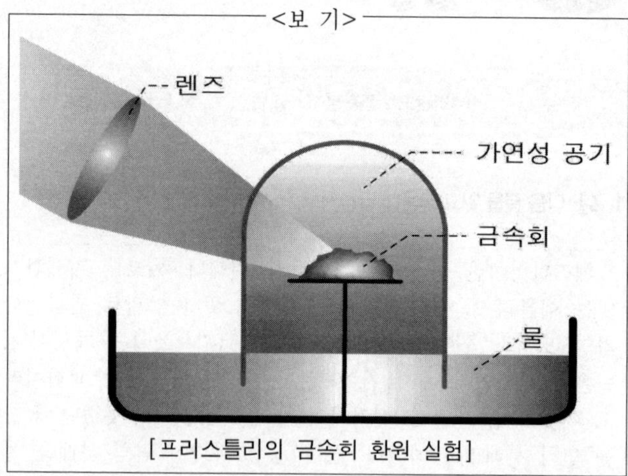

[프리스틀리의 금속회 환원 실험]

① 프리스틀리는 가열 전의 금속회는 플로지스톤이 결핍된 상태라고 보았다.

② 프리스틀리는 실험 과정 중 가연성 공기가 소모되어 수위가 상승한다고 이해하였다.

③ 프리스틀리는 가연성 공기를 활용하여 금속회를 금속으로 변화시킬 수 있다고 생각하였다.

④ 라부아지에는 금속회를 가열하면 가연성 공기와는 다른 기체인 산소가 방출된다고 보았다.

⑤ 라부아지에는 수은 위에서 실험을 시행하면 물 위에서 실험했을 때와는 달리 새로운 물이 형성될 것이라고 보았다.

5. <보기>의 관점에서 윗글의 토머스 쿤의 주장을 비판한 내용으로 가장 적절한 것은?

<보 기>

새로운 패러다임이 기존의 패러다임보다 더 나아졌다고 말할 수 없다면 우리는 과학이 진보하고 있다고 말할 수 없다. 과학은 객관적인 관찰과 자료 분석, 논리적인 접근으로 유도된 지식의 총합이며 이런 지식의 누적이 바로 과학적 진보이다. 뉴턴의 역학은 아리스토텔레스의 이론이 설명하지 못하는 부분까지 해명하므로 뉴턴의 역학이 더 진보되었다고 우리는 믿어 왔다. 그리고 우리가 아인슈타인의 상대성 이론에 열광한 것도 뉴턴 역학으로 설명할 수 없는 부분을 해명할 수 있었기 때문이다.

① 라부아지에는 변칙 사례를 발견하고 이를 정상 과학으로 해명하려 노력하였다는 점에서 정상 과학은 새로운 과학 지식을 만들어 낸다고 볼 수 있다.
② 가연성 공기와 관련한 캐번디시의 실험은 정상 과학의 범주에서 이루어졌다는 점에서 새로운 패러다임은 기존의 패러다임보다 더 진보되었다고 볼 수 있다.
③ 플로지스톤 패러다임에서는 미해결 상태로 남았던 변칙 사례가 라부아지에의 이론으로 해명되었다는 점에서 패러다임 간의 우월성은 존재한다고 볼 수 있다.
④ 플로지스톤 패러다임은 상태 변화의 원인에, 라부아지에의 이론은 물질의 질량 변화에 각각 주목한 것일 뿐이므로 과학적 진보는 혁명적이라고 볼 수 없다.
⑤ 라부아지에 역시 프리스틀리의 실험 결과를 활용하여 자신의 이론을 설명하였다는 점에서 하나의 이론 체계를 받아들인다는 것은 패러다임 전체를 믿는 행위라 볼 수 없다.

6. 문맥상 ⓐ~ⓔ와 바꿔 쓴 것으로 가장 적절한 것은?

① ⓐ: 조망(眺望)하였다
② ⓑ: 소유(所有)하고
③ ⓒ: 생략(省略)되고
④ ⓓ: 전도(顚倒)되었다
⑤ ⓔ: 수용(受容)한다는

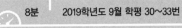

8분 | 2019학년도 9월 학평 30~33번 | ★★☆ | 정답 049쪽

[7~10] 다음 글을 읽고 물음에 답하시오.

브레송은 일상의 순간에 예술적 생명감을 불어넣은 '결정적 순간'의 미학을 탄생시킨 사진작가이다. 그는 피사체가 의식하지 못한 상태에서 피사체의 자연스러운 동작이나 표정을 찍는 사진 기법을 활용하여 자신의 예술성을 드러내었다.

㉠ 브레송은 자신의 예술성을 드러내기 위해 안정된 구도와 유동성을 기반으로 하여 움직임 가운데 균형을 잡아낸 사진을 촬영하였다. '안정된 구도'란 회화에 기초한 구도를 통해 사진에서 안정감을 느낄 수 있도록 하는 것을 의미한다. 그가 사용한 회화의 구도는 황금분할 구도, 기하학적 구도, 주요 요소들을 대비시킨 구도였다. 황금분할 구도는 3:2의 비율로 화면을 분할한 것이고, 기하학적 구도는 여러 종류의 도형이 채워져 있는 것이다. 주요 요소들 간의 대비로는 동(動)과 정(靜)의 대비, 상하 대비, 좌우 대비, 좌우 대각선 대비 등을 사용하였다. 그는 이와 같은 안정된 구도의 기반이 되는 공간을 미리 계획하였다. 그리고 '유동성'은 움직이는 대상에 집중하는 것으로, 그는 자신이 미리 계획했던 구도에 움직이는 대상이 들어와 원하는 형태적 구성을 완성한 순간이 포착될 때까지 끈질기게 기다렸다. 한편 카메라를 눈의 연장으로 생각했던 그는, 화각이 인간의 시야와 가장 비슷한 표준 렌즈를 주로 사용해 사람의 눈높이에서 촬영했다. 이때 화각은 카메라 렌즈를 통해 이미지를 담을 수 있는 범위를 뜻한다. 그는 표준 렌즈에 비해 화각이 넓은 광각 렌즈나 플래시의 사용을 가급적 피했다. 이런 장치를 사용하면 눈으로 보는 실제 모습과 달라지기 때문이었다.

그는 『순간 이미지』라는 자신의 사진집에서 '결정적 순간'이란 어떤 하나의 사실과 관련해 시각적으로 포착된 다양한 모습들이 하나의 긴밀한 구성을 이루고, 그 구성 안에 의미가 실리는 것을 순간적으로 동시에 인식하는 것이라 정의 내렸다. 그는 내용과 구성이 조화를 이룬 '결정적 순간'을 발견하고 타이밍에 맞추어 촬영하였던 것이다.

이후 사진작가들에게 브레송의 미학은 큰 영향을 주었다. 1960년대부터 활동한 ㉡ 마크 코헨은 브레송의 '결정적 순간'에 영향을 받아 자신만의 결정적 순간을 포착하고자 했다. 그는 돌발성을 기반으로 한 근접 촬영 방식을 택해 독특하면서도 기발한 결정적 순간을 포착했다. 그는 광각 렌즈를 부착한 카메라를 들고 길거리에서 마주치는 사람들에게 돌발적으로 접근해 카메라를 허리 밑에 위치한 상태에서 자유로운 각도로 촬영하였다. 그리고 그는 대상의 일부만을 잘라낸 구도를 사용하기도 하였으며 플래시를 사용해 그림자의 모양을 자신의 의도대로 변화시키기도 하였다. 즉 그는 자신이 원한 형태의 사진을 촬영하기에 적합한 방식으로 눈으로 보는 세상과는 다르게 보이도록 인공적으로 만든 자신만의 결정적 순간을 포착한 것이다.

이처럼 예술가가 자신이 원하는 순간을 포착하는 것의 중요성을 보여준 브레송의 '결정적 순간'은 사진작가 각자의 개성이 담긴 결정적 순간으로 확대되면서 예술 지평을 넓혔다는 평가를 받았다.

V

7. 윗글에 대한 설명으로 가장 적절한 것은?

① '결정적 순간'의 미학이 등장하게 된 시대적 배경을 설명하고 있다.
② '결정적 순간'의 의미를 설명하며 이후에 끼친 영향을 제시하고 있다.
③ '결정적 순간'에 대한 상반된 견해를 제시하며 절충점을 모색하고 있다.
④ '결정적 순간'의 사례를 제시하면서 이에 대한 다양한 견해를 비교하고 있다.
⑤ '결정적 순간'을 규정하는 조건이 시대에 따라 달라지는 원인을 분석하고 있다.

8. 다음은 윗글을 읽은 후 정리한 독서 노트이다. 그 내용이 적절하지 <u>않은</u> 것은?

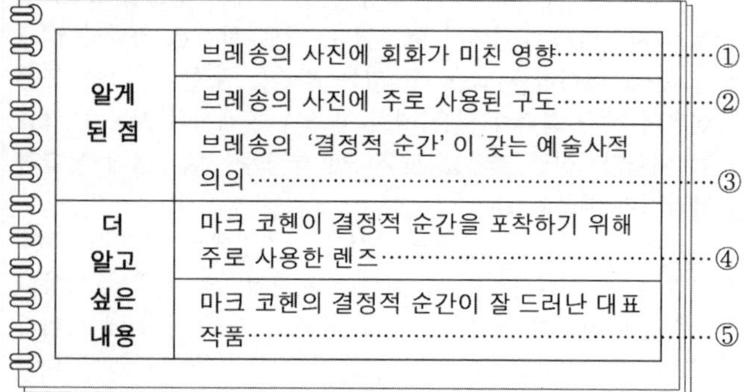

알게 된 점	브레송의 사진에 회화가 미친 영향 ··············· ①
	브레송의 사진에 주로 사용된 구도 ··············· ②
	브레송의 '결정적 순간'이 갖는 예술사적 의의 ··············· ③
더 알고 싶은 내용	마크 코헨이 결정적 순간을 포착하기 위해 주로 사용한 렌즈 ··············· ④
	마크 코헨의 결정적 순간이 잘 드러난 대표 작품 ··············· ⑤

9. ㉠과 ㉡에 대한 설명으로 적절하지 <u>않은</u> 것은?

① ㉠은 내용과 구성이 조화를 이루는 순간을 촬영하였다.
② ㉠은 카메라의 위치나 렌즈 선택 시 사람 눈과의 유사성을 중시하였다.
③ ㉡은 근접 촬영을 통해 독특하고 기발한 이미지를 담았다.
④ ㉡은 인공의 빛을 이용해 눈으로 보는 세상과는 다른 순간을 포착하였다.
⑤ ㉠과 ㉡은 모두 돌발성을 기반으로 하여 사진작가의 의도대로 촬영하였다.

10. <보기>는 브레송의 '생 라자르 역(1932)'을 분석하기 위한 그림이다. 윗글을 바탕으로 할 때 <보기>에 대해 이해한 것으로 적절하지 <u>않은</u> 것은? [3점]

<보 기>

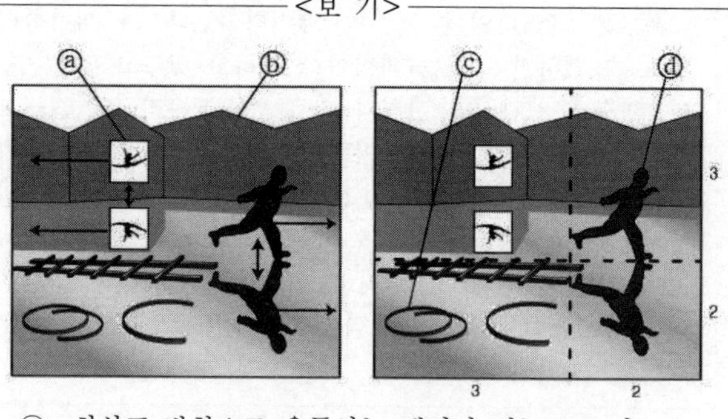

ⓐ: 화살표 방향으로 운동하는 댄서가 있는 포스터
ⓑ: 연속된 삼각형 모양의 지붕과 오각형 건물
ⓒ: 물 위에 흩어져 있는 둥근 모양의 철제 고리
ⓓ: 사다리를 밟고 고요한 물 위를 건너뛰는 남자

① 움직이는 남자와 고요한 물에서 동과 정의 대비를 확인할 수 있군.
② 남자와 그림자, 포스터와 그림자의 위치에서 상하 대비를 보이는 안정된 구도를 확인할 수 있군.
③ 건물, 지붕, 사다리, 고리의 모습에서 여러 종류의 도형이 이루는 기하학적 구도를 찾아볼 수 있군.
④ 남자와 그림자가 일정한 비율로 분할된 곳에 위치한 것에서 황금분할에 기초한 구도를 찾아볼 수 있군.
⑤ 남자와 포스터 속 댄서를 좌우 대각선에 배치한 것에서 미리 계획한 구도에 변화를 주었음을 알 수 있군.

총 문항				문항	맞은 문항					문항
개별 문항	1	2	3	4	5	6	7	8	9	10
채점										
개별 문항	11	12	13	14	15	16	17	18	19	20
채점										

【1~4】 (가)는 반대 신문식 토론의 일부이고, (나)는 토론에 청중으로 참여한 학생이 토론 내용을 바탕으로 학교 신문에 실은 글이다. 물음에 답하시오.

(가)

사회자 : 지금부터 '공직자 선거에 온라인투표를 도입해야 한다.'라는 논제로 토론을 시작하겠습니다. 먼저 찬성 측 첫 번째 토론자 입론해 주신 후 반대 측에서 반대 신문해 주십시오.

찬성 1 : 저희는 공직자 선거에 '온라인투표'를 도입해야 한다고 생각합니다. 현재의 '종이투표' 방식은 시간과 공간의 제약이 커서 이동이 어려운 계층이나 감염병으로 인해 외출 자체가 제한된 사람의 투표권을 보장하지 못합니다. 이러한 불편을 해소하고 투표권을 보장하기 위해 PC나 모바일 기기를 활용하여 투표에 참여하는 온라인투표를 도입할 필요가 있습니다. 실제 ○○국의 경우 해킹이 원천적으로 불가능한 기술이 적용된 온라인투표 시스템을 활용하여 공직자 선거를 실시하고 있습니다. 온라인투표를 통해 투표권을 보장한 결과 투표 참여율도 예전에 비해 증가했다고 합니다. 또한 종이투표 대신 온라인투표를 실시할 경우 종이투표 과정에서 발생하는 각종 자원이나 인력의 낭비를 줄일 수 있습니다. [A]

반대 2 : 저희가 미리 조사한 자료에 따르면 사례로 든 ○○국의 경우 인구 약 130만 명의 매우 작은 나라로 알고 있습니다. 인구로만 따졌을 때 약 40배나 더 큰 규모인 우리나라에 ○○국의 온라인투표 사례를 동일하게 적용하는 것이 가능할까요?

찬성 1 : 네. 가능하다고 생각합니다. 인구 규모가 달라진다고 하더라도 보안이 강화된 기술을 적용하는 온라인투표의 원리는 동일합니다. ○○국의 공직자 선거에서 온라인투표가 성공적으로 시행되었듯이 우리나라의 공직자 선거에서도 온라인 투표를 얼마든지 도입할 수 있을 것입니다.

사회자 : 이번에는 반대 측 첫 번째 토론자 입론해 주신 후 찬성 측에서 반대 신문해 주십시오.

반대 1 : 저희는 공직자 선거에 온라인투표를 도입하는 것은 시기상조라고 생각합니다. 현재 투표일은 임시 공휴일로 지정되어 있고, 사전 투표 제도 또한 시행되고 있어 투표를 원하는 유권자의 대부분이 투표권을 보장받고 있는 상황입니다. 최근 공직자 선거 투표에 참여하지 않은 사람들을 대상으로 한 설문 조사 결과에 따르면 시간과 공간의 제약으로 투표를 하지 못한 비율은 약 1.1%로 매우 낮습니다. 온라인투표가 종이투표에 비해 투표권 보장에 더 유리한 측면이 있지만 실제 투표율에는 큰 차이가 없을 것입니다. 오히려 온라인투표 시스템을 무리하게 도입할 경우 대리 투표와 같은 부정 투표의 가능성을 원천적으로 막을 수 없어서 선거의 중요한 원칙인 직접 선거와 비밀 선거의 원칙에 위배되는 심각한 상황이 발생할 수 있습니다. 또한 투표일에 투표소 접근이 어려운 사람들을 위해 온라인투표를 위한 시스템을 별도로 구축할 경우 오히려 선거 관리 비용이 추가로 지출될 수 있어 경제적이지도 않습니다. [B]

찬성 1 : 종이투표의 경우도 타인의 압박이나 회유, 인지 능력이 부족한 사람들에 대한 강제 등으로 인해 선거의 원칙에 위배되는 상황이 얼마든지 발생할 수 있지 않나요?

반대 1 : 어떠한 투표 방식이든 타인의 압박이나 회유가 발생한다면 선거의 원칙에 위배될 가능성은 있다고 생각합니다. 하지만 접속 권한만 가지면 투표권을 행사할 수 있는 온라인투표가 선거의 원칙을 위배할 가능성이 더 높다고 생각합니다.

(나)

공직자 선거에 온라인투표를 도입해야 할까?

최근 보안 기술의 발달로 투표권 보장을 위한 온라인투표 도입에 대한 논의가 활발하다. 온라인투표를 도입할 경우 거동이 어려운 노약자나 장애인, 투표 당일에 투표가 어려운 직업군의 사람들뿐만 아니라 일반인들도 시간과 장소에 구애받지 않고 투표에 참여할 수 있어 투표권을 최대한 보장할 수 있다. 실제로 총학생회장 선거에 온라인투표를 도입한 ○○대학교의 경우 투표율이 46%에서 80%로 상승했고, 인근 △△대학교의 경우도 54%에서 81%로 투표율이 크게 상승했다고 한다. 또한 공직자 선거에서 종이투표 방식을 온라인투표로 대체할 경우 1인당 선거 관리 비용이 약 5,000원에서 약 400원으로 줄어들어 공직자 선거에 투입되는 예산을 절감할 수 있다.

하지만 온라인투표에 보안이 강화된 기술을 적용하더라도 대리 투표를 원천적으로 막을 수 없다는 점에서 반대 의견도 제시되고 있다. 대리 투표의 경우 직접 선거와 비밀 선거라는 선거의 기본 원칙을 훼손할 수 있다는 점에서 문제를 지니고 있다. 온라인투표는 온라인 접속 권한만 갖게 되면 타인이 투표권을 대신 행사할 수 있으며, 유권자의 투표 과정이 타인에게 노출될 가능성이 크기 때문이다. 하지만 이러한 문제는 온라인 접속 권한에 대한 철저한 보안과 성숙한 국민 의식을 통해 어느 정도 개선할 수 있다고 생각한다.

따라서 현재의 종이투표 방식을 지속하되, 온라인투표를 공직자 선거에 부분적으로 도입하는 것이 바람직하다. 공직자 선거에 두 방식을 병행하여 운영한다면 투표의 기본 원칙이 훼손될 가능성을 최소화하면서도, 투표에서 소외되는 사람의 투표권을 최대한 보장할 수 있을 것이다. 물론 두 가지 방식을 모두 운영하게 되면 선거 관리 비용은 상승하겠지만 대의민주주의 체제의 대표성을 인정받는 과정에 의미를 둔다면 추가로 예산을 투입할 가치가 충분할 것이다.

1. [A], [B]에 대한 설명으로 적절하지 <u>않은</u> 것은?

① [A]는 공직자 선거에 온라인투표를 실시하고 있는 국가의 사례를 통해 온라인투표의 시행 가능성을 보여 주고 있다.
② [A]는 종이투표 방식의 한계를 지적하며 현재의 투표 방식이 투표권을 제대로 보장하지 못한다는 점에 대해 문제를 제기하고 있다.
③ [B]는 최근 실시된 공직자 선거의 투표율을 근거로 공직자 선거 투표에 참여를 희망하는 사람의 비율이 낮다고 주장하고 있다.
④ [B]는 이미 시행되고 있는 제도의 효과를 언급하며 온라인투표 도입으로 인한 투표율 상승 효과에 대해 부정적으로 평가하고 있다.
⑤ [A]와 [B]는 모두 종이투표의 대안으로 제시된 온라인투표가 투표권 보장에 더 유리하다는 점에 동의하고 있다.

2. <보기>를 고려할 때, (가)의 반대 신문 과정을 평가한 내용으로 가장 적절한 것은? [3점]

< 보 기 >

토론에서 반대 신문은 진리 검증의 협력적 의사소통 과정으로, 상대방의 입론을 예측하여 준비한 내용을 질문하기도 하고 상대방의 입론을 경청한 후 발언 내용에 대한 적절성을 질문하기도 한다. 이때, 질문자는 자신의 주장이 아닌 상대방의 발언 범위 내에서 질문해야 하며, 답변을 제한하는 폐쇄형 질문을 통해 상대방 발언의 오류를 검증해야 한다. 또한 답변자는 상대방이 질문한 내용에 대해 적절하게 답변해야 하며, 필요에 따라 답변을 보충할 수 있다.

① 반대 2는 찬성 1에 대한 반대 신문에서 답변을 제한하는 폐쇄형 질문을 통해 찬성 측이 제시한 자료의 적절성을 검증하고 있다.
② 반대 2는 찬성 1에 대한 반대 신문에서 입론 내용을 예측하여 찬성 측이 제시한 사례가 담긴 자료의 출처를 요구하고 있다.
③ 찬성 1은 반대 2의 반대 신문에 대한 답변에서 찬성 측 의견의 오류를 검증하는 질문에 대해 구체적 수치 자료를 들어 답변을 보충하고 있다.
④ 찬성 1은 반대 1에 대한 반대 신문에서 찬성 측의 의견을 반복하여 주장하며 반대 1이 언급하지 않은 내용에 대해 질문하고 있다.
⑤ 반대 1은 찬성 1의 반대 신문에 대한 답변에서 찬성 1의 질문과 무관한 답변을 하여 찬성 측과의 협력적 의사소통에 실패하고 있다.

3. (나)의 작문 맥락을 파악한 내용으로 가장 적절한 것은?

① 온라인투표 도입으로 인한 긍정적 효과를 근거로 제시하여 주장을 설득력 있게 전달하는 것을 작문 목적으로 설정했다.
② 공직자 선거 투표에 참여를 원하지 않는 사람들을 위한 대안이 필요하다는 관점에서 주제를 선정했다.
③ 온라인투표 도입에 대한 의견을 다양하게 수용하기 위해 실시간 의사소통이 가능한 매체를 선택했다.
④ 현재의 투표 제도와 관련된 문제를 인식하고 투표 방식과 절차를 안내하는 글의 유형을 선택했다.
⑤ 온라인투표의 도입을 결정할 수 있는 실질적 권한을 가진 기관을 특정하여 예상 독자로 설정했다.

4. (가)의 토론 내용이 (나)에 반영된 양상으로 적절하지 <u>않은</u> 것은?

① 토론에서 언급된 두 입장 중 온라인투표 도입에 찬성하는 입장의 발언 내용을 글의 첫 문단에 반영하고 있다.
② 토론에서 언급되지 않은 두 대학교의 투표율 변화 사례를 추가하여 온라인투표 도입으로 인한 효과를 강조하고 있다.
③ 토론에서 언급된 두 입장을 모두 고려하여 온라인투표를 부분적으로 도입해야 하는 이유에 대해 언급하며 주장에 대한 설득력을 높이고 있다.
④ 토론에서 언급된 두 입장 중 온라인투표 도입에 반대하는 입장의 발언 내용을 반영하여 온라인투표 도입에 따라 발생할 수 있는 문제를 인정하고 있다.
⑤ 토론에서 선거 관리 비용과 관련해 언급되지 않은 자료를 추가하여 온라인투표를 부분적으로 도입할 경우 얻을 수 있는 경제적 이익을 구체화하고 있다.

5. <보기>는 표준 발음법 중 '받침 'ㅎ'의 발음'의 일부이다. 이를 바탕으로 표준 발음을 이해한 내용으로 적절하지 <u>않은</u> 것은?

< 보 기 >

㉠ 'ㅎ(ㄶ, ㅀ)' 뒤에 'ㄱ, ㄷ, ㅈ'이 결합되는 경우에는, 뒤 음절 첫소리와 합쳐서 [ㅋ, ㅌ, ㅊ]으로 발음한다.
㉡ 'ㅎ' 뒤에 'ㄴ'이 결합되는 경우에는, [ㄴ]으로 발음한다.
㉢ 'ㅎ(ㄶ, ㅀ)' 뒤에 모음으로 시작된 어미나 접미사가 결합되는 경우에는, 'ㅎ'을 발음하지 않는다.

① '물이 끓고 있다.'의 '끓고'는 ㉠에 따라 [끌코]로 발음한다.
② '벽돌을 쌓지 마라.'의 '쌓지'는 ㉠에 따라 [싸치]로 발음한다.
③ '배가 항구에 닿네.'의 '닿네'는 ㉡에 따라 [단네]로 발음한다.
④ '마음이 놓여.'의 '놓여'는 ㉢에 따라 [노여]로 발음한다.
⑤ '이유를 묻지 않다.'의 '않다'는 ㉢에 따라 [안타]로 발음한다.

6. <보기>의 ㉡, ㉢이 모두 ㉠을 실현하고 있는 문장으로 적절한 것은?

< 보 기 >

선생님 : 국어의 시제는 화자가 말하는 시점인 발화시와 동작이나 상태가 나타나는 시점인 사건시를 기준으로, ㉠ <u>발화시보다 사건시가 앞서는 경우</u>, 발화시와 사건시가 일치하는 경우, 발화시보다 사건시가 나중인 경우로 나뉩니다. 이때 시제는 ㉡ <u>선어말 어미</u>, ㉢ <u>관형사형 어미</u>, 시간 부사어 등을 통해 실현됩니다.

① 지난번에 먹은 귤이 맛있었다.
② 이것은 내일 내가 읽을 책이다.
③ 이미 한 시간 전에 집에 도착했다.
④ 작년에는 겨울에 함박눈이 왔었다.
⑤ 친구는 지금 독서실에서 공부를 한다.

7. <보기>의 ㉠~㉤에 나타나는 중세 국어의 특징을 탐구한 내용으로 적절하지 <u>않은</u> 것은?

< 보 기 >

[중세 국어] 녯 마ᄅᆡ ㉠ <u>닐오ᄃᆡ</u> 어딘 일 ㉡ <u>조초미</u> 노ᄑᆞᆫ ᄃᆡ 올옴 ᄀᆞᆮ고
[현대 국어] 옛말에 이르되 어진 일 좇음이 높은 데 오름 같고

[중세 국어] 善쎤慧휑 ㉢ <u>對됭答답ᄒᆞ샤ᄃᆡ</u> 부텻긔 받ᄌᆞᄫᆞ리라
[현대 국어] 선혜가 대답하시되 "부처께 바치리라."

[중세 국어] 烽火ㅣ ㉣ <u>석ᄃᆞᄅᆞᆯ</u> ㉤ <u>니ᅀᅦ시니</u>
[현대 국어] 봉화가 석 달을 이어지니

① ㉠에서 두음 법칙이 적용되지 않았음을 알 수 있군.
② ㉡에서 이어 적기가 사용되었음을 알 수 있군.
③ ㉢에서 객체를 높이는 선어말 어미가 사용되었음을 알 수 있군.
④ ㉣에서 체언에 조사가 결합할 때 모음 조화가 지켜지고 있음을 알 수 있군.
⑤ ㉤에서 현대 국어에서 쓰이지 않는 자음이 사용되었음을 알 수 있군.

【8~11】 다음을 읽고 물음에 답하시오.

(가)

가을밤 아주 긴 때 **적막한 방** 안에
어둑한 그림자 말 없는 벗이 되어
외로운 등 심지를 태우고 전전반측(輾轉反側)하여
밤중에 어느 잠이 ㉠ 빗소리에 깨어나니
구곡간장(九曲肝腸)을 끊는 듯 찌는 듯 새도록 끓인다
하물며 맑은 바람 밝은 달 삼경(三更)이 깊어 갈 때
동창(東窓)을 더디 닫고 외로이 앉았으니
임의 얼굴에 비친 **달**이 한 빛으로 밝았으니
반기는 진정(眞情)은 임을 본 듯하다마는
임도 달을 보고 나를 본 듯 반기는가
저 달을 높이 불러 물어나 보고 싶은데
구만리장천(九萬里長天)의 어느 달이 대답하리
묻지도 못하니 눈물질 뿐이로다
어디 뉘 말이 춘풍추월(春風秋月)을 흥(興) 많다 하던가
어찌한 내 눈에는 다 슬퍼 보이는구나
봄이라 이러하고 가을이라 그러하니
옛 근심과 새 한(恨)이 첩첩이 쌓였구나
세월이 아무리 흐른들 이내 한이 그칠까
몇 백세(百歲) 인생이 천년의 근심을 품어 있어
못 보는 저 임을 이토록 그리는가
잠깐 동안 아주 잊어 후리쳐 던져두자
운수에 정해진 만남과 이별을 마음대로 할 수 있는가
언약을 굳게 **믿고** 기다려는 보자구나
행복과 불행은 하늘의 이치에 자연 그러하니
초생(初生)에 이지러진 **달**도 **보름**에 둥글듯이
청춘에 나눈 거울 이제 아니 모을소냐
신혼에 즐거웠거늘 오랜 옛정이 지금이라고 어떠하랴
흰머리 속의 소년의 마음을 가져 있어
산수(山水) 갖춘 고을에 **초막(草幕)**을 작게 짓고
편안치 못한 생애를 유여(有餘)하고자 바랄소냐
두세 이랑 돌밭을 갈거니 짓거니
오곡이 익거든 조상 제사 받들고 성경(誠敬)을 이룬 후에
있으면 밥이오 없으면 **죽**을 먹고
좋은 일 못 보아도 궂은 일 없을지니
오십에 아들 낳아 자손 아기 늙도록
일생에 덜 밉던 정을 밉도록 좇으리라

– 박인로, 「상사곡(相思曲)」 –

(나)

내 나이 대여섯 살 적에 나는 동리 사람들이 '금융조합 이사 집 아들'이라고 부르는 것을 알게 되었다. 그리고 우리 집의 대명사가 '금융조합 집'인 것도 귀담아 듣게 되었다. 때문에 송천, 사리원, 겸이포, 장연 등지로 번질나게 이사를 다녔다고 한다. 이사(理事)네 집이기 때문에 이사(移徙)만 다닌다고, 나는 그때 혼자서 그렇게 생각했었다. 그래서 ⓐ 도라지꽃, 하늘 색깔 닮아 고웁던 그 구월산 줄기 남쪽엘 거의 안 다닌 곳 없이 다닌 것이었다.

요즈음도 그 ㉡ 몽금포 타령, 라디오에서 흐르는 그 가락은, 가끔 날 눈 감게 하여 주고, 그러고는 나의 고향을 그 가락에 매어 끌어다 준다. 마치 수평선 저쪽에서 다가오는 한 척의 돛배처럼 느리고 잔잔하게.

감나무 두 그루가 엇갈려 서 있는 송천의 금융조합 이사 집이, 내 감은 두 눈 속에서 얌전히 찾아와 스며든다. 그것은 빛바랜, 옛날의 사진처럼 부우연 원색화이다.

뽕나무밭이 줄 그어 가시울타리까지 달려간 뒷밭에서, 오디 철 한여름을 보내면, 감나무의 감이 어린 나를 어르면서 익어 갔다.

오딧물 들어, 입술이 너나없이 연둣빛이 되던 그 한 철이 지나, ⓑ 뽕잎에 기름진 여름이 줄줄 녹아 흐르고 나면 그 다음엔 떫은 입속의 감 맛을 느끼게 된다. 그 떫은 감겨를 소매에 부빈다고 야단을 맞던 ⓒ 어린 시절이 나의 눈앞에서 희죽희죽 웃는다. 내가 순수 무구하게 웃음을 찾을 수 있다면 그것은 이런 혼자만의 회상 속에서 가능한 것 같다.

처음 담근 감의 떫음이 빠지기를 기다리다 못해, 가을이 먼저 오는 곳이 그곳이었다. 개암 익기 기다려 산을 파헤치고 다닌다. 또 ⓓ 두 산이 기역 자처럼 붙어 버린 산그늘, 그 속의 바위 냇물로 빨래하러 가는 아낙들을 부끄러운 줄 모르고 따라다니던 생각……. 사라지지 않는 방망이 소리. 또 먼지 피우며 달아나는 한두어 대의 목탄차가 신작로로 빠져나가는 것 바라보고 가슴 설레던 생각도, 시금털털한 머루 따 먹느라고 쐐기에 쏘이던 생각도, 지금은 애써 다 그려 보고 싶은 풍경들이다.

(중략)

고향은 지워지지 않고, 잊어버릴 뿐. 그러나 아직 잊어버리지 않으나, 잃어버리는 생각은 있다. 쬐그만 옛날의 장난감을 잃어버리듯이.

비 온 뒤, 광에서 채를 훔쳐 내다가 달치 새끼나 건져 나누며, 싸우던 냇가의 생각, 또 포플러 높은 키의 그림자가 물속에 드리울 때, 잔등에 뿔이 솟은 쏘가리가 그 그늘로 기어들고 모래 속에 주둥이만 콱 파묻는 모래무지가 무지무지하게 많던 강가.

그놈들 잡아서 한 마리도 국 끓여 먹어 보질 못했건만, 무엇 때문에 잡으려고 고무신만 떠내려 보내고 울곤 하였던가.

ⓔ 수수깡 뽑아 마디마디 끝마다 씹어 빨아 먹고, 안경 만들어 쓰고 '에헴!' 우편소의 문을 밀고 들어서 보던 시절로 지금도 달려가는 나의 생각들, 그것이 몰려가선, 나의 고향을 이룬다.

– 유경환, 「고향 이루는 생각들」 –

8. (가), (나)의 공통점으로 가장 적절한 것은?

① 그리운 대상을 떠올리며 자신의 삶을 되돌아보고 있다.
② 해결하기 어려운 내면적 고통을 토로하며 현실을 비판하고 있다.
③ 차분하게 주변을 돌아보며 주변의 모습에서 깨달음을 얻고 있다.
④ 어지러운 세속을 부정하며 세속과 타협하지 않으려는 태도를 드러내고 있다.
⑤ 변해 버린 현실에 대해 아쉬워하며 현실에 대해 좌절하는 모습을 보이고 있다.

9. ㉠과 ㉡을 비교한 내용으로 가장 적절한 것은?

① ㉠은 화자의 상상 속에, ㉡은 작가의 현실 속에 있는 소재이다.
② ㉠은 화자가 함께하고 싶어 하는, ㉡은 작가가 멀리 하고 싶어 하는 소재이다.
③ ㉠은 화자의 처지가 긍정적임을, ㉡은 작가의 처지가 부정적임을 알게 하는 소재이다.
④ ㉠은 화자의 현재의 정서를 심화시키고, ㉡은 작가의 과거의 정서를 떠올리게 하는 소재이다.
⑤ ㉠은 화자의 내적 갈등이 고조됨을, ㉡은 작가의 외적 갈등이 해소됨을 알게 하는 소재이다.

10. <보기>를 참고하여 (가)를 감상한 내용으로 적절하지 않은 것은? [3점]

<보 기>

박인로의 「상사곡」은 이별한 임에 대한 연정의 마음을 잘 표현한 시가로서 화자를 둘러싼 배경과 자연물을 활용하여 임에 대한 간절함을 잘 드러내고 있다. 또한 이 작품은 이별의 상황을 신의로 극복하려는 모습에서 더 나아가 안분지족의 일념으로 자신의 부정적 상황을 견디려는 선비로서의 자세를 드러낸다는 점이 특징이다.

① '가을밤'과 '적막한 방'은 화자를 둘러싼 배경으로, 임과 이별하고 외로워하는 화자의 정서와 조응되는군.
② '동창'에 비친 '달'은 임을 떠올리게 하는 대상으로, 임에 대한 화자의 간절함을 느끼게 하는군.
③ '언약'을 '믿고' 기다리려는 행동은 화자의 의지가 담긴 것으로, 임에 대한 화자의 신의를 보여주는군.
④ '초생'의 '달'과 '보름'의 달의 대비로, 임과의 재회가 어려운 화자의 부정적 상황을 강조하는군.
⑤ '초막'과 '죽'은 화자의 태도와 관련된 소재로, 화자가 자신의 현실을 안분지족의 정신으로 견디려고 함을 알게 하는군.

11. ⓐ~ⓔ를 이해한 내용으로 적절하지 않은 것은?

① ⓐ: 회상 속 고향을 '도라지꽃, 하늘 색깔'의 시각적 이미지로 표현하여, 고향의 이미지를 형상화하고 있다.
② ⓑ: '여름'과 '감'을 감각적으로 표현하여, 고향의 계절감을 생동감 있게 드러내고 있다.
③ ⓒ: 음성상징어를 활용하여, '어린 시절' 순수했던 추억에 정감을 표현하고 있다.
④ ⓓ: 말줄임표를 사용하여, 고향의 '산그늘'과 '아낙들'을 따라다니던 추억에 여운을 주고 있다.
⑤ ⓔ: '나의 고향'을 이루는 '생각들'을 점층적으로 확대하여, '나'가 순수성을 회복하기 위해 노력하는 모습을 보여주고 있다.

총 문항				문항	맞은 문항					문항
개별 문항	1	2	3	4	5	6	7	8	9	10
채점										
개별 문항	11	12	13	14	15	16	17	18	19	20
채점										

단기 특강, 24일의 기적!

유형 + 씨물

고2

전국연합 학력평가

기출문제집

국어 – 독서

정답 및 해설

씨뮬과 함께하는 기출 완전정복 커리큘럼

씨뮬 = 실전 연습

내신, 학평, 수능까지 실전 대비 최고의 연습, 씨뮬

씨뮬과 함께 1등급, SKY, 의치한까지

DAY 01

1 ③ 2 ⑤ 3 ④ 4 ④ 5 ⑤
6 ① 7 ④ 8 ③ 9 ⑤ 10 ②
11 ④

DAY 02

1 ① 2 ③ 3 ② 4 ⑤ 5 ④
6 ① 7 ④ 8 ③ 9 ④ 10 ④
11 ④

DAY 03

1 ① 2 ⑤ 3 ② 4 ② 5 ③
6 ④ 7 ④ 8 ① 9 ③ 10 ②
11 ① 12 ③ 13 ③ 14 ③

DAY 04

1 ⑤ 2 ② 3 ⑤ 4 ② 5 ①
6 ④ 7 ① 8 ⑤ 9 ⑤ 10 ②

DAY 05

1 ② 2 ③ 3 ② 4 ③ 5 ③
6 ③ 7 ③ 8 ③ 9 ⑤

DAY 06

1 ③ 2 ③ 3 ② 4 ④ 5 ①
6 ② 7 ② 8 ④ 9 ③ 10 ④
11 ③ 12 ② 13 ④ 14 ①

DAY 07

1 ③ 2 ⑤ 3 ① 4 ③ 5 ⑤
6 ③ 7 ③ 8 ⑤ 9 ② 10 ①

DAY 08

1 ④ 2 ③ 3 ⑤ 4 ⑤ 5 ⑤
6 ② 7 ③ 8 ⑤ 9 ⑤ 10 ④

DAY 09

1 ① 2 ② 3 ② 4 ① 5 ③
6 ③ 7 ③ 8 ⑤ 9 ② 10 ③
11 ①

DAY 10

1 ① 2 ⑤ 3 ⑤ 4 ④ 5 ④
6 ⑤ 7 ④ 8 ⑤ 9 ② 10 ②
11 ①

DAY 11

1 ④ 2 ③ 3 ④ 4 ⑤ 5 ⑤
6 ② 7 ② 8 ③ 9 ① 10 ③
11 ④

DAY 12

1 ① 2 ② 3 ② 4 ① 5 ④
6 ① 7 ③ 8 ④ 9 ③ 10 ④
11 ②

DAY 13

1 ④ 2 ① 3 ④ 4 ⑤ 5 ①
6 ③ 7 ④ 8 ⑤ 9 ②

DAY 14

1 ④ 2 ③ 3 ③ 4 ④ 5 ⑤
6 ① 7 ③ 8 ④ 9 ②

DAY 15

1 ② 2 ④ 3 ① 4 ⑤ 5 ①
6 ⑤ 7 ③ 8 ⑤ 9 ② 10 ④

DAY 16

1 ⑤ 2 ⑤ 3 ④ 4 ① 5 ⑤
6 ③ 7 ① 8 ⑤ 9 ④ 10 ①
11 ⑤

DAY 17

1 ① 2 ⑤ 3 ③ 4 ① 5 ②
6 ② 7 ⑤ 8 ① 9 ③

DAY 18

1 ② 2 ② 3 ④ 4 ④ 5 ①
6 ③ 7 ④ 8 ⑤ 9 ④ 10 ③
11 ③ 12 ⑤ 13 ④

DAY 19

1 ⑤ 2 ① 3 ① 4 ② 5 ①
6 ① 7 ③ 8 ① 9 ③

DAY 20

1 ④ 2 ④ 3 ⑤ 4 ③ 5 ③
6 ② 7 ② 8 ③ 9 ④ 10 ②

DAY 21

1 ② 2 ⑤ 3 ③ 4 ⑤ 5 ①
6 ⑤ 7 ② 8 ② 9 ④ 10 ①
11 ②

DAY 22

1 ⑤ 2 ② 3 ③ 4 ⑤ 5 ⑤
6 ④ 7 ⑤ 8 ④ 9 ③ 10 ③

DAY 23

1 ④ 2 ④ 3 ② 4 ⑤ 5 ③
6 ⑤ 7 ② 8 ④ 9 ⑤ 10 ⑤

DAY 24

1 ③ 2 ① 3 ① 4 ⑤ 5 ⑤
6 ① 7 ③ 8 ① 9 ④ 10 ④
11 ⑤

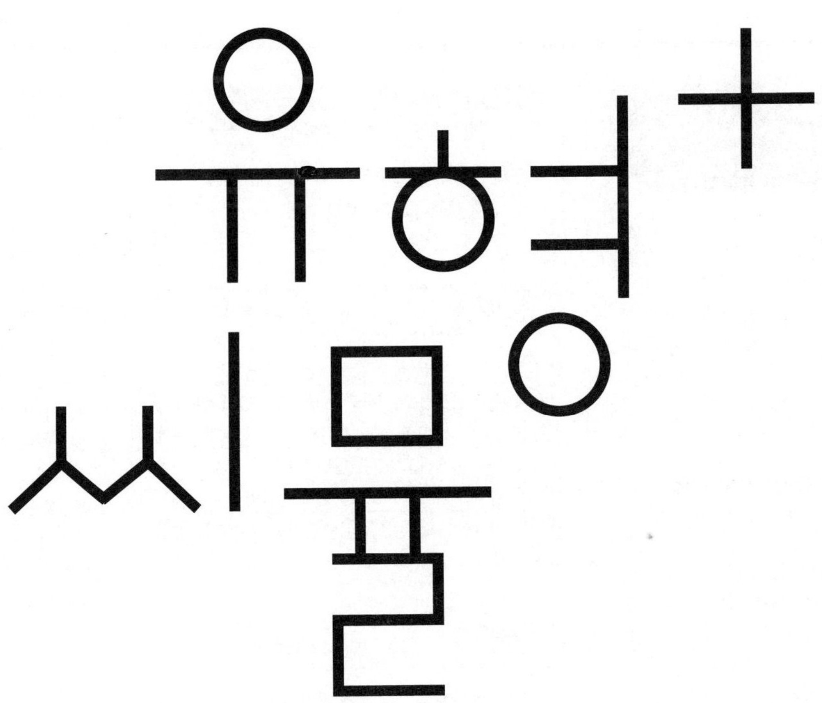

단기 특강, 24일의 기적!

정답 및 해설

고2 국어 독서

CONTENTS

인문

Day 01

본문 004쪽

1. ③ 2. ⑤ 3. ④ 4. ④ 5. ⑤
6. ① 7. ④ 8. ③ 9. ⑤ 10. ②
11. ④

【1~6】 (가) 박정자, '시뮬라크르의 시대'

지문해설

플라톤의 철학적 세계관에 따른 시뮬라크르에 대한 관점을 제시하고, 이에 대한 반플라톤주의 철학자 들뢰즈의 비판과 그의 시뮬라크르에 대한 관점을 소개하고 있는 글이다. 플라톤은 예술은 재현의 기술이기 때문에 무가치한 것이라고 하며 세계를 '가지적 세계'와 '가시적 세계'로 구분하였다. 시뮬라크르가 모방을 거듭하면서 본질에서 멀어진 가짜라고 주장하는 플라톤과 달리 들뢰즈는 사물 그 자체라고 주장한다. 들뢰즈에 의하면 시뮬라크르는 주체의 판단과 상관없이 독립된 존재이며, 그는 예술은 모방이 아니라 반복할 뿐이라고 선언한다.

■ **비문학 지문 어떻게 이해할까?**

1문단
플라톤의 예술관

2문단
플라톤의 시뮬라크르에 대한 관점

3문단
반플라톤주의 철학자 들뢰즈의 비판

4문단
시뮬라크르를 긍정하는 들뢰즈

■ **주제** : 플라톤과 들뢰즈의 시뮬라크르에 대한 상반된 관점

(나) 임영매, '보드리야르 : 현대예술과 초미학'

지문해설

철학자 보드리야르의 세계관을 바탕으로 한 현대 시뮬라크르에 대한 관점을 시뮬라크르가 산출되는 과정과 초미학을 중심으로 소개하고 있는 글이다. 장 보드리야르는 현대 사회는 미디어와 광고가 생산하는 복제 이미지들로 만들어진 세계라고 말한다. 그는 시뮬라크르가 산출되는 과정을 '시뮬라시옹 현상'이라 부르며, 시뮬라시옹 현상으로 모든 실재가 사라진다고 주장한다. 시뮬라시옹 현상은 오늘날 우리 문화 현상이 되었으며 예술의 영역까지 확장되었다.

■ **비문학 지문 어떻게 이해할까?**

1문단
초과실재 : 보드리야르가 말하는 시뮬라크르

2문단
시뮬라시옹 현상 : 시뮬라크르가 산출되는 과정

3문단
초미학 : 예술 그 자체가 내파되어 사라진 상태

■ **주제** : 철학자 보드리야르의 세계관을 바탕으로 한 현대 시뮬라크르에 대한 관점

1. ③ 내용 전개 방식 파악하기

❸ (가)는 플라톤의 철학적 세계관을 바탕으로 시뮬라크르에 대한 관점을 제시하고, 이에 대해 반플라톤주의 철학자 들뢰즈가 비판하는 지점과 그의 시뮬라크르에 대한 관점을 소개하고 있다. 한편 (나)는 철학자 보드리야르의 세계관을 바탕으로 한 현대 시뮬라크르에 대한 관점을 시뮬라크르가 산출되는 과정과 초미학을 중심으로 소개하고 있다.

2. ⑤ 세부 내용 이해하기

① (가)의 첫 번째 문단을 통해 가지적 세계는 지성으로만 알 수 있는 세계임을 알 수 있다.
② (가)의 첫 번째 문단을 통해 가시적 세계는 눈으로 지각 가능한 현실 세계임을 알 수 있다.
③ (가)의 두 번째 문단을 통해 가시적 세계의 사물들인 에이돌론은 에이콘과 판타스마로 구분됨을 알 수 있다.
④ (가)의 첫 번째 문단을 통해 가시적 세계는 가지적 세계를 모방하여 재현한 환영에 불과함을 알 수 있다.
❺ (가)의 첫 번째 문단을 통해 플라톤은 가지적 세계와 가시적 세계를 구분하고, 가지적 세계에는 결코 변하지 않는 본질이자 실재인 에이도스가 있음을 알 수 있다. 또한 (가)의 두 번째 문단을 통해 에이돌론은 가시적 세계의 사물임을 알 수 있으므로, 가지적 세계에 있는 본질은 에이도스와 에이돌론으로 구분된다는 진술은 적절하지 않다.

3. ④ 구체적 사례에 적용하기

① (가)의 내용을 고려할 때, 플라톤의 입장에서는 〈보기〉의 [자료 1]에서 실제 상품을 베낀 초안을 그린 후 이를 변형한 '첫 캐릭터'는 시뮬라크르로, 모방을 거듭하면서 본질에서 멀어진 가짜로 여길 것이다. 하지만 들뢰즈는 시뮬라크르를 사물 그 자체라고 주장할 것이다.
② (가)의 두 번째 문단에 드러난 플라톤의 입장에서는 〈보기〉의 [자료 1]에서 A가 실제 상품을 베낀 '초안'과 이를 변형한 '첫 캐릭터', 그리고 이를 다시 의인화한 '최종 캐릭터'는 모방한 것을 다시 모방한 것이자, 실재하는 본질에서 멀어진 이미지에 불과한 것으로 여길 것이다. 한편, (가)의 네 번째 문단에 드러난 들뢰즈의 입장에서는 '초안', '첫 캐릭터', '최종 캐릭터'는 반복을 통해 생성된 실재로서 지닌 의미 그 자체로 볼 것이다.
③ (나)의 첫 번째 문단에서 보드리야르는 광고가 생산한 복제 이미지가 실재보다 더 실재적이고 우월한 것이 된 것을 시뮬라크르라고 말한다고 하였고, 두 번째 문단에서는 현대 사회에서 시뮬라크르는 그 자체로서 실재를 대신한다고 하였다. 〈보기〉의 [자료 1]에서 '최종 캐릭터'는 광고로 반복하여 방영된 후 가장 영향력 있는 인물로 선정되며 실제 상품보다 사랑받는 인기 캐릭터가 되었다고 하였으므로, 보드리야르는 가장 영향력 있는 인물로 선정된 '최종 캐릭터'가 실재를 대신한다고 여길 것이다.
❹ 〈보기〉의 [자료 2]에서 '의자 0'은 가구 장인 B가 만든 의자를 본떠 직접 그린 '의자 1'의 모델로, 가구 장인 B가 만든 현실 세계의 의자를 가리킨다. 그런데 (가)의 첫 번째 문단과 두 번째 문단에서 플라톤은 장인처럼 에이도스에 대한 지식을 가지고 만든 가시적 세계의 사물은 실재하는 본질인 에이도스가 있는 가지적 세계를 모방하여 재현한 이미지에 불과하다고 했으므로, 플라톤은 '의자 0'이 실재보다 우월해졌다고 여길 것이라는 진술은 적절하지 않다.
⑤ 〈보기〉의 [자료 2]에서 '의자 3'은 화가 C가 '의자 1'을 보고 자신만의 방식으로 그린 '의자 2'를 다시 변형하여 그린 것이라고 하였다. (가)의 네 번째 문단에서 플라톤이 시뮬라크르가 모방을 거듭하면서 본질에서 멀어진 가짜라고 주장하는 것과 달리, 들뢰즈는 원본과 사본의 우위를 부정하는 역동적인 힘이 있는 사물 그 자체라고 주장한다고 하였다. 따라서 들뢰즈는 '의자 3'이 '의자 1'의 우위를 부정하는 힘이 있다고 여길 것이다.

4. ④ 구체적 사례에 적용하기

① (가)의 첫 번째와 두 번째 문단을 볼 때, 〈보기〉의 [자료 2]에서 B가 만든 의자는 플라톤의 입장에서는 장인이 실재인 에이도스에 대한 지식을 가지고 그 성질을 재현한 좋은 이미지이지만, [자료 1]의 실제 상품을 베껴 그린 초안은 에이도스에 대한 지식은 없이 눈에 보이는 현상만을 모방하여 재현한 나쁜 이미지라고 여길 것이다.
② (가)의 두 번째 문단을 볼 때, 플라톤의 입장에서 〈보기〉의 [자료 1]의 A가 그린 캐릭터들과 [자료 2]의 C가 그린 그림들은 모두 사이비 기술로 모방한 것을 모방한 가짜에 불과하다고 여길 것이다.
③ (가)의 세 번째 문단을 볼 때, 들뢰즈의 입장에서 〈보기〉의 [자료 1]에서 음료 회사가 첫 캐릭터에 대해 혹평을 내린 것은 상품의 특징을 드러낸 것에 따라 평가한 것이고, [자료 2]에서 평론가들이 '의자 0'에 대해 극찬한 것은 원본에 가까운 정도에 따라 위계적인 질서를 부여하고 있는 것이다. 따라서 들뢰즈는 두 경우 모두 대상의 가치를 재단하는 폭력성이 내재해 있다고 볼 것이다.
❹ (나)의 첫 번째 문단에서 보드리야르는 현대 사회에서는 복제 이미지가 실재보다 더 실재적이고 우월한 것이 된다고 하였고, 이러한 현대 사회의 이미지를 '초과실재'라고 부른다고 하였다. 그러므로 보드리야르의 입장에서 〈보기〉의 [자료 1]에서 실제 상품보다 사랑받는 인기 캐릭터가 된 '최종 캐릭터'는 현대 사회의 복제 이미지가 실재보다 더 실재적이고 우월한 것이 된 초과실재가 된다. 반면 (나)의 세 번째 문단에서 보드리야르가 예술이 가지고 있던 미적 가치가 사라지고 그 어떤 것도 더 이상 아름답거나 추하지 않게 된 상태를, 예술 그 자체가 내파되어 사라진 '초미학'이라고 부른다고 한 것으로 볼 때, 보드리야르의 입장에서 〈보기〉의 [자료 2]에서 B가 자신이 만든 의자를 본떠 직접 그린 '의자 1'이 예술성을 인정받은 순간은 예술 그 자체가 내파되어 사라진 상태가 아니므로 적절하지 않다.
⑤ (나)의 두 번째 문단과 세 번째 문단을 통해 볼 때, 보드리야르 입장에서 〈보기〉의 [자료 1]의 설문 조사 결과에서 '최종 캐릭터'가 가장 영향력 있는 인물로 선정되는 등 실제 상품보다 사랑받는 인기 캐릭터가 된 것

은 실제 상품을 모델로 수정되며 그려진 최종 캐릭터가 광고에서 반복되면서 실제 상품보다 더 실재적이고 우월한 초과실재가 된 것이고, [자료 2]의 각국 미술관에서 예술가들이 깃발, 책상 등을 그대로 전시하고 예술을 논하는 현상은 일상적인 사물이 예술에 가까워지면서 모든 것이 미학적인 것이 되어 일상 사물과 예술 작품 간의 경계가 붕괴된 상태이므로 적절하다.

왜 많이 틀렸을까?

실재와 모방, 에이도스, 시뮬라크르, 초과실재, 초미학……낯선 개념이 정말 많이 등장했던 지문이었어. 그만큼 각 개념이 무엇을 의미하는지 정확하게 파악하기 어려웠을 거야. (나)의 마지막 문단에 '예술 그 자체가 내파되어 사라진 상태'를 '초미학'이라고 부른다고 나와 있고, 따라서 '초미학≠예술성을 인정받은 상태'라는 것을 어렵지 않게 추론해 낼 수 있어. 그런데 앞서 말했듯 너무 많은 개념들로 머리가 어지러운 와중에 〈보기〉의 사례까지 머리에 담느라 혼란스러워서 이 부분을 놓친 것 같아. 이런 지문을 만나도 당황하지 말고 더욱 차분하게, 침착하게 정리할 수 있도록 하자.

5. ⑤ 내용 추론하여 이해하기

❺ (가)에서 들뢰즈는, 플라톤은 원본과의 유사성을 근거로 들어 진짜 유사와 가짜 유사를 구분 짓고 시뮬라크르만을 무가치한 것으로 폐기했다고 비판한다. 따라서 예술은 모방이 아닌 반복을 통해 주체의 판단과 상관없는 독립된 존재로서 존재 가치를 보존한다고 언급하였다. 따라서 ㉮에는 반복을 통해 위계적 질서에서 벗어난 예술에 대한 긍정적 태도가 담겨 있다고 볼 수 있다. 한편 (나)에서 보드리야르는, 시뮬라시옹 현상에 의해 도처에서 예술 작품이 증식하면서 예술이 가지고 있던 미적 가치가 사라져 모든 것이 미학적인 것이 되는 현상을 비판하고 있다. 따라서 ㉯에는 증식을 통해 그 어떤 것도 아름답거나 추하지 않게 된 예술에 대한 부정적 태도가 담겨 있다고 볼 수 있다.

6. ① 어휘의 문맥적 의미 파악하기

❶ ⓐ '말하다'는 '평하거나 논하다'라는 의미로 사용되었고, '사람들은 흔히 내 글을 관념적이라고 말한다.'에서도 같은 의미로 사용되었다.

② '생각이나 느낌 따위를 말로 나타내다'라는 의미로 사용되었다.

③ '확인 · 강조'의 뜻을 나타내는 의미로 사용되었다.

④ '무엇을 부탁하다'라는 의미로 사용되었다.

⑤ '말리는 뜻으로 타이르거나 꾸짖다'라는 의미로 사용되었다.

【7~11】 (가) 강신주, '철학 대 철학'

지문해설

후설은 우리의 의식은 대상과 독립적으로 존재하는 것이 아니라 '지향성'을 지닌다고 보았다. 이때 지향성이란 어떤 대상을 구체적으로 지향하고, 대상과의 관계에서 어떤 의미를 형성하는 성질이다. 전통 철학에서는 의식과 독립적으로 대상이 존재하고, 주체성을 가진 인간이 대상을 객관적으로 파악함으로써 의미가 얻어진다고 보았다면, 후설은 의미가 대상으로부터 객관적으로 얻어지는 것이 아니라 의식과 지평을 지닌 주체에서 비롯된다고 본 것이다.

■ **비문학 지문 어떻게 이해할까?**

1문단 후설의 인식에 대한 관점과 지향성

2문단 인식의 주체는 지평을 바탕으로 의미를 파악할 수 있음

3문단 전통 철학과 후설의 견해의 차이점

■ **주제** : 후설의 인식에 대한 개념과 전통 철학과의 차이점

(나) 강신주, '철학 대 철학'

지문해설

메를로퐁티는 의식과 신체를 독립적인 것으로 본 전통 철학을 비판하며, 몸을 의식과 결합하여 있는 '신체화된 의식'이라고 규정하였다. 후설의 지향성 개념을 수용한 그는 몸이 지향성을 갖고 세상과 반응하는 '지각'이 이루어지고, 지각 경험들이 누적됨으로써 '몸틀'을 형성하는 것으로 몸의 지각 원리를 설명한다. 한편, 몸의 지각은 대부분 주체와 대상이 서로 얽혀 있고 명확하게 구분되지 않는 '애매성'을 지니고 있기 때문에, 메를로퐁티는 몸이 지각의 주체와 대상이 모두 될 수 있다고 보았다.

■ **비문학 지문 어떻게 이해할까?**

1문단 메를로퐁티의 '신체화된 의식'의 개념

2문단 몸의 지향성과 지각 원리

3문단 몸 지각의 주체와 대상의 관계

■ **주제** : 메를로퐁티의 몸에 의한 지각에 대한 관점

7. ④ 글의 내용 전개 방식 파악하기

① (가)의 첫 번째 문단에서는 동일한 대상에 대해서도 사람이나 상황에 따라 인식이 다를 수 있는 상황을 예로 제시하며, 후설은 이러한 현상을 '지향성'이라는 개념을 통해 설명했다고 제시하고 있다.

② (나)의 첫 번째 문단에서는 자전거 타기를 배운 것은 의식일까, 몸일까라는 일상적 경험에서 비롯된 의문을 제기하며, 메를로퐁티는 '몸은 의식과 결합하여 있는 신체화된 의식'이라고 규정했다고 소개하고 있다.

③ (가)의 첫 번째 문단에서 후설이 제시한 '지향성', 두 번째 문단에서 '지평'이라는 개념을 정의한 뒤에 의식이 지평을 통해 대상의 의미를 파악하는 과정을 제시하고 있다.

❹ (나)의 첫 번째 문단에서 전통 철학은 '의식과 신체는 독립되어 있고 의식이 객관적 세계를 인식한다'고 했지만, 메를로퐁티는 이를 비판하며 '의식과 결합하여 있는 신체화된 의식'인 몸을 통해 '세계를 지각할 수 있다'고 하였다. 따라서 (나)는 지각의 주체를 상반된 시각으로 바라보는 특정 이론들을 제시하고 있음을 알 수 있다. 그러나 두 번째 문단부터 메를로퐁티의 몸에 의한 지각 과정을 서술하면서 그 이론들의 한계와 의의는 제시하고 있지 않다.

⑤ (나)의 두 번째 문단을 보면, 후설과 메를로퐁티는 공통적으로 지향성 개념을 활용하여 인식이나 지각에 대해 설명하고 있음을 알 수 있다. 또한 (가)의 세 번째 문단에서는 인식에 대한 후설의 주장과 전통 철학의 관점과의 차이점을, (나)의 첫 번째 문단에서는 신체에 대한 전통 철학의 관점과 메를로퐁티의 주장과의 차이점을 서술하고 있다.

8. ③ 글의 세부 내용 파악하기

① (나)의 첫 번째 문단에서 몸은 의식과 결합하여 있는 '신체화된 의식'이라고 하였다.

② (나)의 두 번째 문단에서 몸이 세상과 반응하는 것을 '지각'이라고 하였고, 지향함으로써 지각되고 의미가 생기게 된다고 하였다.

❸ (나)의 두 번째 문단에서 메를로퐁티는 몸이 지향성을 지니고 있어 세상을 지각할 수 있다고 보았다. 따라서 지향성이 없더라도 세계를 지각할 수 있다는 진술은 적절하지 않다.

④ (나)의 두 번째 문단에서 몸은 현실적 몸의 층과 습관적 몸의 층으로 이루어져 있다고 하였다.

⑤ (나)의 세 번째 문단에서 메를로퐁티는 몸을 지각의 주체로만 보지 않고 지각의 대상이 될 수도 있다고 보았다고 하였다.

9. ⑤ 글의 세부 내용 파악하기

① (가)의 세 번째 문단을 보면 후설은 '주체가 지평에 따라 대상에서 형성하는 의미가 달라지므로 대상을 객관적으로 파악하는 것은 불가능하다고 보았다'고 하였다.

② (나)의 두 번째 문단에서 '몸틀'은 '지각 경험들이 시간이 흐르면서 누적됨으로써 형성된다'고 하였다.

③ (가)의 두 번째 문단에서 '지평'은 '의식이 대상을 만나서 의미를 형성하는 과정'에서 만들어진다고 하였고, (나)의 첫 번째 문단에서 몸은 '의식과 결합하여 있는 신체화된 의식'이라고 하였다. 이를 통해 '지평'과 '몸틀'은 모두 의미 형성 과정에서 의식의 쓰임이 나타난다고 볼 수 있다.

④ (가)의 두 번째 문단에서 '인식의 주체는 지평을 바탕으로 다양한 상황에서 의미를 파악할 수 있다'고 하였고, (나)의 두 번째 문단에서 '몸틀'은 '다양한 상황에 적응할 수 있게' 하는 '몸의 대응 능력'이라고 하였다.

❺ (가)의 두 번째 문단에서 '지평'은 '의미를 형성하는 과정이 반복되고 그것이 누적되'면서 갖게 되는 것이며, '개인마다 경험이 다르기 때문에' 서로 다른 지평을 갖게 된다고 하였다. 또 (나)의 두 번째 문단에서도 '몸틀'은 '지각 경험들이 시간이 흐르면서 누적됨으로써 형성된다'고 설명하고 있다. 따라서 ㉠과 ㉡은 모두 이전의 경험이 쌓이면서 형성되는 것으로 볼 수 있다.

10. ② 글의 세부 내용 파악하기

❷ (나)의 두 번째 문단에서 몸이 세상을 지각하는 경험이 '몸에 배면 습관적 몸의 층을 형성'하고, 이것이 '몸에 내재되어 세상과 반응할 때 다시 영향을 미'친다고 하였다. 또한 '자전거를 타는 연습이 반복되면 새로운 운동 습관을 익히며 몸틀을 재편'한다고 하였다. 이를 통해 자전거 타기의 습관이 몸에 내재되어 자전거 타기

를 오랫동안 쉬었다 하더라도 쉽게 다시 탈 수 있음을 알 수 있다.

11. ④ 다른 견해와 비교하기

① 〈보기〉의 제자는 산속의 꽃을 가리키며 진달래꽃이라고 말하고 있다. 이는 그 꽃에 대한 정보를 이미 알고 있다는 것이므로, 후설은 제자의 지평이 작용했다고 생각할 것이다.
② 〈보기〉의 제자는 지향성을 인정하지 않고 의식과 독립적으로 대상이 존재할 수 있다고 생각하고 있지만, 후설은 지향성을 통해 대상이 인식된다는 생각을 보이고 있다.
③ 몸이 지향성을 지니고 있어 세상을 지각할 수 있다고 보는 메를로퐁티는, 지각의 상황에서 우리는 대상을 지각하면서 동시에 이에 영향을 받아 변화하는 모습을 보인다고 하였다. 따라서 메를로퐁티는 〈보기〉의 제자가 꽃을 지각하는 동시에 꽃으로 인해 그에게 변화가 생겼다는 스승의 말에 동의할 것이다.
❹ (나)에서 메를로퐁티는 '몸은 의식과 결합하여' 있고, '몸이 지향성을 지니고 있어 세상을 지각할 수 있다'고 했으며, '지향함으로써 지각되고 의미가 생'기는 것이라고 하였다. 따라서 몸의 지향성을 주장한 메를로퐁티가 〈보기〉의 스승과 달리 몸의 지각과 상관없이 의식이 독립적으로 세계를 인식한다고 생각했을 것이라는 진술은 적절하지 않다.
⑤ 후설과 메를로퐁티는 지향성을 주장하고 있으므로, 대상을 보기 전에는 대상에 대한 의미가 형성되지 않는다고 볼 것이다.

Day 02

본문 008쪽

1. ① 2. ③ 3. ② 4. ⑤ 5. ④
6. ① 7. ④ 8. ③ 9. ④ 10. ④
11. ④

【1~5】 '현대 심리치료'

지문해설

빅터 프랭클의 심리학과 심리치료의 특징과 의미를 소개하고 있다. 프랭클은 고통을 삶의 일부로 보고, 심리치료를 통해 고통 속에서 견뎌내는 힘을 길러주고자 하였다. 그는 프로이트의 심리학으로부터 영적 무의식의 개념을, 아들러로부터 자유와 책임의 개념을 받아들여 자유의지를 지닌 영적 존재로서 인간 존재의 본질을 파악하였다. 프랭클은 자신의 인생에 긍정적이고 가치 있는 의미를 부여하는 의미 치료 기법을 제시하면서 삶의 의미를 찾은 사람은 어떠한 고통도 견딜 수 있으며, 고통 속에서도 인간에게는 자신의 태도를 선택할 수 있는 자유가 있다고 보았다.

■ 비문학 지문 어떻게 이해할까?

1문단: 인간 본질을 탐구한 빅터 프랭클의 이론
2문단: 프로이트의 심리학이 프랭클에게 미친 영향
3문단: 프로이트 심리학의 한계를 비판한 프랭클
4문단: 아들러의 심리학이 프랭클에게 미친 영향
5문단: 아들러 심리학의 한계를 비판한 프랭클
6문단: 프랭클의 의미 치료 기법

■ **주제** : 프로이트와 아들러의 이론을 비판적으로 수용한 빅터 프랭클의 이론

1. ① 내용 전개 방식 파악하기

❶ 이 글은 프랭클의 심리학과 심리치료 기법에 대해 소개하고 있는데, 이를 프랭클의 이론에 영향을 준 프로이트와 아들러의 심리학과의 관계 속에서 설명하고 있다. 즉 프로이트의 이론과 그와 차별화되는 프랭클 이론의 특징을 설명하고, 순차적으로 아들러의 이론과 그와 차별화되는 프랭클 이론의 특징을 설명하고 있다.
② 프랭클의 심리학과 심리치료 기법에 대한 장단점을 설명하고 있지는 않다.
③ 프랭클의 심리학과 심리치료 기법의 문제점과 해결 방안을 사례를 들어 제시하고 있는 부분은 확인할 수 없다.
④ 프랭클의 심리학과 심리치료 기법이 앞으로 전개될 방향을 예측하고 있지는 않다.
⑤ 프랭클의 심리학과 심리치료 기법이 다양한 분야에 미친 영향을 소개하고 있지는 않다.

2. ③ 세부 정보 파악하기

① 두 번째 문단을 보면 프로이트는 인간이 성적 본능과 공격성 등의 쾌락 의지를 원초적 욕구로 가지며, 사람의 행동, 사상, 정서를 결정하는 원인은 오직 쾌락 의지라고 보았음을 알 수 있다.
② 네 번째 문단을 보면 아들러는 인간이 타고난 기질적 불완전성 때문에 누구나 열등감을 갖게 된다고 보았음을 알 수 있다. 또한, 열등감을 극복하는 과정에서 부적절한 삶의 목적을 설정하거나 부적응적 행동을 선택하게 될 때 신경증이 발생한다고 하였다. 따라서 아들러는 열등감 자체를 신경증으로 보지는 않았다.
❸ 네 번째 문단에서 아들러는 인간의 원초적 욕구를 권력 의지로 보고, 인간의 타고난 기질적 불완전성으로 인해 우월성에 대한 추구가 자동적으로 열등감을 발생시킨다고 설명하였다. 따라서 아들러가 열등감으로 인해 타인보다 우월해지고 싶은 욕구가 생긴다고 보았다는 진술은 적절하지 않다.
④ 세 번째 문단을 보면 프랭클은 인간을 본능과 충동의 차원을 넘어선 영적 존재로 생각하였으며, 인간의 무의식 속에는 본능과 충동만 있는 것이 아니라 책임감, 양심 등이 감추어져 있다고 보았음을 알 수 있다.
⑤ 세 번째 문단을 보면 프랭클은 프로이트의 이론에 동의하며 무의식이 인간의 본질을 규명하는 중요한 요소라고 보았음을 알 수 있다.

3. ② 세부 정보 추론하기

① 인간의 고통이 원초적 욕구에 따라 행동하는 과정에서 나타났다는 내용은 프랭클의 이론에서 확인할 수 없다.
❷ 첫 번째 문단을 보면 프랭클은 현대인의 고통은 실존적 공허감을 겪는 것에서 비롯된다고 보고, 인간의 본질에 대한 해답을 찾고자 하였다. 따라서 원초적 욕구는 인간의 본질이 될 수 없다고 생각한 이유는 원초적 욕구가 인간의 존재 목적과 이유를 설명할 수 없다고 보았기 때문임을 추론할 수 있다.
③ 프로이트와 아들러가 원초적 욕구를 다르게 보았다는 점을 근거로 프랭클이 원초적 욕구가 인간의 본질이 될 수 없다고 판단했다고 볼 수는 없다.
④ 아들러는 인간이 원초적 욕구를 충족하기 위해 끊임없이 노력한다고 보았으며, 프랭클도 인간이 원초적 욕구에 따라 행동하는 존재임을 인정하였다.
⑤ 원초적 욕구가 인간에게만 존재하는 것이 아니라는 내용은 제시된 부분에서 확인할 수 없다.

4. ⑤ 구체적 사례에 적용하기

① 첫 번째 문단을 보면 '빅터 프랭클은 삶의 고통은 인간 실존의 일반적 구성 요소이며, 삶의 일부로 받아들여야 한다고 보았'다. 따라서 고통이 인간 실존의 일반적 구성 요소가 아니라는 진술은 프랭클의 관점과 맞지 않는다.
② 마지막 문단을 보면 '프랭클은 삶의 의미를 찾은 사람은 더 이상 상황에 의해 결정되는 존재가 아니'라고 보았으며, '인간은 주어진 상황과 조건에 맞설 수 있는 자유를 가지고 있다'고 보았다. 따라서 독가스실에 끌려가면서도 승리의 노래를 부르는 사람을 자신이 처한 상황에 좌절한 존재라 보는 것은 프랭클의 관점과 맞지 않는다.
③ 첫 번째 문단을 보면 프랭클은 '심리치료는 고통을 제거하는 것이 아니라 고통 속에서도 견뎌내는 힘을 길

러주는 것이어야 한다고 주장'하였다. 따라서 자신도 아프지만 노약자를 돌보는 사람을 고통을 제거하기 위해 긍정적 삶의 의미를 찾는 존재라고 보는 것은 프랭클의 관점과 맞지 않는다.

④ 다섯 번째 문단을 보면 프랭클은 '삶에 대한 책임 의식을 바탕으로 자신의 인생에 긍정적이고 가치 있는 의미를 부여'하는 것을 중요시했다. 또한 마지막 문단에서는 인간은 '주어진 상황과 조건에 맞설 수 있는 자유를 가지고 있다'고 보았다. 따라서 삶을 비관하여 자포자기하는 것이 삶에 대한 책임 의식을 바탕으로 한다는 진술은 프랭클의 관점과 맞지 않는다.

❺ 〈보기〉의 수용소의 수용자들은 극한의 상황 속에 동일하게 놓여 있지만 다양한 반응을 보이고 있다. 이러한 모습은 마지막 문단에서 프랭클이 '힘겨운 상황 속에서도 어떤 태도를 보이느냐 하는 것은 개인의 선택에 달려 있다'고 강조한 내용과 부합한다.

5. ④ 구체적 상황에 적용하기

① 두 번째 문단의 프로이트의 심리학은 어린 시절에 쾌락 의지가 좌절되어 무의식 속에 억압되어 있다가 이후 신경증을 유발한다고 보았다. 따라서 A의 어린 시절에 주목하여 당시에 억압된 쾌락 의지가 있다고 전제할 것이다.

② 두 번째 문단에서 프로이트의 심리치료는 잠재된 무의식 속 성적 본능, 공격성 등을 의식의 영역으로 끌어오는 것을 통해 이루어진다고 하였으므로 적절하다.

③ 네 번째 문단에서 아들러의 심리치료는 자신의 삶에 책임감을 가지고 올바른 목적을 설정하여 부적절한 동기와 행동을 변화시키는 데 초점을 맞춘다고 하였으므로 적절하다.

❹ A가 어린 시절에 학교를 제대로 다니지 못했던 점을 신경증의 원인으로 삼고자 하는 것은 과거에 초점을 두는 프로이트의 심리치료에 가깝다. 부적절한 동기와 행동을 변화시키는 데 초점을 맞추는 아들러의 심리치료와는 거리가 멀다.

⑤ 첫 번째 문단에서 자신의 존재가 목적도 없고 이유도 없다고 느끼는 감정을 실존적 공허감이라 하였는데, 프랭클은 현대인의 심리적 고통과 부적응은 자신의 본질을 잃어버린 탓이라고 보았다. 따라서 프랭클은 A가 자신을 무가치한 존재로 여기는 실존적 공허감에서 벗어날 수 있도록 삶에 대한 책임 의식을 바탕으로 인생에 긍정적이고 가치 있는 의미를 부여하도록 도울 것이다.

【6~11】 박영욱, '보고 듣고 만지는 현대사상'

지문해설

소쉬르의 언어학의 핵심 주장을 설명한 글이다. 소쉬르는 언어는 기호 체계로 현실 세계를 묘사하는 것이 아니라 근본적으로 자의적인 성격이라고 보았다. 또한 사람들은 언어가 갖는 추상적인 체계인 랑그에 맞춰 현실 세계를 인식한다고 주장했다. 즉, 소쉬르는 언어는 현실 세계를 재현하는 수단이 아니며 오히려 언어가 현실 세계를 구성한다고 본 것이다.

■ **비문학 지문 어떻게 이해할까?**

1문단	소쉬르의 언어학의 의의와 핵심 주장
2문단	자의적인 성격을 지니는 언어의 기호 체계
3문단	언어 체계인 랑그에 의한 현실 세계 인식
4문단	언어가 현실 세계를 구성한다고 본 소쉬르

■ **주제** : 언어가 현실 세계를 구성한다고 본 소쉬르의 언어학

(나) 이병덕, '표상의 언어에서 추론의 언어로'

지문해설

언어를 이해하는 것은 그것이 어떻게 사용될 수 있는지를 이해하는 것이라는 비트겐슈타인의 '의미사용이론'을 설명한 글이다. 이에 따르면 언어를 배우는 것은 일상 활동에서 언어를 어떻게 사용하고 또 타인의 언어에 어떻게 반응해야 하는지를 배우는 것이다. 언어의 모호성 또한 언어가 사람들의 삶을 반영한다는 것을 보여 준다. 곧 비트겐슈타인은 언어란 언어를 사용하는 사람들의 소통에 의해서 만들어지는 것이라고 본 것이다.

■ **비문학 지문 어떻게 이해할까?**

1문단	비트겐슈타인의 '의미사용이론'에서 언어를 이해하는 것의 의미
2문단	의미사용이론을 게임에 비유한 설명
3문단	언어가 사람들의 삶을 반영한다는 것을 보여 주는 언어의 모호성
4문단	언어는 사용하는 사람들의 소통에 의해 만들어지는 것이라고 본 비트겐슈타인

■ **주제** : 비트겐슈타인의 의미사용이론에서 설명한 언어의 특징

6. ① 서술상의 공통점 파악하기

❶ (가)는 언어에 대한 소쉬르의 이론을 설명한 글로, 두 번째 문단과 세 번째 문단에서 관련 사례를 바탕으로 내용을 전개하고 있다. 또한 (나)는 언어에 대한 비트겐슈타인의 이론인 '의미사용이론'을 설명한 글로, 각 문단에서 사례를 들어 내용을 전개하고 있다. 즉, (가)와 (나) 모두 언어에 대한 이론을 관련 사례를 들어 설명하고 있다.

② (가)에서는 언어에 대한 일반적인 견해와 이를 뒤집는 소쉬르의 이론을 제시하고 있으나, 언어에 대한 상반된 주장의 절충 방안을 모색하고 있지는 않다. (나)에서는 언어에 대한 상반된 주장이 나타나 있지 않다.

③ (가)와 (나) 모두 언어에 대한 관점들이 통합되어 가는 과정은 나타나 있지 않다.

④ (가)와 (나) 모두 언어에 대한 이론을 시대순으로 나열하고 있지는 않다.

⑤ (가)는 소쉬르의 이론, (나)는 비트겐슈타인의 이론을 설명하고 있을 뿐 언어에 대한 다양한 이론을 소개하고 있지는 않다.

7. ④ 세부 내용 파악하기

① (가)의 네 번째 문단에서 소쉬르의 언어학에 따르면 언어는 현실 세계를 수동적으로 재현하는 수단이 아니라고 했으므로, 랑그가 현실 세계를 재현하는 수단이라는 것은 적절하지 않다.

②, ③ (가)의 세 번째 문단에서 '랑그란 언어가 갖는 추상적인 체계이고, 파롤은 랑그에 바탕을 두고 개인이 실현하는 구체적인 발화'라고 했으므로, 파롤이 언어의 추상적인 체계라는 것과 랑그가 개인이 실현하는 구체적인 발화라는 것은 적절하지 않다.

❹ (가)의 세 번째 문단에서 '발화의 표현 방식이나 범위는 사실상 그가 사용하는 언어 체계인 랑그에 의해서 지배되거나 제약받는다'고 한 것으로 보아, 랑그에 바탕을 두고 개인이 실현하는 구체적인 발화인 파롤은 랑그에 의해 제약을 받음을 알 수 있다.

⑤ (가)의 네 번째 문단에서 '소쉬르는 발화의 진정한 주체는 발화자가 아닌 랑그'라고 보았다고 했으므로, 랑그가 파롤을 바탕으로 발화자가 주체임을 드러낸다는 것은 적절하지 않다.

8. ③ 사례에 적용하여 이해하기

❸ 〈보기〉에는 영어에서는 낙지를 나타내는 일상적인 단어가 없으며, 영어권의 외국인들은 대부분안 낙지와 문어를 구분하지 못한다는 점이 제시되어 있다.

(가)의 세 번째 문단의 '랑그의 차이에 따라 사람들이 현실 세계를 인식하는 방식이 달라진다'는 내용과 네 번째 문단의 '언어가 현실 세계를 구성한다'는 소쉬르의 입장을 바탕으로 할 때, 영어권의 외국인들이 낙지와 문어를 구분하지 못하고 '비슷하게'(㉮) 인식하는 것은 언어가 현실 세계를 '구성한다는'(㉯)' 사례로 볼 수 있다.

(나)의 네 번째 문단에서 비트겐슈타인은 '언어가 그것을 사용하는 사람들의 삶과 맞물려 있어 삶의 양식이 다양한 만큼 언어 역시 다양'하다고 보았음을 바탕으로 할 때, 영어에 오징어와 문어를 나타내는 단어는 있지만 주꾸미와 낙지를 구분하는 단어가 없는 것은 사람들이 공유하는 '삶의 양식'(㉰)에 따라 언어가 만들어진 것을 보여 준다고 할 수 있다.

9. ④ 관점 비교 이해하기

① (가)의 첫 번째 문단에서 '소쉬르 이전의 사람들은 일반적으로 언어가 현실 세계의 대상을 지칭한다고 생각'한 반면, 소쉬르는 '사람들이 그들의 언어 체계에 맞춰 현실 세계를 새롭게 인식한다고 주장'했다고 한 것을 바탕으로 할 때, 소쉬르는 언어가 현실 세계의 대상을 지칭하는 것이라고 주장하지 않았음을 알 수 있다.

② (나)의 세 번째 문단에서 '비트겐슈타인은 언어에 존재하는 많은 불명확성이 오히려 단점이 아닌 장점이 될 수도 있'다고 말했다고 한 것으로 보아, 비트겐슈타인은 언어에 존재하는 많은 불명확성에 대해 긍정하고 있다고 볼 수 있다.

③ (가)의 첫 번째 문단에서 '소쉬르의 언어학은 언어에 대한 전통적인 견해에 대해서 의문을 제기하고 이를 뒤집는다.'라고 했다. 또한 (나)의 네 번째 문단에서 비트겐슈타인은 전통적으로 어떤 개념을 형성하는 일이 개별적인 대상으로부터 공통적인 요소를 추출하는 과정으로 이루어진 것에 대해 공통 요소에 대한 강박 관념

을 버려야 한다고 주장했음을 알 수 있다. 따라서 소쉬르와 비트겐슈타인은 둘 다 언어에 대한 전통적인 입장을 고수하지 않았음을 알 수 있다.
❹ (가)의 두 번째 문단에서 소쉬르에 따르면 언어는 기표와 기의로 이루어진 기호 체계인데, '기표와 기의의 관계는 필연적이지 않고 자의적이며, 단지 그 기호를 사용하는 사람들의 사회적 약속'이라고 했다. 또한 (나)의 두 번째 문단에서는 비트겐슈타인의 의미사용이론을 게임에 비유한 설명을 제시하면서 게임의 규칙은 게임을 원활하게 진행하기 위해 만든 것으로, 그것에 참가한 사람들이 게임을 수행할 수 있도록 만드는 형식이라고 했다. 이를 통해 소쉬르나 비트겐슈타인이 언어가 사람들의 약속에 의해 형성된다는 것을 비판하지는 않았음을 알 수 있다.
⑤ (나)의 첫 번째 문단에서 '비트겐슈타인에게 언어는 삶의 다양한 맥락에 따라 서로 다르게 혹은 유사한 모습으로 존재'한다고 했으므로, 비트겐슈타인이 언어가 사용하는 사람들의 맥락에 따라 다르게 사용될 수 있다는 것을 부정한 것은 아님을 알 수 있다.

10. ④ 자료를 바탕으로 이해하기

① (가)의 두 번째 문단에 따르면 소쉬르는 언어란 기표와 기의로 이루어진 기호 체계로, 기표는 의미를 전달하는 외적 형식, 기의는 소리로 표시되는 의미라고 했다. 이를 통해 소쉬르는 개념이 말소리와 직접적으로 연결된다는 ⓐ의 입장과 유사하게 언어가 기표와 기의의 대응으로 이루어진다고 주장했음을 알 수 있다.
② (나)의 첫 번째 문단에 따르면 비트겐슈타인은 '언어는 삶의 다양한 맥락에 따라 서로 다르게 혹은 유사한 모습으로 존재'한다고 보았는데, 이는 네 번째 문단에서 언급한 '언어란 언어를 사용하는 사람들의 소통에 의해서 만들어지는 것'이라는 입장이다. 이로 보아 비트겐슈타인은 언어가 일정한 의미를 형성한다는 ⓐ의 입장과 달리, 언어가 사람들의 소통에 의해서 만들어진다는 입장임을 알 수 있다.
③ (가)의 두 번째 문단에서 '소쉬르에 따르면 언어는 기호 체계로, 현실 세계를 묘사하는 것이 아니라 근본적으로 자의적인 체계'라고 한 것으로 보아, 소쉬르는 언어가 현실 세계를 재현하기 위한 수단이라는 ⓑ의 입장과 달리 언어는 자의적인 성격을 지니며 현실 세계를 재현하지 않는다는 입장임을 알 수 있다.
❹ (나)의 네 번째 문단에 따르면 '비트겐슈타인에게 있어 언어란 현실 세계를 재현하는 것이 아니라, 언어를 사용하는 사람들의 소통에 의해서 만들어지는 것'이다. 이는 언어란 현실 세계를 재현하기 위한 수단이라는 ⓑ의 관점과 상반된 것으로, 즉, 언어가 먼저 있고 절대 불변의 법칙에 따라 세계가 존재한다는 주장으로 볼 수 없다.
⑤ (가)의 두 번째 문단에서 '소쉬르에 따르면 기표와 기의의 관계는 필연적이지 않고 자의적'이라고 한 것을 통해, 소쉬르는 언어에서 사물의 이름은 임의적으로 붙여진 것이 아니라는 ⓒ의 입장과 달리 기표와 기의의 관계가 필연적이지 않다고 주장했음을 알 수 있다.

11. ④ 어휘의 의미 파악하기

① ㉠의 '이르다'는 '어떤 대상을 무엇이라고 이름 붙이거나 가리켜 말하다.'의 의미로 사용된 것이고, '약속 장소에 이르며'의 '이르다'는 '어떤 장소나 시간에 닿다.'의 의미로 사용된 것이다.
② ㉡의 '두다'는 '행위의 준거점, 목표, 근거 따위를 설정하다.'의 의미로 사용된 것이고, '지점을 두고 있다'의 '두다'는 '직책이나 조직, 기구 따위를 설치하다.'의 의미로 사용된 것이다.
③ ㉢의 '따르다'는 '어떤 경우, 사실이나 기준 따위에 의거하다.'의 의미로 사용된 것이고, '어머니를 따라'의 '따르다'는 '다른 사람이나 동물의 뒤에서, 그가 가는 대로 같이 가다.'의 의미로 사용된 것이다.
❹ ㉣과 '한 권을 골라 주었다'의 '고르다'는 둘 다 '여럿 중에서 가려내거나 뽑다.'의 의미로 사용되었으므로 적절하다.
⑤ ㉤의 '맞물리다'는 '무엇이 서로 밀접한 관련을 맺으며 어우러지다.'의 의미로 사용된 것이고, '입술은 굳게 맞물려'의 '맞물리다'는 '아래윗니나 입술, 주둥이, 부리 따위가 마주 물리다.'의 의미로 사용된 것이다.

Day 03 본문 012쪽

1. ①	2. ⑤	3. ②	4. ②	5. ③
6. ④	7. ④	8. ①	9. ③	10. ②
11. ①	12. ③	13. ③	14. ③	

【1~5】 강신주, '철학 vs 철학'

지문해설

서양철학에서 중요한 사유로 인식해 온 기억과 망각에 대한 논의를 피히테와 니체를 중심으로 서술하고 있다. 플라톤은 가치론적 이분법을 통해 설명하였고, 하이데거는 기억이 지배하는 상태를 진리로 인식하였다. 이렇듯 전통적 서양철학에서 기억은 긍정적인 능력으로, 망각은 부정적인 능력으로 인식되어왔다. 피히테는 '자기의식'이라는 개념을 설명하며 기억을 세계 경험에 대한 최고 수준의 기능으로 인식하였다. 한편 니체는 망각을 긍정적인 능력이라고 판단하며 서양철학의 전통적 사유를 비판하며 현재를 행복하게 살아가기 위한 능력으로써 망각을 긍정적으로 바라보았다.

■ **비문학 지문 어떻게 이해할까?**

- 1문단: 서양철학에서 기억과 망각에 대한 인식
  - 2문단: 기억을 세계 경험에 대한 최고 수준의 기능으로 인식한 피히테
  - 3문단: 사유 전통을 거부하며 기억 능력을 비판한 니체
    - 4문단: 망각의 창조적 능력을 긍정적으로 바라봄
    - 5문단: 망각의 능력을 찾아낸 니체의 사유에 대한 평가

■ **주제** : 기억이 주된 사유로 인식되던 서양철학에서 기억과 망각에 대한 사상가들의 관점

1. ① 독서 분야를 고려하여 내용 전개 방식 파악하기

❶ 서양철학에서 많은 철학자들이 기억을 중요한 사유로 인식해 왔으며, 기억과 망각에 대해서 바라보는 관점에서 차이를 보인다. 따라서 글에 나타난 다양한 사상가의 관점을 파악하며 읽는 것이 중요하다.

2. ⑤ 글의 세부 내용 파악하기

① 첫 번째 문단에서 플라톤은 '이데아에 대한 기억이 그것에 대한 망각보다 뛰어난 상태라고 이야기함으로써 둘 사이에 가치론적 이분법을 설정'하였음을 알 수 있다.
② 첫 번째 문단에서 하이데거가 진리는 기억이 지배하는 상태를 의미한다고 강조했음을 알 수 있다.
③ 세 번째 문단에서 니체는 '사유 전통을 거부하며 기억 능력에 대해 비판하였다. 그는 기억이 부정적이고 수동적인 능력이라면, 망각은 능동적이며 창조적인 능력이라고 인식'하였음을 알 수 있다.
④ 세 번째 문단에서 니체는 '음식물을 배설하지 못한다

면 건강한 삶을 살 수 없듯이, 과거의 기억이 정신에 가득 차 있다면 무언가를 새롭게 인식하는 것은 불가능하다'고 주장하였음을 알 수 있다.
❺ 마지막 문단에서 니체는 '인간이 가진 기억 능력 자체를 완전히 제거하자고 주장했던 것은 아니다.'라고 하였으며 철저한 망각이 필요하다고 주장했던 것은 아니다.

3. ② 글의 내용 추론하기

① 피히테가 주장한 'A는 A이다'라는 동일성을 주장하는 명제는 기억이 없다면 설명할 수 없으므로 ㉠이 있어야 ㉡에 의거한 주장이 가능하다.
❷ 자기의식이 있기 위해서는 기억을 바탕으로 과거의 '나'와 현재의 '나'가 같음을 의식해야 하므로, ㉠이 가능해야만 ㉢도 가능하다.
③ 명제가 우선되지는 않는다.
④ ㉠을 통해 ㉢이 가능한 것이지 자기의식을 위해 기억이 존재한다고 볼 수 없다.
⑤ 자기의식은 기억의 능력을 통해 과거의 '나'와 현재의 '나'가 같음을 의식하는 것으로 ㉢이 있기 위해서는 ㉡이 아닌 ㉠이 전제되어야 한다.

4. ② 구체적 사례에 적용하기

① 피히테는 '과거의 A가 현재의 A이다'라의 관점에서 을은 과거의 지갑을 기억하고 있고 이는 과거의 자신을 기억하는 것과 마찬가지라고 볼 것이다. 즉 피히테는 을이 기억의 능력을 통해 선물을 받았던 자신과 현재의 자신이 같음을 의식하고 있다고 볼 것이다.
❷ 을의 '지난 시험은 지난 시험이다.'라는 주장은 피히테가 주장한 'A가 A이다'라는 명제가 현실화된 것이 아니다. 만약 '시험은 시험이다'라는 명제가 주장으로 현실화된다면 '과거의 시험은 현재의 시험이다'라고 해야 적절할 것이다.
③ 세 번째 문단에서 니체는 기억에만 집착하는 사람들은 새로운 것을 낯설고 불편한 것으로 여겨 변화와 차이를 긍정할 수 없다고 하였다. 니체는 을이 지갑에 대한 과거의 기억에 집착하여 지갑을 새로 사는 것을 긍정하지 않는다고 볼 것이다.
④ 네 번째 문단에서 니체는 망각의 창조적인 능력을 긍정하며 현재를 행복하게 살아가기 위한 능력이라고 주장하였다. 이에 따라 니체는 을이 지난 시험을 잊고 국어 시험을 다시 준비하는 것을 보고 기억을 뛰어넘어 현재를 행복하게 살아갈 수 있는 사람이라고 볼 것이다.
⑤ 네 번째 문단에서 니체는 아이가 만들던 모래성이 부서지더라도 새로운 모래성을 만들 수 있음을 직감하기 때문에 부서진 모래성을 기억하면서 좌절하거나 우울해할 필요가 없다고 하였다. 그러므로 니체는 을이 다음 시험에서 좋은 결과를 얻을 수 있을 것임을 직감하기 때문에 지난 시험 결과에 대해 좌절하지 않는다고 볼 것이다.

왜 많이 틀렸을까?
많은 학생들이 선택지 5번에서 혼란을 겪은 모습이야. 니체의 사유에 대해 '위를 비워야'한다, '순진무구한 아이'와 같아야 한다며 비유와 상징을 통해 설명하고 있어. 니체는 건강한 망각의 역량을 복원하기 위해서 궁극적으로 순진무구한 아이와 같은 모습이 되어야 한다고 주장하고 있으니 이러한 부연 설명을 놓치지 않아야 하겠지.

5. ③ 어휘의 문맥적 의미 파악하기

① ⓐ는 다른 것보다 낫다는 의미로 쓰였으므로 '우월(優越)한'과 바꿔 쓸 수 있다.
② ⓑ는 '목숨을 이어 가거나 생활을 해 나가다.'는 의미로 쓰였으므로 '영위(營爲)할'과 바꿔 쓸 수 있다.
❸ ⓒ는 '전에 본 기억이 없어 익숙하지 아니하다'의 의미로 쓰였다. 그런데 '난해(難解)하고'는 '뜻을 이해하기 어렵고'의 의미이므로 서로 바꿔 쓰기에 적절하지 않다.
④ ⓓ는 '원래의 상태를 되찾는다'는 의미로 쓰였으므로 '회복(回復)한'과 바꿔 쓸 수 있다.
⑤ ⓔ는 '미처 찾아내지 못하였거나 아직 알려지지 아니한 사물이나 현상, 사실 따위를 찾아낸다'는 의미로 쓰였으므로 '발견(發見)하고자'로 바꿔 쓸 수 있다.

【6~10】 타인의 얼굴

지문해설

철학의 주류였던 데카르트의 '주체 중심의 철학'은 2차 세계대전 등의 폭력을 경험하며 '레비나스'의 '타자 중심의 철학'으로 옮겨 가게 된다. 레비나스는 인간의 삶이란 a에서 b로의 이행을 바탕으로 하는 '초월'을 축으로 이루어진다고 보았고, 주체란 주위의 모든 것과 자기를 동일한 것으로 환원하는 것이라 하였다. 또한 그는 '향유의 주체성'을 언급하며 '향유'에서 '환대'의 주체성으로 나아가야 한다고 주장하였다. 그가 주장하는 타자의 출현은 주체의 이기성을 제한시키고, 책임의 주체로 설 수 있게 하는 것이다. 단, 타자의 출현이 자기성의 상실은 아니며, 자기성에 갇힌 주체를 초월할 수 있게 하는 존재라는 점을 강조하였다. 이처럼 레비나스가 새롭게 정립한 '주체성'의 의미를 통해 기존의 철학으로는 극복할 수 없는 문제들에 대하여 새롭게 접근할 수 있게 되었고, 인간 고유성을 존중할 수 있는 근거를 마련했다는 점에서 '타자 중심의 철학'은 의의가 있다.

■ **주제** : 레비나스의 '주체성'의 의미와 '타자 중심의 철학'

6. ④ 세부 정보 이해하기

① 두 번째 문단에서 기존의 철학에서 주체는 주위의 모든 것들을 자기와 동일한 것으로 끊임없이 환원하는 자기중심적 존재로, 이 주체는 타자를 마음대로 할 수 있는 대상으로 취급하는 것을 동일자라고 설명하였다.
② 네 번째 문단에서 레비나스는 타자의 호소를 무조건적으로 받아들이고 응답할 때 기존과는 다른 참다운 주체의 모습으로 나아가게 된다고 보았으며, 타자에 대한 무조건적인 수용을 환대라고 하였다.
③ 세 번째 문단에서 향유는 즐김과 누림이며, 다른 누구도 대신해 줄 수 없는 개체의 고유한 행위라고 설명하였다.
❹ 다섯 번째 문단에서 레비나스는 타자의 출현이란 주체의 이기성을 제한하고 책임의 주체로 설 수 있도록 하는 것이며, 이로 인해 자기성이 상실되는 것이 아니라고 명시하였다. 따라서 타자성은 타자를 위해 주체를 기꺼이 희생하는 성질이라는 설명은 적절하지 않다.
⑤ 세 번째 문단에서 자기성이란 배고픈 사람에게 먹을 것을 줄 수는 있지만, 그를 대신해서 먹어주지는 못하는 경우와 같이 어떤 것에 의존하지 않고 홀로 무엇을 누릴 때 나로서의 모습이라고 설명하였다.

7. ④ 세부 내용 추론하기

① 첫 번째 문단에서 데카르트로 대표되는 서양의 근대 철학은 주체 중심의 철학이었으며, 주체 앞에 놓인 모든 것들은 주체가 지배할 수 있는 대상으로 이해되었다고 하였다. 그러나 이러한 주체 중심의 철학이 타자에 대한 폭력을 정당화하는 근거를 제공한다는 비판적 시각이 등장하며, 레비나스는 주체성의 의미를 새롭게 정의하였다고 하였다. 따라서 ㉠에 대한 답으로 '주체의 욕구가 항상 충족된 상태가 되도록 이끈다'는 설명은 적절하지 않다.
② 두 번째 문단에서 레비나스는 타자는 동일자의 틀 안에 들어올 수 없기에 주체가 마음대로 할 수 없는 존재라고 하였다. 이렇게 주체로 환원되지 않는 타자의 성질을 '타자성'이라고 하였으므로, ㉠에 대한 답으로 '주체의 일부분으로 환원되어 주체와의 합일을 이룬다'는 설명은 적절하지 않다.
③ 다섯 번째 문단에서 레비나스는 타자의 출현은 주체의 이기성을 제한하고 책임의 주체로 설 수 있도록 하는 것이지, 이로 인해 자기성이 상실되는 것이 아니라고 하였다.
❹ 두 번째 문단에서 레비나스는 인간의 삶은 진정한 삶을 향해 나아가는 것이며, 이를 a에서 b로의 이행을 뜻하는 초월이라고 보았다. 이러한 초월을 통하여 ㉠에 대하여 탐구한다고 하였으므로 적절한 답변이다.
⑤ 네 번째 문단에서 레비나스는 자신만의 갇힌 세계에서 열린 세계로 초월하기 위한 계기가 요구되며 이를 '타자의 출현'이라고 보았다. 따라서 ㉠에 대하여 '주체를 열린 세계에서 갇힌 세계로 나아갈 수 있도록 한다'는 설명은 적절하지 않다.

8. ① 단어의 문맥적 의미 파악하기

❶ '새로 산 연필이 책상 위에 놓여 있다'의 '놓여'는 '물체가 일정한 곳에 두어지다'라는 뜻이므로, ⓐ와 유사한 의미이다.
② '어느 하루도 마음이 놓인 날이 없었다'의 '놓인'은 '걱정이나 근심, 긴장 따위가 사라지거나 풀리다'의 뜻이므로, ⓐ와 다르다.
③ '들판을 가로지르는 새 도로가 놓여 있었다'의 '놓여'는 '일정한 곳에 기계나 장치, 구조물 따위가 설치되다'의 뜻이므로 ⓐ와 다르다.
④ '하루빨리 다리가 놓여야 학교에 갈 수 있다'의 '놓여'는 '일정한 곳에 기계나 장치, 구조물 따위가 설치되다'의 뜻이므로 ⓐ와 다르다.
⑤ '꽃무늬가 놓인 장롱을 보면 할머니가 생각난다'의 '놓인'은 '무늬나 수가 새겨지다'의 뜻이므로 ⓐ와 다르다.

9. ③ 다른 관점과 비교하기

① ㉮는 기존의 철학에서 주체를 자기중심적 존재라고 정의하며, 이 주체가 타자를 마음대로 할 수 있는 대상으로 취급하는 것에 대하여 비판적인 시각을 갖고 있다. 한편 <보기>는 인간은 자기 보존을 위해 무한히 욕망을 추구하는 이기적 존재라고 보고 있으므로, ㉮는

인간을 욕망을 추구하는 이기적 존재로 여기는 점에서 〈보기〉와 다르다고 설명하는 것은 적절하지 않다.

② ㉮는 자신만의 갇힌 세계에서 열린 세계로 초월하기 위한 계기가 요구되며 이를 '타자의 출현'이라고 제시하였다. 그러나 ㉮가 타자와의 중재를 위해 국가의 존재를 필요로 한다는 내용은 제시된 바가 없다. 한편 〈보기〉에서는 인간은 자기 보존을 위해 욕망을 추구하는 이기적 존재이므로, 공동의 이익과 평화를 위해 국가가 필요하다고 제시하고 있다.

❸ ㉮는 타자란 자기성에 갇힌 주체를 무한히 열린 세계로 초월할 수 있게 하는 존재로, 주체의 존재를 침몰시키는 위협적인 존재가 아니라고 언급하였다. 이에 비해 〈보기〉에서는 타자를 나와 투쟁의 관계에 있으며, 나의 생명과 자유를 박탈하려는 잠재적인 적으로 규정하고 있으므로, 적절한 설명이다.

④ ㉮는 타자는 동일자의 틀 안에 들어올 수 없기에 주체가 마음대로 할 수 없는 존재라고 보았다. 한편 〈보기〉는 공동의 이익과 평화를 위해 인간을 엄격히 통제할 수 있는 힘을 가진 국가가 요구된다고 하였다. 이를 통해 ㉮와 〈보기〉가 타자에 대한 의무를 강제해야 한다고 판단하는 것은 적절하지 않다.

⑤ ㉮는 기존의 주체 중심의 철학이 타자에 대한 폭력을 정당화하는 근거를 제공하는 것을 비판하는 시각을 갖고 있다. 또한 〈보기〉는 공동의 이익과 평화를 위해 인간을 엄격히 통제할 수 있는 힘을 가진 국가가 요구된다고 하였으므로, ㉮와 〈보기〉는 주체의 이익은 경우에 따라 제한될 수 있다고 보고 있음을 알 수 있다.

10. ② 구체적 상황에 적용하기

① A는 난민 신청을 한 외국인들을 그들의 자국으로 돌려보내는 것을 당연하게 보는 입장으로, 이는 윗글의 첫 번째 문단에 제시된 '주체 앞에 놓인 모든 것들은 주체가 지배할 수 있는 대상으로 이해'하는 것과 유사한 입장이다. 따라서 A는 타자인 외국인들을 마음대로 할 수 있는 대상으로 바라보는 입장이라고 볼 수 있다.

❷ A는 난민 신청을 한 외국인들을 받아들인다면 그들로 인해 나의 이익과 자유과 제한될 것이라며 그들을 돌려보낼 것을 주장한다. 이는 그가 그동안 누려온 자유에 정당성을 부여하는 것이므로, 자신의 자유에 의문을 제기하며 새로운 주체의 모습으로 나아가고 있다고 볼 수 없다.

③ B는 난민 신청을 한 외국인은 외국인이기 이전에 인격을 가진 인간으로서 존중받아야 한다는 입장이므로, 외국인들의 문제를 자신의 문제로 받아들여 책임지려는 태도라고 할 수 있다.

④ 윗글의 네 번째 문단에서 주체와 타자는 비상호적 관계이며, 타자를 주체보다 우월한 위치에 올려놓는다는 점에서 비대칭적 관계가 된다고 하였다. 이를 통해 B가 외국인들을 환영해야 한다는 것은 그들을 자신보다 더 높은 위치에 올려놓고 있음을 알 수 있다.

⑤ 윗글의 네 번째 문단에서 환대의 주체성이란 타자의 문제를 자신의 문제로 받아들여 책임을 지는 주체성이라고 하였다. 타자의 출현으로 인해 주체는 그동안 누려 왔던 자유와 이기성에 의문을 제기하며, 타자의 요구에 무조건적인 응답을 해야 한다는 것이므로, 난민 신청을 한 외국인들을 아무런 조건 없이 환영해야 한다는 B는 자신이 가진 것을 나누려는 환대의 주체성을 지닌 존재로 볼 수 있다.

【11~14】 이병덕, '표상의 언어에서 추론의 언어로'

지문해설

고유 이름이 의미하는 바가 무엇인지에 대한 프레게의 이론을 설명한 글이다. 의미지칭이론에 따르면 고유 이름이 의미하는 바는 그 표현이 지칭하는 지시체 자체이다. 프레게는 이 입장을 따를 경우 발생하는 문제를 지적하며 지시체와 '뜻'을 구분하여 고유 이름이 의미하는 바를 새롭게 설명하는 이론을 제시했다. 즉 고유 이름이 의미하는 바는 지시체가 아니기에 지시체와 뜻을 구분해야 한다는 것이다. 또한 고유 이름에 한정 기술구도 포함되어야 하며, 언어 표현의 뜻은 개인이 지시체에 대해 갖는 관념과는 다르다고 주장했다.

■ 비문학 지문 어떻게 이해할까?

1문단
지시체와 '뜻'을 구분하여 고유 이름이 의미하는 바를 새롭게 설명하는 이론을 제시한 프레게

2, 3문단	4문단	5문단
고유 이름이 의미하는 바는 지시체가 아니기에 지시체와 뜻을 구분해야 함.	고유 이름에 한정 기술구도 포함되어야 함.	언어 표현의 뜻은 개인이 지시체에 대해 갖는 관념과는 다름.

6문단
고유 이론에 대한 프레게의 이론이 갖는 의의

■ **주제** : 고유 이름에 대한 프레게의 이론과 그 의의

11. ① 내용 전개 방식 파악하기

❶ 이 글은 고유 이름이 의미하는 바를 지시체 자체로 본 의미지칭이론을 비판한 새로운 이론인 프레게의 이론을 설명하고 있다. 두 번째 문단과 세 번째 문단에서는 '샛별'과 '개밥바라기' 등의 고유 이름의 사례를, 네 번째 문단에서는 '플라톤의 가장 유명한 제자' 등과 같은 한정 기술구의 사례를 들어 프레게의 이론을 구체적으로 제시하였다.

12. ③ 세부 내용 파악하기

❸ [A]에서 프레게는 특정 지시체에 대해 개인이 갖고 있는 관념을 뜻과 혼동해서는 안 된다고 설명하고 있다. 프레게는 관념은 지시체에서 개인이 감각적 경험을 통해 얻게 된 주관적인 내적 이미지이고, 뜻은 언어 공동체가 공유할 수 있는 객관적으로 합의된 재산으로 공적인 것이라고 설명하였다. 따라서 〈보기〉에서 관찰한 대상인 ⓐ는 특정한 '지시체'로 볼 수 있고, 가족들이 대화를 나눈 대상으로 하나의 렌즈에 맺힌 같은 형상의 달의 모습 ⓑ는 언어 공동체가 공유하는 것이므로 '뜻'이라고 볼 수 있다. 그리고 망막에 맺힌 달이 가족에게 서로 다른 추억이 된 것인 ⓒ는 개인이 감각적 경험을 통해 얻게 된 주관적인 내적 이미지이므로 '관념'이라고 볼 수 있으므로 적절하다.

13. ③ 중심 개념 이해하기

❸ 다섯 번째 문단에서 프레게는 특정 지시체에 대해 개인이 갖고 있는 관념을 뜻과 혼동해서는 안 된다고 보았다고 하였는데, 이때 관념은 '지시체에서 개인이 감각적 경험을 통해 얻게 된 주관적인 내적 이미지'이고, 뜻은 '우리가 의사소통을 통해 전달하고 이해할 수 있어야 하기에, 언어 공동체가 공유할 수 있는 객관적으로 합의된 재산'이다. 이에 따르면 ㉮와 ㉯로 의사소통이 가능한 이유가 ㉰에 대한 내적 이미지가 일치하기 때문이라고는 볼 수 없다.

14. ③ 내용 추론하기

❸ 첫 번째 문단에서 '의미지칭이론에 따르면 고유 이름이 의미하는 바는 그 표현이 지칭하는 것, 즉 지시체 자체'라고 하였다. 따라서 의미지칭이론에서 ㉠에서 언급한, '유니콘'과 같이 지시체가 존재하지 않는 허구적인 대상의 고유 이름이 의미하는 바를 설명하지 못하는 이유는 고유 이름이 의미하는 바를 지시체 그 자체로 보기 때문이라고 할 수 있다. 이와 달리 프레게는 지시체와 뜻을 구분함으로써 고유 이름이 의미하는 바를 명확히 하였기에 허구적인 대상의 고유 이름이 의미하는 바를 설명할 수 있었다.

Day 04

본문 017쪽

1. ⑤	2. ②	3. ⑤	4. ②	5. ①
6. ④	7. ①	8. ⑤	9. ⑤	10. ②

【1~5】 손철성, '헤겔&마르크스 역사를 움직이는 힘'

지문해설

노동의 철학적 의미를 세 명의 철학자를 중심으로 설명한 글이다. 역사 속에서 노동은 나름의 가치를 인정받아 왔으며 철학자들은 인간의 노동에 철학적 의미를 부여했다. 로크는 노동을 소유의 권리와 관련해 설명하며 개인이 배타적 권리를 가진 각자의 신체의 활동인 노동 역시 개인의 소유가 된다고 주장했다. 그는 모든 개인은 노동을 통해 소유권의 주체가 될 수 있으며, 노동은 삶과 편의를 위해 자연을 이용한다고 보았다. 한편 헤겔은 노동을 주체와 객체가 통일되는 과정, 인간이 자기의식과 자기 정체성을 확보하는 계기로 여겼다. 그는 노동을 통해 주체가 자신을 객체 속에 나타내는 자기 대상화가 이루어지며, 서로 분리·고립되어 있던 주체와 객체가 노동을 통해 노동 산물 속에서 통일되어 간다고 주장했는데 노동을 통한 주객 통일에 한계가 있음도 지적했다. 마지막으로 마르크스는 주체의 욕구나 목적 등이 물질화되어 구체적 노동 산물이 되는데 인간은 노동 산물에서 자기의식과 정체성을 확보하게 되고 더 나아가 자아를 실현하게 된다고 주장했다. 따라서 노동이 가장 현실적인 주객 통일의 방법이며 자아실현의 과정이라 보았지만 사회적 구조의 한계로 인해 완벽하지 않다고 분석했다.

■ **비문학 지문 어떻게 이해할까?**

1문단		
노동의 가치와 인간의 노동에 대한 철학자들의 의미 부여		
2문단	**3문단**	**4문단**
로크가 주장한 노동의 의미	헤겔이 주장한 노동의 의미	마르크스가 주장한 노동의 의미

■ **주제** : 노동의 의미에 대한 세 철학자의 주장

어휘풀이

- **대상화(對象化)** 1. 어떠한 사물을 일정한 의미를 가진 인식의 대상이 되게 함. 2. 자기의 주관 안에 있는 것을 객관적인 대상으로 구체화하여 밖에 있는 것으로 다룸.
- **변혁(變革)** 급격하게 바꾸어 아주 달라지게 함.

1. ⑤ 글의 내용 이해하기

① 두 번째 문단의 '인간이 신의 목적대로 자연을 이용할 수 있도록 이성을 주었다'에서 답을 확인할 수 있다.
② 세 번째 문단의 '인간은 동물과 달리 자연을 그대로 받아들이지 않고' '필요한 물품과 적절한 생활환경을 마련하며 생명을 보전'한다는 부분을 통해 답을 확인할 수 있다.
③ 세 번째 문단에서 노동을 통해 주체가 자신을 객체 속에 나타내는 것을 자기 대상화라고 설명한 부분에서 답을 찾을 수 있다.
④ 네 번째 문단에 따르면 인간은 노동으로 자연을 가공하면서 객체에 주체의 형식이 부여된 노동 산물을 만들고, 인간은 이 노동 산물에서 자신의 능력을 확인하고 자기의식과 정체성을 확보한다. 그리고 더 나아가 능력을 더욱 개발하여 자유를 획득하면서 자아를 실현하게 도는데, 이를 통해 노동이 인간의 자아실현 과정이 될 수 있다고 답할 수 있다.
❺ 네 번째 문단에 따르면 마르크스는 노동을 통한 주객 통일의 한계가 사회적 구조의 한계에서 비롯된다고 언급하고 있지만 이 사회적 구조의 한계가 무엇인지에 대한 설명은 없기 때문에 이에 대한 답을 찾을 수는 없다.

2. ② 세부 내용 파악하기

① ㉠은 신이 인류의 생존을 위해 자연을 공유물로 부여하고 이 자연을 이용할 수 있도록 이성을 이용한 노동을 통해 성립된 것이다. 따라서 노동의 주체인 인간과 신이 연결되어 있으므로 인간을 신으로부터 자유롭게 한다고 볼 수 없다.
❷ 두 번째 문단에 따르면 모든 개인은 노동을 통해 소유권의 주체가 되며, 세 번째 문단에 따르면 노동 산물이 주체의 소유라고 언급되어 있다. 따라서 ㉠과 ㉡은 모두 주체의 노동이 첨가되어 성립된다고 이해할 수 있다.
③ ㉠은 개인의 배타적 권리로 인정되므로 ㉠의 목적이 이타심의 실현이라는 진술은 적절하지 않다.
④ ㉡은 노동을 통해 성립하는데, 노동은 서로 분리 및 고립되어 있던 주체와 객체를 통일하는 과정이다. 따라서 ㉡이 인간과 자연의 분리를 강화하는 것은 아니다.
⑤ 헤겔은 노동을 통해 만들어진 노동 산물이 노동 주체의 소유라고 보았지만 노동의 주체와 노동 산물이 분리되어 있으며 주체를 완전히 표현하지도 못해 주객 통일에 한계가 있다고 지적했다. 따라서 ㉡이 주객 통일이 완성돼야만 보장되는 것은 아니다.

3. ⑤ 구체적 상황에 적용하여 이해하기

① 마르크스는 인간은 노동을 통해 객체 속에 자신의 욕구를 실현하며 자기실현을 이루고자 한다고 보았다.
② 마르크스는 노동을 통해 가공된 대상에 주체의 형식이 부여되고, 주체의 욕구나 목적 등이 물질화되어 구체적 노동 산물이 된다고 주장했다.
③ 마르크스는 인간은 노동 산물에서 자신의 능력을 확인하고 자기의식과 정체성을 확보한다고 보았는데, A씨가 B사에서 유명한 몇몇 캐릭터만 반복적으로 그리면서 염증을 느꼈다면 노동 산물을 통해 자기의식과 정체성 확보를 이루지 못했기 때문이다.
④ 마르크스는 인간은 노동을 통한 노동 산물로 자신의 능력을 더욱 개발하고 자아를 실현하게 된다고 했는데, A씨가 직장을 옮긴 것은 B사에서의 노동이 이러한 역할을 하지 못했기 때문일 것이다.
❺ 마르크스는 노동을 통해 인간은 자연을 가공하여 인간의 욕구와 자기실현에 알맞은 인간화된 자연으로 바꾸며, 객체에 인간적 형식을 부여하기 위해 자연적 소재의 형식을 부정함으로써 주체의 주관적 욕구나 목적으로 대상으로 객관화한다고 보았다. 따라서 'A씨가 예술 학교에서 공부한 기간'은 자연의 형식에 맞게 자신의 목적을 객관화시킨 것이 아닌 자연의 형식을 부정함으로써 주체의 주관적 욕구나 목적을 대상으로 객관화하는 시기로 보아야 한다.

4. ② 제시된 자료 분석하기

① 로크는 신체를 중심으로 노동의 의미를 서술하고 있지만 이 글과 〈보기〉 모두 노동이 인간의 정신보다 신체에 더 큰 영향을 끼친다고 말한 것은 아니다.
❷ 로크는 인간이 소유권의 주체가 되는 데, 헤겔은 인간이 자기의식과 자기 정체성을 확보하는 데, 마르크스는 자기의식과 정체성을 확보하고 자아실현을 이루는 데 각각 인간의 노동이 기여한다고 보았다. 또한 〈보기〉의 리프킨은 삶의 이유를 찾고 자신의 가치를 입증하는 데 노동이 기여한다고 보고 있다. 따라서 이 글과 〈보기〉 모두 노동이 인간 자신을 긍정적으로 인식하게 하는 데 기여한다는 것을 인정하고 있음을 알 수 있다.
③ 〈보기〉의 노동의 종말은 첨단 과학 기술이 생산 수단에 접목되는 상황으로 인한 것이다. 이 글의 헤겔의 경우 노동 산물이 주체와 분리되고, 주체를 완전히 표현하지 못하는 것이 노동의 한계라고 여기고 있기 때문에 〈보기〉의 노동의 종말로 인한 결과라고 볼 수는 없다.
④ 이 글에서는 노동의 기능을 사적 소유권의 근거(로크), 자기의식과 정체성 확보의 계기(헤겔), 주객 통일의 과정이자 자아실현의 과정(마르크스)으로 보았지만 〈보기〉에서는 노동의 기능을 인간이 삶의 이유를 찾고, 자신의 가치를 입증하는 기회라고 보았다. 따라서 이 글과 〈보기〉에서 노동의 기능이 서로 대립하고 있는 것은 아니다.
⑤ 〈보기〉에서는 첨단 과학 기술이 생산 수단에 접목되는 상황으로 인하여 노동의 종말이 올 것이라고 언급하고 있지만 이 글에서는 그러한 내용을 찾을 수 없다.

5. ① 문맥적 의미 파악하기

❶ ⓐ '공유물을 인류의 삶에 손해가 되도록 만든 경우'는 '노동에 해당하지 않'는다는 의미이므로 글의 흐름을 볼 때 ⓐ는 '공유물에 첨가한 노동이 아니므로'가 아니라 '삶과 편의에 도움을 준 것이 아니기 때문에'로 바꾸는 것이 적절하다.
② ⓑ '이때'는 앞에 제시된 자연을 노동을 통해 자신에게 맞게 바꿀 때를 의미하므로 적절하다.
③ ⓒ의 '객체에 내재된 질서나 법칙'은 맥락상 '객체의 자립성'으로 이해할 수 있으므로 적절하다.
④ ⓓ의 '헤겔의 노동관'은 노동이 주체와 객체가 통일되는 과정이며, 인간이 자기의식과 자기 정체성을 확보하는 계기라는 것이므로 적절하다.
⑤ 마르크스에게 '노동은 객체에 인간적 형식을 부여하기 위해 자연적 소재의 형식을 부정함으로써 주체의 주관적 욕구나 목적을 대상으로 객관화하는 것'이라고 했으므로, 인간이 노동을 통해 만들어 낸 노동 산물에서 '자신의 능력'을 확인한다고 할 때 ⓔ의 '자신의 능력'은 주체의 주관적 욕구나 목적을 객관화하는 능력이라고 볼 수 있다.

【6~10】 '사르트르 실존주의'

지문해설

사물, 나, 타자에 대한 이해를 중심으로 사르트르 실존주의 철학의 주요 특성과 평가에 대해 설명하고 있다. 사르트르는 실존주의를 대표하는 철학자로, 본질보다 실존의 중요성을 강조하여 '실존은 본질에 선행한다.'라고 여겼다. 그리고 세계의 모든 존재를 의식의 유무를 기준으로 사물 존재(즉자존

재)와 인간 존재로 양분하였고, 인간 존재는 대자존재이자 대타존재라고 규정하였다. 또한 사르트르는 나와 타자와의 관계를 언급하며 인간은 타자의 시선을 극복하고 자신의 선택 속에 타자를 끌어들일 수 있도록 노력해야 한다고 보았다. 사르트르의 실존주의는 사회적 관습을 간과하고 인간관계를 비관적으로 설정했다는 점에서 비판을 받지만, 인간이 주체적인 삶을 살아가는 데 시사점을 준다는 점에서 오늘날까지 그 가치가 높이 평가되고 있다.

■ **비문학 지문 어떻게 이해할까?**

1문단 사르트르 실존주의 철학의 특성

2문단 본질보다 실존의 중요성을 강조

3문단 의식의 유무를 기준으로 사물 존재와 인간 존재로 양분

4문단 인간의 자유로운 선택이 타자와 연관됨

5문단 참된 자아를 찾기 위한 방법

6문단 사르트르 실존주의 철학에 대한 평가

■ **주제** : 사르트르 실존주의의 철학의 특성과 평가

6. ④ 핵심 정보 파악하기

① 일반적으로 표제는 글의 제목으로 제재나 주제의 내용을 포괄적으로 담고 있어야 한다. 부제는 제목에 덧붙어 그것을 보충하는 내용으로 전개 방식을 구체적으로 제시할 수 있다. '인간과 사물의 차이점'에 대해서는 두 번째와 세 번째 문단에서 언급되고 있지만 전체 내용을 아우르는 내용으로 볼 수 없으므로 부제로 적절하지 않다.

② 첫 번째 문단에서 '사르트르 실존주의의 발생 배경'을 소개하고 있지만, 글을 아우르는 표제로는 부족하므로 적절하지 않다.

③ 이 글에서 '사르트르 실존주의의 변천 과정'은 제시되고 있지 않다.

❹ 이 글은 사물, 나, 타자에 대한 이해를 바탕으로 '사르트르 실존주의의 특성과 의의'를 서술하고 있으므로 글의 부제와 표제로 적절하다.

⑤ 이 글에서는 '사르트르 실존주의의 주요 개념과 한계'에 대해 소개하고 있지만, '자유와 책임의 상호 관계를 중심으로' 서술되어 있지 않기 때문에 부제로 적절하지 않다.

7. ① 세부 내용 파악하기

❶ 두 번째 문단을 보면, '연필의 존재는 그 본질로부터 나온다. 즉 사물은 본질이 그 존재에 선행'한다고 하였다. 따라서 사물의 본질은 존재에서 나온다는 내용은 사르트르의 견해로 볼 수 없다.

② 세 번째 문단을 보면, '모든 것이 인간의 선택으로 결정이 된다면, ~ 그 번민의 원인이 되는 자유로부터 도피하고 싶은 욕망이 생길 수 있다고 보았다.' 따라서 사르트르는 선택의 자유가 번민의 계기가 될 수 있다고 보았음을 알 수 있다.

③ 세 번째 문단을 보면, 사르트르는 이 세계의 모든 존재를 '의식'의 유무를 기준으로 의식이 없는 '사물 존재'와 의식이 있는 '인간 존재'로 구분하여 생각하였음을 알 수 있다.

④ 세 번째와 네 번째 문단을 보면 사르트르는 인간이 자기의식을 가진 존재이기 때문에 '대자존재'이며, 타인의 시선으로 규정되는 존재라는 의미에서 '대타존재'라고 명명하였음을 알 수 있다.

⑤ 다섯 번째 문단을 보면, 사르트르는 나와 타자가 맺는 관계를 갈등과 투쟁으로 여겼음을 알 수 있다.

8. ⑤ 세부 내용 추론하기

① 인간은 매 순간 자유로운 선택을 통해 자신을 만들어 갈 수도 있다고 하였지만, ㉠과 연관되는 내용은 아니다.

② 나와 타자가 각자의 방식으로 자신을 돌아보는 것은 '대자존재'로서의 모습에 해당하지만 , ㉠과 연관되는 내용은 아니다.

③ 서로가 서로를 주체성을 지닌 존재로 파악하는 것은 '대자존재'로서의 모습에 해당하지만, ㉠과 연관되는 내용은 아니다.

④ 사르트르는 인간은 참된 자아를 찾기 위해 타자의 시선을 두려워하거나 피할 것이 아니라고 하였지만, ㉠과 연관되는 내용은 아니다.

❺ ㉠의 앞의 내용에서는 타자의 시선으로 규정되는 존재를 '대타존재'라고 하였는데 이러한 시선은 타인이 나에게 보내는 것이 아니라 나도 타자에게 보낼 수 있다고 하였다. 즉 타자도 나를 즉자존재처럼 객체화할 수 있고, 나도 타자를 즉자존재처럼 객체화할 수 있다는 것이다. 이는 서로가 서로를 대상으로 삼아 객체화하려고 하기 때문이다.

9. ⑤ 정보 간의 관계 파악하기

① <보기>를 보면 키르케고르는 신의 명령에 따라 살아가는 '종교적 실존'을 스스로 선택해야 한다고 주장하였지만, 이와 달리 무신론자였던 사르트르는 인간이 신의 뜻에 따라 만들어진 존재라는 기존의 통념을 거부하는 모습을 통해 신에 의존하지 않는 삶을 추구했음을 짐작할 수 있다.

② 사르트르와 달리 키르케고르는 자아실현의 과정이 3단계로 진행된다는 견해를 가졌음을 알 수 있다.

③ 사르트르는 인간의 주체성을 강조하였고, 키르케고르는 인간은 스스로의 결단을 통해 자신의 삶을 결정할 수 있다고 여겼다. 따라서 두 사람 모두 인간은 자신의 삶을 주체적으로 결정할 수 있다고 믿었음을 알 수 있다.

④ 사르트르는 인간은 참된 자아를 찾기 위해서 타자의 시선을 극복해야 한다는 견해를 보였고, 키르케고르는 자아실현의 과정에서 느끼게 되는 절망감을 극복해야 한다고 주장했음을 알 수 있다.

❺ <보기>에서 키르케고르는 윤리 규범을 준수하며 살아가는 '윤리적 실존'의 단계를 설정하고 있다. 그런데 마지막 문단을 보면 사르트르는 개인이 사회적 관습에 의해 제약을 받는다는 사실을 간과하였다는 점에서 비판받고 있다. 이를 볼 때 사르트르는 윤리 규범과 같은 사회적 관습을 지키는 것을 중요하다고 여기지 않았음을 알 수 있다.

10. ② 구체적 상황에 적용하기

① '학생'은 장래 희망과 관련하여 자신 자신을 대상화하여 스스로를 바라보고 있음을 알 수 있다.

❷ 부모님의 기대를 의식하는 존재는 학생으로, 즉 의식이 있는 인간 존재인 '대자존재'에 해당한다. 다만 타인의 시선으로 규정되는 인간의 모습을 '대타존재'라고 하였으므로 적절하지 않다.

③ '선생님'은 '처음부터 해야 할 일이 정해진 사람은 없'다고 말하고 있으므로, 선천적으로 주어진 본질은 없다는 견해를 가지고 있음을 알 수 있다.

④ '대자존재'는 자기의식을 가진 존재라고 했으므로, '부모님'은 학생에게 지속적으로 의사가 되기를 바라는 마음을 표현한 '대자존재'에 해당한다고 볼 수 있다.

⑤ '학생'은 장래 희망과 관련된 선택을 할 때 '너는 의사가 될 거야.', '부모님께서 반대하시면요?'라는 요소들을 고민하는 것을 볼 때 부모님의 시선을 고려하고 있음을 알 수 있다.

왜 많이 틀렸을까?

사르트르가 명명한 개념들을 구체적인 상황에 적용하고 있는데 정확하게 정리하지 못했다면 실수하기 좋은 문제였어. 사물 존재를 '즉자존재'로, 자기의식이 있는 인간 존재를 '대자존재'로, 타인의 시선으로 규정되는 인간의 모습을 '대타존재'라고 하였어. <보기>에서 부모님의 시선으로 인해 의사로 규정되는 학생은 '대타존재'에 해당하지만, 부모님의 기대를 의식하는 존재는 학생이고, 의식이 있는 인간 존재니까 '대자존재'에 해당한다는 점을 간과해서는 안 돼.

Day 05

본문 021쪽

1. ② 2. ③ 3. ② 4. ③ 5. ③
6. ③ 7. ③ 8. ③ 9. ⑤

[1~5] 강희천, '도덕적 갈등을 바라보는 다양한 관점'

지문해설

도덕적 갈등을 바라보는 세 가지 관점, 즉 도덕적 원칙주의, 도덕적 자유주의, 도덕적 다원주의의 관점과 의의, 한계를 설명한 글이다. 도덕적 원칙주의는 선험적 도덕 법칙이 존재한다고 보고 갈등 상황이 생겼을 때 이에 따라 행동하라고 한다. 이에 따르면 갈등이 나타나지 않거나 쉽게 해결되어야 하는데 그렇지 않다는 한계가 있다. 도덕적 자유주의는 개인들이 합의를 통해 만든 상위 원리를 바탕으로 갈등이 해소될 수 있다고 보는데, 상위 원리를 만들어 내는 것과 그 실행 과정에서 갈등이 생길 수 있다. 도덕적 다원주의는 해결 불가능한 도덕적 갈등이 있다고 주장하고 중재를 통해 타협점을 모색하는 방법을 제안한다. 이는 현실적인 지침을 제공하지 않는다는 한계는 있지만 도덕적 갈등을 바라보는 근본적인 인식을 바꾸었다는 데 의의가 있다.

■ **비문학 지문 어떻게 이해할까?**

1문단		
도덕적 갈등 문제를 바라보는 다양한 관점		
2문단	**4문단**	**6문단**
선험적 도덕 법칙에 따라 주장하라고 말하는 도덕적 원칙주의자	개인들이 합의를 통해 만든 상위 원리를 따라야 한다고 본 도덕적 자유주의자	해결 불가능한 도덕적 갈등이 있다고 주장하는 도덕적 다원주의자
3문단	**5문단**	**7문단**
도덕적 원칙주의의 의의와 한계	도덕적 자유주의의 의의와 한계	중재를 통해 타협점을 모색하는 방안을 제안하는 도덕적 다원주의자
		8문단
		도덕적 다원주의에 대한 비판과 도덕적 다원주의의 의의

■ **주제** : 도덕적 갈등 문제에 대한 세 가지 관점

어휘풀이

• **선험적(先驗的)** 경험에 앞서서 인식의 주관적 형식이 인간에게 있다고 주장하는. 또는 그런 것. 대상에 관계되지 않고 대상에 대한 인식이 선천적으로 가능함을 밝히려는 인식론적 태도를 말한다.

1. ② 내용 전개 방식 파악하기

① 도덕적 갈등 문제에 대한 다양한 관점을 제시하고 있을 뿐 그 절충 방안을 모색한 것은 아니기 때문에 적절하지 않다.
❷ 이 글은 도덕적 갈등 문제를 바라보는 세 가지 관점을 제시한 뒤 각각의 한계와 의의를 밝히고 있다. 즉 두 번째 ~ 세 번째 문단에서는 도덕적 원칙주의의 관점과 의의 및 한계를, 네 번째 ~ 다섯 번째 문단에서는 도덕적 자유주의의 관점과 의의 및 한계를, 여섯 번째 ~ 여덟 번째 문단에서는 도덕적 다원주의의 관점과 그에 대한 비판 및 의의를 각각 제시하고 있으므로 적절하다.
③ 도덕적 갈등 문제에 대한 관점을 세 가지로 제시했으나 그 분류 기준의 문제점을 설명한 것은 아니다.
④ 도덕적 갈등 문제에 대한 관점이 시대에 따라 달라진 과정이나 새로운 관점에 대한 전망은 나타나 있지 않다.
⑤ 도덕적 갈등 문제에 대한 관점을 세 가지로 제시했을 뿐 그 분화 배경이나 관점들이 혼재할 경우 나타날 문제점을 다룬 것은 아니다.

2. ③ 세부 정보 확인하기

① 세 번째 문단에서 ㉠은 '어느 사회에나 보편적으로 적용되는 선험적인 도덕 법칙이 존재'한다고 보았음을 알 수 있다.
② 네 번째 문단에서 ㉡은 '상위 원리를 통해 법과 같은 현실적인 규범이나 지침을 만들면 사람들이 이를 준수함으로써 도덕적 갈등이 해결된다.'라고 보았다는 것을 통해 알 수 있다.
❸ 두 번째 문단에서 ㉠은 '합리적인 이성을 통해 찾을 수 있는 선험적인 도덕 법칙이 존재한다'고 보고 갈등 상황이 생겼을 때 이에 따라 행동해야 한다고 주장했고, 네 번째 문단에서 ㉡은 '상위 원리를 통해 법과 같은 현실적인 규범이나 지침을 만들면 사람들이 이를 준수함으로써 도덕적 갈등이 해결된다'고 보았음을 알 수 있다. 즉 ㉠과 ㉡ 모두 도덕적 가치의 우선순위를 판단할 수 있다고 보고 이에 따라 갈등을 해결해야 한다고 주장한 것이다.
④ 네 번째 문단에서 ㉡은 '도덕적 원칙주의자와 달리 선험적인 도덕 법칙이 존재하지 않는다고 본다'고 한 것을 통해 알 수 있다.
⑤ ㉠은 선험적 도덕 법칙에 따라 행동할 때, ㉡은 상위 원리를 통해 만든 규범이나 지침을 준수할 때 도덕적 갈등 상황을 해결할 수 있다고 보았다.

3. ② 구체적 상황에 적용하기

① 여섯 번째 문단에 따르면 도덕적 다원주의자는 '도덕적 가치의 우선순위를 판단하는 통일된 지표를 마련하는 것이 어려운 경우가 존재한다'고 여기므로, 이 관점에서는 C가 올바른 가치 판단을 하기 위해 통일된 지표가 있어야 한다고 보지는 않을 것이다.
❷ 여섯 번째 문단에 따르면 도덕적 다원주의자는 '어떤 조건에는 우선시되는 가치가 다른 조건에는 그렇지 않은 경우가 있다'고 보기 때문에 이 관점에서 ㉮와 ㉯에서 C가 서로 다른 가치 판단을 한 것은 조건에 따라 우선시된 가치가 달라졌기 때문이라 할 수 있다.
③ C는 ㉮에서 법을 어기는 것은 잘못이라고 판단하였고, ㉯에서는 친구의 어려움을 배려하는 것이 더 중요하다고 판단했다. 즉 C가 ㉮에서 우선시한 가치와 ㉯에서 우선시한 가치는 다르다고 할 수 있다.
④ C가 도덕적 가치의 우선순위를 판단하는 통일된 지표에 따라 판단했다면 ㉮와 ㉯에서의 가치 판단이 같아야 하지만 ㉮와 ㉯에서 서로 다른 가치 판단을 보였으므로 통일된 지표에 따라 판단했다고 볼 수 없으며 조건에 따라 우선시되는 가치가 달랐다고 보아야 한다.
⑤ ㉮와 ㉯ 모두 두 가치가 지닌 내재적 속성이 상충되어 어느 하나를 추구하다 보면 다른 것을 상대적으로 덜 중시할 수밖에 없는 경우이다.

4. ③ 구체적 상황에 적용하기

① 두 번째 문단에서 '도덕적 원칙주의자는 갈등 상황이 생겼을 때 주관적 욕구나 개인이 처한 상황을 고려하지 말고 도덕 법칙에 따라 행동하라고 주장'했다고 한 것으로 보아, 도덕적 원칙주의자는 〈보기〉의 갈등 상황을 해결하는 데 갑이 범죄를 당한 적이 있다는 사실을 고려해서는 안 된다고 생각할 것이다.
② 네 번째 문단에서 도덕적 자유주의자는 '개인들이 합의를 통해 만든 상위 원리를 바탕으로 갈등을 해결해야 한다'고 주장하면서 '공정한 형식적 절차를 마련하는 것을 최우선으로 삼는다.'라고 한 것으로 보아, 도덕적 자유주의자는 공정한 절차에 따른 합의에 의해 CCTV가 확대가 결정된다면 을은 이를 따라야 한다고 볼 것이다.
❸ 네 번째 문단에서 도덕적 자유주의자는 개인들이 합의를 통해, 객관적이고 공평한 지점에서 상위 원리를 만들 수 있다고 보았으며 사람들이 이 상위 원리를 통해 만들어진 규범이나 지침을 따라야 한다고 주장했음을 알 수 있다. 즉 도덕적 자유주의자는 합의를 통해 상위 원리를 만들고 이에 따라 만들어진 규범을 따라야 한다고 본 것이지 상대방의 입장을 고려해 양보해야 한다고 본 것은 아니다.
④ 일곱 번째 문단에서 '도덕적 다원주의자는 중재를 통해 타협점을 모색하는 방식을 제안'했다고 한 것으로 보아, 도덕적 다원주의자는 〈보기〉의 갈등 상황에서 갑과 을이 타협할 수 있는 지점을 찾아야 한다고 생각할 것이다.
⑤ 일곱 번째 문단에서 도덕적 다원주의자는 '갈등 당사자 간의 인간관계가 훼손되지 않는 것을 중시'한다고 한 것으로 보아, 도덕적 다원주의자는 〈보기〉의 갈등 상황에서 갑과 을 사이의 관계가 나빠지지 않도록 하는 것이 중요하다고 생각했을 것이다.

5. ③ 단어의 사전적 의미 파악하기

❸ ⓒ의 사전적 의미는 '어떤 일이 어려움 없이 이루어지도록 조건을 마련하여 보증하거나 보호함.'이다. '잘 보호하여 기름.'을 뜻하는 말은 '보양(保養)'이다.

[6~9] 카타르지나 드 라자리-라덱 외, '공리주의 입문'

지문해설

공리주의 이론에서 옳은 행위로 보는 '최선의 결과'에 대해 서로 다른 관점을 지닌 세 이론을 제시하고 각각의 주장과 한계를 중심으로 설명하고 있다. 공리주의는 어떤 행위가 인간의 이익과 행복을 늘리는 데 결과적으로 얼마나 기여하는가에 따라 결정된다고 보는 이론이다. 공리주의의 본래적 가치인 '최선의 결과'를 무엇으로 보느냐에 따라 크게 쾌락주의적 공리주의, 선호 공리주의, 이상 공리주의 등으로 나눌 수 있다. '쾌락주의적 공리주의'는 최선의 결과를 쾌락의 증진으로 보며 쾌락을 본래적 가치로 여기고 있는 것으로, 인간이 어떤 행위를 선택할 때 쾌락만을 추구하는 것이 아니라 다른 것을 추구하기도 한다는 것을 설명하기 어렵다는 한계를 지닌다. '선호 공리주의'는 최선의 결과를 선호의 실현

으로 본다. 그러나 보편적인 관점에서 볼 때 비정상적인 욕구에 기반을 둔 선호의 실현과 정상적인 욕구에 기반을 둔 선호의 실현이 동일한 비중을 갖지 않는다는 점을 설명하기 어렵다. '이상 공리주의'는 쾌락뿐만 아니라 진실, 아름다움, 정의, 평등, 자유, 생명, 배려 등의 이상들도 본래적 가치에 해당한다고 보며, 이상의 실현을 최선의 결과로 본다. 그러나 이상들이 갈등하는 경우 어떤 이상의 실현이 최선의 결과일지에 대해 설명하기 어렵다. 공리주의 담론에서 최선의 결과에 대한 논의는 앞으로도 계속될 것이다.

■ **비문학 지문 어떻게 이해할까?**

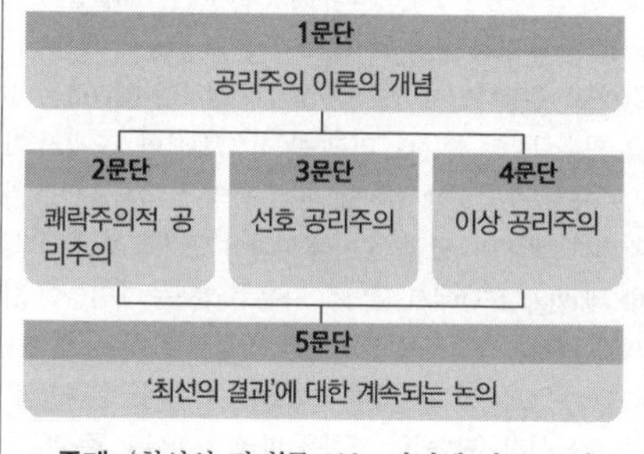

■ **주제**: '최선의 결과'를 보는 관점에 따른 공리주의 이론의 종류와 특징

6. ③ 내용 전개 방식 파악하기

①, ②, ④는 이 글에서 확인할 수 없으므로 적절하지 않다.

❸ 이 글은 '최선의 결과'에 대해 서로 다른 관점을 지닌 세 이론인 '쾌락주의적 공리주의', '선호 공리주의', '이상 공리주의'를 제시하고 각각의 주장과 한계를 중심으로 설명하고 있다.

⑤ 세 이론이 '최선의 결과'에 대한 문제점을 제기하고 있다고 볼 수 없다.

7. ③ 세부 내용 파악하기

① 네 번째 문단에 '쾌락주의적 공리주의와 선호 공리주의에 대한 대안으로 등장한 것이 이상 공리주의'라고 언급하고 있다.

② 세 번째 문단의 '선호 공리주의는 쾌락뿐만 ~ 개인의 선호를 반영한 것'이라는 내용에서 확인할 수 있다.

❸ 첫 번째 문단의 공리주의는 '어떤 행위의 옳고 그름이 공리에 따라, 즉 그 행위가 인간의 이익과 행복을 늘리는 데 결과적으로 얼마나 기여하는가에 따라 결정'된다고 보는 이론으로, 인간의 이익과 행복의 증진과 무관하다고 보는 것은 적절하지 않다.

④ 두 번째 문단의 '그러나 쾌락주의적 공리주의는 ~ 어렵다는 한계를 지닌다.'를 통해 확인할 수 있다.

⑤ 첫 번째 문단의 '이러한 공리주의는 인간이 ~ 고려해야 한다는 것을 전제로 한다.'를 통해 확인할 수 있다.

8. ③ 구체적 상황에 적용하여 이해하기

❸ 핵심 개념을 짚어 보자면, 우선 '본래적 가치'란 그 자체로서 지니는 가치를 의미하는데, 이는 다른 어떤 것을 위한 수단으로서의 가치인 도구적 가치와는 상대되는 개념이다. 또한 이상 공리주의 이론에서는 '쾌락'뿐만 아니라 '진실, 아름다움, 정의, 평등, 자유, 생명, 배려' 등의 이상들도 본래적 가치에 해당한다고 본다. 이러한 이상들은 인간의 이익과 행복을 구성한다고 보고 있다. 이에 따라 '학생 1'은 생명이라는 가치를 본래적 가치의 실현을 위한 도구적 가치로 보고 있는 '학생 2'의 의견이 부적절하다고 판단할 것이다.

제시된 핵심 개념을 살펴보고 인물들이 본래적 가치와 도구적 가치를 어떻게 보고 있는지를 파악하는 것이 중요한 문제야. 이상주의적 관점에서 '학생 1'은 생명이라는 가치를 본래적 가치의 실현을 위한 도구적 가치로 보고 있는 '학생 2'의 의견이 부적절하다고 판단하고 있어.

9. ⑤ 구체적 사례에 적용하기

① 쾌락주의적 공리주의 관점에서 볼 때, 〈보기〉의 인문학 서적을 읽는 것을 좋아하는 A가 동일한 성향을 가진 친구들을 모아 동아리를 만든 행위는 쾌락이라는 심리적 경험을 증진하기 위한 것이라고 볼 수 있다.

② 쾌락주의적 공리주의 관점에서 볼 때, 〈보기〉의 A가 배려와 관련된 인문학 서적을 동아리 친구들과 함께 읽고 자신뿐만 아니라 모두 큰 즐거움을 느끼며 쾌락을 증진하였으므로 동아리 내에서 도덕적으로 옳은 행위라고 볼 수 있다.

③ 선호 공리주의 관점에서 볼 때, 〈보기〉의 A와 동아리 친구들이 인문학 서적을 읽은 것은 A와 동아리 친구들의 선호 실현이라는 인간의 최대 이익과 행복을 가져오는 행위라고 볼 수 있다.

④ 선호 공리주의 관점에서 볼 때, 〈보기〉의 A가 배려와 관련된 인문학 서적을 동아리 친구들과 함께 읽은 행위는 자신과 더불어 동아리 친구들의 선호를 실현시켰으므로 동아리 내에서 도덕적으로 옳은 행위라고 볼 수 있다.

❺ 이상 공리주의는 인간들의 서로 다른 관심과는 무관하게 실현되어야 할 이상들을 인간이 더 많이 실현하는 것이 곧 최대의 이익과 행복이라고 본다. 따라서 이상 공리주의 관점에서 볼 때, 〈보기〉의 A와 동아리 친구들이 배려와 관련된 인문학 서적을 읽고 동아리 내에서 실현한 배려라는 것은 배려에 대한 그들의 관심에 따라 실현되어야 하는 이상이라고 보는 것은 적절하지 않다.

Day 06

본문 024쪽

1. ③	2. ③	3. ②	4. ④	5. ①
6. ②	7. ②	8. ④	9. ③	10. ④
11. ③	12. ②	13. ④	14. ①	

[1~4] '자아 상태와 스트로크'

지문해설

교류 분석 이론의 주요 개념인 '자아상태'와 '스트로크'에 대해 설명한 글이다. 교류 분석 이론에서 자아상태 모델은 인간의 성격을 A(어른), P(어버이), C(어린이)로 설명하는데, 이때 자아상태란 특정 순간에 보이는 일련의 행동, 사고, 감정의 총체를 일컫는다. A 자아상태는 지금 여기에서 가장 현실적인 대책을 찾는, 객관적이며 합리적인 자아상태이고, P 자아상태는 자신 혹은 타인을 가르치려 들거나 보살피려 하는 자세를 취하는 자아상태로 CP(통제적 어버이) 상태와 NP(양육적 어버이) 상태로 분류할 수 있다. 그리고 C 자아상태는 어릴 때 했던 것처럼 행동, 사고하거나 감정을 느끼는 자아상태로 AC(순응하는 어린이) 상태와 FC(자유로운 어린이) 상태로 나뉜다. 스트로크는 의사소통 과정에서 인정의 욕구로 인해 서로 상대방을 인지한다는 신호를 보내는 행위를 말하며, 언어적/비언어적 스트로크, 긍정적/부정적 스트로크, 조건적/무조건적 스트로크로 분류할 수 있다. 이러한 개념을 바탕으로 정립된 교류 분석 이론은 인간의 행동과 성격, 욕구를 이해하기 쉽게 분석하도록 해 준다.

분석Plus

■ **비문학 지문 어떻게 이해할까?**

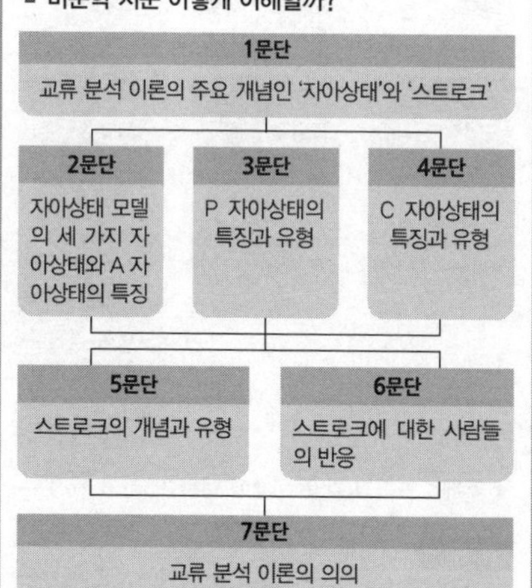

■ **주제** : 자아상태와 스트로크의 특징과 교류 분석 이론의 의의

어휘풀이

- **총체(總體)** 있는 것들을 모두 하나로 합친 전부 또는 전체.
- **정립(定立)** 1. 정하여 세움. 2. 어떤 논점에 대하여 반론을 예상하고 주장함. 또는 그런 의견이나 학설.

1. ③ 내용 전개 방식 파악하기

① 교류 분석 이론 정립의 바탕이 되는 개념인 '자아상

태'와 '스트로크'에 대해 설명하고 있을 뿐 그 정립 과정과 각 단계의 차이점을 설명한 것은 아니다.
② 교류 분석 이론의 주요 개념을 소개하고 있을 뿐 그 한계점이나 이를 보완하는 다른 이론을 제시한 것은 아니다.
❸ 첫 번째 ~ 여섯 번째 문단에서 교류 분석 이론을 이해하기 위한 주요 개념인 '자아상태'와 '스트로크'의 개념과 사례에 대해 설명한 뒤 마지막 문단에서 교류 분석 이론의 의의를 밝히고 있다.
④ 사례를 통해 개념을 설명하고 있을 뿐 교류 분석 이론이 나타나게 된 배경이나 이론의 타당성에 대한 검증은 나타나지 않았다.
⑤ 이론을 이해하기 위한 주요 개념들을 소개한 뒤 설명하고 있을 뿐, 요소 간의 공통점과 차이점을 분석한 것은 아니다.

2. ③ 세부 정보 확인하기

① 두 번째 문단에서 '자아상태란 특정 순간에 보이는 일련의 행동, 사고, 감정의 총체를 일컫는 것이므로 특정 순간마다 자아상태는 달라질 수 있다.'고 하고 있다.
② 다섯 번째 문단에서 스트로크는 의사소통 과정에서 인정의 욕구로 인해 서로 상대방을 인지한다는 신호를 보내는 행위라고 하고 있다.
❸ 여섯 번째 문단에서 사람들은 '긍정적 스트로크가 충분하지 않다고 여기면 부정적 스트로크라도 얻으려고' 하며, 여기에는 '어떤 스트로크든 스트로크를 받지 못하는 것보다는 낫다는 원리가 작용'한다고 하고 있다.
④ 두 번째 문단에서 자아상태 모델은 인간의 성격을 A(어른), P(어버이), C(어린이)로 설명하는데, 건강하고 균형 잡힌 성격이 되려면 세 가지 자아 상태를 모두 필요로 한다고 하고 있다.
⑤ 다섯 번째 문단에서 '의사소통 과정에서 자신이 기대하는 반응이 올 수도 있고, 기대하지 않는 반응이 올 수도 있다.'고 하고 있다.

3. ② 구체적 상황에 적용하기

❷ 다섯 번째 문단에서 스트로크는 언어로 신호를 보내는 언어적 스트로크와 몸짓, 표정 등으로 신호를 보내는 비언어적 스트로크, 상대방을 즐겁게 하는 긍정적 스트로크와 상대방을 고통스럽게 하는 부정적 스트로크, 그리고 상대방의 행위에 반응하는 조건적 스트로크와 아무 조건 없이 존재 그 자체에 반응하는 무조건적 스트로크로 나눌 수 있다고 하고 있다. ㉠의 아버지의 말은 언어로 보낸 신호이므로 언어적 스트로크이고, '차가운 말투'로 철호를 힘들게 하였으므로 부정적 스트로크이다. 그리고 철호가 '할머니께 아까 보인 태도'에 대해 지적하는 것이므로 상대방의 행위에 대해 반응한 조건적 스트로크에 해당한다.

4. ④ 구체적 상황에 적용하기

① 세 번째 문단에 따르면 P 자아상태는 어린 시절 부모가 자신에게 했던 행동이나 태도, 사고를 내면화한 것인데 그중 CP 상태는 어릴 때 무엇을 해야 하는지 가르치고 통제했던 부모의 역할을 따라하는 것이다. 〈상황2〉의 철호는 〈상황1〉의 어린 시절 아버지가 자신을 가르치고 통제하려 했던 행동을 내면화하여 말하고 있으므로 CP 상태에서 말을 하고 있다고 볼 수 있다.
② 〈상황2〉의 철호의 자아상태는 CP 상태인데, 후배의 자아상태는 CP 상태라고 볼 수 없다.
③ 두 번째 문단에서 A 자아상태는 '지금 여기에서 가장 현실적인 대책을 찾는, 객관적이며 합리적인 자아 상태'라고 하고 있다. 〈상황3〉에서 상담사는 철호의 현재 문제 상황에 대한 해결책을 찾기 위해 질문을 하며 객관적이고 합리적인 태도를 보이므로 A 자아상태라고 할 수 있다.
❹ 네 번째 문단에서 C 자아상태는 어릴 때 했던 것처럼 행동, 사고하거나 감정을 느끼는 자아상태로, 부모의 요구에 순응하며 살았던 행동 양식들을 재연할 경우를 'AC(순응하는 어린이) 상태', 부모의 요구나 압력과 상관없이 독립적으로 행동했던 어린 시절의 방식대로 행동할 경우를 'FC(자유로운 어린이) 상태'라고 하고 있다. 따라서 상담사가 "어릴 때 당신은 아버지의 말씀을 잘 받아들이는 아이였겠죠?"라고 하며 철호가 부모의 요구에 순응하는 아이였는지 묻는 것은 철호의 AC 상태를 확인하기 위한 것이라고 할 수 있다.
⑤ 여섯 번째 문단에서 어떤 행위를 통해 자신이 원하는 스트로크를 받게 되면, 그 스트로크를 계속 받기 위해 같은 행동을 반복하며 강화한다고 하고 있다. 이로 보아 철호가 어린 시절에 인사를 예의 바르게 할 때 아버지의 얼굴이 환해졌기 때문에 누구보다 인사를 잘하기 위해 애를 썼다는 것은 아버지로부터 인정을 받기 위해 인사하는 행동을 강화했던 것으로 볼 수 있다.

【5~9】 안의진, '관객은 허구에 불과한 공포 영화의 괴물을 왜 무서워하는가'

지문해설

허구의 감상과 그에 따른 감정 발생을 연구한 다양한 이론에 대해 소개하고 있는 글이다. 즉 공포 영화의 관객이 영화 속 괴물이 실제로 존재하지 않는다고 믿으면서도 공포를 느끼는 현상에 대해 설명한 이론이다. 래드포드에 의해 '허구의 역설'로 제기된 이 문제에 대해, 이후 학자들은 허구에 대한 감정과 인지적 요소와의 상관 관계에 대해 논의해 왔다. 또한 대상이 실제로 존재한다는 환영에 빠져 감정을 느낀다는 '환영론'의 주장과 이에 대해 반박하는 월턴과 캐럴의 '믿는 체하기 이론', '사고 이론'이 등장한다. 최근 등장한 '감각믿음 이론'은 '중심믿음'과 '감각믿음'으로 구분하여 공포 영화를 보는 관객의 공포가 인지적 경험과 감각적 경험의 통합에서 비롯된다는 관점을 제시하였다. 이러한 다양한 이론이 제시되고 있는데 특히 감각믿음 이론은 영화를 제작하는 데 있어 고려할 점을 시사해 주는 이론으로 제시되고 있다.

분석Plus

■ 비문학 지문 어떻게 이해할까?

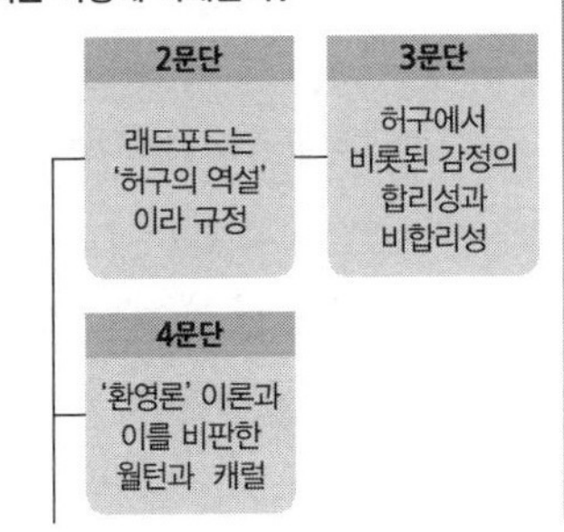

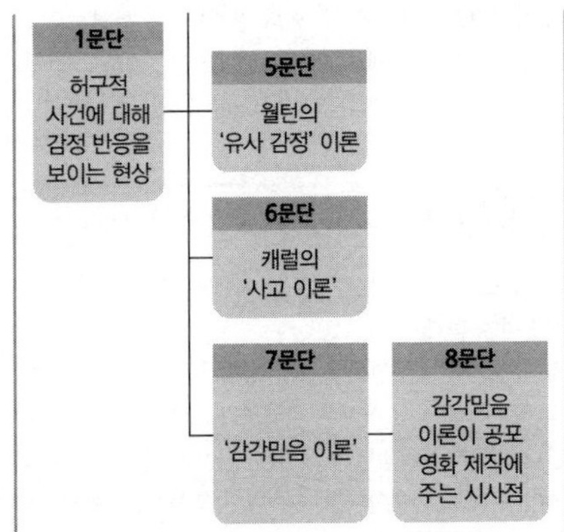

■ **주제** : 허구에 대한 감상과 그에 따른 감정 발생에 대한 연구

어휘풀이
- **전제(前提)** 어떠한 사물이나 현상을 이루기 위하여 먼저 내세우는 것.
- **인지(認知)** 자극을 받아들이고, 저장하고, 인출하는 일련의 정신 과정. 지각, 기억, 상상, 개념, 판단, 추리를 포함하여 무엇을 안다는 것을 나타내는 포괄적인 용어로 쓴다.

5. ① 글의 전개 방식 파악하기

❶ 이 글은 허구의 감상과 그에 따른 감정 발생을 연구하는 다양한 이론들을 소개하고 있다. 래드포드에 의해 '허구의 역설'로 제기된 이 문제에 대해, '환영론', '믿는 체하기 이론', '사고 이론', '감각믿음 이론'에 대해 설명하고 있다. 특히 감각믿음 이론은 영화를 제작하는 데 있어 고려할 점을 시사해 주는 것으로 글을 끝맺고 있다.
② 네 번째 문단에서 환영론에 대해 비판적 입장을 취한 학자들의 이론들을 소개하고 있긴 하나, 절충 방안을 모색한 것은 아니다.
③ 허구의 감상과 그에 따른 감정 발생에 관한 이론들 가운데 그 감정 발생을 합리적, 혹은 비합리적으로 보는 이론들에 대한 언급은 제시되어 있다. 그러나 그 분류 기준이 되는 합리성에 대해 검토하고 있지는 않다.
④ 환영론에 대해 월턴과 캐럴의 비판적인 입장을 제시한 내용이나 감각믿음 이론이 주는 시사점은 나타나고 있다. 그러나 제시된 각 이론의 의의와 한계를 평가하여 하나의 이론으로 통합하고 있지는 않다.
⑤ 래드포드의 이론으로부터 다른 이론들이 분화되어 나온다고 볼 수 없다. 뿐만 아니라 허구의 감상에서 비롯되는 감정 발생이란 현상이 어떤 의의를 지니는지에 대한 내용도 나타나 있지 않다.

6. ② 다른 상황에 적용하기

❷ '환영론은 사람들이 허구를 보는 동안은 환영에 빠져 허구적 사건이나 인물이 실제로 존재한다고 믿게 되어 감정 반응을 하게 된다고 설명한다. 이는 래드포드가 제시한 전제2, '우리는 허구적 사건이나 인물은 존재하지 않는다고 믿는다.'를 부정하는 것이다. 전제2를 부정하면, 래드포드의 세 전제들은 다음과 같이 이해된다. '우리는 존재한다고 믿는 것에 대해 감정적으로 반응한다(전제1). 그런데 우리는 영화를 보는 동안은 환영에 빠져 허구적 사건이나 인물이 존재한다고 믿는다(전제2의 부정). 그러므로 우리는 허구적 사건이나 인물에 대

해 감정적으로 반응할 수 있다(전제3).' 즉 환영론은 래드포드가 제시한 세 전제 중, 전제2를 부정하고 전제1과 전제3을 받아들이는 입장이라 할 수 있다.

7. ② 주장의 근거 추론하기

① 래드포드가 제기한 '허구의 역설'에 관한 설명이므로 적절하지 않다.
❷ 환영론에서는 영화를 보는 동안은 관객이 환영에 빠져 허구적 대상이 실제로 존재한다고 믿게 된다고 주장한다. 이에 대해 월턴과 캐럴은, 관객이 환영에 빠져 괴물이 실제로 존재한다고 믿는다면 괴물을 피해 달아나거나 도움을 요청하는 등의 행동을 보였어야 할 것인데 그러지 않았다는 점에서, 관객이 괴물의 존재를 정말로 믿었다고 볼 수 없다고 반박한다. 즉 월턴과 캐럴은 실제로 존재하는 대상은 감정을 유발하고, 그 감정은 해당 감정과 관련된 행동을 촉발하기 마련이라고 보고 있는 것이다.
③ 월턴의 '유사 감정'에 대한 설명이므로 적절하지 않다.
④ '감정을 인지적 경험과 감각적 경험의 통합되는 과정으로 설명'하는 것은 글의 마지막 문단에서 감각믿음 이론의 의의로 제시된 내용이므로 적절하지 않다.
⑤ 월턴의 '믿는 체하기' 이론에 대한 설명이므로 적절하지 않다.

8. ④ 구체적 사례에 적용하기

① ㉮ 단계에서는 실험 참가자들에게 〈그림〉을 보여 주기 전의 상황이므로, 연구자가 시각 경험에 의한 감각믿음을 가질 것을 기대할 수 없다. ㉮ 단계에서 연구자는 실험 참가자들이 자신의 말을 듣고 두 선분의 길이가 같다는 중심믿음을 형성하기를 기대하였을 것이다.
② 감각믿음 이론에 따르면 중심믿음은 추론적 사고와 기억에 의해 만들어지고, 감각믿음은 감각 경험에 의해 자동적으로 형성된다는 것을 알 수 있다.
③ ㉮ 단계에서 연구자의 말을 듣고 실험 참가자들은 '두 선분의 길이가 같다.'는 중심믿음을 형성하였으나, ㉯ 단계에서 〈그림〉을 본 실험 참가자들이 감각 경험에 의해 '두 선분의 길이가 다르다.'는 감각믿음을 형성하였다. 따라서 ㉮ 단계에서 형성된 중심믿음은 ㉯ 단계에서 형성된 감각믿음과 서로 맞지 않고 어긋난다.
❹ 감각믿음 이론에 따르면 ㉮ 단계에서 연구자의 말을 듣고 실험 참가자들은 앞으로 볼 두 선분 a, b가 동일한 길이라는 중심 믿음을 형성하게 된다. 그런데 ㉯ 단계에서 실험 참가자들은 연구자의 말을 기억하고 있음에도 불구하고 착시로 인해 〈그림〉의 선분 a보다 선분 b가 길어 보인다고 느끼고 'a보다 b가 길다.'라는 감각믿음을 갖게 된다. 다시 말해, 두 선분의 길이가 같다는 중심믿음이 감각믿음에 영향을 미치지 못하는 결과를 나타내고 있다.
⑤ 〈보기〉의 실험 참가자들은 〈그림〉을 보기 전 두 선분의 길이가 같다는 말을 듣고도, 〈그림〉을 본 후 두 선분의 길이가 같지 않다고 응답하였다. 이를 통해 연구자는 실험 참가자들의 중심믿음과 감각믿음이 일치하지 않았다고 판단하였을 것이다.

9. ③ 구체적 사례에 적용하기

① 래드포드의 관점에서는 영화를 보며 감정을 느끼는 것은 감정을 유발하는 대상이 존재한다는 믿음 없이도 감정이 일어나기 때문으로 보았다.
② 환영론은 관객이 영화를 보는 동안 환영에 빠져 허구적 대상이 실제로 존재한다고 믿게 된다고 본다.
❸ 월턴은 공포 영화를 보는 관객의 감정은 허구에 대한 믿음에서 비롯되는 것이 아니라, 상상하기의 결과라고 보았다. 즉 대상이 실제 세계에 존재한다는 믿음에서 비롯된 감정과 허구인 영화를 보고 느끼는 감정은 다르다고 보고, 후자를 '유사 감정'이라고 불렀다.
④ 캐럴은 생각을 품는 것만으로도 감정이 유발될 수 있다는 견해를 가지므로, 괴물이 존재한다는 생각만으로도 공포를 느낄 수 있다고 보았다.
⑤ 감각믿음 이론에서는 공포 영화를 보는 관객이 영화를 보며 감각 경험을 통해 괴물이 존재한다는 감각믿음을 갖게 되어 공포를 느끼게 된다고 본다.

【10~14】 이종하, '아도르노, 고통의 해석학'

지문해설

아도르노의 비동일성 철학에서 대비되는 개념인 '동일성'과 '비동일성'을 통해 비동일성 철학이 추구하고 있는 동일성 사고에 대한 반성의 사유 방식을 밝히고 있다. 아도르노는 계몽주의자들이 신화를 비이성적인 것으로, 계몽을 이성적인 것으로 규정하는 이분법적 인식에 대해 새로운 관점을 제시한다. 그는 인간이 자연과 분리되고 근대 과학이 발달하면서 인간의 이성이 자연을 지배하는 도구가 되었다고 비판한다. 이성의 힘이 당위적인 질서를 만들어 인간을 억압한다고 본 것이다. 아도르노는 인간의 이성이 비이성적인 면을 드러내는 이유가 인간의 이성에 내재된 동일성 사고에 있음을 밝힌다. 그는 동일성 사고에 대한 끊임없는 반성의 사유가 필요하다고 말한다. 이와 같은 관점에서 아도르노는 동일성 사고를 긍정하는 헤겔의 동일성 철학을 비판하는 과정을 통해 반성의 사유 방식을 제안한다. 아도르노는 동일성 사고에 의해 비동일성이 어떤 한쪽으로 동일화되지 않도록, 비동일성에 대해 참된 관심을 가져야 한다고 주장하며 이러한 비동일성 철학의 논리를 예술이 담을 수 있다고 본다. 아도르노에게 진정한 예술은 동일성 사고의 논리에 지배받고 있는 자신을 반성하도록 하는 예술이다.

분석Plus

■ 고난도 지문 어떻게 이해할까?

1문단	아도르노의 이성에 대한 비판적 관점
2문단	계몽주의자들의 이분법적 인식에 대해 새로운 관점을 제시
3문단	인간의 이성에 비이성적인 면모가 있음을 밝힘
4문단	동일성 사고에 대해 반성의 사유가 필요함
5문단	헤겔의 동일성 철학을 통해 반성의 사유 방식 제안
6문단	비동일성 철학의 논리를 담을 수 있는 예술

■ **주제** : 아도르노의 비동일성 철학

어휘풀이

• **환원되다(還元)** 본디의 상태로 다시 돌아가다.

10. ④ 서술 방식 파악하기

① 계몽주의가 지닌 의의를 밝히고 있는 부분은 없으므로 적절하지 않다.
② 인용문을 활용하고 있지 않으며 계몽주의가 분화된 원인을 탐색하고 있지 않다.
③ 비동일성 철학의 변화 요인을 분석하고 있지 않다.
❹ '동일성'과 '비동일성'의 개념을 통해 아도르노의 비동일성 철학이 추구하고 있는 동일성 사고에 대한 반성의 사유 방식을 밝히고 있다.
⑤ 비동일성 철학이 지닌 문제점을 제기하고 있는 부분은 확인할 수 없다.

11. ③ 세부 내용 이해하기

① 두 번째 문단의 '그는 신화에 나타난 이러한 노력을 계몽주의자들이 말하는 이성으로 보았기 때문에 인간의 이성이 신화에도 작용한 것'을 통해 알 수 있다.
② 두 번째 문단의 '신화에는 신화적 힘, 예언 등과 같은 운명적 필연성으로부터 탈출하려는 인간의 노력이 나타나 있다'와 '그는 신화에 나타난 이러한 노력을 계몽주의자들이 말하는 이성으로 보았기 때문에'를 통해 알 수 있다.
❸ 세 번째 문단의 '인간의 이성이 자연을 지배하는 도구가 되었다'를 보면 자연이 인간의 이성을 억압하고 있음을 의미한다는 진술은 적절하지 않다.
④ 세 번째 문단의 '인간의 이성에 의해 발달한 과학적 지식과 수학이 보편적이고 당위적인 것이 됨으로써~이성의 힘이 당위적인 질서를 만들어 인간을 억압한다'를 통해 알 수 있다.
⑤ 세 번째 문단의 '근대 과학이 발달하면서~폭력과 고통의 관계가 형성됐다고 본다'를 통해 알 수 있다.

12. ② 주요 개념 이해하기

① 네 번째 문단의 '동일성 사고에 의해, 알려진 것과 아직 알려지지 않은 모든 대상은 고유의 질적 측면을 잃어버린 채, 계산 가능한 형태로만 측정되어 숫자로 환원된다'를 통해 알 수 있다.
❷ 네 번째 문단의 '동일성 사고에 지배받는 사회는 필연적으로 전체주의적 사회 질서를 강화하는 방향으로 나아간다'를 본다면, 전체주의적 사회 질서를 부정한다는 진술은 적절하지 않다.
③ 네 번째 문단의 '아도르노는 이러한 동일성 사고가 내재된 이성이, 자연은 물론 인간과 인간의 본성까지 계량화하여 지배하는 도구로 사용되었다고 주장한다'를 통해 알 수 있다.
④ 네 번째 문단의 '서로 질적으로 다른 것들이 쉽게 교환 가능해진다'를 통해 알 수 있다.
⑤ 네 번째 문단의 '동일성 사고가 내재된 이성이, 자연은 물론 인간과 인간의 본성까지 계량화하여 지배하는 도구로 사용되었다'를 통해 알 수 있다.

13. ④ 구체적 상황에 적용하기

① 다섯 번째 문단의 '아도르노는 헤겔의 동일성 철학의 핵심 개념인 보편자와 특수자를 각각 동일성과 비동일성으로 보았다'를 보면 적절하다.
② 다섯 번째 문단의 '특수자는 보편자의 개념적 틀에서 벗어나 있는 대상을 의미하는데, 헤겔은 보편자가 자신의 개념으로 특수자를 동일화시켜 파악하며'를 보면 적절하다.
③ 여섯 번째 문단의 '헤겔의 동일성 철학으로 인해 특수자의 고유성과 독자성이 파괴된다고 보았다'를 보면 적절하다.
❹ 다섯 번째 문단을 보면 아도르노는 '동일성'은 동일성 사고에 의해 대상을 끌어들이는 주체, '비동일성'은 주체에게 끌어들임을 당하는 대상이라고 보고 있다. 따라서 〈보기〉에서 A 국가는 주체, K 씨는 주체로부터 끌어들임을 당하는 대상에 해당하므로 적절하지 않다.
⑤ 네 번째 문단의 '동일성 사고가 내재된 이성이, 자연은 물론 인간의 본성까지 계량화하여 지배하는'을 보면 적절하다.

14. ① 구체적 사례에 적용하여 이해하기

❶ 아도르노는 진정한 예술은 동일성 사고가 지닌 억압을 자각할 수 있게 하는 것이라고 강조하였고, 〈보기〉의 쇤베르크의 12음 기법은 이러한 비동일성 철학이 담긴 사례라고 볼 수 있다. 따라서 조성 중심 작곡법을 사용해 억압을 자각하게 한다는 것은 적절하지 않다.
② 기존 조성 중심의 작곡법에서 탈피하고자 어떤 음도 조성에 얽매이지 않도록 한 것에서 비동일성 철학의 논리를 확인할 수 있다.
③ 어떤 음이 이어질지 예측할 수 없다는 점에서 고정된 질서에 대한 친숙함에서 벗어나려는 시도로 볼 수 있다.
④ 감상자들로 하여금 조성 중심 작곡법에 익숙한 자신의 모습에 대한 반성을 이끌어 낼 수 있다.
⑤ 12개의 음이 모두 한 번씩 사용될 때까지 같은 음을 되풀이하지 않는 것은 고정된 질서에서 벗어나려는 노력으로 볼 수 있다.

Day 07

본문 032쪽

1. ③	2. ⑤	3. ①	4. ③	5. ⑤
6. ③	7. ③	8. ⑤	9. ②	10. ①

[1~5] 이준구, '미시경제학'

지문해설

이 글은 경제학에서 최적의 결과를 얻기 어려운 상황일 때 차선의 선택을 고민하는 '차선의 이론'에 대해 설명하고 있다. 차선의 이론은 최적의 결과를 얻기 위한 여러 조건 중 한 가지 이상의 조건이 충족되지 못한다면 나머지 조건들이 모두 충족되더라도 그 결과는 차선이 아닐 수 있다며, 차선의 의미에 대해 새로운 관점을 보여 준다. 효율성을 달성하기 위한 10개의 조건 중 9개의 조건이 충족되는 것이 차선이 아닌지를 입증하기 위해서는 공평성을 함께 고려해야 하는데, 사회무차별곡선을 통해 개별 경제 주체의 효율수준을 종합한 사회후생수준까지 고려한 차선의 선택을 할 수 있다.

■ **비문학 지문 어떻게 이해할까?**

1문단: 경제학에서 최적의 결과와 차선의 선택
2문단: '차선의 이론'의 새로운 관점
3문단: 공평성에 대한 고려
4문단: 사회무차별곡선의 모양과 의미
5문단: '차선의 이론'의 예

■ **주제** : 경제학에서 차선의 이론과 그 예

1. ③ 세부 내용 이해하기

① 첫 번째와 두 번째 문단에서, 차선의 이론에서는 최적의 결과를 얻기 위한 여러 조건 중 한 가지 이상의 조건이 충족되지 못하는 상황이라면 나머지 조건들이 모두 충족되더라도 그 결과는 차선이 아닐 수 있다고 본다고 설명하며, 차선의 의미에 대해 새로운 관점을 보여 주고 있음을 알 수 있다.
② 다섯 번째 문단에서 생산가능곡선 위의 점들은 생산의 효율성을 충족한다는 것을 의미한다고 하였다.
❸ 첫 번째 문단에서 립시와 랭카스터가 차선의 이론을 제시했다는 사실은 확인할 수 있으나, 이들이 입증한 차선의 이론의 한계는 제시되어 있지 않으므로 적절하지 않다.
④ 첫 번째 문단에서 최적의 결과를 얻기 어려운 상황에 놓인다면 경제 주체들은 일반적으로 효율성을 고려하여 차선의 선택을 고민하게 된다고 하였다.
⑤ 네 번째 문단에서 일반적인 사회무차별곡선은 우하향할수록 기울기가 완만해지는데, 이는 높은 효율수준을 누리는 사람의 효용에는 상대적으로 낮은 가중치를 적용하고 낮은 효율수준밖에 누리지 못하는 사람들의 효용에는 높은 가중치를 적용해 사회후생을 계산하는 것이 공평하다는 가치판단이 반영된 결과라고 하였다.

2. ⑤ 세부 내용 이해하기

① 네 번째 문단에서 '사회무차별곡선 위의 모든 점은 동일한 사회후생수준을 나타'낸다고 하였다.
② 네 번째 문단에서 '일반적으로 사회무차별곡선의 모양은 원점에 대해 볼록한 곡선'이라고 하였다.
③ 세 번째 문단에서 '사회무차별곡선의 모양을 보면 그 사회가 개인의 효용수준에 대한 평가를 통해 공평성에 대해 어떠한 가치판단을 하고 있는지 확인할 수 있다'고 하였다.
④ 세 번째 문단에서 '사회무차별곡선은 개별 경제 주체가 경제 활동을 통해 얻은 주관적 만족감인 효용수준을 종합한 사회후생수준을 보여 준다'고 하였다.
❺ 세 번째 문단에서 '사회무차별곡선은 개별 경제 주체가 경제 활동을 통해 얻은 주관적 만족감인 효용수준을 종합한 사회후생수준을 보여 준다'고 하였고, 네 번째 문단에서 '이는 높은 효용수준을 누리는 사람의 효용에는 ~ 공평하다는 가치판단이 반영된 결과'라고 하였다. 따라서 사회무차별곡선에는 높은 효용수준을 누리는 사람들의 주관적 만족감이 반영되어 있지 않다는 진술은 적절하지 않다.

3. ① 핵심 내용 이해하기

❶ 세 번째 문단에서 '왜 효율성을 달성하기 위한 10개의 조건 중 9개의 조건이 충족되는 것이 차선이 아닌지를 입증하기 위해서는 공평성을 함께 고려해야 한다'고 하면서 효율성과 다른 기준도 함께 고려할 필요가 있다고 설명하고 있다.

4. ③ 세부 내용 추론하기

① 다섯 번째 문단에서 '생산가능곡선 CD는 원점에 대해 오목한 모양으로 이 곡선 위의 점들은 생산의 효율성을 충족한다는 것을 의미'한다고 하였고, '곡선의 안쪽은 생산은 가능하나 비효율적임을 나타낸다'고 하였다. 〈그림〉에서 H는 생산가능곡선 위의 한 점이고 I는 생산가능곡선 안쪽에 위치하고 있으므로, H가 생산가능곡선 위에 있기 때문에 그렇지 않은 I보다 생산의 효율성이 높다고 생각하는 것은 적절하다.
② 다섯 번째 문단에서 '제약하에서 사회후생수준을 고려하면 I 지점이 차선의 선택이 된다'고 하였으므로, 선분 FG와 같은 제약이 있는 상황에서 H가 아닌 I가 차선으로 선택되었다면 그 이유는 사회후생수준을 고려했기 때문이라고 생각하는 것은 적절하다.
❸ 다섯 번째 문단에서 생산가능곡선의 안쪽은 '생산은 가능하나 비효율적임을 나타낸다'고 하였고, 〈그림〉에서 I는 생산가능곡선의 안쪽에 위치해 있음을 확인할 수 있다. 따라서 I의 위치를 고려하면 생산이 가능하지 않아 비효율적인 지점이라고 생각하는 것은 적절하지 않다.
④ 다섯 번째 문단에서 'H 지점은 제약하에서도 생산가능곡선 CD 위에 위치하기에 생산의 효율성이나마 충족하고 있'다고 하였고, 〈그림〉에서 선분 FG와 같은 제약

이 있는 상황에서 H와 K는 모두 생산가능곡선 위에 있다. 따라서 선분 FG와 같은 제약이 있는 상황에서 생산가능곡선을 고려하면 K도 H와 마찬가지로 생산의 효율성을 충족하는 지점이라고 생각하는 것은 적절하다.
⑤ 네 번째 문단에서 사회무차별곡선은 '원점에서 멀리 위치할수록 사회후생수준이 높다는 것을 나타낸다'고 하였고 〈그림〉에서 사회무차별곡선의 위치를 보면 SIC_3이 SIC_1과 SIC_2보다 원점에서 멀리 위치하고 있으므로, SIC_3이 SIC_1과 SIC_2보다 사회후생수준이 높다고 생각하는 것은 적절하다.

5. ⑤ 어휘의 사전적 의미 파악하기

① ⓐ '조절'의 사전적 의미는 '균형이 맞게 바로잡음.'이다.
② ⓑ '고려'의 사전적 의미는 '생각하고 헤아려 봄.'이다.
③ ⓒ '충족'의 사전적 의미는 '일정한 분량을 채워 모자람이 없게 함.'이다.
④ ⓓ '입증'의 사전적 의미는 '어떤 증거 따위를 내세워 증명함.'이다.
❺ ⓔ '적용'의 사전적 의미는 '알맞게 이용하거나 맞추어 씀.'이다. '일정한 조건이나 환경 따위에 맞추어 응하거나 알맞게 됨.'의 의미를 지닌 단어는 '적응'이다.

【6~10】 그레이엄 앨리슨 외, '결정의 본질'

지문해설

허버트 사이먼은 합리적 행위와 관련하여 포괄적 합리성과 제한적 합리성이라는 두 가지 관점을 제시했다. 먼저 포괄적 합리성은 의사를 결정하는 행위자가 분명한 목적을 가지고 그것을 달성하기 위한 모든 방안을 찾는다고 보는 관점이다. 반면 제한적 합리성은 행위자가 자신의 목적을 달성하는 데 있어 지식과 인지 능력에 한계가 있음을 인정하는 관점이다. 그레이엄 앨리슨은 이러한 관점들을 바탕으로 국제 사회의 외교 정책 행위를 몇 가지 모델로 분석하였다. 그중 합리적 행위자 모델은 포괄적 합리성을 바탕으로 정책 행위를 설명하였는데, 포괄적 합리성에서 벗어나는 외교 사례를 설명할 수 없다는 한계가 있다. 앨리슨은 이를 보완하기 위해 제한적 합리성을 바탕으로 한 조직 과정 모델을 제시하였다. 합리적 행위자 모델과 조직 과정 모델은 분석 대상이 되는 정책 행위를 바라보는 시각이 다르기 때문에 같은 현상에 대해서도 다른 분석 결과를 도출하게 된다.

■ **비문학 지문 어떻게 이해할까?**

1문단
포괄적 합리성과 제한적 합리성

2문단
포괄적 합리성을 바탕으로 한 합리적 행위자 모델

3문단
합리적 행위자 모델과 조직 과정 모델에서의 외교 정책 행위 분석

4문단
앨리슨의 정책 결정 모델이 갖는 의의

■ **주제** : 정책 결정 모델의 특징과 의의

6. ③ 글의 전개 방식 파악하기

① 세 번째 문단에서 '조직 과정 모델은 조직들의 SOP와 역량, 조직 간의 관계에 대해 분석하기 때문에 포괄적 합리성에서 벗어나는 외교 정책 행위를 설명할 수 있다.'라고 하며 합리적 행위자 모델이 지닌 한계와 관련하여 조직 과정 모델이 갖는 의의를 제시하고 있다.
② 이 글에서는 사이먼이 제시한 포괄적 합리성, 제한적 합리성과 관련지어 합리적 행위자 모델과 조직 과정 모델의 특징을 서술하고 있다.
❸ 합리적 행위자 모델과 조직 과정 모델에서 정책 행위 분석 단계에 대해 구체적인 사례를 들어 설명하는 부분은 찾을 수 없다.
④ 세 번째 문단에서 합리적 행위자 모델과 조직 과정 모델에서 외교 정책 행위를 분석하는 방식을 비교하여 설명하고 있다.
⑤ 두 번째와 세 번째 문단에서 합리적 행위자 모델과 조직 과정 모델에서 바라보는 국가의 성격을 바탕으로 각 모델의 분석 대상을 서술하고 있다.

7. ③ 주요 내용 이해하기

① 세 번째 문단에서 조직 과정 모델은 '정책 행위는 행위자의 의도적 선택이 아닌 미리 규정된 절차에 따라 조직들이 수행한 결과가 모여 만들어진 기계적 산출물로 인식된다'고 하였으므로 적절하지 않다.
② 두 번째 문단에서 합리적 행위자 모델은 국가를 '단일한 의사 결정자'로 본다고 하였고, 세 번째 문단에서 조직 과정 모델은 국가를 '여러 조직이 모인 연합체'로 본다고 하였으므로 적절하지 않다.
❸ 세 번째 문단을 보면, 정책 행위를 목적 달성을 위해 의도적으로 선택된 것으로 보는 합리적 행위자 모델과 달리, 조직 과정 모델은 정책 행위를 조직들이 수행한 결과가 모여 만들어진 기계적 산출물로 인식한다고 하였으므로 적절하다.
④ 세 번째 문단에서 조직 과정 모델에서는 '국가는 그 규모가 크기 때문에 조직의 모든 활동을 국가의 의도에 맞게 완전히 통제하거나 감독할 수 없다'고 하였으므로 적절하지 않다.
⑤ 세 번째 문단에서 조직 과정 모델에서는 '조직은 불확실한 미래를 추측하고 그에 맞게 행동하는 것을 매우 꺼리기 때문에 문제의 심각성이나 긴박성에 따른 새로운 해결책을 강구하기보다 일상적인 SOP에 의존하여 판단을 내리는 경향이 강하다'고 하였으므로 적절하지 않다.

8. ⑤ 세부 내용 파악하기

① 포괄적 합리성(㉠)에서는 행위자가 얻을 수 있는 최대 효용이, 제한적 합리성(㉡)에서는 행위자의 지식이나 인지 능력과 같은 특성이 선택에 영향을 미치는 요소라고 본다.
② 포괄적 합리성(㉠)과 제한적 합리성(㉡)은 모두 행위자가 어떤 선택을 할 때 자신이 달성하고자 하는 목적을 고려한다고 본다.
③ 행위자의 인지적 한계를 고려하는 것은 제한적 합리성(㉡)의 관점이다.
④ 포괄적 합리성(㉠)에서는 '행위자는 각 방안에서 초래될 모든 결과를 정확히 평가하여 효용을 극대화하는 방안을 의도적으로 선택'한다고 하였다. 이를 볼 때 행위자가 합리성 여부를 판단한다는 것을 알 수 있다. 제한적 합리성(㉡)에서는 행위자가 자신의 목적과 관련하여 가진 정보와 행위자의 특성을 바탕으로 합리성 여부를 판단한다고 하였다.
❺ 포괄적 합리성(㉠)의 관점에서, 효용을 극대화하는 방안을 선택하는 것은 행위자의 특성과 상관없이 언제나 일관되게 선택 과정에 반영된다고 하였다. 이를 통해 목적이나 상황이 동일하다면 행위자는 언제나 같은 결정을 내린다는 것을 알 수 있다. 한편 제한적 합리성(㉡)의 관점에서는, 행위자가 자신이 처한 상황과 선택 가능한 방안, 선택의 결과 등을 정확하게 인지하지 못하기 때문에 행위자의 특성에 대해서도 알아야 선택의 합리성 여부를 판단할 수 있다고 하였다. 이를 통해 행위자의 특성에 따라 결정이 달라질 수 있음을 알 수 있다.

9. ② 구체적 사례에 적용하기

① 두 번째 문단에서 합리적 행위자 모델은 '분석하고자 하는 정책 행위가 각각의 목적에서 갖는 효용을 계산한다. 그 결과 가장 큰 효용을 갖게 되는 목적을 찾아 선택의 의도를 추론'한다고 하였다. 따라서 A국의 목적을 군사력 증강으로 분석했다면, 군대의 추가 배치가 이 목적에 대해 가장 큰 효용을 가졌다고 분석했기 때문이다.
❷ 두 번째 문단에서 합리적 행위자 모델은 행위자의 목적과 그에 따라 선택된 방안의 효용을 고려한다고 하였으므로, 합리적 행위자 모델이 B국의 정보 조직이 파악한 정보가 상부에 전달되지 않은 과정에 주목한다는 것은 적절하지 않은 내용이다. 조직의 업무 수행 과정에 주목하는 것은 조직 과정 모델에 해당한다.
③ 세 번째 문단에서 '합리적 행위자 모델은 포괄적 합리성에서 벗어나는 외교 사례를 설명할 수 없다는 한계가 있다'고 하였다.
④ 세 번째 문단에서 조직 과정 모델은 '정책 행위의 목적보다는 그 정책 행위가 어떻게 결정되었는지에 주목'한다고 하였다.
⑤ 세 번째 문단에서 '조직 과정 모델은 조직들의 SOP와 역량, 조직 간의 관계에 대해 분석'한다고 하였다.

10. ① 어휘의 문맥적 의미 파악하기

❶ '기반을 둔다'의 '두다'는 '행위의 준거점, 목표, 근거 따위를 설정하다.'의 의미로 사용되었는데, '기준을 어디에 두느냐가 중요하다.'의 '두다'가 이와 가장 유사한 의미로 사용되었다.
② '바둑을 두는'의 '두다'는 '바둑이나 장기 따위의 놀이를 하다.'의 의미로 사용되었다.
③ '간격을 두며'의 '두다'는 '시간적 여유나 공간적 간격 따위를 주다.'의 의미로 사용되었다.
④ '그대로 두면'의 '두다'는 '어떤 대상을 일정한 상태로 있게 하다.'의 의미로 사용되었다.
⑤ '평생을 두고'의 '두다'는 '어떤 상황이 어떤 시간이나 기간에 걸치다.'의 의미로 사용되었다.

Day 08

본문 036쪽

1. ④	2. ③	3. ⑤	4. ⑤	5. ⑤
6. ②	7. ③	8. ⑤	9. ⑤	10. ④

【1~5】 '식물 신품종 보호법'

지문해설

'식물 신품종 보호법'의 개념과 필요성, 설정 과정과 설정 유지 조건을 설명하고 있다. '식물 신품종 보호법'은 식물 신품종을 개발한 육성자의 지식 재산권을 인정하고 보호하는 법이다. 이는 큰 부가가치의 창출로 이어질 수 있는 식물 품종의 개량을 촉진하고 우리나라 종자 산업의 발전을 도모하기 위해 마련되었다. 품종보호권을 설정하려면 품종보호 출원, 출원 내용 공개, 심사, 품종보호 결정, 품종보호권 설정의 과정을 거쳐야 한다. 품종보호권자는 품종보호권의 존속을 위해 담당 기관에 품종보호료를 납부해야 하고, 품종보호권이 설정된 품종을 실시하고자 하는 자는 품종보호권자에게 품종실시료를 지불해야 한다.

■ **비문학 지문 어떻게 이해할까?**

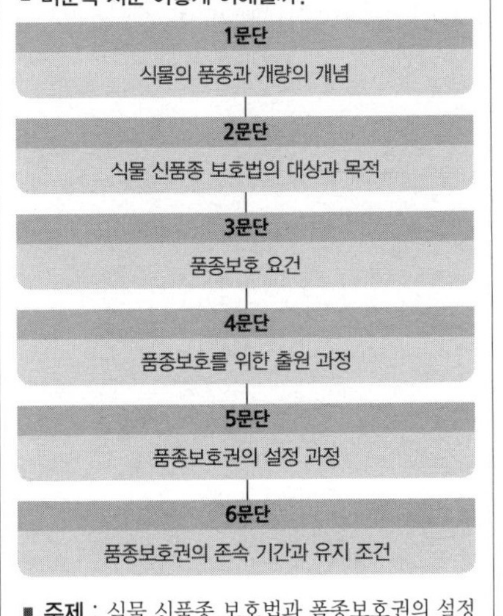

1문단
식물의 품종과 개량의 개념
2문단
식물 신품종 보호법의 대상과 목적
3문단
품종보호 요건
4문단
품종보호를 위한 출원 과정
5문단
품종보호권의 설정 과정
6문단
품종보호권의 존속 기간과 유지 조건

■ **주제** : 식물 신품종 보호법과 품종보호권의 설정 과정

1. ④ 내용 전개 방식 파악하기

① 품종보호권의 발전 과정이나 향후 전망을 제시하고 있는 내용은 확인할 수 없다.
② 품종보호권에 대한 대립적인 입장을 소개하거나 각각의 장단점을 비교하고 있는 내용은 확인할 수 없다.
③ 식물 신품종 보호법이 가진 한계를 분석하고 있는 내용은 확인할 수 없다.
❹ 두 번째 문단에서 '식물 신품종에 대한 지식 재산권을 보호하고, 육성자의 식물 품종 개량을 촉진하며, 우리나라 종자 산업의 발전을 도모하기' 위함이라는 식물 신품종 보호법의 필요성을 밝히고 있고, 세 번째에서 다섯 번째 문단에 걸쳐 품종보호권의 설정 과정을 단계적으로 설명하고 있으므로 적절한 내용이다.
⑤ 품종보호권에 관한 사회 문제를 해결할 수 있는 다양한 방안을 소개하고 있는 내용은 확인할 수 없다.

2. ③ 핵심 정보 파악하기

① 마지막 문단에서, 품종보호권의 존속 기간이 경과하면 품종보호권이 소멸한다고 하였다.
② 두 번째 문단에서, 식물 신품종 보호법에 따르면 모든 식물이 품종보호의 대상이 된다고 하였다.
❸ 마지막 문단에서, 품종보호권이 설정된 품종을 실시하고자 하는 자는 품종보호권자에게 품종실시료를 지불해야 한다고 하였다. 이때 품종실시료의 기준은 법률적으로 정해져 있지 않으므로 시장의 수요와 공급에 따른 권리자와 사용자 간의 계약에 따라 그 금액이 결정된다고 하였으므로 적절한 내용이다.
④ 세 번째 문단에서, 신규성의 충족 여부를 심사할 때 국외에서 해당 품종의 상업적 이용이 없어야 하는 기간은 과수가 6년 이상일 경우, 그 이외는 4년 이상일 경우에 인정된다고 하였다. 따라서 과수가 화훼보다 더 길다.
⑤ 네 번째 문단에서, 재외자가 품종을 개량하여 자신이 거주하는 나라와 우리나라 모두에서 품종보호권을 얻고 싶다면 두 나라에 각각 품종보호를 출원해야 한다고 하였다.

3. ⑤ 구체적 상황에 적용하여 이해하기

① 네 번째 문단에서, 품종보호권의 설정을 받고자 하는 육성자는 품종의 명칭, 품종의 육성 과정에 대한 설명, 품종의 종자 시료 등을 포함한 출원 서류를 작성하여 담당 기관에 제출하여야 한다고 하였다.
② 다섯 번째 문단에서, 담당 기관은 접수된 출원 내용을 일반인이 볼 수 있도록 일정 기간 공개하는데, 이때 출원품종이 품종보호 요건을 위반한다는 사실을 발견한 사람이라면 누구든지 이 기간에 이의신청을 할 수 있다고 하였다.
③ 세 번째 문단에 따르면 품종보호 요건으로 구별성과 안정성을 충족해야 하는데, 다섯 번째 문단에서 이는 재배 심사로 진행된다고 하였다.
④ 다섯 번째 문단에서, 심사관이 심사 과정에서 품종보호 출원에 대해 거절 이유를 발견할 수 없다면 품종보호를 결정하게 된다고 하였다.
❺ 다섯 번째 문단에서 심사관이 품종보호를 결정한 후, 육성자가 담당 기관에 첫 품종보호료를 납부하면 품종보호권이 설정된다고 하였다. 이를 볼 때 품종보호료의 납부 여부와 상관없이 자동적으로 품종보호권이 설정된다는 진술은 적절하지 않다.

4. ⑤ 구체적 사례에 적용하여 이해하기

① [사례 1]에서 재외자인 갑은 최초의 품종보호를 자신이 거주하는 나라에 2020년 1월 1일에 출원하였고, 우리나라에는 1년 이내인 2020년 5월 1일에 출원하였다. 네 번째 문단에 따르면, 이러한 경우 품종보호 출원일의 적용은 우리나라에 출원한 날이 아니라 최초의 출원일을 품종보호 출원일로 인정한다고 하였다. 따라서 A의 품종보호 출원일은 2020년 1월 1일로 인정된다.
② [사례 2]에서 B는 당도가 높지만 병충해에 약한 품종이었지만, 이를 당도도 높고 병충해에 강한 C로 개량하였다고 제시하였다. 따라서 C는 기존 품종인 B가 가진 단점이 보완된 품종이라고 볼 수 있다.
③ [사례 2]에서 '병'은 새로운 품종의 육성을 위한 연구를 목적으로 B를 재배하였다. 마지막 문단에서 새로운 품종의 육성을 위한 연구를 목적으로 실시하는 경우에는 품종실시료를 지불하지 않아도 된다고 하였다. 이에 따라 '병'은 B의 품종보호권을 가진 '을'에게 품종실시료를 지불하지 않아도 된다.
④ [사례 1]의 A와 [사례 2]의 B는 모두 품종보호권이 설정된 품종이며, 이는 품종보호 요건을 모두 충족하였다는 의미이다. 따라서 [사례 1]의 A와 [사례 2]의 B는 모두 심사관의 서류 심사를 통해 신규성을 충족하고 있음이 인정되었다고 볼 수 있다.
❺ 마지막 문단에 따르면 [사례 1]의 A는 화훼이므로 품종보호권의 존속 기간이 20년이고, [사례 2]의 B는 과수이므로 품종보호권의 존속 기간이 25년이다. 따라서 품종보호권의 존속 기간은 [사례 1]의 A가 [사례 2]의 B보다 더 짧다.

5. ⑤ 단어의 사전적 의미 파악하기

① ⓐ '부각(浮刻)'의 사전적 의미는 '어떤 사물을 특징지어 두드러지게 함.'이다.
② ⓑ '도모(圖謀)'의 사전적 의미는 '어떤 일을 이루기 위하여 대책과 방법을 세움.'이다.
③ ⓒ '충족(充足)'의 사전적 의미는 '일정한 분량을 채워 모자람이 없게 함.'이다.
④ ⓓ '심사(審査)'의 사전적 의미는 '자세하게 조사하여 당락 따위를 결정함.'이다.
❺ ⓔ '경과(經過)'의 사전적 의미는 '시간이 지나감.'이다. '어떤 곳을 거쳐 지남.'은 '경유(經由)'의 사전적 의미이므로 적절하지 않다.

【6~10】 전상현, '개인정보자기결정권의 헌법상 근거와 보호영역'

지문해설

개인정보자기결정권을 보호하기 위해 제정된 법률인 개인정보보호법의 내용을 설명한 글이다. 개인정보보호법에서 규정하는 개인정보는 살아 있는 개인에 관한 정보로, 개인을 알아볼 수 있는 정보 및 다른 정보와 결합하여 개인에 대해 알아볼 수 있는 정보가 법적 보호 대상이다. 이러한 개인정보를 수집·이용할 때는 사전 동의 제도에 따라 정보 주체의 동의를 받아야 하며 고유 식별 정보, 민감 정보에 대해서는 별도의 동의를 받아야 한다. 또한 개인정보보호법에서는 수집 목적을 달성할 수 있는 한에서 개인정보를 익명 정보로 처리하도록 규정하고 있는데, 익명 처리를 마친 정보는 수집 목적 이외의 분야에서 활용하기 어렵다는 제약이 있어 개인정보 활용의 유연성을 높이기 위해 가명 정보를 활용하는 방안이 제시되었다.

■ **비문학 지문 어떻게 이해할까?**

1문단
개인정보자기결정권의 개념과 주요 내용

2문단
개인정보보호법에서 규정하는 개인정보의 범위

3문단
개인정보보호법에 따른 사전 동의 제도의 의의와 내용

4문단
수집·이용하려는 개인정보 중 고유 식별 정보와 민감 정보에 대한 처리 방법

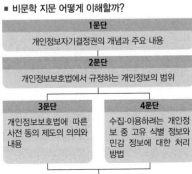

5문단	6문단
익명 정보의 개념과 특징	가명 정보의 활용 이유와 범위 및 특징

■ **주제** : 개인정보보호법에 따른 개인정보의 수집 방법

6. ② 개괄적 정보 파악하기

① 첫 번째 문단에서 개인정보자기결정권은 개인이 '자신에 관한 정보가 언제, 누구에게, 어느 범위까지 알려지고 이용될 것인지를 스스로 결정할 수 있는 권리'임을 제시하고 있다.
❷ 다섯 번째 문단에서 개인정보를 익명 정보로 처리하여 보존하거나 이용하도록 한다는 점을 설명하면서 그 개념과 특징을 제시하고 있으나, 개인정보를 익명 정보로 처리하는 과정은 나타나 있지 않다.
③ 두 번째 문단에서 개인정보보호법은 '개인정보자기결정권을 보호하기 위해 제정된 법률'이라고 밝히고 있다.
④ 여섯 번째 문단에서 개인정보 활용의 유연성을 높여야 한다는 주장이 대두되면서, 개인정보를 익명 정보가 아닌 가명 정보로 가공하여 활용할 수 있도록 하는 방안이 마련되었음을 설명하고 있다.
⑤ 첫 번째 문단에서 정보 통신 기술의 발달로 개인에 대한 정보가 데이터베이스화되면서 개인정보 유출로 인한 피해가 커졌고, 이에 따라 개인정보를 보호해야 한다는 사회적 인식이 확산되었음을 설명하고 있다.

7. ③ 세부 내용 이해하기

① 여섯 번째 문단에서 '가명 정보는 익명 정보와 달리 개인정보와 일대일 대응이 가능'하다고 한 것에서 익명 정보는 익명 처리되기 전의 개인정보와 일대일로 대응하지 않음을 알 수 있다.
② 여섯 번째 문단에서 가명 정보는 '통계 작성, 과학적 연구, 공익적 기록 보존 등을 위해 정보 주체의 동의 없이 이용·제공될 수 있다'고 한 것에서, 가명 정보는 이용 목적에 따라 정보 주체의 동의를 받지 않기도 함을 알 수 있다.
❸ 개인정보보호법의 보호 대상인 개인정보는 개인을 알아볼 수 있는 정보인데, 다섯 번째 문단에 따르면 익명 정보는 더 이상 개인을 알아볼 수 없는 정보이므로 개인정보에 포함되지 않는다. 이와 달리 여섯 번째 문단에서 가명 정보는 추가 정보와 비교적 쉽게 결합하여 개인을 식별할 수 있으므로 개인정보보호법의 보호 대상이 된다고 하였다.
④ 다섯 번째 문단에서 익명 처리를 마친 정보는 수집 목적 이외의 분야에서 활용하기 어렵다고 했는데, 여섯 번째 문단에서 가명 정보는 개인정보 활용의 유연성을 높이기 위해 제시된 것이라고 했다. 따라서 가명 정보는 익명 정보에 비해 수집 목적 이외의 분야에서 유연하게 활용될 수 있다.
⑤ 여섯 번째 문단에서 가명 정보는 통계 작성, 과학적 연구, 공익적 기록 보존 등의 목적을 위해 제3자에게 제공될 수 있으나, 이때 특정 개인을 알아보는 데 사용될 수 있는 정보를 포함해서는 안 된다는 점을 알 수 있다.

8. ⑤ 글의 내용을 바탕으로 추론하기

① 개인정보자기결정권은 타인에 의해 개인정보가 함부로 공개되지 않도록 보장받을 권리로, 공익을 목적으로 타인의 개인정보를 자유롭게 이용할 수 있는 권리는 아니다.
② 첫 번째 문단에서 개인정보자기결정권은 헌법 제17조에 명시된 사생활의 비밀과 자유가 보장되어야 한다는 내용을 주된 근거로 기본권 중 하나임을 인정하고 있다고 하였고, 〈보기〉에서 이러한 근거는 소극적 성격의 권리임을 알 수 있다. 특정 대상에 대한 개인적 견해와 같은 사적인 정보를 보호받을 권리는 소극적 성격의 권리에 해당하므로 빈칸에 들어갈 내용으로 적절하지 않다.
③ 개인정보자기결정권은 개인이 자신에 관한 정보가 언제, 누구에게, 어느 범위까지 알려지고 이용될 것인지를 스스로 결정할 수 있는 권리로, 개인정보자기결정권을 보호하기 위해 제정된 개인정보보호법에 따르면 개인정보는 정보 주체의 동의 없이 개인정보 처리자에게 제공될 수 없다.
④ 개인정보자기결정권은 개인정보에 대한 정보 주체의 권리인데, 이 권리가 정보 주체의 이익보다 개인정보의 활용으로 인한 사회적 이익을 우선하여 보장한다고 볼 근거는 없다.
❺ 〈보기〉에서는 헌법 제17조가 소극적 성격의 권리로 타인에게 일정한 행위를 요구할 수 있는 청구권적 성격을 포괄하기 어려워 헌법 제17조만으로는 개인정보자기결정권을 보장하는 근거가 불충분하다는 점을 지적하고 있다. 이는 개인정보자기결정권은 개인정보에 대해 열람, 삭제, 정정 등의 행위를 요구할 수 있는 권리를 포함하는 청구권적 성격을 지니고 있기 때문으로 볼 수 있다.

9. ⑤ 구체적인 사례에 적용하기

① 학교 홈페이지에 담임을 맡은 학급과 '김○우'라는 교사의 이름이 함께 제공될 경우 개인을 알아볼 수 있는 정보가 되므로 개인정보에 해당한다.
② 국가 기관에서 직책을 맡고 있는 사람의 휴대 전화번호는 개인을 알아볼 수 있는 정보이므로 개인정보에 해당한다.
③ 개인의 얼굴을 촬영한 동영상은 개인을 알아볼 수 있는 정보이므로 개인정보에 해당한다.
④ 원격 수업에 참여한 학생들의 얼굴을 모두 확인할 수 있도록 컴퓨터 화면을 캡처한 이미지는 개인을 알아볼 수 있는 정보이므로 개인정보에 해당한다.
❺ 두 번째 문단에 따르면 ⓐ의 개인정보는 살아 있는 개인에 대한 정보이며 사망자에 관한 정보나 단체 혹은 법인에 관한 정보는 개인정보에 포함되지 않는다. '이부자'는 생전에 재산을 기부한 사망자의 이름이고, '이부자 장학 재단'이라는 명칭은 단체의 이름이므로 개인정보에 해당하지 않는다.

10. ④ 구체적인 상황에 적용하기

① 세 번째 문단에 따르면 개인정보 처리자는 개인정보를 처리하는 개인이나 단체를 의미하며, 개인정보를 제공하는 개인은 정보의 주체이다. 동의서에서 '회사'는 개인정보를 처리하는 단체이므로 개인정보 처리자이고, '회원'은 개인정보를 제공하는 개인이므로 개인정보의 주체에 해당한다.
② 세 번째 문단에 따르면 개인정보 처리자는 동의 거부에 따른 불이익이 있는 경우 그 불이익의 내용을 알려야 한다. '가' 4-2에서 동의 거부 시 서비스 이용이 제한된다는 점은 동의 거부 시 정보 주체가 받을 수 있는 불이익에 해당한다.
③ 세 번째 문단에서 사전 동의 제도는 정보 주체인 개인이 개인정보에 대한 자기 결정을 표현할 수 있다는 점에서 개인정보자기결정권을 보호하는 수단에 해당한다고 하였다. 이로 보아 '가'에서 '회원'의 동의 여부를 확인하는 것은 개인정보자기결정권을 보호하는 수단이라고 볼 수 있다.
❹ 네 번째 문단에서 건강 정보나 정치적 견해와 같이 주체의 사생활을 현저히 침해할 우려가 있는 정보는 민감 정보라고 하였다. 즉 동의서의 '나'에서 '건강 정보'를 강조하여 표시한 것은 고유 식별 정보이기 때문이 아니라 민감 정보이기 때문이다.
⑤ 네 번째 문단에서 건강 정보나 정치적 견해와 같이 주체의 사생활을 현저히 침해할 우려가 있는 민감 정보를 수집할 때는 별도로 동의를 받아야 한다고 하였다. 따라서 '가'와 별도로 '나'에서 건강 정보를 수집하고 이용하는 것에 동의를 받는 것은 주체의 사생활이 현저히 침해되는 것을 방지하기 위해서라고 할 수 있다.

본문 040쪽

Day 09

1. ① 2. ② 3. ② 4. ① 5. ③
6. ③ 7. ③ 8. ⑤ 9. ② 10. ③
11. ①

【1~5】 박찬호, '국제해양법'

지문해설

해양을 둘러싼 국가 간 분쟁이 발생했을 때의 해결 절차를 설명한 글이다. 유엔해양법협약을 둘러싼 분쟁이 발생하면 분쟁 당사국들은 우선적으로 평화적 수단을 통해 이를 해결하기 위해 노력해야 한다. 그런데 이러한 방법으로 분쟁이 해결되지 못한 경우에는 국제적인 분쟁 해결 기구를 통해 분쟁을 해결하는 절차인 강제절차에 들어가게 된다. 강제절차는 재판소가 본안 소송의 관할권 존재 여부를 판단하여 확정하는 심리 절차를 거쳐, 관할권이 확장된 사안에 대해 재판을 진행, 최종 판결을 내린다. 이 과정은 일정 시간이 소요되므로 분쟁 당사국들은 잠정조치를 요청할 수 있다. 잠정조치는 구속력 있는 임시 조치로 본안 소송과 마찬가지로 관할권을 바탕으로 설정된다.

■ **비문학 지문 어떻게 이해할까?**

1문단
유엔해양법협약의 역할

2문단
해양을 둘러싼 국가 간 분쟁 발생 시 우선적 해결 절차 : 평화적 수단을 통한 분쟁 해결 노력

3문단
평화적 수단으로 분쟁이 해결되지 못할 경우의 절차 : 국제적 분쟁 해결 기구를 통한 강제절차

4문단
본안 소송을 담당하는 재판소가 최종 판결을 내리는 과정

5문단
잠정조치의 필요성과 효력

6문단
잠정조치가 이루어지는 요건

7문단
잠정조치의 관할권 설정 과정과 요건

■ **주제** : 해양을 둘러싼 국가 간 분쟁 발생 시의 해결 절차와 방법

어휘풀이

• **회부되다(回附—)** 물건이나 사건 따위가 어떤 대상이나 과정으로 돌려보내지거나 넘어가다.

1. ① 세부 정보 파악하기

❶ 다섯 번째 문단에서 '잠정조치란 긴급한 상황에서 분쟁 당사국의 이익을 보호하거나 해양 환경의 중대한 피해를 방지할 목적으로 내려지는 구속력 있는 임시 조치'라고 했으므로, 잠정조치 재판에서 내려진 잠정조치는 구속력이 있는 임시 조치임을 알 수 있다.
② 세 번째 문단에서 분쟁 당사국들은 '자국의 이익이나 분쟁 내용 등을 고려해 분쟁 해결 기구를 선택할 수 있'다고 했다.
③ 두 번째 문단에서 '국제법의 특성상, 분쟁 해결의 원리가 기본적으로 각 국가의 동의를 바탕으로 적용'된다고 했다.
④ 세 번째 문단에서 국제해양법재판소는 '유엔해양법협약에 의해 설립된 분쟁 해결 기구'에 해당함을 알 수 있다.
⑤ 두 번째 문단에서 유엔해양법협약은 분쟁 발생 시 분쟁 당사국들에게 '우선 의무적으로 분쟁 해결에 관하여 신속히 의견을 교환'하는 평화적 분쟁 해결 수단을 거쳐야 할 의무를 부과했다고 했다.

2. ② 구체적 상황에 적용하기

① 여섯 번째 문단에서 '재판소에 사건이 회부되면 소송 절차가 개시되고, 그 이후 분쟁 당사국들은 언제든지 잠정조치를 요청할 수 있다'고 한 것을 참고할 때, 〈보기〉에서 A국이 잠정조치를 요청할 수 있었던 것은 사건이 재판소에 회부되었기 때문임을 알 수 있다.
❷ 다섯 번째 문단에서 '잠정조치는 효력이 임시적이므로 본안 소송의 최종 판결이 내려지면 효력이 종료된다'고 했다. 즉, 잠정조치는 본안 소송의 최종 판결이 내려지기 전에 임시적으로 내려지는 조치이므로 잠정조치 명령이 내려지면 본안 소송 재판이 종결된다는 것은 적절하지 않다.
③ 두 번째 문단에서 분쟁 당사국들은 '교섭이나 조정 절차 등 국가 간 합의에 의한 평화적 수단을 통해 분쟁 해결을 위해 노력해야' 하는 것이 의무라고 한 것을 참고할 때, 〈보기〉에서 A국이 B국에게 교섭을 시도한 것은 평화적 해결 수단을 거쳐야 할 의무가 있기 때문임을 알 수 있다.
④ 세 번째 문단에서 '양국이 동일한 선택을 하지 않은 경우에는 별도의 합의를 하지 않는 한, 사건이 중재재판소에 회부된다'고 한 것을 참고할 때, 〈보기〉에서 두 국가는 동일한 분쟁 해결 기구를 선택하지 않았으므로 두 국가의 분쟁은 중재재판소를 통해 해결될 것임을 알 수 있다.
⑤ 다섯 번째 문단에서 잠정조치는 '해양 환경의 중대한 피해를 방지할 목적으로 내려지는 구속력 있는 임시 조치'라고 한 것과 〈보기〉에서 A국이 해양 오염 물질의 유출을 우려하는 상황임을 고려할 때, A국이 잠정조치를 요청한 것은 자국의 해양 오염을 시급히 막기 위해서라고 볼 수 있다.

3. ② 세부 내용 이해하기

① 두 번째 문단의 '유엔해양법협약에 따르면 해양을 둘러싸고 해당 협약에 대한 해석이나 적용에 관해 국가 간 분쟁이 발생하였을 때'라는 언급으로 보아 적절하다.
❷ 세 번째 문단에서 강제절차에서 선택 가능한 기구 중 '중재재판소는 필요할 때마다 분쟁 당사국 간의 합의를 통해 구성'된다고 했으므로, 강제절차를 진행하는 모든 분쟁 해결 기구는 분쟁이 발생하기 전에 재판소가 구성되어 있다는 것은 적절하지 않다.
③ 두 번째 문단에서 '교섭이나 조정 절차 등 국가 간 합의에 의한 평화적 수단을 통해 분쟁 해결을 위해 노력'해야 한다고 한 것을 통해, 평화적 수단으로 분쟁 해결에 이르는 과정은 분쟁 당사국 간 합의에 따라 진행된 것임을 알 수 있다.
④ 두 번째 문단에서 강제절차는 '구속력 있는 결정을 수반하는 절차'라고 한 것과, 세 번째 문단에서 '강제절차란 분쟁 당사국들이 국제적인 분쟁 해결 기구를 통해 분쟁을 해결하는 절차'라고 한 것을 통해 알 수 있다.
⑤ 다섯 번째 문단에서 '잠정조치는 효력이 임시적이므로 본안 소송의 최종 판결이 내려지면 효력이 종료된다.'라고 한 것으로 보아 적절하다.

4. ① 핵심 개념의 내용 파악하기

❶ 일곱 번째 문단에서 '본안 소송의 관할권'(㉠)을 심리한 결과, '본안 소송을 담당하는 중재재판소가 관할권을 갖게 될 가능성이 예측되어야 국제해양법재판소는 잠정조치의 관할권(㉡)을 가질 수 있다.'라고 했으므로, ㉠의 존재 가능성이 예측되어야 ㉡이 인정됨을 알 수 있다.
② 일곱 번째 문단에서 '본안 소송의 관할권'(㉠)을 심리한 결과, '잠정조치의 관할권'(㉡)을 가질 수 있다'고 했으므로, ㉠에 대한 판단에 앞서 ㉡의 존재 여부를 판단한다는 것은 적절하지 않다.
③ 일곱 번째 문단에서 '본안 소송을 담당하는 중재재판소의 관할권이 확정되지 않았더라도'본안 소송의 관할권'(㉠)을 심리한 결과, '잠정조치의 관할권'(㉡)을 가질 수 있다'고 했을 뿐, ㉡이 확정되지 않으면 ㉠이 인정되지 않는다고 볼 수는 없다.
④ 네 번째 문단에서 '본안 소송을 담당하는 재판소가 분쟁에 대한 최종 판결을 내리기 위해서는 먼저 본안 소송 관할권(㉠)의 존재 여부를 판단'하는 절차를 거쳐야 한다고 했으므로, 본안 소송의 최종 판결 이후 ㉠이 확정된다는 것은 적절하지 않다.
⑤ 여섯 번째 문단에서 '분쟁 당사국이 소송을 제기하여 재판소에 사건이 회부되면 소송 절차가 개시'됨을 알 수 있다. 그런데 일곱 번째 문단에서 '잠정조치의 관할권'(㉡)은 '본안 소송의 관할권을 심리'한 결과 인정됨을 알 수 있으므로, 본안 소송의 개시 시점이 ㉡의 인정 시점과 일치한다는 것은 적절하지 않다.

5. ③ 단어의 문맥적 의미 이해하기

① ⓐ는 '어떤 일이나 사물이 생겨나다.'의 의미로 사용되었으므로 '생겨나는'으로 바꿔 쓸 수 있다.
② ⓑ는 '서로 주고받고 하다.'의 의미로 사용되었으므로 '주고받아야'로 바꿔 쓸 수 있다.
❸ ⓒ는 '필요로 되거나 요구되다.'의 의미로 사용되었으므로, '짧아지기'로 바꿔 쓰는 것은 적절하지 않다.
④ ⓓ는 '어떤 일을 맡다.'의 의미로 사용되었으므로 '맡지만'으로 바꿔 쓸 수 있다.
⑤ ⓔ는 '어떤 일이나 현상이 일어나지 못하게 막다.'의 의미로 사용되었으므로 '막기'로 바꿔 쓸 수 있다.

【6~11】 (가) 홍성방, '헌법학'

지문해설

국민의 기본권과 국가의 통치 조직을 규정한 최고의 기본법인 헌법의 특질을 설명하고 있다. 헌법의 특질에는 '최고규범성', '자기보장성', '권력제한성'이 있다.

■ **비문학 지문 어떻게 이해할까?**

1문단
헌법의 최고규범성

2문단
헌법의 자기보장성

3문단
헌법의 권력제한성

■ **주제** : 헌법의 세 가지 특질

(나) 허영, '한국헌법론'

지문해설

헌법을 바라보는 관점 중 헌법 해석학에 영향을 미친 '법실증주의적 헌법관', '결단주의적 헌법관', '통합론적 헌법관'을 설명하며 각 헌법관의 의의와 한계를 밝히고 있다. 헌법의 본질을 설명하기 위해서는 복합적인 요소들을 종합적으로 고찰하여야 한다. 따라서 헌법의 효력이나 헌법의 해석이 문제되는 경우에는 세 가지 헌법관을 함께 생각할 수 있는 자세가 필요하다는 견해를 드러내고 있다.

■ **비문학 지문 어떻게 이해할까?**

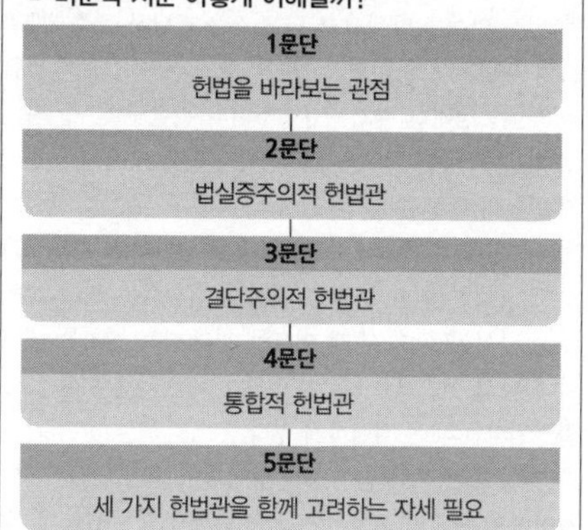

1문단
헌법을 바라보는 관점
2문단
법실증주의적 헌법관
3문단
결단주의적 헌법관
4문단
통합적 헌법관
5문단
세 가지 헌법관을 함께 고려하는 자세 필요

■ **주제** : 헌법을 바라보는 세 가지 관점과 헌법의 본질을 고찰하는 자세

6. ③ 내용 전개 방식 파악하기

❸ (가)와 (나)는 헌법의 다양한 특성에 대해 제시하고 있는데 (가)는 헌법의 특질인 '최고규범성', '자기보장성', '권력제한성'을 설명하고 있으며, (나)는 헌법을 바라보는 관점 중 헌법 해석학에 영향을 미친 '법실증주의적 헌법관', '결단주의적 헌법관', '통합론적 헌법관'을 설명하고 있다. (가)와 (나) 모두 이러한 정보들은 대등하게 병렬적으로 제시되어 있다(ⓐ). (가)는 헌법의 특질 세 가지를 설명할 뿐 종합적인 절충안을 제시하고 있지 않지만(ⓑ), (나)에서는 각 헌법관의 의의와 한계를 밝히고 있다(ⓒ).

7. ③ 글의 세부 내용 파악하기

① (가)의 두 번째 문단을 보면, 헌법은 헌법재판제도와 같은 장치를 스스로 마련하여 지니고 있으며 헌법재판은 일반 소송과 다른 특징을 가진다고 하였다.
② (가)의 첫 번째 문단을 보면, 헌법이 최고의 기본법으로 인정받는 것은 국민적 합의에 의해 제정되었기 때문인데, 이는 헌법의 '최고규범성'과 관련된다.
❸ (가)의 두 번째 문단을 보면, 헌법은 '헌법재판제도와 같은 장치를 스스로 마련하여 지니고 있'다는 특징을 갖는데 이것이 바로 헌법의 '자기보장성'이라고 하였다.
④ (가)의 두 번째 문단을 보면, '헌법은 규범 체계상 하위에 있는 법규범들과는 달리 스스로를 보장하지 않으면 안 된다.'고 하였다. 따라서 헌법은 하위의 법규범에 의해 효력이 보장되지 아니다.
⑤ (가)의 세 번째 문단을 보면, '헌법은 국가 작용을 담당하는 기관이 그 권한을 남용하여 오히려 국가가 추구하는 목적인 공통의 가치를 위험에 빠뜨리지 않도록' 하고 있는데, 이는 헌법의 '권력제한성'과 관련된다.

8. ⑤ 글의 내용 추론하기

①, ④ (가)의 두 번째 문단을 보면, 헌법의 최고 규범으로서의 효력은 강제적 수단에 의해 실현되는 것이 아님을 알 수 있다.
② (가)의 두 번째 문단에서 예로 입법자에게 개선 입법을 촉구하여도 입법부가 이를 따르지 않을 경우 헌법재판소가 입법부로 하여금 강제로 지키게 할 수 있는 수단이 따로 없다고 하였다. 이를 볼 때 '입법부의 독자성 보장'이 아닌 '입법부의 헌법에 대한 존중'이 필요하다.
③ 헌법재판소의 법적 권위는 헌법 내에서 보장되며, 헌법의 적용을 받는 모든 대상들이 존중할 때 그 권위를 지켜나갈 수 있다.
❺ (가)에서 ㉮의 앞문장을 보면 '헌법재판소의 결정은 국가 권력을 포함한 헌법의 적용을 받는 모든 대상들이 이를 존중하는 조건하에 실현된다.'고 했다. 따라서 '헌법의 내용을 실현하고자 하는 모든 구성원들의 적극적 의지'에 좌우된다고 추론할 수 있다.

9. ② 글의 세부 내용 파악하기

① (나)의 두 번째 문단에서 '법실증주의적 헌법관은 권력자의 자의적 통치를 배제하고 법규범에 의한 통치를 지향'한다고 했으므로 적절하지 않다.
❷ (나)의 두 번째 문단에서 '법실증주의는 산업화, 다원화에 따라 변화하는 사회와 그에 따라 변화된 헌법을 이론적으로 설명하기 어려웠고, 정해진 법규범을 지나치게 강조하여 실정법 만능주의라는 비판을 받았'다고 하였다. 이에 반해 통합론적 헌법관은 (나)의 네 번째 문단을 보면, 헌법을 완성물이 아닌 하나의 과정으로 바라보며 다원적 산업 사회의 현실을 효과적으로 설명하였다고 하였다. 이를 바탕으로 통합론적 헌법학자의 관점에서 법실증주의 헌법학자에 대해 비판한다면 '정해진 법규범을 지나치게 강조하는 것으로는 지속적으로 변화하는 사회와 헌법을 설명할 수 없다.'라고 비판적 견해를 보이는 것은 적절할 것이다.
③ (나)의 두 번째 문단을 보면, 법실증주의 헌법학자들은 존재적 요소를 배제하고 당위를 헌법학의 연구 대상으로 규정하였으므로 적절하지 않다.
④ 법실증주의자들은 국민은 법질서에 복종하는 존재라고 인식하고 있지만 (나)의 세 번째 문단을 보면, '주권자인 헌법제정권력자의 의지를 강조'한 것은 결단주의적 헌법관이므로 적절하지 않다.
⑤ (나)의 세 번째 문단을 보면, 국가를 권력 투쟁의 장이 되게 하는 것은 결단주의적 헌법관이므로 적절하지 않다.

10. ③ 구체적 사례에 적용하기

① 〈보기〉에서 헌법재판소는 헌법 제 119조 제2항에 근거하여 경제에 관한 규제와 조정과 관련한 ⓐ는 '입법 목적의 정당성을 인정'하며 '헌법에 위배되지 아니'한다고 결정하였다. 헌법의 '최고규범성'에서 '법률은 헌법에 모순되어서는 안 될 뿐만 아니라 적극적으로 헌법적 가치를 실현하여야 한다'고 하였으므로, 이를 고려하면 ⓐ를 '경제주체 간의 조화'라는 헌법적 가치를 실현하기 위한 것으로 볼 수 있다.
② 〈보기〉에서 헌법재판소는 제도의 적용 대상 범위 등을 정할 때에도 헌법에 어긋나서는 안 된다는 점을 들며 ⓑ가 근로자의 권리를 침해하므로 헌법에 위배된다고 결정하였다. 헌법의 '권력제한성'에서 헌법은 국가 작용을 담당하는 기관이 그 권한을 남용하여 국가가 추구하는 목적인 공통의 가치를 위험에 빠뜨리지 않도록 한다고 하였다. 이를 고려하면 ⓑ와 관련한 '입법자의 권한' 역시 국가 공통의 가치를 실현하는 범위 내로 한정되어야 한다고 볼 수 있다.
❸ 법실증주의적 헌법관은 '권력자의 자의적 통치를 배제하고 법규범에 의한 통치를 지향'하는 관점인데, 〈보기〉의 ⓐ에 '경제에 관한 규제와 조정'이라는 권력자의 통치 이념이 반영된 것으로 보는 것은 적절하지 않다.
④ 결단주의적 헌법관은 헌법의 주권자인 헌법제정권력자의 의지를 강조한 관점으로 헌법제정권력자의 의사에 의하여 정립되었기 때문에 정당성을 가진다고 보았다. 이러한 관점에 따르면, 헌법에 위배된다고 판결받은 〈보기〉의 ⓑ에는 주권자의 의사가 반영되지 못한 것으로 볼 수 있다.
⑤ 통합론적 헌법관에서는 헌법을 '공감대적인 가치를 바탕으로 국가의 통합을 실현하고 촉진하기 위한 것'으로 보았다. 이러한 관점에 따르면, ⓐ에는 '경제의 민주화'라는 가치를 바탕으로 국가의 통합을 실현하려는 노력이 반영된 것으로 볼 수 있다.

왜 많이 틀렸을까?

〈보기〉에서 ⓐ는 경제의 민주화를 위한 경제 규제가 입법 목적의 정당성이 인정되며 심판대상조항은 헌법에 위배되지 않는다고 판결을 받았다는 내용이고, ⓑ는 해고예고제도와 관련하여 특정한 근로자의 권리를 침해하므로 심판대상조항은 헌법에 위배된다고 판결하고 있어. 이 문제에서는 헌법의 특징과 각 헌법관의 특징을 잘 연결만 해줬으면 해결할 수 있었는데, 특정한 단어나 문구를 놓쳤다면 실수할 수 있었을거야. 각 개념을 대표할 만한 단어나 문장을 잘 정리하면서 구체적인 사례에 차근차근 적용해 보길바라.

11. ① 어휘의 문맥적 의미 파악하기

❶ ㉠의 '(재판 결과를) 따르지'는 '관례, 유행, 명령, 의견 따위를 그대로 실행하다'라는 의미로 쓰였으므로 '(명령을) 따르며'가 가장 가까운 의미로 쓰였다.
② '(어머니를) 따라'는 '다른 사람의 뒤에서 그가 가는 대로 같이 가다'라는 의미로 쓰였다.
③ '(음식 솜씨를) 따를'은 '앞선 것을 좇아 같은 수준에 이르다'라는 의미로 쓰였다.
④ '(개발에) 따른'은 '어떤 일이 다른 일과 더불어 일어나다'라는 의미로 쓰였다.
⑤ '(의장을) 따라'는 '남이 하는 대로 같이 하다' 라는 의미로 쓰였다.

Day 10

본문 044쪽

1. ① 2. ⑤ 3. ⑤ 4. ④ 5. ④
6. ⑤ 7. ④ 8. ⑤ 9. ② 10. ②
11. ①

【1~5】 고발 · 고소장 · 내용증명 · 탄원서 · 진정서

지문해설

내용증명이란 누가, 언제, 누구에게, 어떤 내용의 문서를 보냈다는 사실을 우체국에서 공적으로 증명해주는 특수한 우편 제도로 분쟁 중인 상황에서 상대방이 사실을 번복하거나, 고지받지 못했다고 주장하는 경우를 막기 위한 목적으로 쓰인다. 내용증명은 방문판매를 통해 충동구입한 물품을 취소하거나, 판매자와 연락되지 않을 때에도 활용할 수 있다. 이와 같은 내용증명은 우체국에 같은 내용의 문서 3부 제출하는 절차를 거치는데, 우체국장이 문서의 발송을 확인해주나, 내용의 진위까지는 확인하지 않으므로 주의를 요한다. 한편 내용증명의 기능은 문서 발송을 공적으로 증명하고 상대방에게 심리적인 부담을 부과하며 '소멸시효를 중단시킬 수 있다. 단, 내용증명을 보낸 날짜로부터 6개월 이내에 청구, 압류, 가압류, 가처분 해야 소멸시효가 중단된다.

■ **주제** : 내용증명의 개념과 효능

1. ① 내용 전개 방식 파악하기

❶ 첫 번째 문단에서 '내용증명'의 개념을 두 번째 문단에서 내용증명이 활용되는 분야를 방문 판매를 통해 충동적으로 구입한 화장품, 건강식품 등의 구매 계약을 철회 기간 내에 취소하고 싶을 때와 같은 예시를 들어 소개하고 있으므로 적절한 설명이다.

② '내용증명'의 형성 배경과 발달 과정을 서술한 부분은 나타나지 않는다.

③ 세 번째 문단에 '내용증명'은 우편이 발송되었다는 사실은 입증하지만 문서 내용의 진위까지 입증하는 것은 아니라는 점이 제시되어 있다. 그러나 이를 두고, 특정 제도가 지닌 문제점과 한계를 다양한 측면에서 고찰하고 있다고는 볼 수 없다.

④ 네 번째 문단과 다섯 번째 문단에 내용증명의 기능과 유의한 점을 설명하고 있으나, '내용증명'이 실시되었을 때 예상되는 장점과 단점을 분석하는 부분은 없다.

⑤ 두 번째 문단에 내용증명은 개인 간 채권 · 채무 관계나 권리 · 의무를 더욱 명확하게 할 필요가 있을 때 주로 이용된다고 제시되어 있다. 그러나 이 제도의 속성을 유사한 대상에 빗대어 설명하고 있는 부분은 없다.

2. ⑤ 세부 정보 이해하기

① 네 번째 문단에서 내용증명은 문서를 발송하였다는 것을 공적으로 증명하는 증거 효력을 갖게 되며, 상대방에게 심리적 부담을 주어 그 내용의 이행을 실현하게 하기도 한다고 하였다.

② 일곱 번째 문단에서 민법의 규정에 따라 문서의 우편 발송은 수신인에게 도달된 때로부터 효력이 발생한다고 하였다. 그러나 방문판매 등의 청약 철회를 요청하는 내용증명의 경우에는 수신인의 수취 여부와 상관없이 서면을 발송한 날부터 발생한다고 하였다.

③ 일곱 번째 문단에서 내용증명으로 발송한 우편물은 발신인이나 수신인이 이를 분실할 경우 발송 우체국에 특수우편물수령증, 주민등록증 등을 제시해 본인임을 입증하면 보관 중인 내용증명의 열람을 청구할 수 있으며 필요시에는 복사를 요청할 수도 있다고 하였다.

④ 세 번째 문단에서 내용증명은 우체국에 같은 내용의 문서 3부를 제출해야 하며, 이는 발신인, 수신인, 우체국 3자가 각각 동일한 내용의 문서를 소지하기 위함이라고 하였다.

❺ 두 번째 문단에서 내용증명은 개인 간 채권 · 채무 관계나 권리 · 의무를 더욱 명확하게 할 필요가 있을 때 주로 이용된다고 하였다. 가령 방문 판매를 통해 충동적으로 구입한 화장품, 건강식품 등의 구매 계약을 철회 기간 내에 취소하고 싶을 때 사용할 수 있다고 하였다. 따라서 계약을 철회할 수 있는 기간이 지난 후 발송한 내용증명은 법적 대응 과정에서 효력을 가질 수 없다.

3. ⑤ 구체적 상황에 적용하기

① 내용 증명을 작성할 때에는 기재된 발신인 및 수신인의 주소와 이름이 반드시 봉투 겉면에 작성하는 주소, 이름과 일치하도록 해야 한다고 하였다. ㉮에는 수신인의 주소와 이름만 제시되어 있으므로, 발신인의 주소와 이름을 추가해야 한다.

② 내용 증명을 작성할 때에 제목에는 손해 배상 청구 등과 같이 내용증명의 구체적 목적이 담겨야 한다고 하였다. 따라서 '방문판매 계약 관련'을 '계약 철회 요청'으로 수정하는 것이 적절하다.

③ 내용 증명을 작성할 때에 글자나 기호를 정정, 삽입 또는 삭제할 때에는 반드시 '정정', '삽입' 또는 '삭제'라는 문자 및 수정한 글자 수를 여백에 기재하고 그곳에 발송인의 도장 또는 지장을 찍거나 서명을 하여야 한다고 하였다. 따라서 ㉯에는 제한 글자 수까지 명시하여 '2자 삭제'로 적어야 한다.

④ 내용 증명의 본문에는 계약 경위와 같은 객관적 사실 관계와 요구 사항 등을 분명히 제시해야 한다고 하였다. 따라서 ㉰에 '따라서 이 계약의 취소를 요청합니다'를 추가하는 것이 적절하다.

❺ 내용증명을 작성할 때는 발신인, 수신인, 제목, 본문, 날짜 등이 순서대로 포함되어야 한다고 하였다. ㉱에는 이미 내용증명을 작성한 날짜가 제시되어 있으므로, 수신인이 내용증명을 받게 될 날짜를 밝혀야 한다는 설명은 적절하지 않다.

4. ④ 세부 정보 추론하기

① 내용증명이란 누가, 언제, 누구에게, 어떤 내용의 문서를 보냈다는 사실을 우체국에서 공적으로 증명하는 것으로, 발신인이 보낸 내용이 수신인에게 도착했다는 것을 증명할 수 있다. 그러나 수신인에게 분쟁을 철회할 것을 요청하기 때문이라는 것은 적절하지 않다.

② 내용증명은 우체국에 같은 내용의 문서 3부를 제출하며, 이로 인해 발신인, 수신인, 우체국 3자가 각각 동일한 내용의 문서를 소지하게 된다. 그 결과 발신인이 작성한 어떤 내용의 문서가 언제 누구에게 발송되었는지를 우체국장이 증명할 수 있게 된다고 하였다. 그러나 이를 통해 수신인에게 의사 표시를 할 것을 주장할 수 있다는 설명은 적절하지 않다.

③ 내용증명이란 누가, 언제, 누구에게, 어떤 내용의 문서를 보냈다는 사실을 우체국에서 공적으로 증명해 주는 우편 제도로, 발신인이 충동적으로 계약을 맺는 것을 막아 주는 것과는 관련이 없다.

❹ 내용증명을 활용하면 발신인이 언제, 누구에게, 어떤 내용의 문서를 보냈다는 사실을 우체국에서 공적으로 입증해주므로, 발신인이 의사 표시를 했음을 명확하게 확인할 수가 있다. 이를 통해 분쟁이 예견되거나 진행 중인 상황에서 후일 상대방이 사실을 번복하거나 그런 내용을 고지받지 못했다고 주장하는 것을 막을 수 있으므로 향후 법적 분쟁의 소지를 줄일 수 있을 것이다.

⑤ 내용증명은 우편이 발송되었다는 사실은 입증하지만 문서 내용의 진위까지 입증하지 않는다고 하였다. 따라서 발신인이 주장하는 내용의 진위를 법적으로 입증하는 것은 불가능하다.

왜 많이 틀렸을까?

내용증명에 대하여 설명하는 이 글의 핵심은 내용증명의 개념이기도 하지만, 내용증명의 효력이 어디까지인가에 대한 것이기도 해. 단순히 내용증명을 보냈다고 법적인 효력을 바로 발휘하는 것은 아니라는 거야. 만약 내용증명만으로 모든 것이 해결된다면 주변에서 일어나는 법적인 분쟁이나 소송 등은 없어도 되겠지?

5. ④ 구체적 사례에 적용하기

① 을이 갑에게 내용증명을 보낸 궁극적인 목적은 을이 갑에게 빌려준 돈의 채무를 이행할 것을 촉구하기 위해서이다.

② 다섯 번째 문단에서 내용증명을 발송하였다고 하여 바로 소멸시효가 중단되는 것은 아니며, 내용증명을 보낸 날짜로부터 6개월 이내에 청구나 압류, 가압류, 가처분 등을 해야만 소멸시효가 중단되는 효력이 발생한다고 하였다. 따라서 을이 보낸 내용증명으로 인해 소멸시효 만료일인 2020년 12월 31일로부터 중단 효력이 발생하는 것은 아니다.

③ 다섯 번째 문단에서 내용증명을 보낸 날짜로부터 6개월 이내에 청구나 압류, 가압류, 가처분 등을 해야만 소멸시효가 중단되는 효력이 발생한다고 하였다. 이러한 법적 대응을 하게 되면 해당 사안의 소멸시효가 내용증명을 보낸 시점에 중단되는 효력이 발생하고 그때까지 경과한 소멸시효의 기간은 무효가 되고 중단 사유가 종료된 때로부터 소멸시효가 새로이 시작된다고 하였다. 따라서 을이 내용증명을 소멸시효 만료 2개월 전에 보냈다고 해서 중단 사유 종료 후 소멸시효가 2개월 연장되는 것은 아니다.

❹ 다섯 번째 문단에서 내용증명을 발송하였다고 하여 바로 소멸시효가 중단되는 것은 아니라 내용증명을 보낸 날짜로부터 6개월 이내에 청구나 압류, 가압류, 가처분 등을 해야만 소멸시효가 중단되는 효력이 발생한다고 하였다. 따라서 을이 이후 법적 대응을 할 뜻이 없다면 을이 돈을 받을 수 있는 권리는 2020년 12월 31일까지만 유지될 것이다.

⑤ 다섯 번째 문단에서 내용증명을 보낸 날짜로부터 6개월 이내에 청구나 압류, 가압류, 가처분 등을 해야만 소멸시효가 중단되는 효력이 발생하고, 이렇게 소멸시효가 중단되면 그때까지 경과한 소멸시효의 기간은 무효가 되고 중단 사유가 종료된 때로부터 소멸시효가 새로이 시작된다고 하였다. 따라서 을이 2021년 6월 30일까지 가압류, 가처분 등의 조치를 한다면 소멸시효는 2020년 10월 31일에 중단된다는 설명은 잘못 되었다.

【6~11】 정인섭, '신국제법 강의'

지문해설

범죄인인도제도에 대해 설명한 글로 개념과 대체적인 방식을 밝힌 뒤 범죄인인도거절의 사유를 두 가지로 나누어 설명한 글이다. 범죄인인도제도는 해외에서 죄를 범한 범죄인이 자국 영역으로 도피해 온 경우 그를 처벌하기를 원하는 외국의 청구에 응해 해당자를 인도하는 제도이다. 대부분의 범죄인인도제도는 처벌 가능한 최소 형기를 기준으로 인도대상범죄를 규정하며, 청구국에서 외교 경로를 통해 청구가 전달되면 피청구국이 응하여 법원의 허가에 따라 범죄인 인도 여부를 결정한다. 그리고 범죄인이 청구국으로 인도되면 인도청구 사유가 되었던 범죄에 대해서만 처벌을 받는다. 한편 피청구국은 범죄인인도거절을 할 수도 있는데 그 사유로는 절대적 인도거절 사유와 임의적 인도거절 사유가 있다. 전자에는 피청구국에서 재판이 진행 중이거나 확정 판정을 받은 경우, 공소시효가 끝난 경우 등과 정치범죄인 경우 등이 있으며 후자에는 범죄인이 피청구국의 자국민일 경우나 범죄인이 인도된 뒤 비인도적인 대우를 받을 것이 예견될 때 등이 있다.

■ **비문학 지문 어떻게 이해할까?**

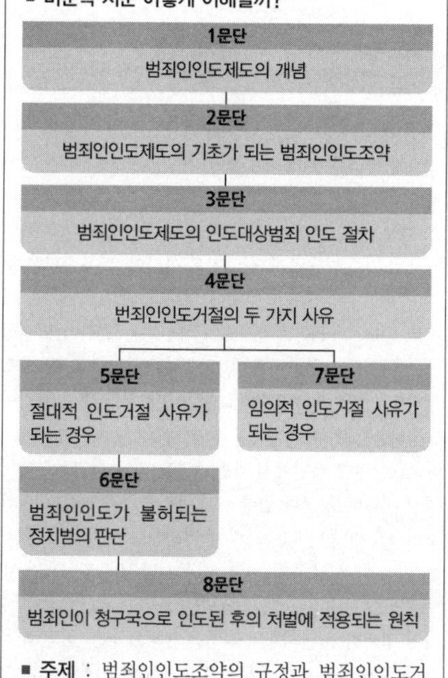

1문단
범죄인인도제도의 개념
2문단
범죄인인도제도의 기초가 되는 범죄인인도조약
3문단
범죄인인도제도의 인도대상범죄 인도 절차
4문단
번죄인인도거절의 두 가지 사유
5문단
절대적 인도거절 사유가 되는 경우
7문단
임의적 인도거절 사유가 되는 경우
6문단
범죄인인도가 불허되는 정치범의 판단
8문단
범죄인이 청구국으로 인도된 후의 처벌에 적용되는 원칙

■ **주제** : 범죄인인도조약의 규정과 범죄인인도거절 사유

6. ⑤ 세부 내용 파악하기

① 두 번째 문단에서 범죄인인도조약은 '서로 범죄인인도를 할 것을 합의하고 그에 대한 사항을 규정하는 국가 간의 조약'이라고 개념을 제시하고 있다.

② 네 번째 문단에서 범죄인인도거절 사유에는 절대적 인도거절 사유와 임의적 인도거절 사유가 있다고 한 뒤 다섯 번째~일곱 번째 문단에서 각각의 구체적인 경우를 제시한 것에서 알 수 있다.

③ 세 번째 문단에서 '대부분의 범죄인인도조약은 처벌 가능한 최소 형기를 기준으로 인도대상범죄를 규정한다.'라고 한 것을 통해 알 수 있다.

④ 두 번째 문단에서 '사전에 체결된 범죄인인도조약에 의해서만 상대 국가에 대한 범죄인인도청구에 응할 의무가 발생'한다고 한 것을 통해 알 수 있다.

❺ 세 번째 문단에서 피청구국은 범죄인인도청구에 응하여 실제로 범죄인을 인도할지를 결정하는데, 이때 범죄인인도는 대부분 피청구국 법원의 허가를 받아야 한다고 하였을 뿐, 법원의 허가 이후 범죄인의 신병이 언제 인도되는지에 대해서는 언급하지 않았다.

7. ④ 핵심 내용 이해하기

① 첫 번째 문단에서 '근대에 들어 각국은 국제법상 범죄인 인도제도를 발전시켰다.'라고 하고 있다.

② 세 번째 문단에서 '범죄인인도제도의 구체적인 내용은 범죄인인도조약에 따라 차이가 있'다고 하고 있다.

③ 첫 번째 문단에서 범죄인이 다른 나라로 도피하면 신병 확보가 어려워 처벌이 힘들기 때문에 범죄인인도제도를 발전시켰다고 하고 있다.

❹ 두 번째 문단에서 '범죄인인도조약은 주로 양자조약의 형태로 발달하였으며 범세계적인 조약은 성립되지 않고 있다.'라고 하였으므로, 범세계적인 조약의 규정을 기초로 하여 운영된다고는 볼 수 없다.

⑤ 두 번째 문단에서 '범죄인인도가 원만히 진행되려면 상대국의 사법제도에 대한 상호 신뢰가 필요'하다고 하고 있다.

8. ⑤ 구체적 상황에 적용하기

❺ 다섯 번째 문단에서 '인도청구된 범죄에 대하여 이미 피청구국에서 재판이 진행 중이거나 피청구국에서 확정 판결을 받은 경우는 중복 처벌을 피하기 위해 범죄인인도가 허용되지 않는다.'라고 하였으므로, 〈보기〉에서 X와 Y가 인도 청구 전에 이미 B국에서 유죄 판결을 받았다면 피청구국에서 확정 판결을 받은 경우에 해당하므로 중복 처벌을 피하기 위해 범죄인인도가 허용되지 않을 것이다.

9. ② 세부 내용 이해하기

① 여섯 번째 문단에서 '어떤 행위가 정치범죄에 해당하는가의 판단은 피청구국에서 하게 된다.'라고 하였으므로, Y의 행위가 정치범죄로 인정받을 수 있는지 여부는 A국 법원이 아닌 피청구국인 B국 법원에서 결정할 수 있다.

❷ 여섯 번째 문단에서 정치범도 일반적으로 범죄인인도가 불허되는데, 범죄행위의 정치적 성격이 일반 형사범죄로서의 성격보다 우월할 때 그것을 정치범죄로 판단한다고 하고 있다. (나)에서 B국 법원은 해당 사건의 일반 형사범죄로서의 성격과 정치범죄로서의 성격을 검토한 후 이를 바탕으로 인도를 불허한다고 하였으므로 Y의 행위에 대해 정치적 범죄로서의 성격이 더 강한 범죄인 정치범죄라고 본 것이라고 할 수 있다.

③ 여섯 번째 문단에서 '국가원수나 그 가족의 생명 · 신체를 침해하는 행위는 정치범 불인도 대상에서 제외되는 것을 가해조항이라 부른다.'라고 하였다. (나)에서 Y는 무인 공공시설물을 파손하려다 발각되었다고 하였으므로 A국이 Y의 행위가 가해조항의 적용을 받는다고 주장하지는 않았을 것이다.

④ 여섯 번째 문단에서 '정치범죄의 판단기준이 시대나 상황에 따라 달라질 수 있으므로 범죄인인도조약에 정치범죄의 정의가 포함되는 경우는 찾기 어렵다.'라고 하였으므로, B국 법원이 대부분의 범죄인인도조약에 명시된 정치범죄에 대한 정의를 기준으로 적용했을 것이라고 볼 수는 없다.

⑤ (나)에서 Y는 무인 공공시설물을 파손하려다 발각되었고, B국 법원은 해당 사건의 일반 형사범죄로서의 성격과 정치범죄로서의 성격을 검토한 후 정치범죄로 보고 인도를 불허했다고 하였으므로, Y의 행위가 테러 행위가 아니므로 정치범 불인도의 대상에서 제외되어야 한다고 판단한 것은 아니다.

10. ② 세부 내용 추론하기

① 일곱 번째 문단에서 '다수의 범죄인인도조약에는 피청구국이 자국민이라는 이유만으로 범죄인인도를 거절할 경우, 청구국의 요청이 있으면 피청구국은 기소 당국에 사건을 회부해야 한다는 조항을 넣기도 한다.'라고 하였는데, 제4조에 이에 해당하는 구절이 포함되어 있으므로 적절하다.

❷ 7문단에서 '사형을 폐지한 피청구국은 청구국이 대상 범죄인을 사형에 처하지 않을 것이라는 보증을 하지 않을 경우 범죄인인도를 거절할 수 있게 하는 일도 많다.'라고 하였고, 이와 관련하여 제5조에서는 청구국의 법률상 사형선고가 가능한 경우 피청구국이 해당 범죄인의 인도를 거절할 수 있으나 청구국이 사형을 선고하지 않거나, 사형선고를 할 경우에도 집행하지 않는다고 보증하는 경우에는 거절할 수 없다고 언급하고 있을 뿐, 청구국의 법률상 사형선고가 가능한 경우 피청구국이 청구국에 보증을 할 필요가 있다고 한 것은 아니다.

③ 여덟 번째 문단에서 범죄인이 인도되었을 때 '인도청구 사유가 되었던 범죄에 대해서만 처벌을 받는데, 다만 인도 후 새로 저지른 범죄나 피청구국이 처벌에 동의한 범죄 등은 인도청구 사유에 명시되지 않았어도 처벌이 가능하다.'라고 하며 이를 '특정성의 원칙'이라고 하였는데, 제6조는 이것이 정리된 내용이므로 적절하다.

④ 일곱 번째 문단에서 제시한 임의적 인도거절 사유 중 '범죄인이 피청구국의 자국민일 경우 피청구국이 범죄인인도를 거절할 수 있게 하는 경우'는 제4조에, '사형을 폐지한 피청구국은 청구국이 대상 범죄인을 사형에 처하지 않을 것이라는 보증을 하지 않을 경우 범죄인인도를 거절할 수 있게 하는 일'은 제5조에서 다루고 있다.

⑤ 일곱 번째 문단에서 사형을 폐지한 피청구국이 청구국이 대상 범죄인을 사형에 처하지 않을 것이라는 보증을 하지 않을 경우 범죄인인도를 거절할 수 있게 하는 것은 범죄인의 인권을 보호하기 위한 것이라고 하였으며, 여덟 번째 문단에서도 특정성의 원칙이 범죄인의 인권을 보호하기 위한 장치라고 하였으므로, 결국 제5조와 제6조는 범죄인인도의 대상이 되는 범죄인의 인권을 보호하기 위한 장치로 볼 수 있다.

11. ① 어휘의 사전적 의미 파악하기

❶ ㉠ '성립(成立)'의 사전적 의미는 '일이나 관계 따위가 제대로 이루어짐.'이다. '기관이나 조직체 따위를 만들어 일으킴.'은 '설립(設立)'의 의미이다.

Day 11

본문 048쪽

1. ④ 2. ③ 3. ④ 4. ⑤ 5. ⑤
6. ② 7. ② 8. ③ 9. ① 10. ③
11. ④

【1~6】 이준구 · 이창용, '경제학 들어가기'

지문해설

합리적 선택을 중심으로 생산에 관한 기업의 의사 결정 방법에 대해 설명한 글이다. 경제 활동에서 합리적 선택은 어떤 선택을 할 때 얻는 이득인 편익에서 비용을 뺀 순편익이 가장 큰 대안을 선택하는 것으로, 순편익은 한계편익과 한계비용이 같을 때 가장 커진다. 기업은 한계비용과 한계수입을 고려해 합리적인 판단을 내려 이윤을 극대화하고자 한다. 기업에게 한계비용은 상품 생산량을 한 단위 증가시키는 데 추가로 드는 비용이며, 한계수입은 상품을 한 단위 더 생산하여 판매할 때 추가로 얻는 수입인데, 완전경쟁 시장에서는 상품 가격이 곧 한계수입으로 시장 수요가 증가하면 한계수입도 오른다. 이를 바탕으로 기업은 생산 시 손실 발생 여부에 따라 다른 의사 결정을 내린다. 손실이 발생하는 상황이 아니라면 한계비용과 한계수입을 고려해 이윤을 증가시키며, 손실의 가능성이 있을 경우에는 상품을 한 단위 생산하는 데 드는 평균적인 비용인 평균비용을 고려해 손실 여부를 판단하여 의사 결정을 내린다.

■ **비문학 지문 어떻게 이해할까?**

- **1문단**: 합리적인 선택을 하기 위해 경제 주체가 고려하는 순편익
- **2문단**: 최대 순편익이 발생하는 상황
- **3문단**: 이윤 극대화를 위해 기업이 고려하는 한계비용과 한계수입의 개념과 특징
- **4문단**: 생산과 관련된 기업의 의사 결정 방식 ① 손실 발생 상황이 아닌 경우 한계비용과 한계수입을 고려함.
- **5문단**: 생산과 관련된 기업의 의사 결정 방식 ② 손실 발생이 예상되는 경우 평균비용을 고려함.
- **6문단**: 기업이 생산 의사 결정 과정에서 평균비용을 활용하는 방법
- **7문단**: 합리적 선택을 중심으로 생산에 관한 기업의 의사 결정에 관심을 기울여야 하는 이유

■ **주제** : 생산과 관련된 기업의 의사 결정 방식에서 활용되는 합리적 선택의 방법

어휘풀이

• **명시적(明示的)** 내용이나 뜻을 분명하게 드러내 보이는 것.

1. ④ 내용 전개 방식 파악하기

① 합리적 선택의 장점이나 기업의 의사 결정 과정에 대한 평가는 드러나지 않는다.
② 합리적 선택의 방법을 제시했을 뿐 그 한계를 제시하거나 기업의 사회적 책임을 서술하지는 않았다.
③ 첫 번째 문단에서 경제 주체에 대해 간략하게 언급했을 뿐 관련하여 구체적인 내용을 제시한 것은 아니다.
❹ 첫 번째 문단 ~ 세 번째 문단에서 순편익과 이윤 극대화를 위해 기업이 고려하는 한계비용과 한계수입에 대해 설명한 뒤, 네 번째 문단 ~ 일곱 번째 문단에서 생산과 관련된 기업의 의사 결정 과정에 대해 설명하고 있다.
⑤ 기업이 생산 활동을 할 때 손실이나 이윤의 극대화를 고려한다는 것은 알 수 있지만 고려 요소를 제시하여 생산량 결정 시 어려움을 분류한 것은 아니다.

2. ③ 세부 정보 확인하기

① 다섯 번째 문단에 따르면 총비용은 고정비용과 가변비용으로 구분된다.
② 세 번째 문단에서 완전경쟁 시장의 기업이나 소비자는 시장에서 결정된 상품가격을 주어진 것으로 받아들인다고 하였다.
❸ 다섯 번째 문단에 따르면 한계비용은 가변비용에만 영향을 받는데, 생산량과 상관없이 기업이 매달 똑같이 내야 하는 임대료는 고정비용에 해당한다.
④ 다섯 번째 문단에 따르면 평균비용은 어떤 양의 상품을 생산하는 데 투입된 총비용을 생산량으로 나눈 것으로 상품을 한 단위 생산하는 데 드는 평균적인 비용이다.
⑤ 첫 번째 문단에 따르면 편익에서 비용을 뺀 순편익이 가장 큰 대안을 선택하는 것이 합리적인 선택이므로 편익이 같다면 비용이 가장 적게 드는 것을 선택하는 것이 합리적일 것이다.

3. ④ 의미 추론하기

❹ 세 번째와 네 번째 문단에 따르면 기업은 상품을 얼마나 생산하면 이윤을 극대화할 수 있을지 판단할 때 한계비용과 한계수입을 고려하며, 이때 한계비용은 상품 생산량을 증가시키는데 추가로 드는 비용이다. 한편 다섯 번째와 여섯 번째 문단에 따르면 기업은 손실 발생 여부를 판단하기 위해 평균비용과 상품의 시장 가격을 비교하며 손실을 피할 수 없을 경우 생산 중단을 고민한다. 따라서 평균비용은 생산을 중단할 만한 상품 가격, 한계비용은 이윤을 증가시키기 위해 필요한 상품 생산량을 파악하는 것과 관련이 있다.

4. ⑤ 구체적 상황에 적용하기

① 순편익은 편익에서 비용을 뺀 것이므로 과자를 1개 살 때의 순편익은 1,500원, 3개 살 때의 순편익은 500원이다. 따라서 과자를 1개 살 때가 3개 살 때보다 순편익이 크다.
② 합리적 선택은 순편익이 가장 큰 대안을 선택한 것이다. 과자를 1개 살 때의 순편익은 1,500원, 2개 살 때는 2,000원, 3개 살 때는 500원이기 때문에 순편익이 2,000원으로 제일 큰 2개를 선택해야 과자 소비량을 합리적으로 선택한 것이며, 3,000원을 가지고 가서 1,000원인 과자를 2개 사면 음료수 1개 값인 1,000원이 남는다.
③ 한계편익은 어떤 선택에 의해 추가로 발생하는 편익이므로 과자 소비량을 0개에서 1개씩 늘릴 때마다 얻는 한계편익은 4,000원, 3,500원, 2,000원으로 점점 줄어드는 것을 알 수 있다.
④ 과자 소비량을 2개에서 3개로 늘리기 위해 추가로 드는 비용은 3,500원인데 반해 추가로 얻는 만족감(한계편익)은 2,000원이다. 따라서 추가로 드는 비용이 추가로 얻는 만족감보다 크다는 것을 알 수 있다.
❺ 비용은 어떤 선택으로 인해 포기한 다른 대안의 가치인 암묵적 비용과 직접 지불하는 비용인 명시적 비용을 합친 것이다. 따라서 과자의 명시적 비용을 제외하면 과자를 사기 위해 포기한 음료수 소비의 금전적 가치를 알 수 있는데, 그 가치는 과자를 1개 살 때 1,500원, 2개 살 때 3,500원, 3개 살 때 6,000원으로 과자 구입 개수가 늘어날수록 점점 커지고 있다는 것을 알 수 있다.

왜 많이 틀렸을까?

이 문제는 선택지에 제시된 여러 가지 개념을 지문에서 찾아 확인하고, 그 개념을 바탕으로 약간의 계산을 하는 것이 필요했어. 지문에서 '순편익', '한계편익', '한계비용'과 같은 개념을 정리하지 못했거나 그 특성들이 잘 이해되지 않았다면 선택지의 옳고 그름을 판단하기 어려웠을 수 있어. 예를 들어 꽤 선택 비율이 높았던 오답인 ③번 같은 경우, 한계편익의 개념이 잡혀 있어야 바르게 계산할 수 있었지. 한계편익은 어떤 선택에 의해 추가로 발생하는 편익이고, [독서 후 심화 활동]에서 설정한 '편익'은 과자를 사기 위해 값이 지불할 마음이 있는 최대한의 금액으로, 표에 그 액수가 제시되어 있어. 그러면 이 상황에서 한계편익은 과자를 1개 구입할 때는 4,000원이고, 2개 구입할 때는 3,500원이라는 것을 이해해야 한다. 왜냐하면 한계편익이란 추가 발생하는 편익이기 때문에, 2개 구입 시의 편익인 7,500원에서 1개 구입 시의 편익인 4,000원을 빼야 하는 거지. 이런 식으로 본다면 점점 한계편익이 줄어든다는 것을 알 수 있었을 거야.
예로 제시된 상황에 대한 설명과 도표의 내용이 비교적 자세한 편이었지만 제시된 정보만으로 선택지를 이해했다면 명확한 답을 찾지 못하고 실수를 할 법한 문제였어. 이와 같은 문제를 풀 때에는 지문을 읽을 때 핵심 개념에 대해 간단한 정리하고 제시된 상황에 적절히 대입할 수 있도록 하자.

5. ⑤ 세부 내용 추론하기

① 해당 기업은 완전경쟁시장에 있으며, 완전경쟁시장에서는 한계수입이 곧 상품 가격인 P_0이다. 따라서 생산량을 Q_0로 유지하면 한계비용과 한계수입이 일치하며, 네 번째 문단에 따르면 이 경우 이윤이 극대화된다.
② 생산량을 Q_2로 늘리면 한계비용이 한계수입보다 커지는데 이윤은 줄어들지만 이윤이 남지 않는 것은 아니다.
③ 가격이 P_0로 유지되면 한계비용과 한계수입이 일치하는 Q_0의 생산량이 이윤이 극대화되는 지점이므로 생산량을 Q_1으로 줄이면 이윤이 줄어들 것이다.
④ 시장 수요 감소로 가격이 P_1이 되면 평균비용곡선의 최저점보다 상품의 시장 가격이 낮아진 것이다. 다섯 번째 문단에 따르면, 상품의 시장 가격이 평균비용곡선의 최저점에도 미치지 못하면 생산량이 얼마이든 상품을 판매하면 손실을 피할 수 없다.
❺ 시장 수요 증가로 가격이 P_2가 되면, 한계수입이 한계비용보다 커진다. 이윤의 극대화는 한계비용과 한계수입이 일치하는 지점에서 발생하므로 생산량을 Q_2에 가깝게 늘릴수록 이윤이 증가할 것이다.

왜 많이 틀렸을까?

지문의 내용을 그래프에 적용하여 이해하는 문제로 대체로 오답률이 고르게 나타났는데 4번과 마찬가지로 일단 개념

이해가 쉽지 않았던 데다 이를 그래프에 올바르게 대입하는 건 더욱 까다롭게 느껴졌던 것 같아. 게다가 그래프 자체와 선택지만 주목하고 발문과 그래프 아래 제시한 전제에서 던져주고 있는 힌트를 놓쳤다면 문제 풀기가 더 어려울 법했어. 발문에서 보면 〈보기〉의 기업은 '완전경쟁시장'에 있다고 했고, 전제에서는 현재 생산량이 Q_0, 상품의 시장 가격이 P1라고 밝히고 있어. 지문에서 '완전경쟁시장'에 있다는 것은 상품의 시장 가격이 곧 한계수입이고, 이때 한계수입과 한계비용이 일치하는 지점인 Q_0과 P_1이 만나는 지점이 이윤이 극대화되는 지점이라는 것을 알 수 있었지. 이를 바탕으로 생산량인 Q와 한계수입인 P의 위치를 옮겨 가며 그래프를 이해하는 한편 네 번째 문단과 다섯 번째 문단에서 주로 다루고 있는 평균비용의 내용을 참고한다면 문제를 어렵지 않게 해결할 수 있어. 이렇게 그래프가 제시된 문제를 풀 때에는 그래프를 이해하는 것도 필요하지만 발문의 전제나 그래프와 관련하여 주어진 조건들을 놓치지 말아야 해.

6. ② 어휘의 문맥적 의미 파악하기

① '탈것에서 밖이나 땅으로 옮아가다.'의 의미로 쓰인 예이다.
❷ ⓐ의 '내리다'는 '판단, 결정을 하거나 결말을 짓다.'의 의미이므로 '평가를 내리다.'의 '내리다'와 의미가 유사하다.
③ '명령이나 지시 따위를 선포하거나 알려주다. 또는 그렇게 하다.'의 의미로 쓰인 예이다.
④ '위에 올려져 있는 물건을 아래로 옮기다.'의 의미로 쓰인 예이다.
⑤ '컴퓨터 통신망이나 인터넷 신문에 올린 파일이나 글, 기사 따위를 삭제하다.'의 의미로 쓰인 예이다.

【7~11】 '한국인의 법과 생활'

지문해설

2008년부터 우리나라 사법부에서 시행하고 있는 국민참여재판에 대해 소개하고 있는 글이다. 「국민의 형사재판 참여에 관한 법률」에 명시된 내용을 바탕으로, 일반 국민이 국민참여재판의 배심원으로 선정되어 법정 공방을 지켜본 후 피고인의 유ㆍ무죄에 대한 판단을 내리고 적정한 형을 제시하면 재판부가 이를 참고하여 판결을 선고하는 제도이다. 선정기일에 '출석한 배심원후보자'들 중에서 필요한 배심원과 예비배심원을 합한 수만큼을 추첨하고 기피신청을 반복하여 필요한 수만큼의 배심원과 예비배심원을 확정한다. 절차를 거쳐 배심원으로 선정되면 증거 조사를 지켜본 후, 배심원들의 평의와 평결을 거쳐 최종 의견을 재판부에 알려 주고, 최종적으로 재판장이 판결을 내린다.

■ 비문학 지문 어떻게 이해할까?

1문단
국민참여재판의 개념

2~4문단
국민참여재판의 배심원 선정 절차와 확정

5문단
배심원의 평의와 평결

6문단
재판부의 최종 판결

■ **주제** : 국민참여재판 제도의 개념과 배심원 선정 절차와 역할에 대한 이해

7. ② 내용 전개 방식 파악하기

❷ 이 글은 국민참여재판 제도의 개념과 이루어지는 절차, 특징에 관해 설명하고 있다. 첫 번째 문단에서 국민참여재판이라는 제도의 개념과 특징을, 두 번째 문단에서 네 번째 문단까지는 배심원 선정의 절차를, 다섯 번째 문단에서 마지막 문단까지는 배심원의 평의와 평결과 재판장의 판결에 이르기까지 국민참여재판의 전 과정을 소개하고 있다.

8. ③ 세부 정보 파악하기

① 두 번째 문단을 보면, 예비배심원은 배심원과 달리 '평의와 평결만 참여할 수 없'다고 설명하고 있다.
② 첫 번째 문단을 보면, 국민참여재판은 '피고인이 신청하는 경우에 한해 진행'된다고 하였다.
❸ 세 번째 문단을 보면 배심원후보자는 배심원선정기일에 출석해야 하며, 네 번째 문단에 '선정기일에 '출석한 배심원후보자'들 중에서 필요한 배심원과 예비배심원을 합한 수만큼을 추첨한다'고 하였다.
④ 첫 번째 문단을 보면, 국민참여재판에 일반 국민이 배심원으로 참여하여 피고인의 유ㆍ무죄에 대한 판단을 내리고 적정한 형을 제시하면 재판부가 이를 참고하여 판결을 선고한다고 하였다. 따라서 직접 판결을 선고하는 사람은 재판장이다.
⑤ 마지막 문단을 보면, 재판장이 배심원의 평결과 다른 판결을 선고할 때에는 반드시 판결서에 그 이유를 기재해야 한다고 하였다.

9. ① 단어의 문맥적 의미 파악하기

❶ ㉠ '(판단을) 내리고'와 '(해답을) 내렸다'의 '내리다'는 모두 '판단, 결정을 하거나 결말을 짓다.'라는 뜻으로 사용되었으므로 문맥적 의미가 서로 유사하다.
② '(훈장을) 내렸다.'의 '내리다'는 '윗사람으로부터 아랫사람에게 상이나 벌 따위가 주어지다.'를 의미한다.
③ '(가격을) 내렸다.'의 '내리다'는 '값이나 수치, 온도 성적 따위가 이전보다 떨어지거나 낮아지다.'를 의미한다.
④ '(유리문을) 내렸다.'의 '내리다'는 '위에 있는 것을 낮춘 곳 또는 아래로 끌어당기거나 늘어뜨리다.'를 의미한다.
⑤ '(주의보를) 내렸다.'의 '내리다'는 '명령이나 지시 따위를 선포하거나 알려주다.'를 의미한다.

10. ③ 구체적 상황에 적용하기

① 세 번째 문단에서 선정기일에 '출석한 배심원후보자'들 중에서 필요한 배심원과 예비배심원을 합한 수만큼을 추첨한다고 하였다. 〈보기〉를 보면 1차에 추첨된 배심원 후보자 수가 14명인데, 기피신청을 반복하여 3차에 걸쳐 필요한 수만큼의 배심원과 예비배심원 14명이 확정되었다.
② 네 번째 문단에서 '무이유부기피신청'은 검사와 변호인 모두에게 인원 제한이 있는데, 배심원이 9인인 경우에는 각 5인, 배심원이 7인인 경우에는 각 4인, 배심원이 5인인 경우에는 각 3인까지 가능하다고 하였다. 〈보기〉는 모두 9명의 배심원이 필요한 재판이므로 검사와 변호인은 각 5명까지 '무이유부기피신청'을 할 수 있는데 1,2차에 걸쳐 4명만 신청하였다. 따라서 검사와 변호인 모두 최대 인원만큼 '무이유부기피신청'을 신청하지 않았음을 알 수 있다.
❸ '이유부기피신청'은 추첨된 배심원에 대해 제기된 기피 여부를 재판부가 판단한다고 하였다. 〈보기〉에서 '이유부기피신청'이 받아들여진 경우는 모두 5명이므로 적절하지 않은 내용이다.
④ 배심원선정기일에 '출석한 배심원후보자'들 중에서 '추첨된 배심원후보자'를 대상으로 검사와 변호인은 배심원 선정을 위해 질문을 한다고 하였다. 〈보기〉에서 출석한 배심원후보자는 40명으로, 1, 2, 3차에 걸쳐 모두 23명이 추첨되어 배심원 선정을 위한 질문을 받은 후, 배심원 14명이 모두 확정되었다. 따라서 출석한 배심원후보자 중 추첨되지 못한 17명은 관련된 질문을 받지 못했음을 알 수 있다.
⑤ 〈보기〉에서 필요한 배심원 수와 예비배심원의 수를 합한 수 만큼을 1차에서 추첨을 한 것을 알 수 있다. 모두 14명이 추첨되었는데 배심원은 최대 9명, 예비배심원은 최대 5명까지 정하기로 결정했다고 볼 수 있다.

11. ④ 구체적 사례에 적용하기

① 세 번째 문단에 배심원후보예정자명부에서 배심원후보자를 무작위로 추출하여 통보한다고 하였으므로, 김한국 씨가 배심원후보자로 통보를 받았다는 것은 사전에 작성한 배심원후보예정자명부에 포함되어 있었다는 것을 알 수 있다.
② 두 번째 문단에서 예비배심원은 평의와 평결만 참여할 수 없을 뿐 배심원과 동일한 역할을 수행한다고 했는데, 평의와 평결에 참여한 김한국 씨는 배심원으로 선정되었음을 알 수 있다.
③ 두 번째 문단에서 법정형이 사형, 무기징역 등에 해당하는 사건이 아닌 경우에는 7인의 배심원이 재판에 참여하게 된다고 하였다. 〈보기〉의 평결서를 보면 배심원은 모두 7명이므로 해당 사건은 사형이나 무기징역을 선고할 수 있는 사건은 아니라는 것을 알 수 있다.
❹ 다섯 번째 문단에서 의견이 일치되지 않으면 반드시 재판부의 의견을 듣고 다시 평의를 진행한 후 다수결로 평결서를 작성하게 된다고 하였다. 〈보기〉의 평결서를 보면 배심원들은 피고인의 유죄와 무죄에 대해 만장일치가 아닌 다수결로 의견을 제시하였으므로 평의 도중 재판부의 의견을 듣는 과정이 없었다는 진술은 적절하지 않다.
⑤ 다섯 번째 문단에서 평결이 유죄인 경우에 재판부와 함께 피고인에게 부과할 적정한 형에 대해 토의한 후 양형에 대한 최종 의견을 재판부에 알려 준다고 하였다. 〈보기〉에서는 평결과 판결이 모두 무죄이므로, 양형에 대한 논의는 이루어지지 않았다.

Day 12

본문 052쪽

1. ① 2. ② 3. ② 4. ① 5. ④
6. ① 7. ③ 8. ④ 9. ③ 10. ④
11. ②

【1~5】 정운찬 · 김영식, '거시경제론'

지문해설

시장의 가격 조정 기능과 관련한 거시 경제학의 각 학파들의 관점과 이론을 설명한 글이다. 시장은 수요와 공급이 일치하지 않는 불균형이 발생하면 가격 변화에 의해 균형을 회복하는데, 거시 경제학에서는 이러한 시장의 가격 조정 기능에 대해 서로 다른 입장들이 존재해 왔다. 고전학파는 시장이 가격의 신축적인 조정에 의해 항상 균형을 달성한다고 보았는데 이와 달리 케인즈는 장기에는 가격이 신축적이지만 단기에는 경직적이라고 보았다. 케인즈의 주장을 발전시킨 케인즈학파는 정부의 경기 안정화 정책을 통해 시장의 균형이 회복될 수 있다고 보았고, 이에 새고전학파는 케인즈학파의 거시 계량 모형에 오류가 있음을 지적하면서 경제 주체의 합리적 선택에 대한 미시적 분석을 바탕으로 거시 경제 현상을 분석해야 한다고 주장했다.

■ **비문학 지문 어떻게 이해할까?**

1문단	시장의 가격 조정 기능과 거시 경제학의 쟁점
2문단	시장의 자기 조정 능력을 신뢰한 고전학파
3문단	고전학파를 비판한 케인즈
4문단	정부 정책으로 경기 변동을 조절할 수 있다고 주장한 케인즈학파
5문단	케인즈학파의 거시 계량 모형의 오류를 지적한 새고전학파
6문단	새고전학파의 방법론을 받아들인 새케인즈학파

■ **주제** : 시장의 가격 조정 기능에 대한 거시 경제학의 여러 학파들의 주장

1. ① 핵심 정보 확인하기

❶ 두 번째 문단에서 고전학파는 '경기 변동 현상은 발생하지 않는다.'라고 보았다고 하였는데, 다섯 번째 문단에서 새고전학파는 '경기 변동을 균형 자체가 변화하는 현상으로 분석'하면서 '총수요 변동이 아닌 기술 변화가 지속적인 경기 변동을 유발한다고 주장'했다고 하고 있다. 이를 통해 고전학파와 새고전학파는 경기 변동의 존재 여부에 대해 서로 다른 입장을 보였음을 알 수 있다.
② 다섯 번째 문단에 따르면 새고전학파는 '경제 주체의 합리적 선택에 대한 미시적 분석을 바탕으로 거시 경제 현상을 분석해야 한다고 주장'했을 뿐, 미시적 분석을 통해 가격 경직성을 해소할 수 있다고 본 것은 아니다.
③ 세 번째 문단에 따르면 케인즈는 '노동 시장에서의 가격인 임금이 경직되는 경우 기업의 노동 수요 감소가 임금 하락으로 상쇄되는 대신 대규모 실업을 불러일으킨다'고 주장했으므로, 임금 경직성이 극심한 고용량의 변화를 가져온다고 본 것이다.
④ 세 번째 문단에 따르면 케인즈는 가격 경직성이 심할수록 총수요가 변동할 때 극심한 경기 변동 현상이 유발된다고 보았으므로, 가격이 신축적으로 변화하면 수요와 공급의 불일치를 해소할 수 있다고 보았을 것이다.
⑤ 여섯 번째 문단에서 새케인즈학파는 메뉴 비용의 존재로 가격 경직성이 발생할 수 있다고 보았음을 알 수 있다. 즉 메뉴 비용으로 인해 제품 시장에서 가격이 조정되는 속도가 느리다고 본 것이다.

왜 많이 틀렸을까?

전체적으로 정답률이 매우 낮은 지문으로 이루어진 세트였어. 일단 지문 내용이 다소 어려운 데다, 문제들 또한 단순한 내용 일치 여부를 묻기보다 지문의 세부 정보를 종합하고 이해해서 적용할 것을 요구했거든. 이 문제는 각 학파의 주장을 명확히 파악하고 선지의 진술이 그것을 올바르게 담아내고 있는지 파악해야 했어. 정답인 ①번 선지에 대해 판단하려면 '경기 변동'에 대해 고전학파와 새고전학파가 어떻게 설명했는지 확인해야 했는데 고전학파의 입장은 지문에 명시되어 있는 반면 새고전학파의 입장은 약간 추론적으로 파악해야 해서 까다로웠지. 고전학파는 경기 변동 현상이 발생하지 않는다고 했으니까 새고전학파는 발생한다고 보는지 아닌지 판단하는 방식으로 접근하면 적절성을 어렵지 않게 판단할 수 있었을 거야. 그리고 ②번 같은 선지는 새고전학파가 '미시적 분석'을 언급했다는 이유 때문에 착각하지 않도록 유의해야 해.

2. ② 다른 상황에 적용하여 이해하기

① 고전학파는 호황이나 불황이 나타나는 경기 변동 현상은 발생하지 않는다고 보았다. 〈보기〉에서 국민 총소득이 국민 총소득이 Y*보다 큰 경우는 호황을, 작은 경우는 불황을 나타낸다고 했으므로 고전학파는 AD 곡선이 이동하더라도 국민 총소득은 일정하다고 볼 것이다.
❷ 고전학파는 시장은 가격의 신축적인 조정에 의해 항상 균형을 달성한다고 보았다. 즉 불균형이 발생할 경우 즉시 가격이 변화하여 시장이 균형을 회복한다고 보았다. 따라서 AD 곡선이 이동하더라도 물가가 P_1에서 P_2까지 신축적으로 변화하여 국민 총소득이 Y*인 장기 균형이 항상 성립할 것이라고 볼 것이므로 적절한 추론이라 할 수 없다.
③ 케인즈는 단기에는 가격이 경직적이라고 보았고, 이를 발전시킨 케인즈학파는 경기 변동은 시장 균형으로부터의 이탈과 회복이 반복되는 현상이며 총수요 변동이 유발한 불균형 상태가 가격 경직성으로 말미암아 오래 지속될 수 있다고 보았다. 따라서 케인즈학파는 단기에 AD 곡선이 이동할 때 물가는 P_1과 P_2 사이의 폭보다 작은 폭으로 변화할 것이고, 국민 총소득은 장기 균형인 Y*를 이탈할 것이라고 볼 것이다.
④ 케인즈는 가격 경직성이 심할수록 총수요가 변동할 때 극심한 경기 변동 현상이 유발된다고 보았다. 따라서 이러한 관점에서 케인즈학파는 물가가 완전히 경직적이라면 AD 곡선이 이동할 때 물가는 P_0에 고정되고, 국민 총소득은 Y_1에서 Y_2까지 나타날 것이라고 볼 것이다.
⑤ 케인즈학파는 가격 경직성의 존재에도 불구하고 정부의 '보이는 손'을 통해 시장의 균형이 회복될 수 있다고 보았다. 즉 정부가 경기 안정화 정책을 통해 경제의 총수요를 관리함으로써 경기 변동을 조절해야 한다고 본 것이다. 따라서 정부의 경기 안정화 정책이 유효하다면 물가가 완전히 경직적이어서 P_0에 고정되더라도 총수요를 관리함으로써 국민 총소득이 장기 균형인 Y*로 일정할 수 있을 것이라고 볼 것이다.

왜 많이 틀렸을까?

이 문제는 그래프를 각 학파의 입장에서 해석해야 하므로 매우 까다로웠어. 지문의 내용을 통해 고전학파와 케인즈학파의 주장을 이해했더라도, 그래프에서 AD 곡선이 이동하는 것의 의미나 물가, 국민총소득이 고정 또는 이동된다는 것의 의미를 이와 연결지어 이해하지 못했다면 답을 고르기 어려웠을 거야. 먼저 선지에 나타난 조건들을 확인하고, 지문에서 관련해서 파악해야 할 정보들을 확인한 뒤 선지에 제시된 각 학파의 관점에 대한 설명이 부합하는지 판단해 보자. 그런 다음 ㉠은 가격 변화와 균형, ㉡은 가격의 경직성과 경기 변동을 중심으로 그래프에 대한 분석이 적절한지 판단해 볼 수 있을 거야. 이때 ①, ②번, ③, ④번의 선택지를 함께 비교, 판단해 보면 좀 더 접근이 편할 거야.

3. ② 구체적인 상황 비판적으로 이해하기

① 〈보기〉에서 현재는 2020년 3월 12일이며, K국은 매년 12월 31일에 해당 시점의 통화량을 발표한다고 했으므로, K국 정부가 2020년 4월에 발표한 확장적 통화 정책이 이미 지나간 2019년의 통화량에 대한 K국 국민들의 합리적 기대 형성에 영향을 미쳐 국민들의 반응을 바꿀 수 있다고 볼 수는 없다.
❷ 새고전학파는 새로운 정보가 전해지면 경제 주체들은 기존에 보유하고 있던 정보에 추가된 정보를 반영하여 합리적으로 기대를 형성하고 반응을 바꾼다고 보았다. 이에 따르면 〈보기〉의 상황에서 K국 정부가 확장적 통화 정책을 발표하면 국민들은 그 정보를 반영하여 합리적으로 새로운 기대를 형성할 것이므로, 그를 고려해 정책 효과 분석도 달라져야 한다. 그러나 경제학자 갑은 이러한 지점에 대한 분석 없이 소득과 통화량의 관계만을 고려하여 소비 예측 모형을 개발해 정책을 제시했으므로 이 점을 비판할 수 있다.
③ 새고전학파는 새로운 정보가 전해지면 경제 주체들은 기존에 보유하고 있던 정보에 추가된 정보를 반영하여 합리적 기대를 형성한다고 보았으므로, 2020년 이전의 자료를 배제해야 한다고 보지는 않았을 것이다.
④ 〈보기〉에서 경제학자 갑은 통화량이 증가한 경우 다음 달의 소비가 증가한다고 보았으므로, 2020년 12월 30일 이전에도 K국 국민들의 소비가 증가할 것이라고 판단하였을 것이다. 따라서 경제학자 갑이 12월 30일까지 K국 국민들의 소비가 변화하지 않을 것이라는 점을 고려하지 않았다고 비판하는 것은 적절하지 않다.
⑤ 새고전학파는 총수요 변동이 아닌 기술 변화가 경기 변동을 유발한다고 주장했다. 따라서 총수요 변동이 불황을 불러일으킬 수 있다는 비판은 새고전학파의 관점과 거리가 멀다.

왜 많이 틀렸을까?

이 문제는 〈보기〉의 경제학자 갑이 새고전학파가 비판한 케인즈학파의 거시 계량 모형과 같은 방식으로 경제 변수를 분석한 뒤 통화량을 늘리는 정책을 제안했다는 점을 파악하고, 이에 대해 새고전학파가 어떤 비판을 할 수 있는지 판단해야 했어. 지문에 제시된 새고전학파의 주장을 잘 확인했다면 ②번이 이 주장을 적용한 비판임을 어렵지 않게 판단할 수 있었을 거야. 기본적으로는 선지의 내용이 새고전학파의 관점과 통하는지 판단해 보아야 해. 그리고 〈보기〉에 제시된 조건도 힌트가 될 수 있지 말고, 선지의 내용이 경제학자 갑에 대한 비판이 될 수 있는지 판단해 보는 것도 풀이에 도움이 될 거야.

4. ① 핵심 정보 파악하기

❶ 새케인즈학파는 가격 경직성의 근거로 메뉴 비용 이론과 효율 임금 이론을 제시했다. 메뉴 비용 이론에 따르면 기업은 제품 가격을 변화시킴으로써 얻을 수 있는 이득과 메뉴 비용을 비교하여 제품 가격을 변화시키므로 자신에게 이득이 되지 않을 경우 제품 가격을 변화시키지 않을 것이다. 또한 임금이 높을수록 노동자의 생산성이 높아진다고 주장하는 효율 임금 이론을 고려한다면 기업은 생산성을 높이기 위해 높은 임금을 지급할 것이다. 이를 통해 기업이 이윤 추구를 위해 제품 가격과 임금을 결정한 결과, 가격 경직성이 나타날 수 있음을 알 수 있다.

② 새케인즈학파는 경제 주체들이 합리적 선택을 한 결과로 가격 경직성이 나타난다고 설명하면서, 총수요 관리 정책은 여전히 효과를 갖는다고 주장하였다.

③ [A]에서는 기업이 제품 시장과 노동 시장에서 이윤을 추구하는 행동을 한 결과 가격 경직성이 나타난다고 하고 있을 뿐 두 시장에서의 행동 차이로 가격 경직성이 제거될 있다고 본 것은 아니다.

④ 가격의 변동성이 커진다는 것은 가격의 경직성이 아니라 신축성을 보여 주는 것이므로 적절하지 않다.

⑤ 기업이 노동 시장의 균형 임금보다 높은 임금을 노동자에게 지급함으로써 생산성을 높일 수 있는 경우, 노동의 초과 수요가 발생하여 시장의 균형 임금이 상승하면 임금이 더욱 높아질 것이다.

5. ④ 문맥적 의미 추론하기

① 첫 번째 문단에서 '시장은 수요와 공급이 일치하지 않는 불균형이 발생할 경우 가격 변화에 의해 균형을 회복한다.'라고 한 것으로 보아, '균형을 달성한다'는 것은 수요와 공급이 일치하는 것을 의미한다.

② 두 번째 문단에서 가격이 신축적이라는 것은 불균형이 발생할 경우 즉시 가격이 변화하여 시장이 균형을 회복하는 것을 의미함을 알 수 있다. 이를 바탕으로 할 때 가격이 '경직적'이라는 것은 가격이 즉시 바뀌지 않음을 의미한다.

③ 케인즈학파는 총수요 변동이 유발한 불균형 상태가 가격 경직성으로 말미암아 오래 지속될 수 있다고 보고 정부가 경기 안정화 정책을 통해 경제의 총수요를 관리함으로써 시장의 균형을 회복할 수 있다고 보았다. 따라서 이때 '총수요를 관리'한다는 것은 총수요를 적절한 수준으로 변화시키는 것을 의미한다.

❹ 경기 변동은 호황이나 불황이 나타나는 것으로 케인즈학파는 경기 변동을 시장 균형으로부터의 이탈과 회복이 반복되는 현상으로 보았다. 따라서 정책을 통해 '경기 변동을 제거'한다는 것은 시장 균형을 없애는 것이 아니라 호황이나 불황을 없애는 것이라고 할 수 있다.

⑤ 경제 주체들이 기존에 보유하고 있던 정보에 추가된 정보를 반영하여 기대를 형성하고 이에 따라 반응을 바꾼다고 하였으므로, 이때 '기대를 형성'한다는 것은 '미래를 예상'한다는 것과 의미가 통한다.

【6~11】 박진우, '파생상품론'

지문해설

파생상품의 종류와 선물 거래의 안정성을 확보하기 위한 제도적 장치를 설명하고 있다. 파생상품이란 기초자산의 가치 변동에 따라 가격이 결정되는 금융상품이다. 이때 기초자산의 가치 변동에 따른 파생상품의 가격 변화는 거래 당사자에게 손익을 발생시킨다. 파생상품은 기초자산에 해당하는 거래대상의 미래 가격이 불확실하기 때문에 미래의 특정 시점에서 발생할 수 있는 손실의 위험에 대비하기 위해 만들어졌다. 19세기 중반 이전까지는 '선도'라는 파생상품이 있었지만 한계를 지녔고, 경제 활동의 규모가 커지게 된 19세기 중반부터는 '선물'이라는 파생상품이 나타났다. 선물은 공인된 거래소에서 거래가 이루어진다는 점에서 선도와는 차이가 있다. 이를 통해 거래 안정성이 확보되어 계약 만기 전에 이루어지는 선물 거래로 차익을 얻고자 하는 사람들의 거래가 활발하게 이루어지게 되었다. 그 결과, 선물은 미래의 위험에 대비하려는 수단이자 현재의 이익 창출을 위한 투자 수단으로 활성화되었다. 선물 거래의 안정성을 확보하기 위한 제도적 장치로는 '반대거래', '증거금', '일일정산' 등이 있다. 증거금에는 대표적으로 '개시증거금'과 '유지증거금'이 있다. 또한 일일정산의 결과와 연관되는 '마진콜'의 개념도 있다.

■ **비문학 지문 어떻게 이해할까?**

1문단
파생상품과 기초자산의 개념

2문단
파생상품의 등장 배경과 '선도'의 한계

3문단
거래 안정성이 확보된 '선물' 거래의 활성화

4문단
선물 거래의 안정성을 확보하기 위한 제도적 장치

5문단
선물 거래를 통해 만기 시점과 반대거래 시점에서의 손익 계산 방법

■ **주제** : 파생상품의 종류와 선물 거래의 안정성을 확보하기 위한 제도적 장치

어휘풀이

- **채권(債權)** 재산권의 하나. 특정인이 다른 특정인에게 어떤 행위를 청구할 수 있는 권리이다.
- **인도(引渡)** 1. 사물이나 권리 따위를 넘겨줌. 2. 물건에 대한 사실상의 지배를 이전하는 일.
- **만기(滿期)** 미리 정한 기한이 다 참. 또는 그 기한.
- **선도(先渡)** 거래 매매에서, 계약 후 일정 기한이 지난 뒤에 화물이 인도되는 일.
- **창출하다(創出)** 전에 없던 것을 처음으로 생각하여 지어내거나 만들어 내다.

6. ① 사실 정보 확인하기

❶ 이 글에서 파생상품의 전망은 제시되지 않았으므로 적절하지 않다.

② 두 번째 문단에서 19세기 중반 이전까지 '선도'라는 파생상품의 종류가 있었고, 세 번째 문단에서 19세기 중반부터 '선물'이라는 파생상품이 나타났다고 제시하고 있다.

③ 첫 번째 문단에서 '파생상품이란 기초자산의 가치 변동에 따라 가격이 결정되는 금융상품이다.'라고 파생상품의 정의를 내리고 있다.

④ 두 번째 문단의 '그래서 거래 당사자들은 ~ 위험에 대비하고자 하였다.'에서 파생상품의 기능에 대해 설명하고 있다.

⑤ 두 번째 문단의 '파생상품이 만들어지기 이전에는, ~ 클 수밖에 없었다.'에서 파생상품의 등장 배경이 제시되어 있다.

7. ③ 핵심 개념 이해하기

① 첫 번째 문단에서 '파생상품이란 기초자산의 가치 변동에 따라 가격이 결정되는 금융상품이다.'라고 언급하였다. 이에 따라 ㉠ '선도'와 ㉡ '선물'은 파생상품이므로 모두 기초자산의 가치 변동에 따라 거래 당사자의 손익이 결정되는 금융상품임을 알 수 있다.

② 두 번째 문단을 보면 '선도'는 '계약을 체결하더라도 만기 이전에 그 계약을 임의적으로 파기할 위험이 높'았다. 이러한 문제점을 해결하기 위해 '선물'이 나타났고 거래와 관련한 다양한 제도적 장치를 마련하여 거래 안정성이 확보되었다고 언급하고 있다.

❸ 세 번째 문단에 제시된 '선물은 기초자산을 계약 체결 시점에 정해 놓은 가격과 수량으로 계약 만기 시점에 거래한다는 점에서는 선도와 동일하다.'는 내용을 통해 '선도'와 '선물'의 공통된 특성을 확인할 수 있으므로 적절하지 않다.

④ '선도'는 거래의 안정성이 확보되지 않아 불안정성이 늘 존재했지만, '선물' 거래의 안정성을 확보하기 위해서 반대거래, 증거금, 일일정산 등의 제도적 장치를 갖추고 있다는 것을 확인할 수 있다.

⑤ 두 번째 문단을 보면 '선도'의 경우 이해관계가 일치하는 거래 상대방을 찾기가 어려웠다고 하였다. 반면에 '선물'의 경우 이해관계가 일치하는 거래 당사자들의 매개적 역할을 하는 공인된 거래소에서 거래가 이루어진다는 것을 알 수 있다.

8. ④ 그래프의 내용 분석하여 이해하기

① 네 번째 문단을 보면 '개시증거금은 계약 당사자가 선물 거래를 시작하기 위해 맡겨야 하는 증거금'으로, T_0에서는 S_0이 개시증거금에 해당하는 금액이므로 선물 거래의 시작이 가능하다.

② 네 번째 문단에서 '일일정산은 선물 거래가 유지되는 동안 날마다 당일의 거래 마감 시점의 가격으로 선물 거래 당사자의 손익을 계산하여 이를 증거금에서 차감 또는 가산하는 장치'라고 하였다. 이를 통해 T_0에서 T_1이 될 때 S_0이 S_1로 하락한 것은 일일정산에 의해 손해를 본 만큼의 금액이 증거금에서 차감되었기 때문임을 알 수 있다.

③ 네 번째 문단에서 '유지증거금은 선물 거래가 유지되기 위한 최소한의 증거금을 의미한다.'고 하였다. 이를 통해 T_1에서는 S_1이 유지증거금에 해당하는 금액보다 크기 때문에 선물 거래의 유지가 가능하다는 사실을 알 수 있다.

❹ 네 번째 문단에서 '한편 일일정산의 결과 특정 거래자의 증거금 계좌 잔고가 유지증거금 이하로 떨어졌을 경우 거래소는 계약의 이행 가능성을 회복하기 위해 증거금 계좌 잔고가 개시증거금 이상이 되도록 증거금의 추가 납부를 요구하는데 이를 마진콜이라고 한다.'라고 하였다. 이를 보면 마진콜은 증거금 계좌 잔고가 개시증거금 이상이 되도록 증거금의 추가 납부를 요구하는 것이므로 T_2에서는 유지증거금에 해당하는 금액에서 S_2를 뺀 만큼을 추가로 입금하라는 마진콜이 발생한다

는 진술은 적절하지 않다. 여기서는 T_2에서는 개시증거금에 해당하는 금액에서 S_2를 뺀 만큼을 추가로 입금하라는 마진콜이 발생한다는 내용이 적절할 것이다.
⑤ 네 번째 문단에서 '이러한 마진콜을 받은 당사자의 일일정산은 불가능하다.'를 보면 T_2의 S_2보다 높아진 금액인 S_3은 개시증거금에 해당하는 금액이므로 T_3에서는 일일정산이 가능해짐을 알 수 있다.

9. ③ 주어진 정보를 바탕으로 내용 추론하기

①, ② 레버리지 효과와는 관련이 없다.
❸ 네 번째 문단에서 '개시증거금은 계약 당사자가 선물 거래를 시작하기 위해 맡겨야 하는 증거금으로, 계약 체결 시점에 정해진 기초자산의 가격에 수량을 곱한 액수의 일부이므로 상대적으로 적은 금액이다.'라고 하였고, 〈보기〉에서는 레버리지 효과가 개시증거금만으로도 거래를 시작할 수 있어 선물 가격 변동의 몇 배에 해당하는 큰 수익을 얻게 되는 것이라고 하였다. 따라서 개시증거금은 계약 체결 시점에 정해진 기초자산의 가격과 수량을 곱한 액수의 일부이기 때문에 레버리지 효과가 발생한다는 진술은 적절하다.
④ 레버리지 효과가 발생하면 가치가 커진 기초자산의 수량이 늘어나서 개시증거금이 줄어든다는 진술은 적절하지 않다.
⑤ 선물 가격은 항상 일정하게 유지된다는 진술은 적절하지 않다.

왜 많이 틀렸을까?
〈보기〉에 제시된 '레버리지 효과'는 투자 금액에 비해 높은 수익을 얻을 수 있지만 그만큼 위험이 따른다고 했어. 이와 관련해서 파생상품인 선물 거래의 특성과 안전성을 확보하기 위한 제도적 장치와 관련해서 분석해 보고 적용해 보도록 해.

10. ④ 글의 핵심 정보 이해하기

① 5월 10일에 갑과 을의 선물 거래가 이루어질 때 갑은 을에 대해서 선물의 '거래대상을 사려는 매수자', 을은 갑에 대해서 선물의 '거래대상을 팔려는 매도자'가 된다.
② 5월 30일에 갑은 보유한 선물을 병에게 파는 반대거래가 이루어질 때 갑과 을 사이의 선물 거래 관계는 청산됨을 알 수 있다.
③ 5월 30일에 갑과 병의 반대거래가 이루어질 때 갑은 병에 대해서 선물의 매도자, 병은 갑에 대해서 선물의 매수자가 됨을 알 수 있다.
❹ 다섯 번째 문단을 보면 '반대거래가 발생하면 그 시점에서 A는, 선물 계약에 따른 만기 시점의 주식 거래와 관련된 B에 대한 의무를 C에게 넘기게 된다.'고 했다. 따라서 갑과 을 사이의 주식 거래 관계는 반대거래가 이루어진 5월 30일에 이미 청산되므로 적절하지 않다.
⑤ 6월 8일에 선물 계약에 따른 주식의 거래가 이루어질 때 을은 병에 대해서 주식의 매도자, 병은 을에 대해서 주식의 매수자가 됨을 알 수 있다.

왜 많이 틀렸을까?
46%의 정답률을 보인 문제로 학생들이 구체적인 상황에 대입하여 해결하기가 꽤 까다로웠던 모양이야. 마지막 문단에 제시된 주식을 기초자산으로 하는 '선물 거래를 통해 만기 시점과 반대거래 시점에서의 손익 계산 방법'을 잘 파악해 보고 만약 ②번 선택지에서 혼란을 겪었다면 다시 한 번 살펴보고 주어진 조건에 적용하여 해결할 수 있도록 해 보렴.

11. ② 구체적 사례에 적용하기

❷ 마지막 문단을 보면 반대거래가 이루어졌을 때의 손익 계산 방법은 '그런데 만약 계약 ~ 바꾸기만 하면 된다.'고 했다. 이를 적용하면 갑이 5월 30일에 병과 반대거래를 한 경우 갑의 손익은, 반대거래가 이루어진 시점의 선물 가격에서 계약 체결 시점의 선물 가격을 뺀 -3만 원에, 거래승수와 계약 수를 곱한 -150만 원이 된다. 또한 마지막 문단에서 선물 계약의 만기 시점에서의 손익 계산 방법은 '만약 이 계약이 만기 시점까지 ~ 곱한 금액이 된다.'고 했다. 이를 적용하면 선물을 만기까지 유지했다면 갑의 손익은, 계약 만기 시점의 주식 가격에서 계약 체결 시점의 선물 가격을 뺀 -8만 원에, 거래승수 10과 계약 수 5를 곱한 -400만 원이 된다. 따라서 ⓐ는 -150, ⓑ는 -400이다.

과학

Day 13

본문 060쪽

1. ④ 2. ① 3. ④ 4. ⑤ 5. ①
6. ③ 7. ④ 8. ⑤ 9. ②

【1~5】 '방수의 기능'

지문해설

시각기관인 눈은 안구와 부속 기관으로 이루어진다. 부속 기관에는 안구를 움직이는 근육, 안구를 보호하는 눈꺼풀 등이 있다. 안구는 단단하지 않아서 모양 변화가 일어날 경우 빛의 방향이 틀어져 초점이 달라질 위험이 있다. 따라서 정확한 안구 형태를 유지하는 것이 필요한데, 안구 중 안방의 방수와 유리체가 눈의 구조와 시력 유지에 있어 중요한 역할을 담당한다. 특히 방수는 수정체와 각막 사이의 공간을 채움으로써 안구의 형태를 유지하는 것뿐만 아니라, 안구 앞쪽의 투명 구조에 영양분을 공급하고 노폐물을 배출하는 역할도 한다. 이러한 방수는 배출이 원활하지 않으면 안압이 상승하여 시신경이 손상될 수 있다.

■ 비문학 지문 어떻게 이해할까?

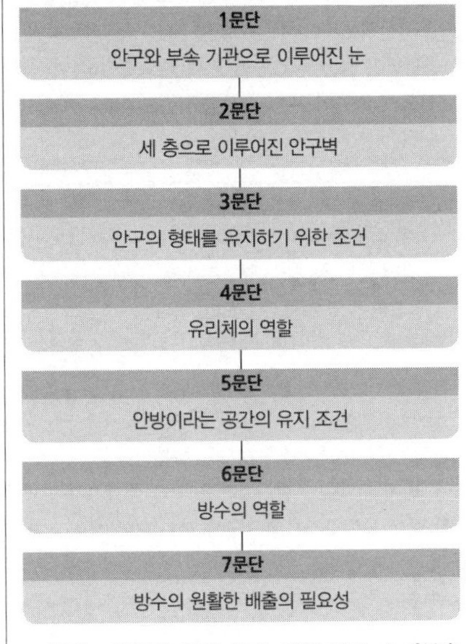
1문단
안구와 부속 기관으로 이루어진 눈
2문단
세 층으로 이루어진 안구벽
3문단
안구의 형태를 유지하기 위한 조건
4문단
유리체의 역할
5문단
안방이라는 공간의 유지 조건
6문단
방수의 역할
7문단
방수의 원활한 배출의 필요성

■ **주제** : 안구의 형태 유지, 영양 공급, 노폐물을 배출하는 방수의 역할

1. ④ 세부 정보 이해하기

① 두 번째 문단에서 '바깥층은 공막인데, 검은자위 부분에서 투명하게 변형되어 각막을 이룬다.'라고 하였으므로 각막은 공막과 달리 투명하다는 진술은 적절하다.
② 여섯 번째 문단에서 '혈관 분포가 없어 투명한 구조인 각막이나 수정체'라고 언급하고 있고, 두 번째 문단에서 '각막은 빛을 통과시'킨다고 하였다. 따라서 수정체는 투명한 구조라는 사실과 투명한 구조는 빛이 통과할 수 있다는 사실을 바탕으로 할 때, 수정체는 빛이 통과할 수 있는 구조라는 진술은 적절하다.

③ 네 번째 문단에서 '유리체는 안구 내압을 적정하게 유지함으로써 맥락막에 대하여 망막을 지지해' 준다고 하였다.

❹ 두 번째 문단에서 '섬모체는 수정체와 가느다란 실로 연결되어 있어, 수정체가 물체의 원근에 따라 초점을 조절하는 것을 돕는다.'라고 하였다. 섬모체가 수정체와 연결된 것은 맞지만 물체의 원근을 감지한다는 진술은 적절하지 않다.

⑤ 여섯 번째 문단에서 방수는 '섬유주라는 조직을 통해 배출된 후 슐렘관으로 흡수되어 심장으로 들어가 혈액에 합류된다.'라고 하였다.

왜 많이 틀렸을까?

지문 곳곳에 숨어 있는 정보를 확인하는 문제로 조금 까다로웠어. 특히 구조가 투명하다거나 투명한 구조는 빛이 통과된다는 사실들을 꼼꼼하게 살펴봐야 했지. '투명하게 변형되어 각막을 이룬다'는 표현, '혈관 중 다수가 밀집해 있어 빛의 통과를 막'는다는 표현, '혈관 분포가 없어 투명한 구조인 각막이나 수정체'라는 표현 등을 통해, 각막과 수정체는 투명 구조라는 사실과 투명한 구조는 빛이 통과할 수 있다는 사실을 알 수 있었어. 과학 지문을 이해할 때는 세심하게 살펴보고 이해하는 과정이 필요해.

2. ① 세부 원리 이해하기

❶ 다섯 번째 문단에서 안방이 비어 있다면 외부에서 누르는 기압과 이에 대응하기 위해 유리체가 밀어내(㉮)는 압력 때문에 각막과 수정체가 서로 달라붙거나 찌그러질 가능성이 높다고 하였다. 또한 마지막 문단에서 방수는 배출 여부와 관계없이 계속 공급되므로 배출이 원활하지 않아 공급량에 비해 배출량이 적어(㉯)지면, 안압이 상승(㉰)하여 시신경이 손상된다고 하였다.

3. ④ 세부 정보 추론하기

① 두 번째 문단을 보면, 영양분을 공급하는 혈관 중 다수가 밀집되어 있는 곳은 '맥락막'이다.

② 두 번째 문단을 보면, 수정체가 초점을 조절하는 것을 돕는 것은 '섬모체'이다.

③ 안구를 보호하는 부속 기관은 눈꺼풀이고, '각막'과 '맥락막'은 모두 안구를 구성하는 부분이다.

❹ 두 번째 문단을 보면, '각막'은 빛을 통과시켜 망막에 상을 맺게 해주고, 이 과정에서 '맥락막'은 빛이 공막으로 분산되지 않도록 하여 상이 잘 맺히도록 하는 역할을 한다.

⑤ 두 번째 문단을 보면, '각막'은 빛을 통과시켜 망막에 상을 맺게 해준다고 했으므로 각막을 통과한 빛은 망막에서 감지된다.

4. ⑤ 외적 준거를 통해 판단하기

① 여섯 번째 문단에서 방수는 섬유주라는 조직을 통해 배출된다고 하였고, 〈보기〉에서 눈물은 누점을 통해 누관을 타고 배출된다고 하였다.

② 방수는 각막이나 수정체에 영양분을 공급한다고 하였고, 눈물은 각막에 습기를 지속적으로 공급한다고 하였다.

③ 방수는 각막의 형태를 유지하여 안구의 정확한 형태 유지를 돕는다고 하였고, 눈물은 먼지나 병균을 씻어내어 안구를 청결하게 유지한다고 하였다.

④ 방수는 적정량이 제대로 흘러야 문제가 발생하지 않는다고 하였고, 눈물은 분비와 배출 비율이 일정 수준으로 유지되어야 정상적인 상태라고 하였다.

❺ 〈보기〉에서 눈물은 안구 표면을 적셔 안구가 원활하게 움직일 수 있도록 돕는다고 하였다. 그러나 섬모체에서 만들어진 방수는 안방을 채운 후 섬유주를 통해 배출되는데, 이러한 방수는 수정체가 원활하게 움직일 수 있도록 돕는다고 하였다. 따라서 방수와 눈물은 모두 안구 표면을 적셔 안구가 원활하게 움직일 수 있도록 한다는 진술은 적절하지 않다.

5. ① 단어의 문맥적 의미 파악하기

❶ ⓐ '(방향이) 틀어져'의 '틀어지다'는 '본래의 방향에서 벗어나 다른 쪽으로 나가다.'라는 뜻으로 사용되었다. 이와 문맥적 의미가 가장 유사한 것은 '날아가던 공이 오른쪽으로 틀어졌다.'의 '틀어지다'이다.

② '계획이 틀어졌다.'의 '틀어지다'는 '꾀하는 일이 어그러지다.'라는 뜻으로 사용되었다.

③ '목재가 틀어졌다.'의 '틀어지다'는 '어떤 물체가 반듯하고 곧바르지 아니하고 옆으로 굽거나 꼬이다.'라는 뜻으로 사용되었다.

④ '마음이 틀어져서'의 '틀어지다'는 '마음이 언짢아 토라지다.'라는 뜻으로 사용되었다.

⑤ '친구와 틀어졌다.'의 '틀어지다'는 '사귀는 사이가 서로 벌어지다.'라는 뜻으로 사용되었다.

【6~9】 김인선, '생물과 독'

지문해설

우리 주변에 존재하는 생물들 중에서 독을 가진 사례와 그 독이 작용과 활용되는 양상에 대해 설명하고 있다. 생물들은 위협적인 상대로부터 자신을 보호하거나 종족을 보존하기 위해 독을 이용한다. 특히 동물은 사냥감을 포획하기 위한 수단으로도 독을 사용한다. 식물 독의 주성분은 대부분 알칼로이드라는 물질인데 이는 질소를 함유하는 염기성 유기화합물을 일컫는 것으로 동물의 신경계에서 '근육에 가해진 자극이나 뇌가 내린 명령'에 관한 정보가 전달되는 것을 방해한다. 반면 동물 독은 독의 성질이 제각기 다르다. 대표적으로 뱀의 독에는 주로 단백질 계열의 50~60종의 성분이 있으며, 뱀마다 독의 작용에도 큰 차이가 있다. 코브라에게 물리면 '오피오톡신'이, 살무사에 게 물리면 '크로탈로톡신'이라는 작용한다. 독이 우리 몸에 유입되면 해독제를 신속하게 투여하는 것이 중요하다. 해독제로는 산과 염기의 반응을 이용한 중화제, 독소 분자를 분해하는 효소, 유입된 독과 서로 반대 작용을 하는 독을 활용할 수 있다.

■ **비문학 지문 어떻게 이해할까?**

- 1문단: 식물과 동물에 따른 독의 특징
  - 2문단: 식물 독의 주성분과 아코니틴의 작용
    - 3문단: 아트로핀의 특징과 작용
  - 4문단: 동물 독의 성질과 특징
    - 5문단: 해독제와 활용 방법

■ **주제** : 동식물이 가진 독의 특성과 작용원리

6. ③ 글의 세부 내용 파악하기

① 두 번째 문단을 보면, 아코니틴은 신경 세포의 나트륨 이온 통로를 계속 열어두기 때문에 나트륨 이온을 세포 안으로 다량 유입시킨다. 이로 인해 활동 전위가 일어나지 못하게 하는데 그러면 아세틸콜린이 분비되지 않아 결국 호흡 곤란으로 이어질 수 있다는 것을 알 수 있다.

② 네 번째 문단을 보면, 복어의 독소인 테트로도톡신은 복어가 스스로 만들어 내는 것이 아니라 먹이로 섭취한 플랑크톤에 의해 축적되거나 복어 체내에 기생하는 균에 의해 만들어짐을 알 수 있다.

❸ 두 번째 문단에 식물 독의 주성분인 알칼로이드가 질소를 함유하는 염기성 유기화합물을 일컫는다고 제시되어 있지만, 알칼로이드가 질소를 함유하는 이유는 제시되어 있지 않다.

④ 네 번째 문단을 보면, 살무사에게 물리면 크로탈로톡신이라는 독이 혈액 내의 혈구 세포와 혈소판 등을 파괴하여 출혈이 멈추지 않음을 알 수 있다.

⑤ 네 번째 문단을 보면, 코브라에게 물리면 오피오톡신이 시냅스에서 아세틸콜린 수용체와 결합해 근육으로의 정보 전달이 방해됨을 알 수 있다. 이와 달리 살무사에게 물리면 크로탈로톡신이 혈액 내의 혈구 세포와 혈소판 등을 파괴하기 때문에 근육이 괴사되고 출혈이 멈추지 않아 죽게 됨을 알 수 있다. 이를 통해 오피오톡신과 크로탈로톡신의 작용에 어떤 차이가 있는지 알 수 있다.

7. ④ 글의 내용 추론하기

❹ 마지막 문단에서 유입된 독과 서로 반대 작용을 하는 독을 해독제로 활용할 수 있다고 하였는데, 세 번째 문단을 보면 아트로핀은 부교감 신경의 시냅스에서 아세틸콜린 대신에 아세틸콜린 수용체와 결합함으로써 아세틸콜린의 작용을 방해해 부교감 신경의 흥분을 억제함을 알 수 있다. 이를 통해 아트로핀이 일부 독의 해독제로 쓰이는 이유는 아세틸콜린의 작용을 방해해 부교감 신경의 흥분을 억제하기 때문임을 알 수 있다.

8. ⑤ 글의 세부 내용 파악하기

① 두 번째 문단을 보면 신경 세포에서는 이온의 농도의 차이에 의해 나트륨 이온의 이동이 일어나고 이로 인해 활동 전위가 일어난다. 하지만 아코니틴은 나트륨 이온 통로를 계속 열어두어 나트륨 이온을 세포 안으로 다량 유입시켜 결과적으로 나트륨 이온이 이동하지 못하게 한다. 이를 통해 ㉠ 아코니틴은 점차 나트륨 이온의 농도 차이가 없어지도록 함을 알 수 있다. ㉡ 테트로도톡신은 나트륨 이온 통로를 차단함으로써 나트륨 이온이 들어오지 못하게 하기 때문에 나트륨 이온의 농도 차이에 변화가 없다.

② ㉡ 테트로도톡신은 나트륨 이온 통로를 차단하므로 나트륨 이온이 들어오지 못하게 하지만, ㉠ 아코니틴은 나트륨 이온 통로를 계속 열어 두어 나트륨 이온이 유입되도록 한다.

③ ㉠ 아코니틴과 ㉡ 테트로도톡신은 아세틸콜린과 화학구조가 유사하지 않다.

④ ㉠ 아코니틴과 ㉡ 테트로도톡신은 모두 아세틸 콜린이 분비되지 못하게 한다.

❺ 두 번째 문단의 '먼저 아코니틴은 ~ 일어나지 못하

게 된다.'와 네 번째 문단의 '테트로도톡신은 신경 세포의 ~ 일어나지 않는다.'를 통해 아코니틴과 테트로도톡신은 모두 신경 세포에서 활동 전위가 일어나지 못하게 함을 알 수 있다.

9. ② 구체적 사례에 적용하기

① 시냅스에서 A의 스코폴라민이 아세틸콜린 대신에 아세틸콜린 수용체와 결합함으로써 아세틸콜린의 작용을 방해한다.

❷ 〈보기〉에서 A의 카리브도톡신이 유입되면 활동 전위가 계속 일어나도록 하기 때문에 아세틸콜린이 과잉 분비된다고 했는데, 이는 신경의 과도한 흥분을 일으킨다. 따라서 근육으로의 정보 전달을 방해하지 않는다.

③ 세 번째 문단을 참고하면, A의 스코폴라민은 몸속에서 아세틸콜린 대신에 아세틸콜린 수용체와 결합하여 시냅스에서 이루어지는 정보 전달을 방해하므로 신경의 흥분을 억제하고 근육을 이완시킨다. 반면에 B의 카리브도톡신은 아세틸 콜린을 과잉 분비하게 하므로 신경의 과도한 흥분을 일으키고 근육을 수축시킨다.

④ A의 염기성 유기화합물인 알칼로이드에 속하는 스코폴라민은 해독제로 산성 물질을 활용할 수 있고, B의 단백질 계열의 카리브도톡신은 해독제로 단백질 분해 효소를 활용할 수 있다.

⑤ A의 잎에는 알칼로이드에 속하는 스코폴라민을 포함하고 있어서 동물에게 먹히지 않았는데 이러한 스코폴라민은 자신을 보호하기 위한 수단이다. B는 카리브도톡신을 이용해 곤충을 잡아먹기 때문에 이러한 카리브도톡신은 사냥감을 포획하기 위한 수단이 된다.

본문 063쪽

1. ④ 2. ③ 3. ③ 4. ④ 5. ⑤
6. ① 7. ③ 8. ④ 9. ②

[1~5] 차원해석

지문해설

차원이란 길이, 질량, 시간과 같이 일반화된 물리량의 성질을 단위로 표시한 것으로, 차원을 표시하는 단위는 여러 가지가 가능하다. 차원해석이란 단순 비교가 어려운 물리량과 변수들 사이의 관계를 파악하는 것으로, 차원의 동일성과 무차원화를 중심으로 이 과정이 이루어진다. 차원의 동일성이란 물리적 수식 양변의 항은 같은 차원이라는 전제가 붙는 것으로 차원이 같은 항을 더하거나 빼면 차원의 동일성이 유지되지만, 차원이 다른 항을 더하거나 빼면 차원의 동일성이 유지되지 않는다고 하였다. 무차원화란 – 차원을 지닌 변수나 수식을 차원이 없는 상태로 만드는 작업으로 변수들 사이의 관계를 이용하여 표시한다. 차원해석을 활용하면 복잡한 과학적, 공학적 문제의 의미를 일반화하고 단순화할 수 있으며, 그것의 실험이나 작업량을 확연히 줄일 수 있다는 장점이 있다.

- **주제** : '차원의 동일성과 무차원화를 중심으로 한 차원해석

1. ④ 핵심 정보 이해하기

① 세 번째 문단과 네 번째 문단에 무차원화의 의미와 무차원화를 표시하는 방법에 관한 내용이 제시되어 있으나, 이 글의 중심 내용이 될 수 없다.

② 세 번째 문단에 간단한 무차원화 방법으로 어떤 기준이 되는 양을 놓고 이 양과 상대적인 크기를 비교하는 방법과 예시를 제시하였으나, 무차원화의 여러 가지 방법들을 제시하지는 않았다. 또한 이 글의 주제는 무차원화에 국한되어 있지 않다.

③ 첫 번째 문단에 차원해석의 개념이 제시되어 있고, 두 번째 ~ 일곱 번째 문단에서 차원해석을 위한 방법을 분석하고 있다. 그러나 다양한 무차원화 이론을 통한 차원해석의 역사와 방법은 제시된 바가 없다.

❹ 첫 번째 문단에 차원해석의 개념을, 두 번째~일곱 번째 문단에서 차원의 동일성과 무차원화의 이해를 중심으로 차원해석을 하는 방법에 대한 분석을 하고 있다. 마지막 문단에서는 차원해석을 활용할 경우의 장점과 의의에 대해 제시하고 있으므로 이 글의 표제로는 '차원해석의 이해와 의의'가, 부제로는 '차원의 동일성과 무차원화의 이해를 중심으로'가 적절하다.

⑤ 여덟 번째 문단에서 차원해석을 활용하면 변수가 많아 복잡한 과학적, 공학적 문제의 의미를 일반화하고 단순화할 수 있다는 내용을 제시하고 있으나, 이 글의 주제를 '차원해석의 기능과 효율성'이라고 집약하는 것은 적절하지 않다.

2. ③ 세부 정보 적용하기

① 첫 번째 문단에서 면적은 길이 곱하기 길이이므로 [길이^2]으로 표현하는데, [길이]와 [길이^2]은 물리량의 성질이 다르므로 서로 다른 차원이라고 하였다. 〈보기〉 'A=2(B×C)+πD'의 우변은 '2(B×C)+πD'이므로, B, C, D 모두 [길이]라면 우변이 2[길이^2]+π[길이]가 되므로 수식이 성립하지 않는다.

② 〈보기〉 'A=2(B×C)+πD'의 우변은 '2(B×C)+πD'이므로, 만약 B, C, D가 모두 [길이^2]이라면 우변이 2[길이^4]+π[길이^2]이 되므로 수식이 성립하지 않는다.

❸ 첫 번째 문단에서 면적은 길이 곱하기 길이이므로 [길이^2]으로 표현한다고 하였다. 〈보기〉 'A=2(B×C)+πD'의 우변은 '2(B×C)+πD'이므로, 만약 B와 C는 [길이], D는 [길이^2]이라면 '[길이^2]=2[길이^2]+π[길이^2]'이 되므로 수식이 성립한다.

④ 〈보기〉 'A=2(B×C)+πD'의 우변은 '2(B×C)+πD'이므로, B와 D는 [길이], C는 [길이^2]이라면 우변이 2[길이^3]+π[길이]가 되므로 수식이 성립하지 않는다.

⑤ 두 번째 문단에서 수식에서 2, π와 같은 상수들은 차원을 갖지 않아 무시한다고 하였다. 따라서 2와 π의 영향으로 차원이 같아진다는 설명은 적절하지 않다. 또한 〈보기〉 'A=2(B×C)+πD'의 우변은 '2(B×C)+πD'이므로, B는 [길이^2], C와 D는 [길이]라면 우변이 2[길이^3]+π[길이]가 되어 수식이 성립하지 않는다.

3. ③ 구체적 상황에 적용하기

① 〈그림1〉의 ㉮ '사람'과 ㉯ '개'는 시간에 따라 몸무게가 어떻게 변화하는지를 두 변수와의 관계로 파악할 수 있다. 이때 시간은 ㉮ '사람'과 ㉯ '개'의 나이(수명)를 가리킨다.

② 〈그림1〉의 ㉮ '사람'의 수명은 80년, ㉯ '개'의 수명은 10년으로 가정하고 있다. 따라서 ㉮와 ㉯의 수명이 달라 같은 시간 당 변화하는 둘의 몸무게의 변화 과정에 대한 상대적인 크기를 비교하기 어렵다.

❸ 〈그림2〉에서 ㉮와 ㉯의 성장 속도는 그래프의 기울기 정도로 파악할 수 있다. 그래프의 기울기가 가파를수록 성장 속도가 빠른 것이므로, 태어난 직후부터 ㉯의 성장이 ㉮보다 빠르다는 것을 알 수 있다.

④ 〈그림2〉에서 ㉮와 ㉯가 성체 몸무게에 도달하는 시점은 그래프의 세로축이 1.0에 도달하는 지점의 가로축, 즉 무차원 시간 't/T'에 해당한다. 따라서 ㉯가 성체 몸무게에 도달하는 시점은 't/T'가 0.2일 때, ㉮가 성체 몸무게에 도달하는 시점은 't/T'가 0.3일 때이다. 이 시점인 't/T'값을 사람 수명(T) 80년에 대입해보면 ㉮는 24세(0.3×80세), ㉯는 16세(0.2×80세)이다. 따라서 ㉯가 성체 몸무게에 도달하는 시점은 ㉮가 성체 몸무게에 도달하는 시점보다 빠르다.

⑤ 세 번째 문단에서 무차원화된 수는 0에서 1 사이의 값을 갖는데, 0.1과 0.5와 같이 차원이 없어져 상대적인 크기의 비교가 가능해진다고 하였다. 즉, 〈그림2〉는 몸무게(m)를 성체 몸무게(M)로, 시간(t)을 수명(T)으로 나누어 0에서 1 사이의 값으로 나타낸 것이다.

왜 많이 틀렸을까?

그래프가 제시되면 가장 먼저 확인할 것은 그래프의 가로축과 세로축, 그리고 기울기야. 이 세가지를 조합하면 아무리 어려워 보이는 자료나 통계도 어느 정도는 풀 수 있거든. 이렇게 그래프가 제시되었을 때, 문제를 쉽게 푸는 방법은 지문을 읽기 전에 먼저 〈보기〉의 설명과 그래프를 먼저 머릿속에 넣어두고 지문을 읽어내는 거야. 결국 하나의 주제를 다른 방식으로 표현한 것이나 마찬가지니까.

4. ④ 세부 정보 추론하기

① 일곱 번째 문단에서 과학에서 상수값 C의 수치를 아는 것보다 변수들 간의 관계를 이해하는 것이 훨씬 중요하다고 하였다.

② 여섯 번째 문단에서 양변의 차원을 동일하게 만들기 위해 a=0, b=2, c=−1가 되면 우변에서 [길이] 외의 차원은 없어진다고 하였다. 이때 c는 2가 아니라 −1이므로 g를 제곱한 것이 아니다.

③ 일곱 번째 문단에서 위로 던진 물체의 최대 높이(h)는 질량과 관계가 없으며 속도의 제곱에 비례한다(v^2)고 하였으므로, h는 v는 무관하지 않다.

❹ 일곱 번째 문단에서 중력가속도(g)는 정해진 값이 있으므로, 결론적으로 이 식에서 위로 던진 물체의 최대 높이(h)는 질량과 관계가 없으며 속도의 제곱에 비례한다고 하였다. 따라서 물체의 질량을 달리하며 실험을 반복할 필요가 없을 것이다.

⑤ 여섯 번째 문단을 통해 a=0, b=2, c=−1일 때 a, b, c의 합은 1이 될 것이고, 이때 우변은 [길이] 차원만 남아 좌변과 차원이 같아진다는 것을 알 수 있다. 따라서 좌변이 차원이 없는 상태가 된다는 설명은 적절하지 않다.

5. ⑤ 단어의 사전적 의미 파악하기

① '분석'은 '얽혀 있거나 복잡한 것을 풀어서 개별 요소나 성질로 나눔'이라는 뜻이다.

② '가정'은 '사실인지 아닌지 분명하지 않은 것을 임시로 인정함'이라는 뜻이다.

③ '조합'은 '여럿을 모아 한 덩어리로 짬'이라는 뜻이다.

④ '정리'는 '흐트러지거나 혼란스러운 상태에 있는 것을 한데 모으거나 치워서 질서 있는 상태가 되게 함'이라는 뜻이다.

❺ '도출'은 '판단이나 결론 따위를 이끌어 냄'이라는 뜻이다.

【6~9】 유진. W. 네스터 외, '미생물학'

지문해설

바이러스의 특징과 바이러스가 숙주 세포를 감염시키는 과정을 설명한 글이다. 숙주 세포에 기생하고 그 안에 증식하며 살아가는 바이러스의 구조는 피막의 유무에 따라 달라진다. 피막이 있는 바이러스의 경우 피막 바깥에 부착 단백질이 박혀 있고 피막 안에 핵산이 있는 단백질 캡시드가 있으며 핵산은 DNA와 RNA 중 하나로만 구성된다. 바이러스의 감염 가능 여부는 숙주 세포 수용체의 특성에 따라 결정된다. 바이러스는 감염 가능한 숙주 세포와 접촉한 후 부착 단백질을 이용해 숙주 세포 수용체에 달라붙으며 그 부위를 통해 바이러스가 숙주 세포로 침투한 후 캡시드로부터의 핵산 분리, 핵산의 효소 이용, 전달 물질이 mRNA를 통한 핵산의 단백질 합성 등의 과정을 거쳐 증식된 바이러스가 숙주 세포 밖으로 배출된다. 이 같은 과정을 거쳐 우리 몸에는 바이러스가 체내에 장기간 잔류하는 지속감염이 일어나거나 다른 과정을 거쳐 짧은 기간 안에 일어나는 급성감염이 일어난다.

■ **비문학 지문 어떻게 이해할까?**

1문단
바이러스의 특징과 피막이 있는 바이러스의 구조

2문단
피막이 있는 바이러스의 숙주 세포 감염 과정

3문단
우리 몸에서 일어나는 감염의 종류

4문단
발현 양상에 따른 지속감염의 세 가지 종류

■ **주제** : 바이러스가 숙주 세포를 감염시키는 과정

어휘풀이

• **생장(生長)** 생물체의 원형질과 그 부수물의 양이 늘어나는 일.

6. ① 글의 내용 이해하기

❶ 두 번째 문단에 따르면 피막이 있는 바이러스는 감염이 가능한 숙주 세포와 접촉한 후 피막의 부착 단백질을 이용해 숙주 세포 수용체에 달라붙고 이 부위를 이용해 숙주 세포 내부로 침투한다. 그리고 이후에 핵산이 캡시드로부터 분리되는 과정이 이루어지므로 적절하지 않다.

② 첫 번째 문단에 따르면 피막이 있는 바이러스의 캡시드 안에 있는 핵산은 DNA와 RNA 중 하나로만 구성되기 때문에 핵산이 DNA라면 캡시드 안에 RNA는 존재하지 않을 것이다.

③ 첫 번째 문단에 따르면 바이러스는 세포가 아니기 때문에 스스로 생장이 불가능하여 살아 있는 숙주 세포에 기생하고 그 안에서 증식함으로써 살아간다.

④ 첫 번째 문단에서 피막이 있는 바이러스는 피막의 바깥에 부착 단백질이 박혀 있다고 하였다.

⑤ 첫 번째 문단에 따르면 피막이 있는 바이러스는 피막 안에 캡시드라는 단백질이 있으므로 적절하다.

7. ③ 제시된 자료 분석하기

① 바이러스의 핵산이 숙주 세포 내부로 빠져나오려면 그 전에 바이러스 피막의 부착 단백질을 이용해 바이러스가 숙주 세포 수용체에 달라붙어야 하므로 적절한 진술이다.

② ⓑ는 핵산이 효소를 이용하여 복제되는 과정으로, 이때 핵산이 DNA라면 숙주 세포에 있는 효소를 그대로 이용하지만 RNA라면 숙주 세포에 있는 효소를 이용해 자신에 맞는 효소를 합성한다.

❸ 캡시드로부터 분리되어 빠져나오는 것은 효소가 아니라 바이러스의 핵산이며, 바이러스의 핵산이 캡시드로부터 분리되어 숙주 세포 내부로 빠져나오는 과정은 ⓑ가 아니라 ⓐ이다.

④ ⓒ에서 핵산은 전달 물질인 mRNA를 통해 단백질을 합성하는데, 이 합성된 단백질의 일부가 핵산을 둘러싸거나 숙주 세포막에 부착되어 바이러스의 부착 단백질이 된다.

⑤ ⓓ에서 증식된 바이러스가 숙주 세포 밖으로 배출되는데 이 바이러스의 피막은 숙주 세포의 구성 요소인 세포막으로 만들어진 것이다.

8. ④ 글의 세부 내용 파악하기

① 네 번째 문단에 따르면 체내에서 감염성 바이러스의 수가 점진적으로 증가하는 것은 지속감염 중 지연감염이다.

② 세 번째 문단에 따르면 바이러스가 체내의 방어 체계를 더 오랫동안 회피하며 생존하는 것은 지속감염이다.

③ 세 번째 문단에 따르면 바이러스가 감염된 숙주 세포를 증식 과정에서 죽이는 것은 급성감염이다.

❹ 세 번째 문단에서 지속감염은 급성감염에 비해 상대적으로 오랜 기간 동안 바이러스가 체내에 잔류함을 알 수 있다.

⑤ 세 번째 문단에서 급성감염과 지속감염은 감염의 지속 시간과 바이러스의 숙주 세포 파괴 여부에 따라 구분됨을 알 수 있다. 바이러스의 발현 양상에 따라 감염을 구분한 것은 지속감염의 세 가지 감염 양상(잠복감염, 만성감염, 지연감염)이다.

9. ② 구체적 상황에 적용하기

① 〈보기〉에 따르면 VZV에 감염될 경우 증상이 나타났다가 사라진 후 다시 증상이 나타날 수 있다. 따라서 VZV 감염은 잠복감염에 해당하는데, 네 번째 문단에 따르면 잠복감염은 질병이 재발하기까지 바이러스가 감염성을 띠지 않고 프로바이러스의 상태로 잠복한다고 했으므로 적절하다.

❷ VZV를 가진 사람의 피부에 통증과 수포가 발생하는 것은 바이러스의 재활성으로 나타난 증상으로, 신체의 면역력 저하라는 특정 조건에서 발생한 것이다. 따라서 피부에 통증과 수포가 발생하는 것이 재활성의 특정 조건인 것은 아니다.

③ 〈보기〉에서 HCV에 감염된 환자의 많은 수가 바이러스를 보유하고도 증세가 나타나지 않는다고 했으므로 이는 만성감염에 해당한다. 네 번째 문단에 따르면 만성감염은 사람에 따라서 질병이 발현되지 않을 수 있지만 감염성 바이러스가 숙주로부터 계속 배출되어 항상 검출되고 다른 사람에게 옮길 수 있는 감염 상태이다.

④ 네 번째 문단에 따르면 만성감염은 사람에 따라 질병이 발현되거나 되지 않을 수도 있으며 때로는 뒤늦게 발현될 수도 있다.

⑤ 바이러스에 의해 질병이 발현된 상태라면 체내에 잔류한 바이러스가 세포를 감염시키는 것으로 볼 수 있다.

오H 많이 틀렸을까?

비교적 까다롭지 않은 지문이었는데도 불구하고, 이번 시험에서 가장 오답률이 높은 문제였어. 하지만 〈보기〉로 제시된 두 바이러스의 증상 발현 양상을 보고 각각 잠복감염과 만성감염이라는 점을 파악했다면, 선택지와 지문을 비교하여 답을 골라낼 수 있었어. 게다가 바이러스의 증상 발현 양상에 따른 감염의 종류는 지문의 마지막 문단만 확인해도 적절성을 판단할 수 있었어. 이 문제를 틀렸다면 일차적으로 잡아내야 했던 이 두 가지 개념을 놓친 것은 아닌지 점검해 보자. 또는 ⑤번의 오답률이 꽤 높았던 것을 보면 바이러스 감염과 질병 발현을 연관시키지 못한 경우가 많은 듯해. 사실 이 부분은 지문 전체를 관통하는 내용이야. 바이러스는 숙주 세포에 기생하며 살아가고 숙주 세포를 감염시킨다는 것은 가장 기본적인 정보였으니까. 하지만 마지막 문단만 꼼꼼히 읽어도 선택지의 적절성을 따져 볼 수 있어. 잠복감염은 바이러스가 재활성화되면 증상을 다시 동반하며, 만성감염은 질병이 발현 여부와 상관없이 감염성 바이러스가 존재하는 감염 상태라고 언급하고 있거든. 즉, 질병이 나타나면 또는 어떠한 증상이 나타나면 감염 상태인 것이며 이 것은 곧 바이러스가 숙주 세포를 감염시킨다는 것이지.

Day 15

본문 067쪽

1. ② 2. ④ 3. ① 4. ⑤ 5. ①
6. ⑤ 7. ③ 8. ⑤ 9. ② 10. ④

[1~5] '10퍼센트 인간'

지문해설

인체가 외부 물질과의 공존 속에서 면역 반응의 균형을 찾는다는 가설에 대해 설명하고 있다. 일반적으로 세균과 바이러스, 기생충과 같은 외부 물질들은 주로 감염이나 질병의 원인이 되므로, 인체에 이들이 침입하였을 때 이를 제거하는 면역 반응이 활발할수록 인체는 건강한 상태를 유지한다는 통념을 가지고 있다. 그러나 위생가설에 따르면 바이러스에 접할 기회가 줄어든 깨끗한 환경이 오히려 질병의 원인이 된다. 즉 외부 물질에 대한 지나친 배척이 오히려 면역계 과민 반응을 일으킨다고 보는 것이다. 실제로 외부 물질이 생존하기 위해 만들어 낸 조절T세포가 면역계 과민 반응의 치료법이될 수 있음이 밝혀졌다. 이를 통해 인체가 외부물질과의 공존 속에서 면역 반응의 균형을 유지함을 알 수 있다.

■ **비문학 지문 어떻게 이해할까?**

1문단 인체의 면역 반응에 대한 통념

2문단 면역계 과민 반응 현상과 원인

3문단 위생가설에 따른 질병의 원인

4문단 외부 물질과 공존을 통해 면역 반응의 균형을 찾을 수 있음

5문단 면역세포들의 역할

6문단 장내미생물이 면역계와 공존할 수 있는 이유

7문단 면역계와 공존하는 외부 물질에 대한 인식 전환의 필요성

■ **주제** : 면역계와 공존하는 외부 물질에 대한 인식 전환의 필요성

1. ② 내용 전개 방식 파악하기

① 다섯 번째 문단에서 면역 반응이 일어나는 과정을 제시하고 있지만, 이를 통해 특정 가설의 수정이 필요하다는 주장을 제시하고 있지는 않다.
❷ 바이러스에 접할 기회가 줄어든 깨끗한 환경이 오히려 질병의 원인이 된다는 위생가설을 통해 외부 물질들을 완벽하게 제거하는 것이 건강에 이롭다는 통념에 변화를 주고자 하고 있다.
③ 첫 번째 문단에서 면역 반응이 외부 물질의 침입에 저항하고 방어하는 작용을 하여 질병의 원인을 제거한다는 내용이 제시되어 있고, 두 번째 문단에서는 면역 반응이 과도해지면 인체에 해를 끼치게 된다는 상반된 관점을 소개하고 있다. 그러나 각각의 관점이 지닌 한계를 설명하고 있지는 않으므로 적절하지 않다.
④ 마지막 문단에서 면역계 과민 반응의 해결 방안을 제시하고 있지만 예상되는 반론을 반박하는 내용은 다루고 있지 않으므로 적절하지 않다.
⑤ 다섯 번째 문단에서 면역세포들을 역할에 따라 분류하고 있지만 수지상세포와 T세포가 생성되는 위치에 따라 분류하여 설명하고 있지는 않다.

2. ④ 세부 정보 확인하기

① 여섯 번째 문단에서 '장내미생물은 조절T세포를 통해 자신의 생존을 꾀'한다고 밝히고 있다.
② 세 번째 문단에서 현대 의학의 발달과 환경 개선으로 바이러스가 줄어들었다고 밝히고 있다.
③ 두 번째 문단에서 알레르기나 천식, 자가면역질환은 불필요한 면역 반응으로 인해 발생한다고 밝히고 있다.
❹ 세 번째와 네 번째 문단에서 위생 가설은 바이러스에 접할 기회가 줄어든 깨끗한 환경이 오히려 질병의 원인으로 작용하여 면역계 과민 반응을 일으킨다고 하였으므로 이로 인한 긍정적 변화는 확인할 수 없다.
⑤ 네 번째 문단에서 인체가 외부 물질과의 공존 속에서 면역 반응의 균형을 찾는다는 이점을 확인할 수 있다.

3. ① 내용을 통해 정보 추론하기

❶ 마지막 문단을 보면 조절T세포가 면역계 과민 반응으로 인한 질병을 치료하는 역할을 담당한다고 하였다. 이러한 조절T세포를 만들게 하는 데 외부 물질이 중요한 역할을 한다는 사실이 밝혀졌다고 제시하고 있다. 그러나 인체의 면역계가 과도한 면역 반응을 스스로 조절하는 능력이 있다는 내용은 확인할 수 없으므로 적절하지 않다.
② 첫 번째와 두 번째 문단에서 인체의 감염이나 질병을 막기 위해 면역 반응이 필요하지만 과도해지면 오히려 인체에 해를 끼치게 됨을 알 수 있다. 또 네 번째와 마지막 문단에서 인체가 외부 물질과의 공존 속에서 면역 반응의 균형을 찾는다는 사실을 확인할 수 있다. 따라서 인체가 건강하다는 것은 면역 반응의 강약이 조절되는 것을 의미한다는 것을 알 수 있다.
③ 첫 번째 문단에 감염이나 질병의 원인이 되는 세균과 바이러스, 기생충과 같은 외부 물질의 공격을 받는다는 언급을 통해 외부 물질이 인체에 유해한 경우를 확인할 수 있다. 또한 마지막 문단에서 면역 반응을 억제하는 조절T세포를 만들게 하는 데 외부 물질인 장내미생물이 중요한 역할을 한다는 언급을 통해 인체에 유해하지 않은 외부 물질의 사례도 확인할 수 있다. 따라서 외부 물질이 인체에 유해한 경우도 있지만 유해하지 않은 경우도 있음을 확인할 수 있다.
④ 세 번째 문단에서 현대 의학의 발달과 환경 개선으로 오히려 면역 반응이 지나치게 되었음을 확인할 수 있다.
⑤ 여섯 번째 문단에서 장내미생물이 수지상세포의 성격을 바꾸어 자신에게 면역 반응을 일으키지 못하게 만든다는 것을 확인할 수 있다.

왜 많이 틀렸을까?
제시된 내용을 종합하여 이해하면 핵심 정보를 추론해 낼 수 있겠지. 네 번째 문단을 보면 외부 물질이 면역 반응에 제동을 걸어 균형을 유지하게 한다고 밝히고 있어. 이처럼 우리 인체는 외부 물질과의 공존에 의해 면역 반응의 균형을 이룰 수 있다는 내용인데, 외부 물질의 도움 없이 면역계가 과도한 면역 반응을 스스로 조절한다는 내용은 이 글에서 확인할 수 없어.

4. ⑤ 구체적 자료에 적용하여 이해하기

① 다섯 번째 문단을 보면 (가)의 수지상세포는 인체에 침입한 외부 물질을 인지하고 이를 제거하는 역할을 하지만, 여섯 번째 문단을 보면 조절수지상세포는 면역 반응을 일으키지 못하게 성격이 변한 수지상세포라고 하였다.
② 다섯 번째 문단을 보면 (가)의 수지상세포에서 분화된 T세포는 몸 안에 침입한 이물질을 없애는 역할을 하므로 면역 반응을 일으킴을 알 수 있다.
③ 다섯 번째 문단을 보면 (가)의 미성숙T세포는 조력T세포와 세포독성T세포로 분화되고, (나)의 미성숙T세포는 조절T세포로 분화됨을 알 수 있다.
④ 마지막 문단을 보면 (나)의 조절T세포가 과민 면역 반응으로 인해 발생한 염증을 억제시킴을 알 수 있다.
❺ 〈보기〉의 (가)는 외부 물질을 제거하는 면역 반응의 과정을 보여 주고 있고, (나)는 장내미생물에 의해 면역 반응이 억제되는 과정을 보여 주고 있다. (가)는 외부 물질의 유입으로부터 인체를 보호하기 위해 일어나지만, (나)는 인체로 들어온 외부 물질이 생존하기 위해 면역을 억제하는 것이므로 적절하지 않다.

5. ① 구체적 사례에 적용하기

❶ 〈보기〉는 외부 물질인 기생충을 이용하여 면역계 과민 반응을 치료한 사례를 보여 주고 있다. 이는 외부 물질과 공존하여 면역 반응이 균형을 이루게 됨을 보여 주는 사례로 활용할 수 있을 것이다.
② 〈보기〉의 사례는 기생충이라는 외부 물질이 자신의 생존을 위하여 인체의 면역 반응을 억제한 작용을 보여 주고 있다.
③ 세 번째 문단에서 '인체는 무균 지대나 청정 지대가 아니라 세균과 바이러스, 기생충 등과 함께 진화해 왔다. 즉 이들 침입자는 인체의 면역계로부터 자신을 보호하기 위해 면역 반응을 억제하도록 진화했'다고 제시한 내용과 관련된 사례이므로 적절하지 않은 내용이다.
④ 세 번째 문단에서 현대 의학의 발달과 환경 개선으로 바이러스 등이 줄어들게 되자 면역 반응이 지나치게 되었다고 하였으므로 면역계가 환경 발전에 적응하고 있다고 볼 수 없다.
⑤ 〈보기〉는 면역 반응이 지나쳐 질병이 발생한 상황이므로 면역계의 중요성을 설명하는 사례로 보기 어렵다.

[6~10] 최문근, '의약화학'

지문해설

약이 인간의 몸 안에서 기능하는 원리와 방식을 설명한 글이다. 약은 생체에서 수용체와 결합하여 유익 작용 및 유해 작용을 나타내는 방식을 취하는데, 이때 약은 생체의 리간드와 유사한 화학적 분자 구조의 성분을 포함하여 특정 수용체와 결합할 수 있는 리간드를 증가시킴으로써 효과를 낸다. 약은 병원체에 작용하거나 생체에 직접 작용하는데, 항생제나 항바이러스는 전자의 방식에 해당하는 경우가 많고 신경작용제는 신경전달물질의 작용에 관여하는 방식으로 생물학적 효과를 낸다. 두 가지 이상의 약을 함께 복용하면 약들이 서로 도와 약효를 높이는 상승효과가 나타난다. 한편 약을 장기간 남용하면 수용체의 민감도가 떨어지게 되어 내성이 생길 수 있다.

■ 비문학 지문 어떻게 이해할까?

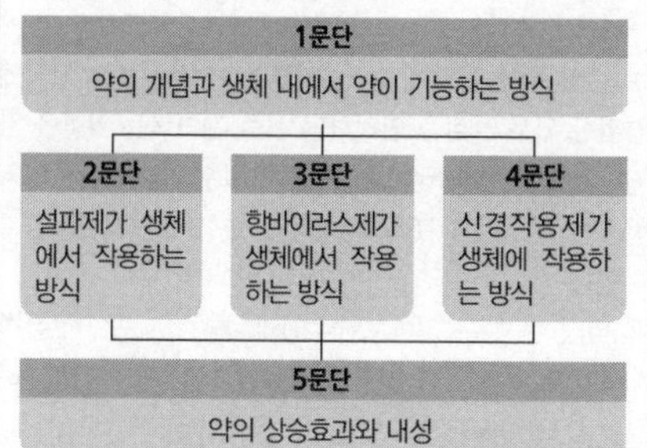

■ **주제** : 약이 생체 내에서 기능하여 생물학적 효과를 내는 원리

어휘풀이

• **수용체(受容體)** 세포막이나 세포 내에 존재하며 호르몬이나 항원, 빛 따위의 외부 인자와 반응하여 세포 기능에 변화를 일으키는 물질. 호르몬 수용체, 항원 수용체, 빛 수용체 따위가 있다.

• **연접(連接)** 신경 세포의 신경 돌기 말단이 다른 신경 세포와 접합하는 부위. 이곳에서 한 신경 세포에 있는 흥분이 다음 신경 세포에 전달된다.

6. ⑤ 세부 정보 파악하기

① 마지막 문단에서 두 가지 이상의 약을 함께 복용하면 공통되는 이차적인 약효가 한층 커질 수 있는데, 이와 같이 약들이 서로 도와 약효를 높이는 효과를 상승효과라고 언급한 부분이 있다.

② 첫 번째 문단에서 약은 생체 내에서 리간드로 기능하는데, '리간드란 수용체와 결합하여 신경 자극이나 화학 반응과 같은 생물학적 반응을 촉발할 수 있는 물질'이라고 하고 있다.

③ 첫 번째 문단에서 '약은 생체에서 수용체와 결합하여 유익 작용 및 유해 작용을 나타내는 방식을 취하기도 한다.'라고 하고 있다.

④ 첫 번째 문단에서 '약은 생체의 리간드와 유사한 화학적 분자 구조를 가진 성분을 포함'하는데, 생체 내에서 수용체와 친화성이 높은 리간드가 결합하면 생체의 변화가 일어나기도 하고 생물학적 반응이 유도되기도 한다고 하고 있다.

❺ 두 번째 문단에서 박테리아가 대사 과정에서 엽산을 스스로 만들어야만 한다는 점을 이용한 설파제의 예를 설명하고 있다. 설파제는 박테리아가 필요로 하는 엽산을 제거하는 것이 아니라, 박테리아가 엽산을 만드는 것을 방해함으로써 박테리아가 엽산을 만들지 못하고 죽게 만든다고 설명하고 있다. 즉 약은 생체의 대사 작용에 관여하는 물질을 제거하는 것이 아니라 병원체가 그 물질을 만드는 것을 방해함으로써 병원체를 죽게 하는 것이다.

7. ③ 세부 정보 간의 관계 파악하기

① 생체 내에서 리간드와 결합한 수용체의 작용에 의해 생체의 변화가 일어나기도 하고, 수용체에 의해 리간드의 구조 변화가 일어남으로써 생물학적 반응이 유도되기도 하는 것이지 수용체의 구조에 변화가 일어나 세포 기능에 변화가 일어나는 것은 아니다.

② 약이 생체의 리간드와 유사한 화학적 분자 구조를 가진 성분을 포함하고 있고 리간드와 수용체가 결합하면 생물학적 반응이 일어나는 것이지, 생체에 생물학적 반응이 일어나 수용체와 리간드가 동일한 화학적 분자 구조로 변화되는 것은 아니다.

❸ '약은 특정 수용체와 결합할 수 있는 리간드를 인위적으로 생체에 증가시킴으로써 리간드와 결합한 수용체의 수가 일정 시간 동안 일정 수준 이상이 되게 하여 효과를 낸다.'라고 한 것을 통해 약을 복용하면 리간드가 생체 내에 증가해 그와 결합된 수용체의 수가 일정 시간 동안 많아짐을 알 수 있다.

④, ⑤ 약은 생체의 리간드와 유사한 화학적 분자 구조를 가진 성분을 포함하고 있어 생체 내에서 리간드로 기능한다. 즉 약이 생체의 수용체와 친화성을 갖는 리간드로서 수용체와 결합하여 생물학적 효과를 내는 것이다. 생체의 리간드와 친화성이 높은 리간드나 수용체와 동일한 화학적 분자 구조를 가진 물질은 이 과정과 관련이 없다.

8. ⑤ 핵심 정보 파악하기

①, ② 박테리아에 감염된 환자가 ㉠을 복용하면, 설파제는 체내에서 화학적 변화를 거쳐 설파닐아마이드가 되어 수용체에 결합함으로써 박테리아가 엽산을 만들지 못하게 하고, 이로 인해 박테리아는 결국 죽는다. 즉 설파제는 생체 내에서 화학적 변화를 거친 후 효과를 발휘하며, 박테리아가 대사 과정에서 필요로 하는 엽산을 만드는 것을 방해함으로써 박테리아의 사멸을 유도하기 때문에 적절하다.

③ 항바이러스제는 DNA 복제 과정을 거치며 증식하는 바이러스의 특성을 활용하여 바이러스에 감염된 세포의 증식을 막는 방식으로 바이러스의 확산을 억제하는데, ㉡도 이러한 방식의 약에 해당한다.

④ ㉠은 엽산을 섭취하여 사용하는 인간과 달리 박테리아는 엽산을 스스로 만들어야 한다는 점을 활용한 것이고, 항바이러스제인 ㉡은 스스로 증식하는 생체 세포와 달리 바이러스는 스스로 증식하지 못하고 다른 세포에 기생하여 증식한다는 점을 활용한 것이다.

❺ ㉠은 인간과 박테리아가 모두 대사 과정에서 엽산을 필요로 하는데 박테리아는 엽산을 스스로 만들어야 한다는 점을 활용하여 박테리아가 체내에서 엽산을 만들어 내지 못하게 함으로써 박테리아의 확산을 억제한다. 한편 ㉡은 뉴클레오타이드와 유사한 뉴클레오사이드 유도체를 이용하여 바이러스의 확산을 억제한다.

어휘풀이

• **사멸(死滅)** 죽어 없어짐.

9. ② 정보를 바탕으로 자료 이해하기

① 〈보기〉에서 ㉮는 전연접 뉴런, ㉯는 후연접 뉴런으로 네 번째 문단에서 '우울증과 관련된 것으로 알려진 신경전달물질인 세로토닌이나 노르에피네프린은, 보통 후(後)연접 뉴런 수용체에서 기능을 다하고 전(前)연접 뉴런에 재흡수되는 과정을 거'친다고 한 것을 통해 적절함을 알 수 있다.

❷ 네 번째 문단에서 'SNRI 항우울제는 신경전달물질의 재흡수를 억제하거나 후연접 뉴런의 수용체와 결합하는 방식으로, 연접 틈새에서 신경전달물질의 농도가 높아진 것과 같은 효과를 낸다.'라고 하였으므로, SNRI 항우울제가 ㉯ 후연접 뉴런에 지속적으로 흡수됨으로써 ㉰ 연접 틈새에서 신경전달물질의 농도가 높아지는 효과를 낸다는 것은 적절하지 않다.

③ 네 번째 문단에서 항우울제는 연접 틈새에서 세로토닌이나 노르에피네프린 같은 신경전달물질의 부족을 해소하는 방식으로 약효를 낸다고 한 것을 통해 알 수 있다.

④ 마지막 문단에서 '약을 장기간 남용하게 되면 수용체의 민감도가 떨어지게' 된다고 하였는데, ㉰에서 신경전달물질의 농도가 높은 상태로 장기간 유지된다는 것은 항우울제를 장기간 복용했다는 의미이므로 이때 수용체의 민감도가 떨어지게 된다고 볼 수 있다.

⑤ 네 번째 문단에서 'TCA 항우울제는 전연접 뉴런의 수용체와 결합하여 신경전달물질의 재흡수가 일어나지 않도록 하는 방식으로, SNRI 항우울제는 신경전달물질의 재흡수를 억제하거나 후연접 뉴런의 수용체와 결합하는 방식으로' 약효를 낸다고 한 것으로 보아, 항우울제는 ㉮와 ㉯의 수용체와 결합하여 신경전달물질의 부족을 해소함으로써 우울증이 발현되는 원인을 완화함을 알 수 있다.

왜 많이 틀렸을까?

이 문제는 정답인 ②번의 진술이 지문 내용과 동일하다고 착각하기 쉬운 것이 함정이었어. SNRI 항우울제가 후연접 뉴런의 수용체와 결합하는 방식으로 약효를 낸다는 것을, SNRI 항우울제가 후연접 뉴런에 흡수되는 것과 동일하다고 판단했다면 답을 못 보고 다른 선지가 잘못된 것이라고 판단하기 쉬웠을 거야. 약이 수용체와 결합한다는 의미는 첫 번째 문단에서 확인할 수 있어. 약은 생체 내에서 리간드로 기능해 수용체와 결합하고, 이로 인해 생체 변화나 생물학적 반응이 일어난다고 설명하고 있어. 그러므로 ②번의 진술은 네 번째 문단의 SNRI 항우울제의 작용 방식에 대한 설명과 동일하지 않음을 확인할 수 있겠지?

10. ④ 새로운 정보에 적용하여 이해하기

① 리간드는 수용체와 결합하여 신경 자극이나 화학 반응과 같은 생물학적 반응을 촉발할 수 있는 물질이다. 〈보기〉에서 생체의 리간드인 히스타민은 알레르기와 염증의 발생, 위산 분비 등에 모두 관여한다고 했으므로 알레르기, 염증, 위산 분비 조절에 효과가 있는 새 항히스타민약을 개발한 연구자들은 히스타민이 이 세 가지에 관여하는 수용체 모두와 친화성을 갖는다고 가정했을 것이다.

② 약은 특정 수용체와 친화성이 높은 리간드를 인위적으로 생체에 증가시킴으로써 리간드와 결합한 수용체를 늘려 효과를 낸다. 〈보기〉에서 메피라민은 알레르기와 염증에는 효과가 있지만 위산 분비 조절에는 거의 효과가 없다고 했으므로, 알레르기와 염증 발생과 관련된 수용체와는 친화성이 높지만, 위산 분비와 관련된 수용체와 친화성이 높지 않았을 것이다.

③ 약은 생체의 리간드와 유사한 화학적 분자 구조를 가진 성분을 포함하므로, 히스타민이 관여하는 증상과 관련된 약인 메피라민과 새 항히스타민약은 히스타민과 유사한 화학적 분자 구조를 가진 성분을 포함할 것이다.

❹ 〈보기〉에서 메피라민은 알레르기와 염증에는 효과가 있지만 위산 분비 조절에는 거의 효과가 없다고 하였으므로 생체에서의 위산 분비 조절을 일차적인 약효로 가진다고 볼 수 없다. 이와 달리 새 항히스타민약은 위산 분비를 조절하도록 개발했으므로 위산 분비 조절을 약효로 가질 것이다.

⑤ 위산 분비 조절에는 거의 효과가 없었던 메피라민은 위산 분비에 관여하는 수용체와 친화성이 높지 않았을 것이다. 이와 달리 위산 분비를 조절하는 새 항히스타민약은 메피라민보다 위산 분비에 관여하는 수용체와 친화성이 높을 것이다.

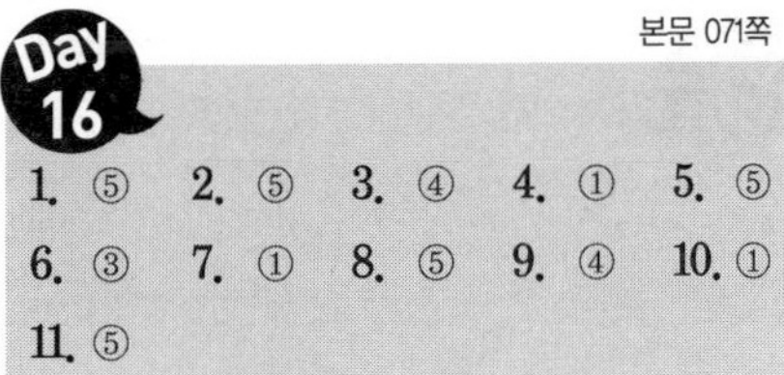
Day 16 본문 071쪽

1. ⑤ 2. ⑤ 3. ④ 4. ① 5. ⑤
6. ③ 7. ① 8. ⑤ 9. ④ 10. ①
11. ⑤

【1~6】 해밀턴의 '포괄 적합도 이론'

지문해설

다윈의 자연선택에 의한 진화 이론을 발전시킨 해밀턴의 '포괄 적합도 이론'에 대해 설명한 글이다. 다윈의 자연선택에 대한 진화 이론은 일벌이나 일개미의 이타적 행동에 대해 충분히 설명하지 못한다. 해밀턴은 그러한 이타적 행동이 자연선택 되는 과정을 규명하고자 하면서 '유전자' 개념을 진화 이론에 도입했다. 자연선택의 과정은 각 개체가 다음 세대에 자신의 유전자 복제본을 더 많이 남기는 과정으로, 결국 '포괄 적합도'를 높이는 방향으로 진행된다. 이를 바탕으로 한 '해밀턴 규칙'은 이타적 행동은 그로 인해 상대방이 얻는 이득이 충분히 커서 유전적 근연도를 가중하더라도 개체가 감수하는 손실보다 클 때 선택된다는 점을 정리하여 이타성이 진화하는 조건을 알려 준다. 결국 해밀턴의 '포괄 적합도 이론'은 다윈의 이론을 발전시켜 이타성이 왜 진화했는지 설명해 줌으로써 이타적 행동에 대한 통찰력을 제공해 준다.

분석 Plus

■ 비문학 지문 어떻게 이해할까

- 1문단: 자연선택이 각 개체의 적합도를 높이는 방향으로 일어난다고 본 다윈
- 2문단: 일벌이나 일개미의 이타적 행위에 대한 다윈의 관점
- 3문단: 개체의 이타적 행동이 자연선택 되는 과정을 규명하고자 한 해밀턴
  - 4문단: 개체의 자연선택에 영향을 미치는 포괄적 적합도
  - 5문단: 유전자 공유 대상에 대해 이타적 행동이 선택되는 조건
  - 6문단: 유전적 근연도와 유전자 공유의 가능성
- 7, 8문단: 이득, 손실, 유전적 근연도를 활용한 해밀턴 규칙
- 9문단: 해밀턴의 '포괄 적합도 이론'의 의의

■ **주제** : 이타적 행동이 자연선택 되는 이유에 대한 해밀턴의 '포괄 적합도 이론'의 설명과 그 의의

1. ⑤ 중심 내용 파악하기

① 다윈이 언급한 '적합도' 개념을 보완한 해밀턴의 '포괄 적합도 이론'에 대해 다루고 있을 뿐 적합도에 관한 논쟁은 다루지 않았다.
② 여덟 번째 문단에서 해밀턴 규칙은 이득, 손실, 유전적 근연도의 세 변수를 활용하여 이타성이 진화하는 조건을 알려 줌을 알 수 있다.
③ 여섯 번째 문단에서 유전적 근연도는 이타적 행동을 자연선택하는 이유와 관련하여 제시된 것임을 알 수 있다. 즉 유전적 근연도 값은 부분적인 내용이며, 자연선택을 통한 생물학적 적응 또한 이타적 행위의 자연선택에 대해 언급하기 위해 제시된 내용이다.
④ 마지막 문단에서 포괄 적합도 이론의 의의를 제시하고 있을 뿐 한계는 언급하지 않았다.
❺ 이 글에서는 다윈의 이론을 발전시켜 개체의 이타적 행동이 자연선택 되는 과정을 규명하고자 한 해밀턴의 '포괄 적합성 이론'에 대해 설명하고 그 의의를 제시하고 있다.

2. ⑤ 세부 정보 확인하기

① 첫 번째 문단에서 주어진 환경에 어울리는 생물학적 '적응'은 다윈에 따르면 '자연선택에 의한 진화'임을 제시하고 있다.
② 여섯 번째 문단에서 유전적 근연도는 '개체와 상대방이 유전자를 공유할 확률'이라고 하고 있다.
③ 첫 번째 문단에서 자연선택은 개체의 유전적 번식에 도움이 되는 유전적 변이만을 골라내는 과정이라고 하였는데, 네 번째 문단에서 개체의 자연선택은 '포괄 적합도'를 높이는 방향으로 일어난다고 하였으므로 결국 포괄 적합도를 높이는 데 기여하지 못하는 유전적 변이는 자연 선택에서 도태될 것이다.
④ 세 번째 문단에서 해밀턴은 다윈 시대에는 없던 '유전자' 개념을 진화 이론에 도입하여 이타적 행동이 결국 개체 자신에게 이득이 되는 방향으로 자연선택이 됨을 입증하려 했음을 알 수 있다.
❺ 마지막 문단에서 해밀턴의 '포괄 적합도 이론'이 진화생물학자들에게 이타적 행동에 대해 통찰력을 가질 수 있는 계기를 제공했다고 하고 있을 뿐 진화생물학자들이 이타성이 진화하는 다양한 이유를 제시하여 해밀턴의 이론을 뒷받침했는지는 알 수 없다.

3. ④ 세부 정보 추론하기

❹ 유전적 근연도의 값이 클수록 개체가 상대방을 통해 자신의 유전자 복제본을 남길 수 있는 가능성이 커지는데, 이타적 행동은 그로 인해 상대방이 얻는 이득이 충분히 커서 1보다 작은 유전적 근연도를 가중하더라도 개체가 감수하는 손실보다 클 때 선택된다. 즉 이타적 행동이 선택되기 쉬운 것은 유전적 근연도가 높고, 손실 대비 이득이 클 때이다. 반대로 유전적 근연도가 낮고 손실에 비해 이득이 작으면 이타적 행동은 선택되기 어려울 것이다.

4. ① 구체적 사례에 적용하기

❶ 여섯 번째 문단에서 유전적 근연도가 1인 경우는 유전적으로 100% 같은 경우임을 알 수 있다. 〈보기〉에서 일벌들은 두 짝의 염색체를 가진 암컷들로, 암컷들은 수벌에게서 받는 한 짝의 염색체를 공유하고, 나머지 한 짝은 여왕벌이 가지고 있는 두 짝의 염색체 중에서 하나를 물려받음을 알 수 있다. 따라서 일벌들이 유전적으로 100% 동일하다고 할 수는 없다.
② 다섯 번째 문단에서 직접 적합도는 자신의 번식 성공도임을 알 수 있는데, 일벌은 번식을 포기하였으므로 직접 적합도가 0일 것이다.
③ 〈보기〉에서 일벌은 번식을 포기하고 평생 친동생을 키우며 산다고 하고 있다. 이처럼 자신은 번식을 하지 않으면서 집단을 위해 헌신하는 모습은 이타적 행동이라고 할 수 있다.
④ 네 번째 문단에서 개체의 자연선택은 직접 적합도와 간접 적합도를 합한 '포괄 적합도'를 높이는 방향으로 일어난다고 하였으므로, 직접 적합도가 0인 일벌은 간접 적합도를 높이는 방향으로 자연선택이 일어날 것이다.
⑤ 다섯 번째 문단에서 이타적 행동은 개체 자신의 번식 성공도인 직접 적합도를 낮추는 것을 상쇄하고도 남을 정도로 간접 적합도를 높일 수 있어야 자연선택이 일어날 수 있다고 하고 있다. 즉 유전자를 공유할 확률이 있는 상대방을 통해 남기는 유전자 복제본에 대한 이득이 더 클 때 이타적 행동이 선택된다는 것으로, 일벌이 친동생을 키우는 것은 결국 개체 자신에게 이득이 되기 때문이라고 할 수 있다.

5. ⑤ 세부 정보 추론하기

❺ 해밀턴은 자연선택의 과정을 각 개체가 다음 세대에 자신의 유전자 복제본을 더 많이 남기는 과정으로 보았는데, 행위 당사자인 개체는 자신과 유전자를 공유할 확률이 있는 상대의 번식 성공도를 높이는 데 도움을 줌으로써 간접적으로 자신의 유전자 복제본을 남길 수도 있다고 보았다. 예를 들어 철수가 유전자를 공유하고 있는 동생 영수가 자식을 많이 낳을 수 있도록 돕는 것이 '간접 적합도를 높이는 것'인데, 그 이유는 다음 세대에 남기는 자신의 유전자 복제본 개수에 영향을 미치기 때문이라고 할 수 있다.

6. ③ 단어의 문맥적 의미 파악하기

① '잠에서 깨어나다.'의 의미로 쓰인 예이다.
② '위로 솟거나 부풀어 오르다.'의 의미로 쓰인 예이다.
❸ ⓐ의 '일어나다'는 '자연이나 인간 따위에서 어떤 현상이 발생하다'의 의미로, '한류 열풍'이라는 현상이 일어난다고 할 때도 이러한 의미로 사용된 것이다.
④ '소리가 나다.'의 의미로 쓰인 예이다.
⑤ '앉았다가 서다.'의 의미로 쓰인 예이다.

【7~11】 김관 외, '상과 상변화'

지문해설

일반적으로 '고체, 액체, 기체'로 구분되는 물질의 상에 대해 설명하고, 물질의 상이 압력과 온도 조건에 따라 다른 상으로 전환되는 현상인 상변화에 대해 설명하고 있다. 그리고 상평형 그림을 활용하여 압력과 온도 조건에 따른 물질의 상변화를 설명하고 있다. 또한 닫힌계에서 기체상과 액체상이 평형을 이루는 상태에 대해 설명하며 증기 압력 곡선의 개념을 제시하고 있다. 또한 세 개의 상이 평형을 이루며 공존하는 상태인 삼중점과 임계점, 임계 압력 등의 개념을 설명하고 있다.

분석 Plus

■ 비문학 지문 어떻게 이해할까?

- 1문단: 물질의 상

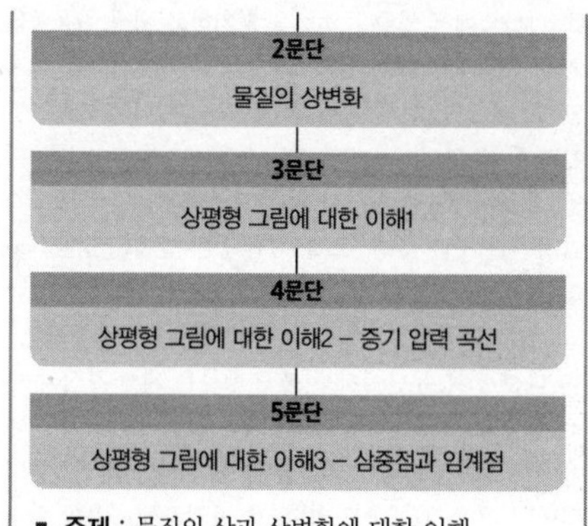

2문단
물질의 상변화
3문단
상평형 그림에 대한 이해1
4문단
상평형 그림에 대한 이해2 – 증기 압력 곡선
5문단
상평형 그림에 대한 이해3 – 삼중점과 임계점

■ **주제** : 물질의 상과 상변화에 대한 이해

어휘풀이

- **균질(均質)** 성분이나 특성이 고루 같음.
- **인력(引力)** 공간적으로 떨어져 있는 물체끼리 서로 끌어당기는 힘. 질량을 가진 모든 물체 사이나 서로 다른 부호를 가진 전하들 사이에 작용하며, 핵력 때문에 소립자들 사이에서도 생긴다.

7. ① 글의 전개 방식 파악하기

❶ 이 글에서는 물질의 상 개념을 설명하고, 이를 고체, 액체, 기체로 나누어 설명하고 있다. 그리고 물질의 상이 전환되는 현상을 상변화라고 소개하며, 상평형 그림을 통해 물질의 상이 압력과 온도 조건에 따라 어떻게 형성되는지 설명하고 있다.
② 물질의 상을 고체, 액체, 기체로 나누어 설명하고 있으나, 첫 번째 문단을 보면 물질의 상은 화학적 조성 및 물리적 상태가 전체적으로 균질하다고 설명하고 있다.
③ 고체, 액체, 기체의 특징을 설명하였으나, 다양한 물질을 예를 들어 설명하고 있지 않다.
④ 물질의 상과 상변화의 관련성, 압력과 온도 변화에 따른 물질의 화학적 조성이 변화되는 원인 등에 대해서 분석하고 있지 않다.
⑤ 상평형 그림을 통해 압력과 온도 조건에서 물질의 상을 설명하였으나, 상변화 과정에서 나타나는 압력과 온도의 상관성을 분석하거나 물질의 물리적 변화 이유를 제시하고 있지는 않았다.

8. ⑤ 다른 자료와 관련지어 이해하기

① 제시문의 〈그림〉에서 물은 압력이 217.7 atm, 374.4 ℃에서 임계점이 형성되는 것을 알 수 있으며, 〈보기〉의 〈이산화 탄소의 상평형 그림〉에서 이산화 탄소는 73 atm, 31.1℃에서 임계점이 형성되는 것으로 나타나 있다. 따라서 이산화 탄소는 물에 비해 임계점이 상대적으로 더 낮은 압력과 온도 조건에 있다고 할 수 있다.
② 〈그림〉에서 물은 1 atm일 때 0℃와 100℃ 사이에서 액체상으로 존재하는 것으로 나타나 있다. 그러나 〈보기〉를 보면, 이산화 탄소는 일반적인 대기 압력 수준인 1 atm일 때 어떤 온도에서도 액체상으로 존재하지 않는 것으로 나타나 있다.
③ 높은 상 물질은 압력이 동일할 때 더 높은 온도 조건에서 존재하는 상이므로, 물과 이산화 탄소는 모두 고체, 액체, 기체 중 기체가 높은 상 물질이라고 할 수 있다.
④ 물은 삼중점 이상의 압력과 온도 조건에서 융해 곡선이 나타나는데, 온도가 높을수록 상평형을 이루는 압력이 낮은 것으로 나타나 있다.
❺ 〈그림〉에서 물은 삼중점 이하의 압력과 온도에서 승화 곡선이 나타나 있으며, 〈보기〉에서도 삼중점 이하의 압력과 온도에서 승화 곡선이 나타나 있다. 따라서 조건에 따라 물과 이산화 탄소는 모두 고체와 기체 사이의 상변화가 이루어질 수 있을 것이다.

9. ④ 구체적 상황에 적용하기

① 〈보기〉에 제시된 a에서 e까지의 과정은 액체가 증발하여 기체가 되는 과정이다. 따라서 액체의 분자 수는 감소하고 기체의 분자 수는 증가하는 현상을 보일 것이다.
② b는 액체가 기체로 증발하는 상태로, 액체의 표면을 떠나는 분자의 수가 돌아오는 수보다 훨씬 많은 상태일 것이다.
③ c는 상평형 상태로, 특정한 압력과 온도 조건에서 액체의 증발 속도와 기체의 응결 속도는 같아지게 되어 거시적으로 평형을 유지하는 상태일 것이다.
❹ c는 액체와 기체가 평형을 이루는 상태이고 e는 기체 상태이므로, c에서 e는 분자들이 분자 간 인력을 극복하고 증발하여 기체 상태로 되는 과정이라고 할 수 있다. 따라서 점차 분자 간 인력이 상대적으로 작아지는 과정으로 볼 수 있다.
⑤ e는 기체, a는 액체로, 기체의 분자 간 평균적인 거리는 고체나 액체일 경우에 비해 매우 먼 상태일 것이다.

10. ① 제시된 개념 이해하기

❶ 마지막 문단을 보면 삼중점은 세 개의 상이 평형을 이루며 공존하는 상태이므로, 이때의 압력과 온도 조건에서 고체, 액체, 기체는 상평형을 이룰 것이다. 다만 액체와 기체 간 상평형 상태는 액체의 증발 속도와 기체의 응결 속도가 같아지게 되는 평형 상태라고 하였다. 따라서 삼중점에서는 세 가지 상이 평형을 이룬다고 할 수 있을 것이다.
② 일정한 부피와 모양을 유지하는 것은 고체의 특성에 해당한다.
③ 물질은 압력과 온도의 변화에 따라 다른 상으로 변할 수 있다고 했다.
④ 물질을 구성하는 분자 간 인력의 차이는 고체, 액체, 기체가 보이는 특징 중의 하나로, 고체의 분자 간 인력이 가장 크다고 설명되어 있다. 물질을 구성하는 분자 간의 인력이 강해지면 세 가지 상의 평형이 유지되지 않을 것이다.
⑤ 삼중점은 세 개의 상이 평형을 이루는 압력과 온도 조건이므로, 이때는 지속적으로 압력과 온도가 상승하는 상태라고 할 수 없다.

11. ⑤ 단어의 사전적 의미 이해하기

① ⓐ '존재(存在)'의 사전적 의미는 '현실에 실제로 있음.'이다.
② ⓑ '구분(區分)'의 사전적 의미는 '일정한 기준에 따라 전체를 몇 개로 갈라 나눔.'이다.
③ ⓒ '수반(隨伴)'의 사전적 의미는 '어떤 일과 더불어 생김.'이다.
④ ⓓ '분기(分岐/分歧)'의 사전적 의미는 '나뉘어서 갈라짐.'이다.
❺ '어떤 물건의 형상을 본뜸.'을 의미하는 단어는 '상형(象形)'이고, '형성(形成)'의 사전적 의미는 '어떤 형상을 이룸.'이다.

본문 075쪽

1. ①	2. ⑤	3. ③	4. ①	5. ②
6. ②	7. ⑤	8. ①	9. ③	

[1~5] 장조원, '비행의 시대'

지문해설

관성 항법 장치의 구성 요소인 가속도 센서와 자이로스코프의 구조와 원리를 설명하고 있다. 자동 조종 장치에서 관성 항법 장치라고 불리는 감지 센서는, 다양한 비행 상황에 대응하기 위해 비행기의 이동 방향, 이동 거리, 속도 등을 지속적으로 정확하게 측정하는 역할을 한다. 이 장치의 핵심은 가속도 센서와 자이로스코프인데, 이를 통해 측정된 값을 계산하여 운항 정보를 파악함으로써 비행기가 정해진 경로로 운항할 수 있게 되는 것이다. 가속도 센서는 비행기의 직선 운동에 의한 방향, 속도, 이동 거리의 변화를 감지하는 장치이다. 비행기는 3차원 공간에서 운동하므로 위치나 이동 정보를 측정하기 위해서는 세 가지 축이 필요하다. 그런데 가속도 센서는 직선 운동에서의 방향과 거리, 속도만 측정할 수 있고, 비행기가 외부의 힘에 의해 갑자기 기울어지는 것과 같은 각의 변화는 정확히 측정하지 못한다. 운항 중인 비행기의 회전 운동을 측정하기 위해서는 세 개의 자이로스코프가 필요하다. 자이로스코프는 팽이처럼 회전 운동을 하는 회전자 1개와, 짐벌 2개로 구성되어 있다. 또한 자이로스코프는 회전자가 고속으로 회전 운동을 하기 때문에, 외부로부터 힘이 작용하지 않는 한 회전 관성에 의해 회전축의 방향이 변하지 않는다는 특성이 있다. 다음으로, 자이로스코프의 축에 외부로부터 힘이 가해지면 힘이 가해진 축이 아닌, 그 축과 90도를 이루는 방향으로 힘이 전달되어 나타난다는 특성이 있다.

분석Plus+

■ **문단 구성**
1문단: 관성 항법 장치의 구성 요소인 가속도 센서와 자이로스코프
2문단: 직선 운동을 감지하는 가속도 센서
3문단: 회전 운동을 측정하는 자이로스코프
4문단: 자이로스코프의 구조
5문단: 자이로스코프의 원리 1
6문단: 자이로스코프의 원리 2
7문단: 가속도 센서와 자이로스코프를 통한 비행
■ **주제** : 관성 항법 장치의 구성 요소인 가속도 센서와 자이로스코프의 구조와 원리

1. ① 내용 전개 방식 파악하기

❶ 관성 항법 장치의 구성 요소인 가속도 센서와 자이로스코프를 비행기의 운동을 측정하는 기능에 따라 구분하여 설명하고 있다.

2. ⑤ 정보를 바탕으로 자료 이해하기

① 세 번째 문단의 '비행기의 머리 부분이 위로 들리거

나 아래로 기우는 것은 비행기의 한 쪽 날개 끝에서 반대쪽 날개 끝을 회전축으로 한 회전 운동이다.'라는 부분을 통해 비행기의 앞머리가 들리는 경우 회전축이 y축이 됨을 알 수 있다. 따라서 이때 작동하는 것은 y축을 기준으로 한 비행기의 회전 운동을 감지하는 자이로스코프이므로 적절하다.

② 세 번째 문단의 '비행기가 좌우로 기울어지는 것은 맨 앞부분에서 꼬리까지를 회전축으로 한 회전 운동이고'를 통해 비행기가 좌우로 기울어지는 경우 회전축이 x축이 됨을 알 수 있다. 따라서 이때 작동하는 것은 x축을 기준으로 한 비행기의 회전 운동을 감지하는 자이로스코프이므로 적절하다.

③ 세 번째 문단의 '비행기가 좌우로 선회를 하는 경우는 동체의 윗부분에서 수직으로 아랫부분까지를 회전축으로 한 회전 운동이다.'를 통해 비행기가 오른쪽으로 선회하는 경우 회전축이 z축이 됨을 알 수 있다. 따라서 이때 작동하는 것은 z축을 기준으로 한 비행기의 회전 운동을 감지하는 자이로스코프이므로 적절하다.

④ 두 번째 문단의 '가속도 센서는 비행기의 직선 운동에 의한~이동 거리와 속도 등을 측정할 수 있다.'라는 부분을 통해 z축을 기준으로 한 직선 운동을 감지하는 가속도 센서가 이를 감지하여 이동거리와 속도 등을 측정함을 알 수 있으므로 적절하다.

❺ 세 번째 문단의 '비행기가 좌우로 선회를 하는 경우는 동체의 윗부분에서 수직으로 아랫부분까지를 회전축으로 한 회전 운동이다.'를 통해 비행기가 왼쪽으로 선회하는 경우 회전축이 z축이 됨을 알 수 있다. 따라서 이때 작동하는 것은 z축을 기준으로 한 비행기의 회전 운동을 감지하는 자이로스코프이므로 적절하지 않다.

3. ③ 글의 세부 내용 파악하기

① 다섯 번째 문단에서 '고속으로 회전 운동을 하는~회전축의 방향이 변하지 않는다는 점이다.'를 통해 확인할 수 있으므로 적절하다.

② 네 번째 문단의 '짐벌 A는 회전축의 양 끝을 잡아주며~연결되어 있다.'와 다섯 번째 문단의 '회전자가 고속으로~회전축과 연결된 짐벌 A역시 어느 방향으로도 기울어지지 않는다'를 통해 확인할 수 있으므로 적절하다.

❸ ㉯의 외부의 힘은 마지막 문단에서 회전축에 화살표처럼 가해지는 힘에 해당한다. 그리고 회전축의 회전은 회전자가 모터에 의해 돌 때 함께 일어나는 것이므로 회전축의 회전도 결국 모터에 의한 것이다. 따라서 외부의 힘이 작용해야 회전축의 회전이 계속될 수 있다는 진술은 적절하지 않다.

④ 여섯 번째 문단에서 '자이로스코프에 외부로부터 힘이 가해지면~현상이다.'와 '〈그림〉의 화살표 방향으로~짐벌 B가 움직이게 된다.'를 통해 확인할 수 있으므로 적절하다.

⑤ 여섯 번째 문단에서 '이때 짐벌 A는~각의 변화가 발생하게 된다.'라는 부분을 통해 확인할 수 있으므로 적절하다.

4. ① 다른 상황에 적용하여 추론하기

❶ 두 번째 문단의 '지구상의 모든 물체에는~중력 값을 바탕으로 측정된다.'를 통해 〈보기〉의 가속도 센서도 수직 방향에 작용하는 중력 값을 고려해야 함을 알 수 있다. 따라서 ㉠은 중력 값이 된다. 그리고 네 번째 문단의 회전자는 회전축을 중심으로 돌아간다는 것을 통해 바퀴가 돌아갈 때 바퀴의 중심은 회전축이 됨을 알 수 있다. 따라서 ㉡은 회전축이 된다. 또 다섯 번째 문단의 '회전자는 회전 관성에 의해~변하지 않는다.'는 내용을 통해 알 수 있으므로 ㉢은 회전 관성이 적절하다.

5. ② 어휘의 문맥적 의미 파악하기

①, ⑤ '(추석이) 돌아오다'와 '(휴일이) 돌아오다'는 '일정한 간격으로 되풀이되는 것이 다시 닥치다.'를 의미한다.

❷ ⓐ '(궤도로) 돌아오다'는 '원래 있던 곳으로 다시 오거나 다시 그 상태가 되다.'의 의미이므로 '(고향으로) 돌아오다'와 문맥적 의미가 가장 유사하다.

③ '(차례가) 돌아오다'는 '무엇을 할 차례나 순서가 닥치다.'를 의미한다.

④ '(대가가) 돌아오다'는 '몫, 비난, 칭찬 따위를 받다.'를 의미한다.

【6~9】 이영록 외, '최신 생물학'

지문해설

생체 내에서 촉매 기능을 하는 효소의 특징과 효소의 작용을 방해하는 저해제의 기능을 설명한 글이다. 촉매는 화학 반응의 속도를 변화시키는 물질로, 어떤 물질이 화학 반응을 일으키기 위해 필요한 최소한의 에너지인 활성화 에너지를 낮추는 것이 정촉매이고, 높이는 것이 부촉매이다. 효소는 우리 몸속에 존재하는 촉매로 효소는 촉매로 작용하는 과정에서 반응물과 일시적으로 결합한다. 촉매 과정이 끝나면 활성 부위와 결합하는 반응물인 기질은 생성물로 바뀌고 효소는 처음과 동일한 화학적 상태로 복귀한다. 한편 효소와 결합하여 효소의 작용을 방해하는 화학 물질을 저해제라고 하는데 저해제는 효소 반응을 방해하는 방식에 따라 경쟁적 저해제와 비경쟁적 저해제로 나뉜다.

분석Plus

- **문단 구성**
  1문단: 촉매의 개념과 구분 및 활성화 에너지와의 관계
  2문단: 생체 내 촉매 기능을 하는 효소의 작용
  3문단: 효소의 작용을 방해하는 저해제
- **주제** : 촉매의 기능을 하는 효소의 작용과, 저해제의 기능

6. ② 표제와 부제의 적절성 파악하기

① 첫 번째 문단에서 촉매의 개념과 종류를 다루고 있으나 이는 촉매인 효소의 성격을 제시하기 위한 것이지, 글 전체 중심 내용이 활성화 에너지와 반응의 방향성을 중심으로 한 촉매의 개념과 종류인 것은 아니다.

❷ 효소가 우리 몸속에 존재하는 촉매임을 밝히고 두 번째 문단에서 효소의 작용을 설명한 뒤 세 번째 문단에서 저해제의 기능을 제시하고 있다.

③ 촉매의 개념과 효소의 기능을 설명하고 있으나 반응 전후의 상태 및 기질 특이성에 대한 설명은 부분적인 내용이다.

④ 효소가 관여하는 화학 반응의 속도는 활성화 에너지와 저해제에 따라 달라지는데 이에 대한 설명은 부분적인 내용이다.

⑤ 효소가 우리 몸속에서 하는 여러 가지 역할을 다룬 것이 아니라 효소의 작용을 중심으로 설명하고 있다. 또한 정촉매와 부촉매의 특성은 부분적인 내용이다.

7. ⑤ 글의 세부 내용 파악하기

① 첫 번째 문단에서 활성화 에너지란 어떤 물질이 화학 반응을 일으키기 위해 필요한 최소한의 에너지이고, 화학 반응의 속도를 변화시키는 물질이 촉매라고 하고 있는데, 두 번째 문단에서 효소가 우리 몸속에 존재하는 촉매라고 한 것에서 알 수 있다.

② 첫 번째 문단에서 몸에 필요한 물질을 합성하는 과정은 모두 화학 반응에 의해 이루어지는데, 화학 반응의 속도를 변화시키는 물질이 촉매라고 한 것에서 알 수 있다.

③ 두 번째 문단에서 활성 부위와 결합하는 반응물을 기질이라고 하는데, 효소에 의한 촉매 과정에서 효소의 활성 부위와 기질의 3차원적 입체 구조가 맞으면 효소·기질 복합체가 일시적으로 형성된다고 하고 있다. 따라서 기질의 구조와 활성 부위의 구조가 다르면 효소 촉매 반응은 일어나지 않을 것이다.

④ 두 번째 문단에서 효소는 촉매로 작용하는 과정에서 반응물과 일시적으로 결합하며, 각 효소는 고유의 입체 구조를 가진다고 하고 있다.

❺ 두 번째 문단에서 촉매 과정이 끝나면 효소·기질 복합체로부터 분리된 효소는 처음과 동일한 화학적 상태로 복귀하여 다음 반응을 준비한다고 하였는데, 효소는 한 종류의 기질에만 작용하므로 이때 효소가 다른 종류의 기질에 맞는 입체 구조로 변형된다는 것은 적절하지 않다.

8. ① 세부 내용 파악하기

❶ 경쟁적 저해제(㉠)는 기질과 유사한 3차원적 입체 구조를 지니고 있어 기질이 결합할 효소의 활성 부위에 기질 대신에 결합하는 데 비해, 비경쟁적 저해제(㉡)는 효소의 활성 부위가 아닌 다른 부위에 결합하여 효소의 입체 구조를 변형시킨다.

② 둘 다 효소·기질 복합체의 형성을 방해하는 역할을 한다.

③ 기질과 유사한 입체 구조를 지니고 있는 것은 경쟁적 저해제(㉠)에만 해당하는 특징이다.

④ 경쟁적 저해제(㉠)는 기질이 결합할 효소의 활성 부위에 기질 대신에 결합한다.

⑤ 경쟁적 저해제(㉠)는 기질의 농도가 증가하면 저해 효과가 감소하지만, 비경쟁적 저해제(㉡)는 기질의 농도가 증가해도 저해 효과는 감소하지 않는다.

9. ③ 자료에 적용하여 이해하기

① 첫 번째 문단에서 활성화 에너지를 낮추는 것이 정촉매이고 활성화 에너지를 높이는 것이 부촉매라고 한 것을 바탕으로 할 때, ⓐ가 촉매가 없는 그래프라면 이보다 에너지가 낮아진 ⓑ는 부촉매가 아닌 정촉매를 넣은 그래프일 것이다.

② ⓒ가 촉매가 없는 그래프라면 이보다 에너지가 높아진 ⓐ는 부촉매를 넣은 그래프일 것이다.

❸ 첫 번째 문단에서 활성화 에너지가 낮아지면 반응 속도가 빨라지고, 활성화 에너지가 높아지면 반응 속도

가 느려진다고 한 것을 바탕으로 할 때, ⓑ의 활성화 에너지가 ⓒ의 활성화 에너지보다 크므로, ⓒ의 반응 속도가 ⓑ보다 더 빠를 것이다.
④ 첫 번째 문단에서 활성화 에너지란 어떤 물질이 화학 반응을 일으키기 위해 필요한 최소한의 에너지라고 하였으므로 ⓐ, ⓑ, ⓒ에서 반응에 필요한 활성화 에너지는 각각 다를 것이다.
⑤ 첫 번째 문단에서 활성화 에너지가 낮아지면 반응 속도가 빨라지고, 활성화 에너지가 높아지면 반응 속도가 느려지게 된다고 하였으므로, ⓐ, ⓑ, ⓒ에서 동일한 양의 생성물을 만들기 위해 필요한 시간은 다름을 알 수 있다.

Day 18

본문 082쪽

1. ②	2. ②	3. ④	4. ④	5. ①
6. ③	7. ④	8. ⑤	9. ④	10. ③
11. ③	12. ⑤	13. ④		

【1~5】 김은환 외, '정보 통신과 컴퓨터 네트워크'

지문해설

데이터를 주고받을 때 송신 측은 데이터별로 고유하게 부여된 순서 번호에 따라 순차적으로 데이터를 송신하고, 수신 측은 데이터의 순서 번호에 맞추어 송신 측에 응답 데이터를 보내준다. 정지-대기 ARQ는 가장 단순한 자동 반복 요청 방식으로, 수신 측은 송신 측으로부터 받은 데이터를 먼저 수신 측의 버퍼인 수신 윈도우에 저장한 후 오류 검사를 실시한다. 고-백-앤 ARQ는 송신 측이 수신 측의 응답을 기다리지 않고 연속해서 순서 번호가 부여된 데이터를 전송하는 방식이다. 선택적 재전송 ARQ는 데이터 전송의 기본 원리가 고-백-앤 ARQ와 같지만, 오류가 발생할 경우 송신 측에서는 오류가 발생한 데이터만 재전송한다. NAK를 수신하거나 타임 아웃이 발생하여 송신 측이 데이터를 재전송하기 위해서는 송신 측에게도 전송한 데이터를 저장하기 위한 버퍼가 필요한데, 이 버퍼를 송신 윈도우라고 한다. 송신 윈도우에 저장된 데이터의 관리는 일반적으로 데이터의 전송이 순서 번호를 기반으로 이루어지는 '슬라이딩 윈도우 프로토콜'에 의해 진행된다.

■ **비문학 지문 어떻게 이해할까?**

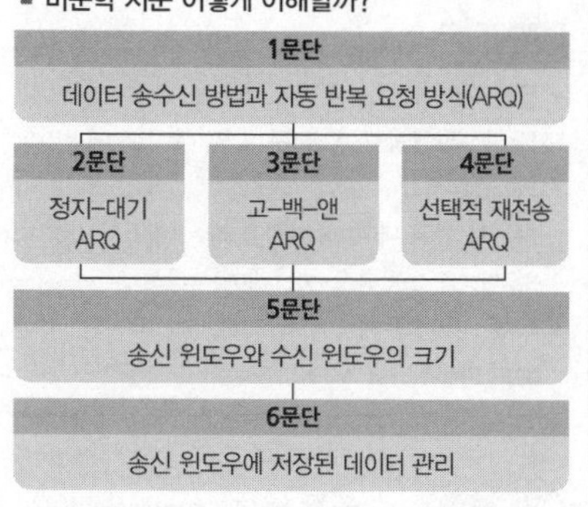

■ **주제** : 데이터 전송 과정과 송수신 윈도우

1. ② 글의 세부 내용 파악하기

① 두 번째 문단에서 정지-대기 ARQ는 오류 검사의 결과에 따라 ACK 또는 NAK를 전송한 후 해당 데이터를 수신 윈도우에서 삭제한다고 하였다.
❷ 세 번째 문단에서 고-백-앤 ARQ의 수신 측은 데이터를 수신 윈도우에 하나씩 저장한다고 하였다. 또한 다섯 번째 문단에서 정지-대기 ARQ는 송신 측과 수신 측 모두 하나의 데이터와 그 데이터에 대한 응답 값을 주고받는다고 하였으므로 적절하다.
③ 세 번째 문단에서 고-백-앤 ARQ의 송신 측은 수신 측의 응답을 기다리지 않고 연속해서 순서 번호가 부여된 데이터를 전송한다고 하였다. 또한 네 번째 문단에서 선택적 재전송 ARQ는 데이터 전송의 기본 원리가 고-백-앤 ARQ와 같다고 하였다.
④ 다섯 번째 문단에서 송신 윈도우의 크기는 송신 측이 수신 측으로부터 ACK를 받지 않고도 전송할 수 있는 데이터의 최대 개수를 의미한다고 하였다.
⑤ 마지막 문단에 따르면, 송신 측이 보내는 데이터는 송신 윈도우 크기와 상관없이 낮은 순서 번호부터 전송된다.

오H 많이 틀렸을까?
이 문제는 정답 외에 ③번과 ④번을 고른 학생들이 매우 많았어. 사실 선지의 내용들은 모두 지문 속에서 어렵지 않게 찾을 수 있는 것들인데, 지문이 길고 낯선 개념들이 많이 나오다 보니 지문 독해 자체에서 어려움을 겪은 게 아닐까 싶어. 특히 두 번째부터 네 번째 문단은 각기 다른 세 가지 ARQ 방식의 특징을 설명하고 있으니, 핵심 개념을 눈에 띄게 표시해 두고 세부 내용을 천천히 정리해 둘 필요가 있어. 그러한 과정에서 송신과 수신, ARQ와 ACK, NAK 등 용어들을 헷갈리지 않도록 주의하자!

2. ② 핵심 정보 파악하기

① ㉮는 송신 윈도우의 최초 저장 상태로, 윈도우에 저장된 데이터의 개수는 3개이다. 다섯 번째 문단에서 송신 측이 수신 측으로부터 ACK를 받지 않고도 전송할 수 있는 데이터의 최대 개수를 송신 윈도우의 크기라고 하였으므로, ㉮를 통해 알 수 있는 송신 윈도우의 크기는 3이라 할 수 있다.
❷ ㉰에서 순서 번호 '3'에 해당하는 데이터가 저장된 것은 ㉮에서 보낸 순서 번호 '0'에 해당하는 데이터의 ACK가 도착했기 때문이다.
③ '㉯→㉰' 과정에서 송신 윈도우에 추가된 데이터는 순서 번호 '3' 하나이다. 그런데 '㉱→㉲' 과정에서 송신 윈도우에 추가된 데이터는 순서 번호 '4', '5' 두 개이다. 따라서 '㉯→㉰' 과정에서 송신 윈도우에 추가된 데이터 수는 '㉱→㉲' 과정에서 송신 윈도우에 추가된 데이터 수보다 적다.
④ ㉲에서 전송한 데이터에 대한 ACK가 모두 도착했다면, 순서 번호 '5' 다음, 즉 순서 번호 '0'에 해당하는 데이터부터 새롭게 송신 윈도우에 저장된다. 또한 〈보기〉의 송신 윈도우 크기는 3이므로, 순서 번호 '0', '1', '2'에 해당하는 데이터가 저장된다. 결과적으로 이는 ㉮에 저장된 순서 번호와 같다.
⑤ '㉮→㉲'의 과정이 두 번 반복된 후 송신 측이 보낸 데이터의 ACK가 모두 도착했다면, 송신 측에서 수신 측에게 전송하려는 데이터의 총 개수 12개가 전송 완료된 것이기 때문에 송신 윈도우에는 더 이상 저장된 데이터가 없을 것이다.

오H 많이 틀렸을까?
이 문제는 이번 시험에서 오답률이 가장 높았던 문제야. 정답을 고른 비율이 약 30% 정도밖에 되지 않았어. 이 문제를 풀기 위해서는 '슬라이딩 윈도우 프로토콜'에 대해 알아야 하는데, 그건 여섯 번째 문단에 예시와 함께 자세히 설명되어 있어. 그 부분을 참고해 보자. 순서 번호의 최댓값이 9, 송신 윈도우의 크기가 3인 데이터를 전송할 경우엔 먼저 0, 1, 2번을 전송하고, 0번 데이터에 대한 ACK가 도착하면 그 다음인 3번 데이터가 송신 윈도우에 저장된다고 했어. ②번의 경우도 이와 마찬가지겠지. ㉰에서 3번 데이터가 송신 윈도우에 저장된 이유는 0, 1, 2번 중에서 0번에 대한 ACK만 도착했기 때문이야. 만약 0, 1, 2번에 대한

ACK가 모두 도착했다면, ⓐ에서는 3, 4, 5번이 송신 윈도우에 저장되었을 거야. 그래서 ②번이 틀린 설명이 되는 거지. 차근차근 생각해 보니 어렵지 않지? 나머지 선지들도 다시 한번 천천히 살펴보도록 해.

3. ④ 글의 세부 내용 추론하기

❹ 네 번째 문단에 따르면, 선택적 재전송 ARQ는 수신 윈도우 크기와 송신 윈도우 크기가 같아 수신 측은 먼저 도착한 데이터의 오류 검사가 끝나지 않았더라도 수신한 데이터를 모두 수신 윈도우에 저장할 수 있다. 따라서 선택적 재전송 ARQ는 빠르게 데이터를 전송할 수 있는 것이다.

4. ④ 구체적 사례에 적용하기

① 네 번째 문단에서, 선택적 재전송 ARQ는 수신 측의 응답을 기다리지 않고 연속해서 순서 번호가 부여된 데이터를 전송하는 고-백-앤 ARQ와 기본 원리가 같다고 하였다. 또한 오류가 발생할 경우 송신 측에서는 오류가 발생한 데이터만 재전송한다고 하였다. 따라서 〈보기〉는 오류가 발생한 데이터(1)만을 재전송한 이후, 그에 대한 응답이 오기 전에 데이터(3)을 전송하고 있으므로 선택적 재전송 ARQ에 해당한다.

② 세 번째 문단에서, 수신 측이 송신 측으로부터 오류가 있는 데이터를 수신한 경우에 NAK를 보내는 명시적 방법을 사용하거나 무시하는 묵시적 방법을 사용하여 오류가 난 데이터를 다시 전송해 주도록 요청한다고 하였다. 〈보기〉에서 수신 측은 처음 수신한 데이터(1)에 대한 응답 값을 송신 측에 전송하지 않았으므로, 〈보기〉는 묵시적 방법에 해당한다.

③ 첫 번째 문단에서, 송신 측이 데이터를 전송한 후 일정 시간이 지나도 수신 측으로부터 아무런 응답이 없는 경우 '타임 아웃'으로 간주한다고 하였다. 또한 타임 아웃이 되면 송신 측이 오류가 발생한 데이터를 재전송한다고 하였다.

❹ 〈보기〉는 송신 측이 수신 측의 응답을 기다리지 않고 데이터를 연속해서 전송하고 있으며, 오류가 난 데이터의 경우 해당 데이터만 재전송하고 있으므로 선택적 재전송 ARQ에 해당한다. 또한 오류가 발생한 데이터에 대해 수신 측이 따로 NAK를 보내고 있지 않으므로 오류가 있는 데이터를 무시하는 묵시적 방법을 선택하고 있다. 이를 통해 송신 측이 데이터(2)를 재전송한 이유는 처음 보낸 데이터(2)에 대해 수신 측의 ACK가 도착하지 않아 송신 측이 타임 아웃으로 간주했기 때문임을 알 수 있다. 따라서 송신 측이 데이터(2)를 재전송한 이유가 최초 전송된 데이터(2)에 대해 수신 측이 NAK를 보내지 않았기 때문이라는 것은 적절하지 않다.

⑤ 네 번째 문단에서, 선택적 재전송 ARQ에서 수신 측은 오류가 발생한 이후 전달되는 데이터는 ACK를 보내지 않고 수신 측 버퍼에 저장한다고 하였다. 이후 재전송된 데이터가 도착하면 송신 측에 ACK를 보낸 후, 버퍼에 저장된 데이터와 함께 순서 번호를 맞추어 다음 단계로 전달한다. 〈보기〉는 선택적 재전송 ARQ에 해당하므로 오류가 발생한 데이터(2) 이후 수신된 데이터(3)은 버퍼에 저장된다. 재전송된 데이터(2)와 데이터(3)에 대해 수신 측이 ACK를 보낸다면 이 데이터에 오류가 없는 것을 의미하므로, 데이터(2)–데이터(3)의 순서 번호에 맞춰 다음 단계로 전달될 것이다.

5. ① 어휘의 문맥적 의미 파악하기

❶ ⓐ '(번호에) 따라'는 '어떤 경우, 사실이나 기준 따위에 의거하다.'의 의미로 사용되었는데, '그들은 법에 따라 문제를 해결했다.'의 '따르다' 역시 이와 같은 의미로 사용되었다.

② ⓑ '(ACK를) 보내지만'은 '사람이나 물건 따위를 다른 곳으로 가게 하다.'의 의미로 사용되었는데, '관중들은 선수들에게 응원을 보내느라 정신이 없었다.'의 '보내다'는 '상대편에게 자신의 마음가짐을 느끼어 알도록 표현하다.'의 의미로 사용되었으므로 서로 문맥적 의미가 다르다.

③ ⓒ '(ARQ와) 같지만'은 '다른 것과 비교하여 그것과 다르지 않다.'의 의미로 사용되었는데, '여행을 할 때에는 신분증 같은 것을 가지고 다녀야 한다.'의 '같다'는 '그런 부류에 속한다는 뜻을 나타내는 말.'의 의미로 사용되었으므로 서로 문맥적 의미가 다르다.

④ ⓓ '(묵시적 방법으로) 나눌'은 '하나를 둘 이상으로 가르다.'의 의미로 사용되었는데, '수익은 공정하게 나누어야 불만이 생기지 않는다.'의 '나누다'는 '몫을 분배하다.'의 의미로 사용되었으므로 서로 문맥적 의미가 다르다.

⑤ ⓔ '(순서 번호를 기반으로) 이루어지는'은 '어떤 대상에 의하여 일정한 상태나 결과가 생기거나 만들어지다.'의 의미로 사용되었는데, '열심히 노력했더니 소원이 이루어졌다.'의 '이루어지다'는 '뜻한 대로 되다.'의 의미로 사용되었으므로 서로 문맥적 의미가 다르다.

【6~9】 김학수, '인공지능 음성 언어 비서 시스템의 자연어 처리 기술'

지문해설

인공지능 음성 언어 비서 시스템에서 통계 데이터를 활용하여 단어나 문장의 오류를 보정하는 자연어 처리 기술인 철자 오류 보정 방식과 띄어쓰기 오류 보정 방식에 대해 설명한 글이다. 철자 오류 보정 방식은 교정 사전과 어휘별 통계 데이터를 기반으로 잘못된 문자열을 올바른 문자열로 바꿔 주는 방식이며, 띄어쓰기 오류 보정 방식은 잘못된 띄어쓰기를 띄어쓰기가 올바르게 구현된 문장에서 추출한 통계 데이터와 비교하여 고쳐 주는 방식이다.

■ **비문학 지문 어떻게 이해할까?**

1문단	인공지능 음성 언어 비서 시스템에 사용되는 자연어 처리 기술
2문단	철자 오류 보정 방식의 보정 과정 ① –전처리, 오류 문자열 판단
3문단	철자 오류 보정 방식의 보정 과정 ② –교정 후보 집합 생성, 최종 교정 문자열 탐색
4문단	띄어쓰기 오류 보정 방식의 보정 과정
5문단	철자 오류 보정 방식과 띄어쓰기 오류 보정 방식의 공통점과 발전 과제

■ **주제** : 인공지능 음성 언어 비서 시스템의 자연어 처리 기술의 철자 오류 보정 방식과 띄어쓰기 오류 보정 방식의 작동 과정

6. ③ 세부 내용 이해하기

① 첫 번째 문단에서 인공지능 음성 언어 비서 시스템이 제대로 작동하기 위해서는 사용자의 음성이 올바르게 인식되어야 한다고 했으므로, 잘못 입력된 문장이 보정되지 않으면 시스템이 제 기능을 발휘하지 못함을 알 수 있다.

② 첫 번째 문단에서 자연어 처리 기술에서는 입력된 음성 언어를 문자 언어로 변환한 다음, 통계 데이터를 활용하여 단어나 문장의 오류를 보정한다고 한 것을 통해 알 수 있다.

❸ 두 번째 문단에서 철자 오류 보정 방식의 첫 번째 단계인 '전처리'는 시스템에서 처리가 불가능한 문자열을 처리가 가능한 문자열로 바꿔 주는 과정으로, 음절 단위로 데이터를 처리한다고 하였다. 그런데 두 번째 단계인 '오류 문자열 판단' 단계에서는 입력된 문장을 어절 단위의 문자열로 구분하여 확인한다고 했으므로, 각 단계마다 입력된 문장을 음절 단위로 구분하여 처리한다는 것은 적절하지 않다.

④ 네 번째 문단에서 띄어쓰기 오류 보정 방식에서는 문장의 처음과 끝은 공백이 있는 것으로 처리한다고 한 것을 통해 알 수 있다.

⑤ 다섯 번째 문단에서 보정의 정확도를 향상시키기 위해 통계 데이터의 양을 늘리는 것이 요구되지만, 이 경우 데이터 처리 속도가 감소하게 된다고 한 것을 통해 알 수 있다.

7. ④ 구체적 상황에 적용하기

① 두 번째 문단에서 철자 오류 보정의 '전처리' 단계에서는 불분명하게 입력되어 시스템에서 처리가 불가능한 문자열을 처리가 가능한 문자열로 바꿔 준다고 하였다. '왍'이라는 음절은 국어에서 쓰이지 않으므로 이 단계에서 처리가 가능한 문자열인 '왈츠'로 바꿔 준다는 것은 적절하다.

② 세 번째 문단에서 처리된 문자열이 교정 사전의 오류 문자열에 존재하지 않을 경우 바로 결과 문장으로 도출된다고 하였다. 따라서 '쇼팽의'라는 문자열은 교정 사전의 오류 문자열에 존재하지 않으므로 결과 문장으로 바로 보낸다는 것은 적절하다.

③ '오류 문자열 판단' 단계에서는 어절 단위로 구분한 각 문자열이 교정 사전의 오류 문자열에 존재하는지 여부를 확인하고, 존재하는 경우 '교정 후보 집합 생성'의 단계로 넘어간다. 따라서 '틀어죠'라는 문자열을 교정 사전에서 확인한 결과 오류 문자열에 해당한다면 '교정 후보 집합 생성' 단계로 보낼 것이다.

❹ 세 번째 문단에서 '교정 후보 집합 생성' 단계에서는 오류 문자열과 교정 문자열 모두를 교정 후보로 하는 교정 후보 집합을 생성한다고 하였다. 따라서 이 단계에서는 '틀어줘'만을 교정 후보로 하는 것이 아니라, '틀어죠'와 '틀어줘' 모두를 교정 후보로 하는 교정 후보 집합을 생성할 것이다.

⑤ 세 번째 문단에서 '최종 교정 문자열 탐색' 단계에서는 교정 후보 중 사용 빈도가 높은 문자열을 최종 교정 문자열로 선택하여 결과 문장을 도출한다고 했다. 〈보기〉에서 교정 후보 '틀어죠'와 '틀어줘' 중 어휘별 통계 데이터에서 사용 빈도가 높은 것은 '틀어줘'이므로 이를 최종 교정 문자열로 선택할 것이다.

8. ⑤ 세부 내용 이해하기

❺ 네 번째 문단에서 띄어쓰기 오류 보정 방식에서는 입력된 문장의 띄어쓰기를 이진법으로 변환한 다음 올바르게 띄어쓰기가 구현된 문장에서 추출한 통계 데이터와 비교하여 빈도수가 높은 띄어쓰기 결과에 맞춰 오류를 보정한다고 하였다. 따라서 〈보기〉에서 ⓐ의 '학생 이'가 ⓑ의 '학생이'로 띄어쓰기 오류 보정이 일어난 이유는 ⓑ의 '학생이(1000)'가 ⓐ의 '학생이(1010)'보다 빈도수가 높았기 때문(ㅁ)임을 알 수 있다.

9. ④ 단어의 문맥적 의미 이해하기

① '기반'은 '기초가 되는 바탕'이라는 뜻이므로, ㉠ '기반으로'는 '바탕으로'로 바꿔 쓸 수 있다.
② '구분하다'는 '일정한 기준에 따라 전체를 몇 개로 갈라 나누다.'라는 뜻이므로, ㉡ '구분하여'는 '나누어'로 바꿔 쓸 수 있다.
③ '생성하다'는 '사물이 생겨 이루어지게 하다.'라는 뜻이므로, ㉢ '생성한다'는 '만든다'로 바꿔 쓸 수 있다.
❹ '추출하다'는 '전체 속에서 어떤 물건, 생각, 요소 따위를 뽑아내다.'라는 뜻이다. 따라서 ㉣ '추출한'을 '고친'으로 바꿔 쓸 수는 없다.
⑤ '향상시키다'는 '실력, 수준, 기술 따위가 나아지게 하다.'라는 뜻이다. ㉤ '향상시키기'는 앞의 '정확도'를 나아지게 한다는 의미이므로 문맥상 '높이기'로 바꿔 쓸 수 있다.

【10~13】 이준신 외, '디스플레이공학 개론'

지문해설

터치스크린 패널에 사용되는 정전용량방식에 대해 설명한 글이다. 정전용량방식의 패널은 전도성 물체를 스크린에 접촉했을 때 발생하는 정전용량의 변화를 측정하여 접촉된 위치를 파악하는 것으로, 정전용량방식에는 일반적으로 표면정전방식과 투영정전방식이 있다. 표면정전방식은 패널의 네 모서리에 있는 각각의 감지회로가 동시에 정전용량의 변화를 감지하여 전도성 물체의 접촉 위치를 파악하는 방식으로 정확도가 낮다. 투영정전방식은 자기정전방식과 상호정전방식으로 나눌 수 있는데, 자기정전방식은 그 원리가 표면정전방식과 유사하지만 하나의 층에 여러 개의 행과 열의 형태로 배치된 각각의 센서들을 활용하여 빠르고 정교하다. 상호정전방식은 가로축으로 배열된 센서인 구동 라인과 세로축으로 배열된 센서인 감지 라인이 두 개의 층을 이루고 있는 구조로, 구동 라인과 감지 라인의 교차점인 터치좌표쌍이 인식되는 방식으로 작동하며 멀티 터치가 가능하여 최근 많이 활용되고 있다.

■ **비문학 지문 어떻게 이해할까?**

- 1문단: 터치스크린 패널의 개념과 정전용량방식의 패널의 작동 원리 및 종류
  - 2문단: 표면정전방식 패널의 작동 원리와 장단점
  - 3문단: 투영정전방식의 개념 및 자기정전방식의 작동 원리와 특징
    - 4, 5문단: 상호정전방식의 작동 원리와 특징

■ **주제** : 정전용량방식의 패널의 작동 원리 및 종류

10. ③ 세부 내용 파악하기

① 첫 번째 문단에서 '터치스크린 패널'은 '스크린의 특정 지점을 직접 접촉'하여 '설정된 기능을 직관적으로 조작할 수 있도록 설계된 장치'라고 했으므로 적절하다.
② 세 번째 문단에서 자기정전방식은 '센서가 특정 지점의 접촉을 인식하면 센서의 각 행과 열의 끝에 배치된 감지회로가 접촉 지점에서 일어난 정전용량의 변화를 감지'하여 '행과 열의 교차점인 접촉 위치'를 파악한다고 했으므로 적절하다.
❸ 두 번째 문단에서 '표면정전방식에서는 패널의 표면에 덮인 전도성 투명 필름이 전도성 물체의 접촉을 인식하는 센서 역할을 한다.'라고 했다. 즉, 표면정전방식에서는 스크린에 전도성 투명 필름이 덮여 있다고 했으므로, 전도성이 없는 투명 필름을 입혀야 한다는 것은 적절하지 않다.
④ 네 번째, 다섯 번째 문단에 따르면 상호정전방식에서는 패널에 전도성 물체가 접촉하면 가로축으로 배열된 센서인 구동 라인과 세로축으로 배열된 센서인 감지 라인의 교차점인 터치좌표쌍이 인식되고, '터치좌표쌍의 정보를 터치 컨트롤러가 디지털 신호로 변환해 이미지로 처리'한다고 했으므로 적절하다.
⑤ 두 번째 문단에서 '표면정전방식은 투영정전방식에 비해 구조가 단순'하다고 했다. 그리고 세 번째 문단에서 투영정전방식 중 자기정전방식은 원리가 표면정전방식과 유사하지만 하나의 층에 여러 개의 행과 열의 형태로 배치된 각각의 센서를 활용해 접촉 위치를 정교하고 빠르게 파악할 수 있다고 했다. 따라서 투영정전방식은 표면정전방식보다 구조가 복잡하지만 더욱 정교한 좌표 인식이 가능함을 알 수 있다.

11. ③ 핵심 개념 이해하기

① 첫 번째 문단에서 '정전용량방식의 패널은 전기가 통하는 전도성 물체를 스크린에 접촉했을 때 발생하는 정전용량의 변화를 측정하여 접촉된 위치를 파악'한다고 했는데, ㉠~㉢은 모두 정전용량방식에 해당하므로 전도성 물체의 접촉에 따른 정전용량의 변화를 측정할 것이다.
② 첫 번째 문단에서 ㉠(표면정전방식)은 '전도성 투명 필름이 전도성 물체의 접촉을 인식하는 센서 역할'을 한다고 했고, 세 번째 문단에서 ㉡(자기정전방식)과 ㉢(상호정전방식)은 '접촉을 감지할 수 있는 센서를 패널의 일정한 구역마다 배치하여 활용하는 방식'인 투영정전방식에 해당한다고 했다. 따라서 ㉠~㉢ 모두 패널에 있는 센서를 이용하여 접촉 부분의 위치를 알아내는 방식임을 알 수 있다.
❸ 두 번째 문단에서 ㉠(표면정전방식)은 '패널의 네 모서리에 있는 각각의 감지회로가 동시에 정전용량의 변화를 감지'한다고 했으므로, 감지회로가 네 개임을 알 수 있다. 또한 세 번째 문단에서 ㉡(자기정전방식)은 '하나의 층에 여러 개의 행과 열의 형태로 배치된 각각의 센서들을 활용'한다고 했다. 따라서 ㉠과 ㉡은 모두 하나의 접촉점을 인식하기 위해 두 개 이상의 감지회로를 활용함을 알 수 있다.
④ 세 번째 문단에서 ㉡(자기정전방식)은 '하나의 층'에 배치된 센서들을 활용한다고 했는데, 네 번째 문단에서 ㉢(상호정전방식)은 구동 라인과 감지 라인이 '두 개의 층'을 이루고 있다고 했으므로 ㉡과 달리 ㉢은 센서층이 두 개의 층을 이루고 있음을 알 수 있다.
⑤ 세 번째 문단에서 ㉡(자기정전방식)은 '증가하는 정전용량을 측정하는 방식'이라고 했는데, 네 번째 문단에서 ㉢(상호정전방식)은 구동 라인과 감지 라인 사이의 '상호 정전용량이 감소'한다고 했다. 따라서 ㉢과 달리 ㉡은 접촉 부분에서 증가하는 정전용량을 감지하는 방식이라고 할 수 있다.

왜 많이 틀렸을까?

이 문제는 핵심 개념에 대한 정보를 비교 분석해야 해서 꽤 까다롭고 풀이에 시간이 걸렸을 듯해. 문제를 보다 빠르고 정확하게 해결하기 위해서는 간단한 도식으로 내용을 정리하여 개념 간의 관계를 파악하는 것이 도움이 돼. 그리고 ㉠~㉢은 모두 정전용량방식이고, 이 중 ㉡과 ㉢은 투영정전방식인 점을 파악하고, 각각의 특징을 언급한 부분을 주의 깊게 살펴보는 것이 필요해. 그리고 선택지에서 '감지회로', '센서층', '접촉 부분의 정전용량'과 같은 비교 기준을 파악해서 각 개념에서 그에 대한 설명을 확인하여 선택지 진술과 비교해 보는 방식으로 접근해 보면 어렵지 않게 해결할 수 있을 거야. 이때 비교 대상과 '모두', '~과 달리 ~은'이라는 조건을 정확하게 확인하는 것에 주의하자.

12. ⑤ 핵심 원리 이해하기

① 네 번째 문단에서 '패널에 전도성 물체가 접촉하게 되면 일정한 크기를 유지하던 전기장의 일부가 접촉된 물체로 흡수'된다고 했으므로, 접촉된 물체가 구동 라인과 감지 라인 사이에 형성된 전기장을 흡수함을 알 수 있다. 〈자료 2〉에 나타난 전기장 크기를 보면 ⓐ가 ⓑ보다 더 작으므로 ⓐ에서 접촉된 물체가 흡수한 전기장의 크기가 ⓑ에서 접촉된 물체가 흡수한 전기장의 크기보다 크다는 것을 알 수 있다.
② 네 번째 문단에서 '이때 접촉이 정확하게 일어날수록 해당 지점에 전기장이 더 많이 줄어'든다고 했으므로, 〈자료 2〉로 보아 전기장의 크기가 더 많이 줄어든 ⓐ가 ⓑ보다 더 정확한 접촉이 일어났음을 알 수 있다.
③ 네 번째 문단에서 '패널에 전도성 물체와의 접촉이 없을 때 구동 라인에서는 전압에 의해 전기장이 형성되며, 이 전기장은 모두 감지 라인으로 들어가 일정한 크기의 전기장을 유지'한다고 했는데, 〈자료 2〉로 보아 ⓒ는 전도성 물체와의 접촉이 없는 상태이므로 ⓒ에서는 구동 라인에서 발생한 전기장의 크기와 감지 라인으로 들어가는 전기장의 크기가 일치할 것이다.
④ 〈자료 2〉로 보아 ⓒ는 전도성 물체와의 접촉이 없는 상태로 구동 라인에서 발생한 전기장이 모두 감지 라인으로 들어가는데, ⓑ에서는 전도성 물체와 접촉하여 전기장의 일부가 접촉된 물체로 흡수되었다. 따라서 ⓒ와 달리 ⓑ에서는 감지 라인으로 들어가야 할 전기장의 일부가 접촉된 물체로 흘러들어 갔음을 알 수 있다.
❺ 네 번째 문단에서 '패널에 전도성 물체가 접촉하게 되면 일정한 크기를 유지하던 전기장의 일부가 접촉된 물체로 흡수'되고, 이에 따라 '구동 라인과 감지 라인 사이에 형성된 상호 정전용량이 감소'한다고 했다. 따라서 〈자료 2〉로 보아 전기장의 크기가 줄어든 ⓐ에서는 전도성 물체의 접촉에 의해 구동 라인과 감지 라인 사이에서 형성된 상호 정전용량이 감소했음을 알 수 있다. 하지만 ⓒ에서는 전도성 물체의 접촉이 없는 상태이므로 구동 라인과 감지 라인 사이의 상호 정전용량의 변화가 없다.

13. ④ 주어진 내용을 바탕으로 추론하기

① 다섯 번째 문단에서 상호정전방식은 측정 시간이 많이 소요된다고 했으므로 적절하지 않다.
② 네 번째 문단에서 상호정전방식의 중앙처리장치는 터치정보쌍의 정보를 이미지로 처리한 것을 전달받아 전도성 물체의 접촉 여부 및 접촉 위치를 최종적으로 판단한다고 했으므로 적절하지 않다.
③ 세 번째 문단에 따르면 행과 열의 끝에 감지회로가 배치된 것은 자기정전방식의 특징이므로 적절하지 않다.
❹ 네 번째 문단에서 상호정전방식에서 '터치좌표쌍은 구동 라인과 감지 라인이 개별적으로 인식된 교차점이기에 하나의 패널에서는 여러 개의 터치좌표쌍이 만들어질 수 있'음을 알 수 있다. 즉, 상호정전방식에서는 두 지점을 접촉할 때 구동 라인과 감지 라인의 교차점이 개별적으로 인식되기 때문에 두 지점을 접촉하는 멀티 터치가 가능함을 추론할 수 있다.
⑤ 네 번째 문단에서 상호정전방식은 하나의 패널에서 여러 개의 터치좌표쌍이 만들어질 수 있다고 했으므로 적절하지 않다.

Day 19 본문 087쪽

1. ⑤ 2. ① 3. ① 4. ② 5. ①
6. ① 7. ③ 8. ① 9. ③

【1~4】 강신준, '핵심 타워 크레인'

지문해설

타워 크레인은 수십 톤의 중량물을 들어 올리는 건설 기계 장비이다. 타워 크레인은 기초부, 마스트, 텔레스코핑 케이지, 운전실, 지브, 트롤리, 후크 블록 등으로 구성되며, 높이를 높이기 위해서는 운전실 하단의 텔레스코핑 케이지의 유압 장치를 이용하여 운전실을 들어 올린 후 운전실과 마스트의 빈 공간에 다른 마스트를 끼워 넣는 작업을 반복한다. 타워 크레인은 카운터 지브와 메인 지브의 길이가 다름에도 지레의 원리를 활용해 평형을 이룬다. 즉 길이가 짧은 카운터 지브에 무거운 콘크리트 평형추를 설치하여 길이가 긴 메인 지브와 평형을 이루도록 하는 것이다. 한편 크레인이 무거운 중량물을 들어 올릴 수 있는 것은 중량물을 매다는 후크 블록에 움직도르래를 사용하기 때문이다. 움직도르래는 물체를 들어 올리는 힘의 크기를 절반으로 줄여 주는데, 이에 따라 감아올린 권상 장치에 감긴 와이어로프의 길이는 두 배가 된다. 따라서 여러 개의 움직도르래를 사용하면 여러 가닥의 와이어로프가 꼬여 손상되는 일이 발생할 수 있어 사용할 수 있는 움직도르래의 개수가 제한된다.

■ **비문학 지문 어떻게 이해할까?**

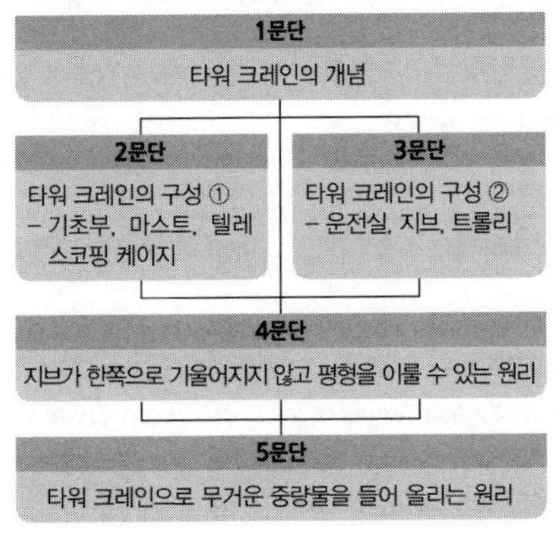

■ **주제** : 타워 크레인의 구성과 작동 원리

1. ⑤ 세부 내용 일치 파악하기

① 타워 크레인의 카운터 지브와 메인 지브는 길이가 다름에도 한쪽으로 기울어지지 않고 평형을 이루는데, 세 번째 문단에서 상단의 타워 헤드에 연결된 타이바는 '지브의 인장력을 보강하면서 평형 유지를 돕는'다고 한 것을 통해 알 수 있다.
② 세 번째 문단에서 운전실의 하단에는 '중량물을 수평으로 이동시키는 선회 장치'가 있다고 한 것과, '트롤리는 메인 지브의 레일을 통해 중량물을 수평으로 이동시키는 역할을 한다.'라고 한 것을 통해 알 수 있다.
③ 다섯 번째 문단에서 '후크 블록의 움직도르래는 와이어로프를 통해 권상 장치와 연결되어 있'는데, '여러 개의 움직도르래를 사용하게 되면 여러 가닥의 와이어로프가 바람에 의해 꼬여 손상되는 일이 발생할 수 있'다고 한 것을 통해 알 수 있다.
④ 다섯 번째 문단에서 '권상 장치는 그 안에 있는 전동기의 회전 방향에 따라 와이어로프를 원통 모양의 드럼에 감거나 풀어 중량물을 들어 올리거나 내린다.'고 한 것을 통해 알 수 있다.
❺ 두 번째 문단에서 '텔레스코핑 케이지는 타워 크레인의 높이를 조절하는 장치로, 유압 장치를 통해 운전실을 들어 올린 후 마스트와 운전실 사이의 빈 공간에 단위 마스트를 끼워 넣어 높이를 조절한다.'라고 하고 있다. 즉 유압 장치를 통해 운전실을 들어 올리는 것이지 마스트를 들어 올리는 것은 아니다.

2. ① 숨겨진 이유 추론하기

❶ 세 번째 문단에 따르면 메인 지브는 길이가 길고 중량물을 들어 올리는 역할을 하는 부분이고, 트롤리가 메인 지브의 레일을 통해 중량물을 수평으로 이동시키는 역할을 한다. 네 번째 문단에서 카운터 지브와 메인 지브가 길이가 다름에도 평형을 이룰 수 있는 것은 지레의 원리로 설명할 수 있는데, FD=fd이면 평형을 이룬다고 하였다. 타워 크레인의 경우 평형추는 작용점, 운전실 지점은 받침점, 트롤리는 힘점에 해당하는데, 평형추의 무게(F)와 평형추와 운전실 사이의 거리(D)는 고정되어 있으므로 FD가 늘 일정하다. 또한 메인 지브의 안쪽에서 들어 올린 중량물을 메인 지브의 바깥쪽으로 이동시킨다고 할 때 힘점인 트롤리에 작용하는 힘인 f는 일정하지만 힘점에서 받침점인 운전실까지의 거리인 d는 증가하게 된다. 따라서 메인 지브의 안쪽에서 들어 올린 중량물을 메인 지브의 바깥쪽으로 이동시킬 수 없다면 이는 fd가 FD보다 커지면서 FD=fd가 충족되지 않아 평형을 이루지 못하고 타워 크레인이 메인 지브 쪽으로 기울어지기 때문이다. 그러므로 ㉠은 평형추의 무게(F)와 평형추와 운전실 사이의 거리(D)가 고정되어 있기 때문이라고 할 수 있다.
② 평형추와 운전실 사이의 거리는 고정되어 있다. 한편 ㉠에서 중량물을 메인 지브의 바깥쪽으로 이동시키려 한다면 트롤리와 운전실 사이의 거리는 멀어져야 하므로 트롤리와 운전실 사이의 거리가 가까워지기 때문에 바깥쪽으로 이동시키지 못할 수도 있다고 볼 수는 없다.
③ 트롤리는 힘점이고 운전실은 받침점이므로, 트롤리와 운전실 사이의 거리가 멀어진다는 것은 힘점과 받침점 사이의 거리는 멀어짐을 의미한다.
④ 다섯 번째 문단에서 중량물을 매다는 것은 후크 블록이고, 권상 장치는 그 안에 있는 전동기의 회전 방향에 따라 와이어로프를 원통 모양의 드럼에 감거나 풀어 중량물을 들어 올리거나 내리는 역할을 함을 알 수 있다. 따라서 카운터 지브에 설치된 평형추의 무게와 권상 장치에 있는 중량물의 무게의 비는 ㉠과 관련이 없다.
⑤ 트롤리가 메인 지브의 바깥쪽으로 이동한다면 fd가 FD보다 커지면서 타워 크레인이 메인 지브 쪽으로 기울어질 것이다.

왜 많이 틀렸을까?

이 문제는 지문의 내용을 토대로 숨겨진 이유를 논리적으로 추론해야 해서 다소 어려웠어. 네 번째 문단에서 타워 크레인이 평형을 이루는 조건인 지레의 원리를 파악하고, 이를 타워 크레인에 적용한 뒤 이를 통해 ㉠의 상황을 이해해야 해. 정리해 보면 지레에는 작용점, 받침점, 힘점이 있고, 작용점(=평형추)에 가하는 힘=F, 작용점에서 받침점까지의 거리(=평형추~운전실)=D, 힘점(=트롤리)에 작용하는 힘=f, 힘점에서 받침점까지의 거리(=트롤리~운전실)=d로 나타낼 수 있고, FD=fd일 때 지레가 평형을 이루지. 다음으로 ㉠은 타워 크레인이 메인 지브 쪽으로 기울어지는 상황임을 추리하고 그 이유를 파악해야 해. 다른 한편 각 선택지의 상황이 논리적으로 성립하는지, 그리고 ㉠의 상황과 관련이 있는지 파악함으로써 함정을 피해야 문제의 정답에 접근할 수 있다.

3. ① 구체적 상황에 적용하기

❶ [A]에서 도르래를 사용할 때의 역학 관계는 '일의 양(W)=줄을 당긴 힘(F)×감아올린 줄의 길이(S)라고 하고 있다. 또한 움직도르래 1개를 사용하여 같은 높이로 물체를 들어 올리면 일의 양은 같지만 물체를 들어 올리는 힘의 크기는 1/2로 줄어들게 되고 감아올린 줄의 길이는 2배로 길어지므로, 움직도르래를 타워 크레인에서 추가적으로 사용할 때마다 동일한 무게의 중량물을 같은 높이로 들어 올릴 때 권상 장치가 사용하는 힘의 크기가 더 감소하지만 권상 장치가 감아올리는 와이어로프의 길이는 더 길어지게 된다고 하고 있다. 〈보기 1〉에서 A는 움직도르래 1개가 사용된 후크 블록이고, B는 움직도르래 2개가 사용된 후크 블록이다. 따라서 A와 B를 이용해 같은 무게의 중량물을 각각 들어 올린다면 B는 A에 비해 중량물을 들어 올리는 힘의 크기는 줄여주지만, 권상 장치가 감아올린 와이어로프의 길이는 길어지게 된다. 그런데 권상 장치가 감아올린 와이어로프의 길이가 같은 경우라면 권상 장치가 중량물을 들어 올릴 때 사용한 힘의 크기는 A가 B보다 클 것(ㄱ)이다. 이때 A가 한 일의 양이 B가 한 일의 양보다 더 많게 되므로, 동일한 중량물을 들어 올렸다면 들어 올린 중량물의 높이는 A가 B보다 더 높을 것(ㄴ)이다.

4. ② 단어의 문맥적 의미 이해하기

① ⓐ '달하는'은 '일정한 표준, 수량, 정도 따위에 이르는'이라는 의미이므로 '이르는'으로 바꿔 쓸 수 있다.
❷ ⓑ '제어하는'은 '기계나 설비 또는 화학 반응 따위가 목적에 알맞은 작용을 하도록 조절하는'이라는 의미이다. '받치다'는 '물건의 밑이나 옆 따위에 다른 물체를 대다.'라는 의미이므로 이와 바꾸어 쓰기에 적절하지 않다.
③ ⓒ '연결되어'는 '사물과 사물이 서로 이어지거나 현상과 현상이 관계가 맺어져'라는 의미이므로 '이어져'로 바꿔 쓸 수 있다.
④ ⓓ '분산되기'는 '갈라져 흩어지다.'라는 의미이므로 문맥상 나뉘기로 바꿔 쓸 수 있다.
⑤ ⓔ '감소하지만'은 '양이나 수치가 줄지만'이라는 의미이므로 '줄지만'으로 바꿔 쓸 수 있다.

【5~9】 '유형거의 구조와 특징'

지문해설

수원 화성 공사에 사용된 정약용의 발명품인 '유형거'라는 수레의 특징과 그 우수성을 설명한 글이다. 정조 때 진행된 수원 화성 공사에서는 성을 쌓는 돌을 운반할 때 유형거를 이용함으로써 공사 기간을 단축하고 비용도 크게 절약할 수 있었다. 유형거는 지렛대의 원리를 이용하여 짐을 쉽게 실을 수 있었고, 복토라는 장치를 이용하여 무게 중심의 변화에 따른 보조 동력을 활용했으며, 손잡이를 조작하여 수레의 움직임을 보다 안정적으로 제어할 수 있는 완충 장치까지 갖추고 있었다.

분석Plus

■ 문단구성
1문단: 수원 화성의 공사 기간을 단축시키는 역할을 한 '유형거'
2문단: 유형거의 공학적 특징 ①: 지렛대의 원리를 반영하여 짐을 쉽게 실을 수 있도록 함.
3문단: 유형거의 공학적 특징 ②: 복토를 통해 보조 동력을 더함.
4문단: 유형거의 공학적 특징 ③: 손잡이의 조작으로 수레에 가해지는 충격을 완화시킴.
5문단: 유형거의 의의
■ 주제 : 유형거의 공학적 특징과 우수성

어휘풀이
- **상쇄(相殺)** 상반되는 것이 서로 영향을 주어 효과가 없어지는 일.
- **완충(緩衝)** 대립하는 것 사이에서 불화나 충돌을 누그러지게 함.

5. ① 중심 내용 파악하기

❶ 이 글은 유형거의 공학적 특징을 세 가지로 나누어 제시함으로써 그 우수성을 밝힌 글이므로 '유형거의 우수성-구조적 특징 분석을 중심으로'는 이러한 내용을 잘 담은 표제와 부제로 볼 수 있다.
② 유형거의 미학적 특징을 다루고 있는 것은 아니며, 복토의 운영상 장점은 유형거의 구조적 특징 중 하나일 뿐이므로 전체적인 부제로 삼기에는 적절하지 않다.
③ 유형거가 성을 쌓는 돌을 운반하는 효과적인 수단이었음을 설명하고 있으나, 실제 운용한 사람의 경험은 제시되지 않았다.
④ 수레 발달의 역사에 대한 언급은 나타나지 않았다.
⑤ 유형거의 변화 과정에 대한 언급은 나타나지 않았으며, 유형거의 작동 원리를 밝혔을 뿐 단점은 제시하지 않았다.

어휘풀이
- **미학적(美學的)** 미학(자연이나 인생 및 예술 따위에 담긴 미의 본질과 구조를 해명하는 학문)을 바탕으로 하는. 또는 그런 것.

6. ① 세부 정보 추론하기

❶ 세 번째 문단에서 유형거가 움직일 때 수레 손잡이를 들어 올리면 돌이 수레의 진행 방향으로 여두 부근까지 미끄러지고, 수레 손잡이를 내리면 돌이 다시 수레의 진행 방향 반대쪽으로 미끄러지다가 한표라는 조그만 나무토막에 걸려 멈추게 된다고 하고 있다. 즉 한표는 미끄러지는 돌을 멈추게 하는 장치일 뿐 힘점에 가해지는 힘을 늘리는 장치라고 볼 수는 없다.
② 본문의 그림과 〈보기〉의 그림을 비교해 볼 때, 수레의 바퀴 축이 받침점, 손잡이가 힘점에 해당함을 알 수 있다. 〈보기〉에서는 힘점과 받침점 사이가 멀수록 힘점에 가하는 힘이 작아도 작용점에 작용하는 힘이 커진다고 하고 있으므로, 유형거는 손잡이를 되도록 길게 만들어 작용점에 더 큰 힘이 작용하도록 의도했다고 볼 수 있다.
③ 본문의 그림과 〈보기〉의 그림을 비교해 볼 때, 수레의 여두가 작용점에 해당함을 알 수 있다. 〈보기〉에서는 작용점과 받침점 사이가 가까울수록 힘점에 가하는 힘이 작아도 작용점에 작용하는 힘은 커진다고 하고 있으므로, 유형거는 여두와 바퀴 축(받침점)의 거리를 가깝게 만들어 작은 힘으로도 무거운 돌을 싣도록 했다고 볼 수 있다.
④ 두 번째 문단에서 돌부리에 찔러 넣어 돌을 들어 올리는 여두는 소 혀와 같은 모양으로 만들어 돌을 쉽게 올려놓을 수 있도록 했다고 하고 있다.
⑤ 본문의 그림과 〈보기〉의 그림을 비교해 보면 여두는 작용점, 바퀴 축은 받침점, 손잡이는 힘점으로 기능하도록 설계했음을 알 수 있다.

왜 많이 틀렸을까?

이 문제는 〈보기〉의 그림과 본문의 그림을 비교하여 유형거에서 작용점, 받침점, 힘점에 해당하는 부분을 찾는 것이 관건이었어. 그 다음으로 〈보기〉의 설명을 바탕으로 적용한 설명이 적절한지 판단하거나, 본문 내용과 선택지 내용을 비교하여 일치 여부를 파악하는 방식으로 적절성을 판별할 수 있었지. 즉 본문에 직접적으로 제시된 내용은 본문과의 일치 여부를 토대로, 그렇지 않은 것은 〈보기〉의 설명을 바탕으로 추론을 이끌어 낼 수 있는지 파악하면 되는데, ①번의 경우 유형거에 '한표'가 있는 것은 맞지만 그 역할이 힘점에 가해지는 힘을 늘리는 것이 아니므로 적절한 추론이라고 볼 수 없어. 보조 동력과 관련한 설명 때문에 헷갈릴 수도 있겠지만, 돌이 굴러가다가 한표에 걸려 멈출 때 발생하는 에너지는 수레가 나아가는 것을 방해한다는 설명을 고려할 때 한표를 두어 힘점에 가해지는 힘을 늘리려 했다는 것은 적절하지 않음을 파악할 수 있어야 해.

7. ③ 세부 정보 적용하여 이해하기

① [가]는 손잡이를 들어 올려 수레의 진행 방향으로 돌이 미끄러진 상태로, [A]에서 유형거가 움직일 때 수레 손잡이를 들어 올리면 돌은 견인줄에 의해 멈출 때까지 수레의 진행 방향으로 미끄러지는데, 이때 생긴 에너지가 수레에 추진력을 더한다고 한 것으로 보아 적절하다.
② [나]는 손잡이를 내려 돌이 수레의 진행 방향 반대쪽으로 미끄러진 상태로, [A]에서 수레 손잡이를 내리면 돌이 수레의 진행 방향 반대쪽으로 미끄러지다가 한표에 걸리는데, 이때 발생하는 에너지는 수레가 나아가는 것을 방해한다고 한 것으로 보아 적절하다.
❸ [A]에서 유형거가 움직일 때는 수레가 흔들리는 만큼 무게 중심도 계속 변화한다고 하였으므로, [가], [나] 과정을 거치는 동안 수레의 무게 중심에 변화가 없다는 것은 적절하지 않다.
④ [A]에서 유형거가 움직일 때 수레 손잡이를 들어 올리면 돌은 정지 마찰력을 극복하고 견인줄에 의해 멈출 때까지 수레의 진행 방향으로 미끄러진다고 한 것에서 알 수 있다.
⑤ [가]의 과정에서는 수레가 앞으로 나가는 추진력이, [나]의 과정에서는 수레가 나아가는 것을 방해하는 힘이 발생하는데, [A]에서 '바퀴 축을 중심으로 보았을 때 여두까지의 거리가 길고 한표까지의 거리는 짧은 것을 생각하면, 추진력에 비해 나가는 것을 방해하는 힘은 작으므로' 그만큼 보조 동력을 얻게 된다고 하였으므로 [가], [나] 과정을 반복한다면 보조 동력을 꾸준히 얻을 수 있을 것이다.

8. ① 구체적 상황에 적용하기

❶ 네 번째 문단에서 언덕을 오를 때에는 손잡이를 올

리고 내려갈 때는 손잡이를 내림으로써 수레가 앞뒤로 흔들거리며 진동하는 현상을 제어하고, 왼쪽으로 돌 때는 왼쪽이 올라가므로 왼쪽 손잡이를 누른다고 하고 있다. 이를 바탕으로 할 때, 언덕길에서는 손잡이를 올리고(㉠), 갈림길에서 오른쪽으로 돌 때는 오른쪽(㉡) 손잡이를 눌러야(㉢) 할 것이다.

9.③ 동음이의어 구별하기

① ⓐ '공사(工事)'는 '토목 · 건축 등에 관한 일'이라는 뜻이고, '자국 공사(公使)'의 '공사'는 '국가를 대표하여 파견되는 외교 사절'이라는 뜻이므로 두 단어는 동음이의어에 해당한다.
② ⓑ '기능(機能)'은 '하는 구실이나 작용을 함. 또는 그런 것.'이라는 뜻이고, '나무를 깎는 기능'의 '기능(技能)'은 '육체적, 정신적 작업을 정확하고 손쉽게 해 주는 기술상의 재능'이라는 뜻이므로 두 단어는 동음이의어에 해당한다.
❸ ⓒ '운용(運用)'은 '무엇을 움직이게 하거나 부리어 씀.'이라는 뜻인데, '자원을 효율적으로 운용(運用)'에서 '운용' 또한 유사한 의미로 사용되었으므로 ⓒ와 동음이의어라고 볼 수 없다.
④ ⓓ '입장(立場)'은 '당면하고 있는 상황'이라는 뜻이고, '입장하는 사람들'에서 '입장(入場)'은 '장내(場內)로 들어가는 것'이라는 뜻이므로 두 단어는 동음이의어에 해당한다.
⑤ ⓔ '조작(操作)'은 '기계 따위를 일정한 방식에 따라 다루어 움직임.'이라는 뜻이고, '사건을 조작'에서 '조작(造作)'은 '어떤 일을 사실인 듯이 꾸며 만듦.'이라는 뜻이므로 두 단어는 동음이의어에 해당한다.

왜 많이 틀렸을까?
이 문제는 어휘의 의미를 파악하는 문제였음에도 이번 시험에서 오답률이 가장 높은 문항이었어. 정답인 ③번을 고른 비율이 36%밖에 되지 않은 반면, ②번과 ④번을 고른 비율은 각각 20%가 넘었지. 일단 이 문제는 보통 어휘의 사전적, 문맥적 의미를 묻는 어휘 문제와 달리 본문에 제시된 단어와 동음이의어인 단어를 묻고 있어. 동음이의어는 소리는 같지만 뜻이 전혀 다른 단어로, 다의어와 달리 의미 간에 연관성이 없어. 이 점을 바탕으로 선택지를 검토하려면 우선 본문 어휘와 선택지 어휘의 사전적 의미를 알고 있어야겠지? 동음이의어를 파악하는 문제인 만큼 어휘가 쓰인 맥락을 고려하여 문맥적 의미를 비교해 보아도 괜찮아. 그랬을 때 얼핏 유사해 보이는 ⓑ의 '기능'과 ②번 선택지의 '기능'은 작동과 기술이라는 차이가 있음을 파악할 수 있을 거야.

예술 및 복합

Day 20

본문 094쪽

1. ④	2. ④	3. ⑤	4. ③	5. ③
6. ②	7. ②	8. ③	9. ④	10. ②

[1~4] Metcalf & Eddy, '폐수처리공학 I'

지문해설

오염된 물을 사용 목적에 맞게 정화하는 정수 처리 기술에서의 침전 과정에 대해 설명하고 있다. 침전 과정은 부유하는 오염 물질을 가라앉혀 물의 탁도를 제거하는 것을 목적으로 하며, 중력을 이용하는 '보통 침전 방식'과 화학 약품을 이용하여 입자들을 응집시키는 '약품 침전 방식'이 있다. 약품 침전 방식은 '전기적 중화 작용'과 '가교 작용'의 순서로 이루어진다. 먼저 전기적 중화 작용에서는 응집제가 물과 만나 반응하여 양(+) 전하의 금속 화합물을 형성하고, 이 화합물이 음(−) 전하를 띤 콜로이드 입자와 결합한다. 이 작용은 단시간에 이루어지기 때문에 빠른 결합과 반응을 위해 물을 빠르게 저어 주어야 한다. 이어서 가교 작용에서는 플록과 플록이 연결되어 하나의 큰 플록이 된다. 이때 침전이 용이한 큰 플록을 만들기 위해서는 물을 천천히 저어 주어야 한다. 이와 같은 과정을 거쳐 물의 탁도가 낮아졌을 때 전하 역전 현상이 발생하여 탁도가 다시 높아지기도 하는데, 이 경우에는 여분의 응집제가 '체 거름 현상'을 일으켜 다시 콜로이드 입자들을 가라앉힌다.

■ **비문학 지문 어떻게 이해할까?**

1문단: 정수 처리 기술에서의 두 가지 침전 방식 – 보통 침전 방식과 약품 침전 방식
2문단: 입자의 안정성과 물의 탁도의 관계
3문단: 약품 침전 방식의 원리
4문단: 약품 침전 방식의 과정 ① – 전기적 중화 작용
5문단: 약품 침전 방식의 과정 ② – 가교 작용
6문단: 전하 역전 현상과 체 거름 현상

■ **주제** : 정수 처리 기술에서의 약품 침전 방식과 그 과정

1.④ 세부 내용 이해하기

① 네 번째 문단에서 급속 교반은 콜로이드 입자와 금속 화합물이 빠르게 결합하여 반응하게 하기 위해 하는 것이라고 하였으므로 적절하다.
② 첫 번째 문단에서 콜로이드 입자와 같은 물질들은 화학 약품을 이용하여 입자들을 응집시켜 가라앉히는 약품 침전 방식을 사용한다고 하였으므로 적절하다.
③ 첫 번째 문단에서 부유물이 물보다 비중이 큰 경우에는 다른 물질과의 상호 작용 없이 중력만으로 가라앉힐 수 있다고 하였으므로 적절하다.
❹ 다섯 번째 문단에서 플록과 다른 플록이 연결될 때 접촉 시간을 늘려 주기 위해서는 물을 천천히 저어 주어야 한다고 하였는데, 이는 가교 작용 과정에서 침전에 용이한 큰 플록을 만들기 위한 것이다. 따라서 물을 빠르게 저어 플록끼리 접촉할 시간을 늘리면 체 거름 현상이 나타난다는 진술은 적절하지 않다.
⑤ 세 번째 문단에서 양이온계 응집제는 물과 화학 반응을 하면서 단계적으로 다양한 종류의 화합물을 형성한다고 하였으므로 적절하다.

2.④ 세부 내용 이해하기

① 두 번째 문단에서 ㉠은 미세한 입자들이 입자 간의 거리가 일정 거리 이하로 좁혀질 때 서로를 끌어당기는 힘이라는 것을 알 수 있다.
② 두 번째 문단에 따르면 입자가 물속에서 균일하게 분산할 수 있게 해 주는 힘은 ㉠이 아닌 ㉡이다.
③ ㉡은 미세한 콜로이드 입자들이 서로를 밀어내는 힘이므로, 입자 간의 거리가 멀어지면 발생하는 힘이 아니다.
❹ 두 번째 문단에서 미세한 콜로이드 입자들이 수산화 이온과의 결합 등으로 인해 음(−) 전하를 띠고 있어 서로를 밀어내는 전기적 반발력의 영향을 받는다고 하였다. 따라서 ㉡은 입자가 띠고 있는 전하의 성질로 인해 작용하는 힘이라고 할 수 있다.
⑤ ㉡은 미세한 콜로이드 입자가 수산화 이온과의 결합 등으로 인해 음(−) 전하를 띠고 있을 때 작용하는 힘이지만, ㉠은 입자가 이온과 결합할 때 형성되는 힘이라고 볼 수 없다.

3.⑤ 핵심 내용 파악하기

① 세 번째 문단에서 응집제를 주입하여 전기적 중화 작용과 가교 작용으로 물의 탁도를 낮춘다고 하였고, 네 번째 문단에서 전기적 중화 작용으로 콜로이드 입자들이 반데르발스 힘이 작용할 정도로 가까워진다고 하였으므로 적절하다.
② 다섯 번째 문단에서 응집제의 주입으로 형성된 화합물 중 긴 사슬 형태의 고분자 화합물은 플록과 플록을 연결하고, 이는 침전에 용이한 큰 플록을 만들기 위해서라고 하였으므로 적절하다.
③ 다섯 번째 문단에서 가교 작용의 목적이 침전 속도를 높이기 위해서라고 하였고, 연결된 여러 플록들은 하나의 큰 플록이 되어 중력의 영향을 받아 빠르게 침전한다고 하였으므로 적절하다.
④ 마지막 문단에서 탁도가 낮아진 물에 전기적 중화 작용과 가교 작용에서 반응하지 못한 응집제가 많이 남아 있게 되면 전하 역전 현상이 발생하여 물의 탁도가 다시 높아진다고 하였으므로 적절하다.
❺ 다섯 번째 문단에서 '응집제의 주입으로 형성된 화합물 중 긴 사슬 형태의 고분자 화합물'이 가교 작용에 쓰인다는 것을 알 수 있고, 마지막 문단에서 여분의 응집제로 형성된 '침전성 금속 화합물'이 콜로이드 입자들을 흡착하면서 가라앉는다고 하였으므로, ⓒ 이후 탁도가 낮아지는 것은 '침전성 금속 화합물'이 콜로이드 입자들과 흡착하여 침전했기 때문이라고 할 수 있다.

왜 많이 틀렸을까?

그래프를 보고 긴장했을 수도 있겠지만, 의외로 내용 일치로 금방 답을 찾을 수 있는 문제였어. 우선 그래프의 각 구간이 어떤 상태를 의미하는지 파악한 뒤 문제를 풀어야겠지? ⓐ는 응집제가 주입된 시점, ⓐ와 ⓑ 사이는 전기적 중화 작용과 가교 작용으로 인해 콜로이드 입자들의 침전이 일어나는 구간, ⓑ와 ⓒ 사이는 전하 역전 현상이 일어나는 구간, ⓒ 이후는 체 거름 현상으로 인해 콜로이드 입자들의 침전이 일어나는 구간이야. 아마 여기까지는 어렵지 않았을 텐데, 정답인 ⑤번 선지를 헷갈릴 만하게 구성했더라고. 혹시 '긴 사슬 형태의 화합물(가교 역할)'과, 침전성 금속 화합물이 '그물망처럼 콜로이드 입자들을 흡착한다'는 것을 혼동하지는 않았니? 사슬과 그물. 그래, 언뜻 보면 비슷하게 느껴질지도 모르겠다. 채점하면서 아차 싶었던 학생들이 많았을 것 같아. 아쉽게 틀린 문제일지라도 꼭 한번 다시 짚고 넘어가야 한다는 것 잊지 마!

4. ③ 세부 내용 이해하기

❸ 두 번째 문단에서 수산화 이온과의 결합 등으로 인해 음(−) 전하를 띠고 있는 콜로이드 입자들이 '안정성을 가지고 부유'한다고 하였으므로 ㉮에는 '안정화'가 들어가야 한다. 또한 네 번째 문단에서 전기적 중화 작용은 양(+) 전하의 금속 화합물이 콜로이드 입자와 결합하면 나타난다고 하였고 그 결과 콜로이드 입자들이 불안정화된다고 하였으므로 ㉯에는 '전기적 중화'가, ㉰에는 '불안정화'가 들어가야 한다. 그리고 마지막 문단에서 전기적 중화 작용과 가교 작용에서 반응하지 못한 응집제가 많이 남아 있게 되면 전기적으로 중화되었던 콜로이드 입자들이 오히려 양(+) 전하를 띠게 되는 전하 역전 현상이 일어난다고 하였으므로, ㉱에는 '전하 역전'이 들어가야 한다.

【5~10】 (가) 아도르노 · 호르크하이머, '계몽의 변증법'

지문해설

근대의 계몽주의와 이성에 대한 아도르노의 비판적 견해를 설명한 글이다. 아도르노는 계몽의 전개 과정을 자연에 대한 지배, 인간에 대한 지배, 인간의 내적 자연에 대한 지배가 이어지는 과정으로 설명하였다. 자연에 대한 지배는 인간이 자연의 위협에서 벗어나 자기 보존을 꾀하기 위해 자연을 지배하는 단계이다. 인간에 대한 지배 단계에서는 이성이 인간과 자연을 지배하기 위한 도구적 이성으로 변질되고, 사회 전체가 이에 의해 총체적으로 관리되면서 그 결과 사회가 점차 전체주의적 경향을 띠게 된다. 마지막으로 인간의 내적 자연에 대한 지배 단계에서는 인간이 사회적으로 통제 가능한 합리적 주체가 되기 위해 스스로 내적 자연을 억압하게 된다. 아도르노는 근대 문명이 파국으로 치닫게 된 원인이 이러한 과정의 결과라고 보고, 지배 논리로 전화된 이성의 폭력성과 비합리성을 비판하였다.

■ **비문학 지문 어떻게 이해할까?**

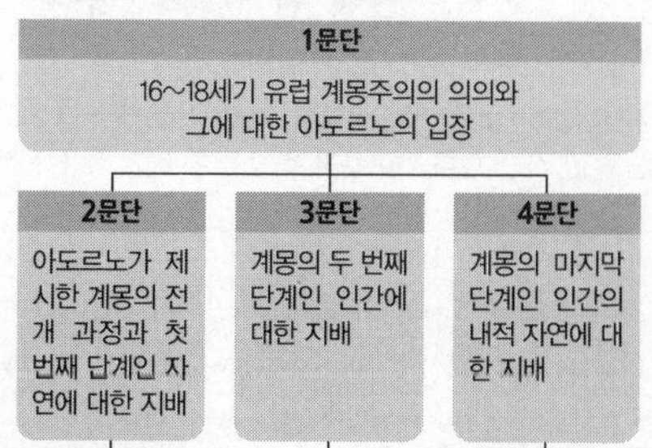

5문단
근대 문명과 근대 이성의 문제점에 대한 아도르노의 비판

■ **주제** : 근대 문명의 파국과 근대 이성의 문제점에 대한 아도르노의 비판

어휘풀이

- 총체적(總體的) : 있는 것들을 모두 하나로 합치거나 묶은 것.
- 전체주의(全體主義) : 개인의 모든 활동은 민족 · 국가와 같은 전체의 존립과 발전을 위하여서만 존재한다는 이념 아래 개인의 자유를 억압하는 사상. 이탈리아의 파시즘과 독일의 나치즘이 대표적이다.
- 집약적(集約的) : 하나로 모아서 뭉뚱그리는 것.
- 파국(破局) : 일이나 사태가 잘못되어 결딴이 남. 또는 그 판국.
- 애도(哀悼) : 사람의 죽음을 슬퍼함.

(나) 하요 뒤히팅, '표현주의'

지문해설

표현주의 예술 운동의 특징과 의의를 설명한 글이다. 표현주의는 전쟁의 비극과 물질문명의 병폐를 경험한 유럽인들이 이성에 대한 회의감과 인간 실존에 대한 관심을 바탕으로 소외되어 왔던 인간의 내면을 회화를 통해 분출하고자 했던 예술 운동이다. 표현주의는 대상의 사실적 재현이라는 기존의 회화적 전통을 거부하고 감정이나 내면을 표현하는 데 중점을 두었고, 따라서 표현주의의 작품에는 대상의 색이나 형태가 왜곡되어 나타난다는 특징이 있다. 표현주의는 회화의 영역을 대상의 외면에서 인간의 내면까지 확장시킨 운동으로, 현대 추상 미술이 등장하는 기반이 되었다.

■ **비문학 지문 어떻게 이해할까?**

1문단
표현주의 예술 운동의 등장 배경

2문단
표현주의 회화의 지향과 성격

3문단
표현주의 회화의 표현상 특징과 주제

4문단
표현주의의 의의

■ **주제** : 표현주의 회화의 특징과 의의

어휘풀이

- 병폐(病弊) : 병통(깊이 뿌리박힌 잘못이나 결점)과 폐단(어떤 일이나 행동에서 나타나는 옳지 못한 경향이나 해로운 현상)을 아울러 이르는 말.
- 실존(實存) : 실존 철학에서, 개별자로서 자기의 존재를 자각적으로 물으면서 존재하는 인간의 주체적인 상태.

5. ③ 두 글의 공통점 파악하기

① (가)는 근대 문명이 파국으로 치닫게 된 원인을 밝히고 있고, (나)는 근대에 이성을 맹신한 결과 나타난 병폐를 언급하고 있다. 그러나 근대 사회에 내재된 문제에 대한 해결 방안을 분석하고 있지는 않다.

② (가)에는 아도르노가 제시한 계몽의 전개 과정을 바탕으로 근대 사회에 대한 비판적 관점을 드러내고 있으므로 근대 사회가 발전하게 된 과정을 예술적 관점에서 고찰한 것과는 거리가 멀다. (나) 또한 표현주의의 등장 배경과 특징, 그 영향을 설명하고 있을 뿐 근대 사회가 발전하게 된 과정을 예술적 관점에서 고찰한 것은 아니다.

❸ (가)는 근대 문명이 파국으로 치닫게 된 것이 계몽의 전개 과정에 따른 결과라고 본 아도르노의 견해를 설명한 글로, 근대 이성의 폭력성과 비합리성에 대한 아도르노의 비판을 제시하고 있다. (나)에서는 근대 이성을 맹신한 결과 전쟁의 비극과 물질문명의 병폐를 경험한 유럽인들이, 이성에 대한 깊은 회의감을 바탕으로 인간의 내면을 회화를 통해 분출하고자 한 것이 표현주의의 예술 운동임을 설명하고 있다. 즉 (가)의 아도르노의 견해와, (나)의 표현주의 예술 운동은 근대 사회의 부정적인 측면에 대한 비판적인 입장임을 알 수 있다.

④ (가)는 유럽 계몽주의 이념에 대한 아도르노의 다른 입장을 설명한 글이고, (나)는 근대 이성의 부정적인 측면에 대한 회의에서 출발한 표현주의 예술 운동을 설명한 글이다. 따라서 (가), (나) 모두 근대 사회의 특성을 상반된 관점에서 분석한 두 이론을 소개하고 있는 것은 아니다.

⑤ (가)는 첫 번째 문단에서 계몽주의가 과학 혁명과 함께 근대의 시작을 알리며 이성에 기초한 사회가 인류에게 자유와 풍요를 줄 것이라고 보았다고 하였으나, 과학 혁명을 이어 가기 위한 사람들의 노력을 설명하고 있지는 않다. (나)에는 과학 혁명에 대한 언급이 나타나 있지 않다.

왜 많이 틀렸을까?

두 글의 공통점을 묻는 문제로, 내용 면이나 전개 방식 면에서 두 글의 특징을 살펴보아야 했어. 이런 문제를 풀 때는 선택지에서 언급한 내용을 각각의 글에서 찾을 수 있는지 확인해 보아야 해. 즉 (가), (나)에 '해결 방안', '근대 사회가 발전하게 된 과정', '두 이론' 등이 나오는지 하나하나 따져 보는 거지. ④번을 고른 비율이 높았는데, 이는 기존 계몽주의에 대한 비판이나 대비되는 대상에 대한 설명을, 근대 사회의 특성을 상반된 관점에서 분석한 것이라고 오해했기 때문인 듯해. 하지만 (가)는 계몽주의와 이성에 대한 기존의 입장을 비판적으로 바라본 아도르노의 견해를 설명한 글로, 계몽주의에 대해 언급한 것을 근대 사회의 특성을 분석한 이론을 소개한 것으로는 볼 수 없어. (나)에서는 표현주의 회화가 기존의 사실주의 회화와 대비되는 점을 설명하고 있지만, 마찬가지로 근대 사회의 특성을 상반된 관점에서 분석한 두 이론을 소개하고 있지는 않아.

6. ② 인용된 말의 의도 파악하기

① (가)에 자연으로 회귀하려는 사회적 움직임에 대한 언급은 나타나 있지 않으므로, ㉠에서 이에 대해 옹호하고 있는 것은 아니다.

❷ 아도르노는 인간의 자율성을 억압하는 전체주의, 히틀러에 의한 나치즘 등에서 드러나듯 지배 논리로 전화된 근대 이성이 얼마나 폭력적이고 비합리적일 수 있는지에 대해 '이성의 차가운 빛 아래 새로운 야만의 싹이 자라난다.'라는 말로 비판을 드러냈다. (가)의 첫 번째 문단에서 계몽주의는 합리적 이성을 통해 인류의 진보를 꾀하려 한 이념이라고 했는데, 이러한 계몽주의가 자율성을 억압하는 방향으로 역행한 것을 '야만의 싹'이 자라난 것이라는 비유로 경고하고 있는 것이다.

③ (가)의 두 번째 문단에 따르면 자연에 대한 지배는 신화적 상상력이 아니라 근대 과학 혁명 이후 미신과

환상에서 벗어나 자연에 대한 합리적이고 경험적인 지식을 갖게 된 것을 기반으로 하며, 이 과정에서 이성의 힘이 약화되었다고 볼 수 없고 ㉠은 이성의 힘이 약화되는 것을 우려하는 것과 거리가 멀다.
④ (가)의 네 번째 문단에 따르면 인간은 인간의 내적 자연을 지배하게 되면서 존재의 허무감이나 자기 소외로 인한 불안과 절망을 겪게 되었다. 이는 인간 스스로에 대한 폭력적 지배의 결과이므로 이를 해결하기 위해 인간의 집단적 힘이 필요하다는 것은 적절하지 않으며, ㉠에서 이에 대해 제안하고 있는 것도 아니다.
⑤ (가)의 다섯 번째 문단에서 아도르노는 근대 문명이 파국으로 치닫게 된 원인이 인간의 자기 보존에서 시작된 계몽의 전개 과정에 있다고 보았음을 알 수 있다. 따라서 ㉠에서 근대 문명의 추악한 현실을 극복하기 위해 인간의 자기 보존에 대한 욕망을 회복해야 함을 강조했다고 볼 수 없다.

어휘풀이
• 옹호(擁護) : 두둔하고 편들어 지킴.

7. ② 자료에 적용하여 내용 이해하기

❷ 아도르노는 '세이렌의 일화'를 계몽의 전개 과정이 집약적으로 드러난 알레고리로 보았다. 〈보기〉에 따르면 인간을 유혹해 제물로 삼는 세이렌은 자연의 위협이고, 오디세우스가 여기에서 벗어나는 과정을 계몽의 전개 과정과 연계할 수 있다. 이를 바탕으로 볼 때, 〈보기〉의 세이렌 일화에서 오디세우스와 부하들이 세이렌의 유혹에 빠지지 않고 섬을 지나려 한 것은 자연의 위협에서 벗어나 자기 보존을 꾀하기 위해 자연을 지배하는 것과 연결된다. 다음으로 Ⓐ에서 오디세우스가 섬을 무사히 지나는 목적을 달성하기 위해 부하들의 귀를 밀랍으로 막아 아무 소리도 듣지 못하게 만든 것은, 개인이 자율성과 비판적 능력을 상실한 채 목적 달성을 위한 수단으로 전락한 상황으로 인간에 대한 지배를 의미한다고 볼 수 있다. 그리고 Ⓑ에서 오디세우스가 노랫소리의 유혹에 빠지려는 욕망을 스스로 억압하기 위해 돛대에 자신의 몸을 묶은 것은, 감정이나 욕망과 같은 내면에 있는 자연적 요소인 내적 자연을 스스로 억압하는 모습이므로 인간의 내적 자연에 대한 지배를 의미한다고 볼 수 있다.

8. ③ 세부 내용 파악하기

① (나)의 첫 번째 문단에서, '이성을 맹신한 결과 전쟁의 비극과 물질문명의 병폐를 경험한 유럽인들은 이성에 대한 깊은 회의감과 함께 인간의 실존 문제에 관심을 갖게 되었다.'라고 언급한 것에서 알 수 있다.
② (나)의 첫 번째 문단에서 '독일의 젊은 예술가들은 사회 · 정치적 긴장 상태에 항거하며, 그동안 근대 이성의 그늘에 가려 소외되어 왔던 인간의 내면을 회화를 통해 분출하고자 하였는데, 이러한 예술 운동을 표현주의라고 부른다.'라고 한 것을 통해 알 수 있다.
❸ (나)의 두 번째 문단에서 마티스는 표현이 '눈으로 본 것을 눈에 전달하는 것이 아니라 마음으로 느낀 것을 마음에 전달하는 수단'임을 강조했다고 하였으므로, 마티스가 말한 표현의 의미가 눈으로 본 것을 눈에 전달하는 수단이라는 것은 적절하지 않다.
④ (나)의 네 번째 문단에서 표현주의는 '회화의 영역을 대상의 외면에 국한하지 않고 인간의 내면까지 확장시킨 운동으로 평가받았다.'라고 한 것을 통해 알 수 있다.
⑤ (나)의 두 번째 문단에서 표현주의 회화는 '회화의 기본 목적이 대상을 사실적으로 재현하는 것이라는 전통적 규범을 거부하였다는 점에서 아방가르드 운동의 일종이라 할 수 있다.'라고 한 것을 통해 알 수 있다.

9. ④ 글의 내용을 바탕으로 자료 감상하기

① 〈보기〉에서 뭉크의 「절규」는 존재의 허무감에서 오는 불안과 고통을 담고 있음을 알 수 있다. (가)의 네 번째 문단에서 계몽의 마지막 단계에서는 감정이나 욕망과 같이 인간의 내면에 있는 자연적 요소인 내적 자연이 억압받는다고 한 것을 바탕으로 할 때, 아도르노는 「절규」에서 표현하려고 한 감정이 근대 이성에 의해 억눌려 온 인간의 내적 자연이라고 볼 것이다.
② (가)의 네 번째 문단에서 인간의 내적 자연에 대한 지배로 인해 인간은 존재의 허무감이나 자기 소외로 인한 불안과 절망을 감당해야 했다고 한 것을 바탕으로 할 때, 아도르노는 뭉크가 「절규」에서 전달하려고 한 불안과 고통은 이성이 지배한 근대 사회에서 한 개인이 느꼈던 존재의 허무감과 관련이 있다고 볼 것이다.
③ (나)에서 표현주의는 작가의 감정이나 내면 등을 표현하려고 했고, 이를 위해 대상의 색이나 형태가 왜곡되어 나타났음을 알 수 있다. 이러한 관점에서 볼 때 뭉크의 「절규」에 나타난 해골 형상과 꿈틀거리는 강물은 작가가 느끼는 감정을 표현하기 위해 형태를 왜곡한 것이라고 볼 수 있다.
❹ (나)의 두 번째, 세 번째 문단에서 표현주의 회화는 대상을 사실적으로 재현하는 전통적 규범을 거부하고, 화가의 감정을 표현하는 데 중점을 두어 대상의 색이나 형태가 왜곡되어 나타난다는 특징이 있음을 알 수 있다. 〈보기〉에서 뭉크는 표현주의 작가라고 했으므로 그의 작품인 「절규」에서 비명을 지르는 남자의 모습을 회화적 전통에 따라 표현했다는 것은 적절하지 않다.
⑤ (나)의 세 번째 문단에서 표현주의 작품에서는 사물이 갖는 고유한 색은 무시된 채 내면을 드러내기 위해 작가가 자의적으로 선택한 색이 사용되었다고 한 것을 바탕으로 할 때, 뭉크의 「절규」에 그려진 강물의 검은색은 실제 색이 아니라 작가가 자신의 내면을 드러내기 위해 자의적으로 선택한 색이라고 볼 수 있다.

10. ② 단어의 사전적 의미 파악하기

❷ '미명(美名)'의 사전적 의미는 '그럴듯하게 내세운 명목이나 명칭'이다. '어떤 사실을 자세히 따져서 바로 밝힘.'은 '규명(糾明)'의 사전적 의미이다.

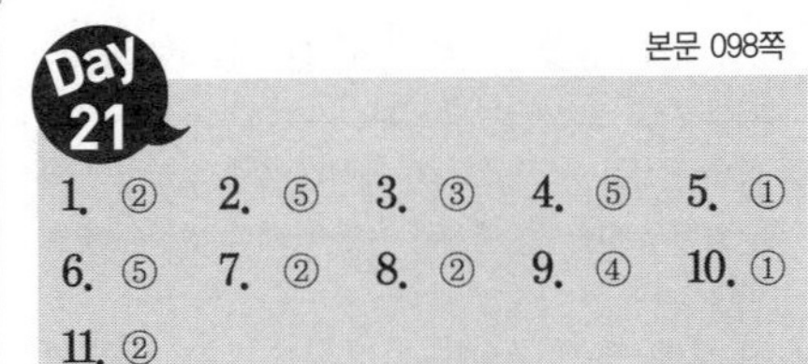
Day 21 본문 098쪽

1. ② 2. ⑤ 3. ③ 4. ⑤ 5. ①
6. ⑤ 7. ② 8. ② 9. ④ 10. ①
11. ②

【1~5】 노영덕, '플로티노스의 미학과 예술의 존재론적 지위'

지문해설

플로티노스의 예술론을 피타고라스, 플라톤과의 비교를 통해 설명한 글이다. 플로티노스는 미의 본질을 균제로 대표되는 수적 비례로 설명한 피타고라스학파의 주장을 부정하며 미의 본질을 정신에서 찾았다. 플로티노스는 예지계와 현상계가 '유출'과 '테오리아'의 개념을 통해 연결되어 있다고 주장하면서 만물이 '일자'로부터의 유출에 의해 순차적으로 생성된다고 보았다. 그리고 예술이 이데아계를 모방한 현상계를 다시 모방한 것에 불과하다고 본 플라톤과 달리 플로티노스는 예술이 영혼 안에 있는 미의 형상을 질료에 실현시키는 것이라고 보았다. 그리고 예술은 우리 영혼이 현상계에서 일자로 올라가기 위해 딛고 서야 할 디딤돌로 현상계에서 일자로 회귀하는 상승 운동인 테오리아를 일으키는 추동력을 갖고 있음을 중시했다. 이러한 플로티노스의 예술론은 중세의 비잔틴 예술을 탄생하게 한 한편 낭만주의와 현대 추상 회화의 근본을 마련했다는 평가를 받는다.

■ **비문학 지문 어떻게 이해할까?**

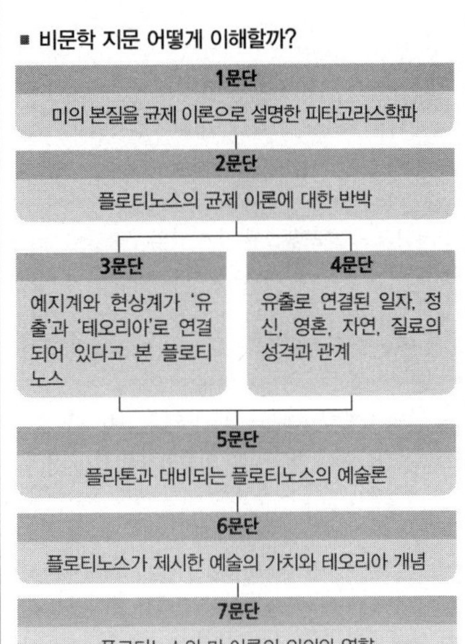

1문단
미의 본질을 균제 이론으로 설명한 피타고라스학파
2문단
플로티노스의 균제 이론에 대한 반박
3문단
예지계와 현상계가 '유출'과 '테오리아'로 연결되어 있다고 본 플로티노스
4문단
유출로 연결된 일자, 정신, 영혼, 자연, 질료의 성격과 관계
5문단
플라톤과 대비되는 플로티노스의 예술론
6문단
플로티노스가 제시한 예술의 가치와 테오리아 개념
7문단
플로티노스의 미 이론의 의의와 영향

■ **주제** : 플로티노스의 예술론에 나타난 미의 본질

어휘풀이
• **선험적(先驗的)** 경험에 앞서서 인식의 주관적 형식이 인간에게 있다고 주장하는 것. 대상에 관계되지 않고 대상에 대한 인식이 선천적으로 가능함을 밝히려는 인식론적 태도를 말한다.
• **단초(端初)** 일이나 사건을 풀어 나갈 수 있는 첫머리.

1. ② 개괄적 정보 파악하기

① 첫 번째 문단에서 피타고라스학파는 '미가 물질적인

대상의 형식적인 구조 속에 표현되는 객관적인 법칙이라고 생각'했다고 언급하고 있다.
❷ 이 글에서는 플로티노스가 제시한 예술의 의미와 의의를 밝히고 있을 뿐 예술의 유형에 대한 언급은 찾을 수 없다.
③ 두 번째 문단에 플로티노스가 균제 이론에 대해 반박한 근거가 제시되어 있다.
④ 다섯 번째 문단에서 플라톤은 예술이 모방의 모방이라고 폄하하고, 예술을 예지계와 현상계 다음에 위치시킨 데 반해 플로티노스는 예술은 모방의 모방이 아니라 정신의 아름다움과 진리를 물질화하는 것으로, 예지계와 현상계 중간에 있는 것이라고 보았음을 알 수 있다.
⑤ 마지막 문단에서 플로티노스의 미 이론은 중세의 비잔틴 예술을 탄생하게 했으며 낭만주의와 현대 추상 회화의 근본을 마련했다는 의의가 있음을 알 수 있다.

2. ⑤ 세부 정보 파악하기

① 네 번째 문단에서 일자에서 정신, 영혼, 자연, 질료로의 유출은 존재의 완전성 정도에 따라 순차적으로 이루어지는 것으로, 위계질서를 가진다고 한 것을 통해 알 수 있다.
② 네 번째 문단에서 '미(美)는 ~ 일자에서 질료로 내려갈수록 점차 추(醜)에 가까워지게 된다.'라고 한 것을 통해 일자에 가까운 정도를 기준으로 미, 추를 판단할 수 있다고 보았음을 알 수 있다.
③ 네 번째 문단에서 일자에서 정신, 영혼, 자연, 질료로의 유출은 자기 동일성의 타자적 발현으로 그 존재들은 서로 간에 동일성이 유지되어 있으며 질적으로 연결되어 있다는 것이 플로티노스의 주장임을 알 수 있다.
④ 세 번째 문단에서 만물은 일자의 빛이 흘러넘침, 즉 유출에 의해 순차적으로 생성되는데 일자로부터 먼저 정신이 나온 뒤 정신으로부터 영혼이 산출되고, 영혼으로부터 자연이, 다시 자연으로부터 질료들이 유출된다고 하고 있다. 또한 여섯 번째 문단에서 테오리아는 일자로부터의 유출로 생성된 각 단계의 존재들이 거꾸로 예지계의 일자에게로 회귀하는 상승 운동이 라고 하고 있다.
❺ 세 번째 문단에서 플로티노스는 예지계와 현상계가 유출과 테오리아의 개념을 통해 연결되어 있다고 주장했음을 알 수 있다. 그런데 네 번째 문단에서 유출은 예지계에서 현상계의 방향으로 이루어지며 각 존재 간에는 위계질서가 있다고 하였고, 여섯 번째 문단에서 테오리아는 각 간계의 존재들이 예지계의 일자에게로 회귀하는 상승 운동이라고 하였다. 따라서 예지계와 현상계가 정신에 의해 상호 보완적 관계를 유지한다고 볼 수는 없다.

3. ③ 구체적인 사례에 적용하기

① 첫 번째 문단에 따르면 피타고라스는 '아름다움은 그 대상을 구성하는 여러 요소들 간의 수적인 비례에 의한 것'이라고 보았다. 〈보기〉의 비너스 석상은 황금비율로 형상화되었으므로 피타고라스는 이 석상이 수적 비례를 지켰기에 미의 본질을 구현했다고 볼 것이다.
② 세 번째 문단과 다섯 번째 문단에 따르면 플라톤은 이데아계와 현상계가 근본적으로 단절되어 있고, 예술은 이데아계를 모방한 현상계를 다시 모방하는 것에 불과하다고 보았다. 따라서 플라톤은 이데아계에 존재하는 여신과 현상계를 다시 모방한 예술 작품인 〈보기〉의 비너스 석상을 동일시할 수 없다고 볼 것이다.
❸ 다섯 번째 문단에 따르면 플라톤은 예술이 이데아계를 모방한 현상계를 다시 모방한 것에 불과하다고 보았다. 따라서 예술 작품인 〈보기〉의 비너스 석상이 이데아계를 직접 모방했다고 보는 것이 아니라 이데아계를 모방한 현상계를 다시 모방한 것이라고 볼 것이다.
④ 여섯 번째 문단에 따르면 테오리아는 예지계의 일자에게로 회귀하는 상승 운동으로, 플로티노스는 예술이 미적 경험을 환기하여 테오리아를 일으키는 강력한 추동력을 갖고 있다고 보았다. 따라서 플로티노스는 예술 작품인 〈보기〉의 비너스 석상이 감상자로 하여금 테오리아를 일으킨다고 보고 높이 평가할 것이다.
⑤ 다섯 번째 문단에 따르면 플로티노스는 예술가의 영혼에 정신의 속성인 미의 형상이 내재해 있으며, 예술은 영혼 안에 있는 미의 형상을 질료에 실현시키는 것이라고 보았다. 따라서 플로티노스는 〈보기〉의 비너스 석상에 대해 예술가의 영혼에 있는 미의 형상을 돌이라는 질료로 실현시킨 것이라고 볼 것이다.

4. ⑤ 핵심 화제를 다른 대상과 비교하기

① 네 번째 문단에서 플로티노스는 예술이 '정신의 아름다움과 진리를 물질화하는 것'이라고 보았다고 하였으므로, 정신의 아름다움과 진리를 물질화할 수 없다는 것은 플로티노스의 입장과 거리가 멀다.
② 여섯 번째 문단에서 플로티노스는 예술이 '우리 영혼이 현상계에서 일자로 올라가기 위해 딛고 서야 할 디딤돌'로, 미적 경험을 환기하여 일자에게로 회귀하는 상승 운동을 일으킨다고 보았음을 알 수 있다. 따라서 플로티노스가 예술이 바람직한 삶의 자세계 대한 형이상학적 깨달음을 준다고 본 것은 아니다.
③ 첫 번째 문단에 따르면 객관적인 법칙이 형식적인 구조 속에서 표현될 때 미적 가치가 구현될 수 있다는 것은 피타고라스 학파로, 플로티노스는 이러한 견해를 부정했다.
④ 여섯 번째 문단에서 플로티노스는 영혼에 정신의 미가 존재하고 있다는 사실을 깨닫게 해 주는 것이 감각적인 미라고 보았음을 알 수 있다. 따라서 플로티노스가 초월적 존재의 미적 가치를 드러내기 위해 감각적 미를 탈피해야 한다고 본 것은 아니다.
❺ 다섯 번째 문단에서 플로티노스는 예술이란 '선험적 관념상, 즉 연역적 표상을 현상계의 감각적인 것으로 유출시키는 행위'라고 보았음을 알 수 있다. 또한 〈보기〉에서 칸딘스키의 추상은 직관적인 방법으로 정신이나 초월적인 것을 구현해 내기 위한 것으로, 그에게 예술은 형이상학적 관념을 구현하는 것이라고 하고 있다. 따라서 플로티노스와 칸딘스키는 모두 예술의 본질이 현실 세계에서 감각적으로 지각되지 않는 관념을 표현하는 데 있다고 보았다고 할 수 있다.

5. ① 의미 파악 과정 독서 활동에 적용하기

❶ ㉠ ㄱ. '자료 조사'에서 '귀납'은 '개개의 현상으로부터 보편적 원리를 도출하는 것'임을 알 수 있다. 이를 참고할 때 ㉠의 '귀납적 표상으로 형성되는 관념상을 그리'는 것은 개개의 현상, 즉 현상계의 경험에서 도출된 보편적 원리인 미를 형상화하는 행위라고 해석할 수 있다. ㉡ ㄴ. 다섯 번째 문단에서 플로티노스는 예술을 '영혼 안에 있는 미의 형상을 질료에 실현시키는 것'이라고 보았다고 하였는데, 영혼은 일자에서 유출된 것이다. 따라서 ㉡의 '연역적 표상을 현상계의 감각적인 것으로 유출시키는 행위'는 곧 '일자에서 비롯된 미의 형상을 발견해 질료에 담는 행위'라고 할 수 있다.

【6~11】 (가) 장대익, '진화론도 진화한다'

지문해설

진화론의 입장에서 동물들의 이타적 행동을 설명한 해밀턴과 도킨스의 주장을 밝힌 글이다. 해밀턴의 '혈연 선택 가설'은 개체들의 이타적 행동은 자신과 같은 유전자를 공유하는 친족들의 생존과 번식에 도움을 줌으로써 자신의 유전자를 후세에 많이 전달하기 위한 행동이라고 설명한다. 한편 도킨스는 동물의 이타적인 행동은 유전자가 다른 유전자와의 생존 경쟁에서 살아남아 더 많은 자신의 복제본을 퍼뜨리기 위한 행동으로, 곧 유전자가 다른 DNA와의 생존 경쟁에서 이기기 위한 이기적인 행동이라고 주장했다.

■ 비문학 지문 어떻게 이해할까?

- **1문단**: 다윈의 '자연 선택설'에서 벗어난 동물들의 이타적 행동에 대한 의문
  - **2문단**: 유전자의 개념으로 동물의 이타적 행동을 설명한 해밀턴의 이론
  - **3문단**: 개체의 이타적 행동이 유전자의 생존 경쟁이라고 본 도킨스의 주장

■ **주제** : 동물의 이타적 행동에 대한 해밀턴과 도킨스의 주장

(나) 최정규, '이타적 인간의 출현'

지문해설

사람들이 이타적 행동을 하는 이유와 이타적 인간이 진화하는 이유에 대한 '반복-상호성 가설'과 '집단 선택 가설'의 주장을 설명한 글이다. 반복-상호성 가설은 자신이 이기적인 행동을 할 경우 상대방도 자신을 따라 이기적인 행동을 할 수 있기 때문에 이를 피하기 위해 이타적 행동을 한다고 주장하는데, 이는 반복적이지 않은 상황에서 나타나는 이타적인 행동을 설명할 수 없다는 한계가 있다. 한편 집단 선택 가설에서는 이타적 구성원이 많은 집단이 그렇지 않은 집단과의 생존 경쟁에 유리하기 때문에 이타적 인간이 진화를 한다고 설명한다. 그러나 이 가설이 성립하기 위해서는 집단 선택이 이루어지는 속도보다 개인 선택이 일어나는 속도가 빨라야 한다는 문제가 있다.

■ 비문학 지문 어떻게 이해할까?

- **1문단**: 진화적 게임 이론의 이타적 행동을 하는 이유와 이타적 인간이 진화하는 이유에 대한 설명
  - **2문단**: 상대방의 보복을 피하기 위해 이타적 행동을 한다고 주장하는 반복-상호성 가설
  - **3문단**: 이타적 구성원이 많은 집단이 생존 경쟁에서 유리하기 때문에 이타적 인간이 진화한다고 본 집단 선택 가설

■ **주제** : 이타적 인간이 진화하는 이유에 대한 '반복-상호성 가설'과 '집단 선택 가설'의 설명

6. ⑤ 서술상 공통점 파악하기

① (가)의 해밀턴의 이론과 도킨스의 주장, (나)의 반복-상호성 가설과 집단 선택 가설이 서로 대립된 가설이라고 볼 수는 없으며 대립된 두 이론을 절충하고 있는 것도 아니다.
② (가), (나) 모두 이타적 행동의 구체적 유형을 분류하고 있는 것은 아니다.
③ (가)는 진화론의 입장에서 이타적 행동에 관한 이론을, (나)는 진화적 게임 이론의 이타적 행동에 관한 이론을 각각 살펴보고 있을 뿐 이론들을 통시적으로 고찰하는 것은 아니다.
④ (나)에서는 집단 선택 가설에서 집단 선택의 유효성을 높일 수 있는 방안에 대해서 연구를 진행하고 있다고 하였으나, (가)에는 이론의 발전 방향을 전망하고 있지 않다.
❺ (가)는 진화론의 입장에서 동물의 이타적 행동을 설명한 해밀턴의 '혈연 선택 가설'과 도킨스의 입장을 제시하면서 그에 대한 평가를 각각 제시하고 있다. 또한 (나)는 이타적 인간이 진화하는 이유를 설명한 반복-상호성 가설'과 '집단 선택 가설'을 제시하고 각 이론이 지닌 한계를 언급하고 있다.

어휘풀이
• **통시적(通時的)** 어떤 시기를 종적으로 바라보는 것.

7. ② 세부 내용 이해하기

① ㉠ '해밀턴의 법칙'에 의하면 '$r \times b - c > 0$'을 만족할 때 개체의 이타적 유전자가 진화하는데, 이때 'r'은 유전적 근연도이므로 적절하다.
❷ 해밀턴은 혈연 선택 가설을 통해 개체들의 이타적 행동은 자신과 같은 유전자를 공유하는 친족들의 생존과 번식에 도움을 줌으로써 자신의 유전자를 후세에 많이 전달하기 위한 행동이라고 설명했다. 따라서 ㉠ '해밀턴의 법칙'은 개체의 이타적 행동에 숨겨진 이기적 동기를 설명한 것이라고 할 수 있다.
③ r은 이타적 행위자와 이의 수혜자가 유전자를 공유할 확률로, 형제자매 간에 같은 유전자를 공유할 확률은 50%이다. 또한 r은 2촌인 형제자매를 기준으로 1촌이 늘어날 때마다 반씩 준다고 하였으므로, 이타적 행위자와 그의 수혜자가 삼촌 관계일 때 r은 0.5×0.5인 0.25가 된다.
④ 부나 모가 자식과 같은 유전자를 공유할 확률과 형제자매 간에 같은 유전자를 공유할 확률은 모두 50%이므로, 이타적 행위자와 수혜자가 부모 자식이나 형제자매 관계일 때 r은 모두 0.5이다.
⑤ ㉠ '해밀턴의 법칙'에 의하면 '$r \times b - c > 0$'을 만족할 때 개체의 이타적 유전자가 진화한다. 이타적 행위자와 그의 수혜자가 혈연관계일 때는 $0 \le r \le 1$이므로, 이때 b와 c가 같으면 해밀턴의 법칙을 만족하지 못하기 때문에 이타적 유전자는 진화하지 못한다.

8. ② 다른 상황에 적용하기

❷ TFT 전략에서는 처음에는 무조건 상대방에게 협조하고 그다음부터는 상대방이 바로 전에 사용한 방법을 모방한다. 〈보기〉에서 A가 'TFT 전략'을 사용한다고 했으므로 첫 회에는 협조 전략을, 두 번째 회부터는 B가 이전 회에 사용한 전략을 따라할 것이다. 그리고 B는 첫 회에만 비협조 전략을 사용한다고 하였으므로 두 번째 회부터는 협조 전략을 사용할 것이다. 그렇다면 첫 회에서 A는 협조 전략, B는 비협조 전략을, 두 번째 회에서는 A는 비협조 전략, B는 협조 전략을 사용할 것이다. 이때 A와 B의 보수는 첫 회에서는 (−1, 2), 두 번째 회에서는 (2, −1)이다. 따라서 두 번째 회까지 얻게 되는 B의 보수의 합은 2−1로 1이 된다.

9. ④ 내용을 바탕으로 추론하기

① 집단 선택의 속도가 개인 선택의 속도보다 느릴 경우 이타적 구성원의 수가 증가하지 않을 것이다.
② 집단 선택 가설에 따르면 개인 선택에서는 이기적 인간이 살아남는 데 유리하지만 집단 선택에서는 이타적 구성원이 많은 집단일수록 생존할 확률이 높다. 그러나 개인 선택이 먼저 일어난 다음에 집단 선택이 일어난다고 볼 수는 없다.
③ 집단 선택이 천천히 일어난다고 해서 집단 간의 생존 경쟁이 발생하지 않는다고 볼 수는 없다.
❹ 개인 간의 생존 경쟁에서 우월한 개인이 생존하는 개인 선택에서는 이기적 인간이 살아남는 데 유리하다. 그런데 이타적인 구성원이 많은 집단이라 하더라도 그 안에는 이기적인 구성원도 함께 존재하기에, 개인 선택이 일어나는 속도가 집단 선택이 일어나는 속도보다 빠르면 집단 선택이 일어나기 전에 집단 내의 이타적인 구성원들이 생존 경쟁에서 도태되어 소멸할 수 있고, 그렇게 되면 집단에는 이기적인 구성원들만 남게 되어 집단 선택이 발생하기 어려워질 것이다. 그러므로 집단 선택에 의해서 이타적인 구성원이 진화하기 위해서는 집단 선택이 일어나는 속도가 개인 선택이 일어나는 속도를 압도해야 하는 것이다.
⑤ 개인 선택은 개인 간의 생존 경쟁에서 나타나는 것으로, 이타적인 구성원이 많은 집단이 개인 선택에 불리하다고 볼 수는 없다.

10. ① 구체적인 사례에 적용하기

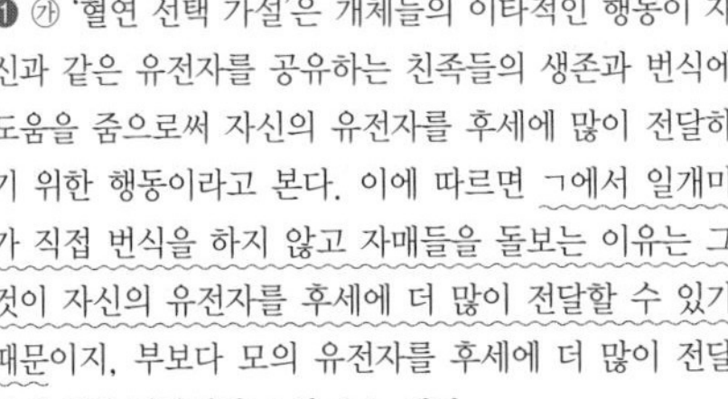

❶ ㉮ '혈연 선택 가설'은 개체들의 이타적인 행동이 자신과 같은 유전자를 공유하는 친족들의 생존과 번식에 도움을 줌으로써 자신의 유전자를 후세에 많이 전달하기 위한 행동이라고 본다. 이에 따르면 ㄱ에서 일개미가 직접 번식을 하지 않고 자매들을 돌보는 이유는 그것이 자신의 유전자를 후세에 더 많이 전달할 수 있기 때문이지, 부보다 모의 유전자를 후세에 더 많이 전달하기 위한 전략이라고 볼 수는 없다.
② ㉯ 『이기적 유전자』에서는 이타적으로 보이는 개체의 행동은 겉보기에만 그럴 뿐, 사실은 유전자가 다른 DNA와의 생존 경쟁에서 이기기 위한 이기적인 행동이라고 보았다. 이 입장에서는 ㄱ의 일개미가 개미 군락을 지키는 이타적인 행동을 보이는 것은 생존 경쟁에서 이기기 위한 이기적인 행동으로 볼 것이다.
③ ㉰ '반복-상호성 가설'에서는 자신이 이기적으로 행동할 경우 상대방도 이기적인 행동으로 보복할 수 있기 때문에 이를 피하기 위해 이타적 행동을 한다고 주장했다. 이에 따르면 ㄴ에서 식량을 공유하는 관습은 자신이 사냥에 실패했을 때 상대방이 이기적인 행동을 하는 것을 피하기 위한 것이라 할 수 있다.
④ ㉱ '집단 선택 가설'이 실현되려면 집단 선택이 일어나는 속도가 개인 선택이 일어나는 속도를 압도해야 한다. 최근에 '개인 선택이 일어나는 속도를 늦추고 집단 선택의 효과를 높이는 장치로서 법과 관습과 같은 제도에 주목'하고 있다고 한 것을 고려할 때, ㄴ의 식량 공유 관습은 개인 선택이 일어나는 속도를 늦추고 집단 선택의 효과를 높여 이타적 구성원이 사회에서 사라지지 않도록 하는 장치라고 볼 수 있다.
⑤ ㉮ '혈연 선택 가설'은 같은 유전자를 공유하는 친족들 사이에서의 이타적 행동을 설명할 뿐이므로, 혈연관계가 없는 구성원과의 식량 공유를 설명할 수 없을 것이다. 이와 달리 ㉱ '집단 선택 가설'은 식량 공유 관습을 집단 간의 생존 경쟁에서 협업을 통해 생존 확률을 높이는 행위로 볼 것이다.

왜 많이 틀렸을까?
이 문제는 정답을 고른 비율보다 오답인 ④번 선택지를 고른 비율이 더 높았어. ④번 선택지의 경우, 집단 선택 가설은 이타적 구성원이 많은 집단이 생존 경쟁에서 유리하기에 이타적 인간이 진화한다고 본다는 설명에만 집중했다면 지문과 관련 없는 내용이라고 보았을 수 있어. 하지만 이런 문제는 어느 한 부분만 보고 근거를 찾을 것이 아니라, 선택지 진술과 관계있는 서술, 즉 '관습'이라든가 '이타적 구성원이 사회에서 사라지지 않'기 위해 필요한 것 등에 대해 언급한 부분을 찾아 선택지에 적용해야 해.

11. ② 동음이의어 이해하기

① ⓐ와 '형의 모습을 ~ 관찰하였다'의 '관찰'은 둘 다 '사물이나 현상을 주의하여 자세히 살펴봄.'의 뜻으로 사용된 예이다.
❷ ⓑ의 '감수(甘受)'는 '책망이나 괴로움 따위를 달갑게 받아들임.'이라는 의미로 쓰인 것이다. 이와 달리 '이 사전은 ~ 감수하였다.'의 '감수(監修)'는 '책의 저술이나 편찬 따위를 지도하고 감독함.'이라는 의미이므로, 이 둘은 동음이의 관계이다.
③ ⓒ와 '경쟁사에 밀려 도태되었다.'의 '도태'는 둘 다 '여럿 중에서 불편하거나 부적당한 것이 줄여 없앰.'의 뜻으로 사용된 예이다.
④ ⓓ와 '검색하는 데 유용하다'의 '유용'은 둘 다 '쓸모가 있음.'이라는 의미로 사용된 예이다.
⑤ ⓔ와 '상황에 대응하였다.'의 '대응'은 둘 다 '어떤 일이나 사태에 맞추어 태도나 행동을 취함.'이라는 의미로 사용된 예이다.

Day 22 본문 102쪽

1. ⑤ 2. ② 3. ③ 4. ⑤ 5. ⑤
6. ④ 7. ⑤ 8. ④ 9. ③ 10. ③

【1~5】 이동녕 외, '방사광과학입문'

지문해설

방사광의 특징과 방사광을 만들 때 사용되는 방사광가속기에 대해 설명한 글이다. 방사광은 미세한 물질의 내부 구조를 파악하기 위해 활용 가능한 빛으로, 파장 가변성이 있고 휘도가 높다. 방사광은 자연 상태에서도 발생하지만 연구에 활용하기 위해서 방사광가속기를 사용해 인위적으로 만드는데, 방사광가속기는 크게 전자입사장치, 저장링, 빔라인 등으로 구성되어 있다. 전자입사장치는 전자를 방출시킨 뒤 빛의 속도에 가깝게 가속시켜 저장링으로 주입하는 장치로, 전자총과 선형가속기로 구성된다. 저장링은 휨전자석, 삽입장치, 고주파 공동장치 등으로 구성되어 전자가 궤도를 따라 계속 돌게 한다. 그리고 빔라인은 목적에 맞도록 방사광에서 원하는 파장을 분리시켜 실험에 이용하는 장치로, 크게 진공 자외선 빔라인과 X선 빔라인으로 나눌 수 있다.

■ 비문학 지문 어떻게 이해할까?

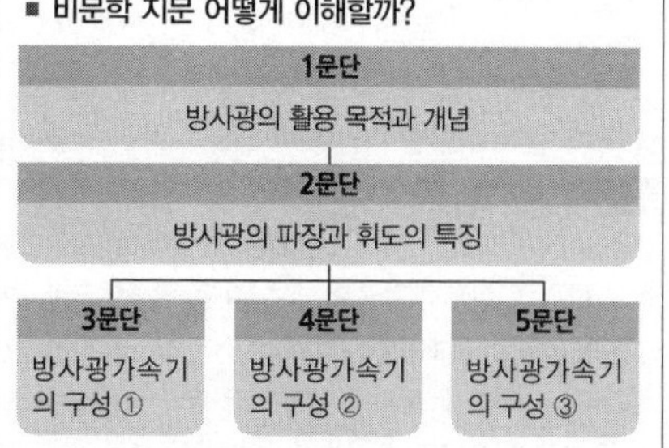

1문단
방사광의 활용 목적과 개념
2문단
방사광의 파장과 휘도의 특징
3문단
방사광가속기의 구성 ①
4문단
방사광가속기의 구성 ②
5문단
방사광가속기의 구성 ③

■ **주제** : 방사광과 방사광을 만드는 방사광가속기의 구성 및 원리

1. ⑤ 세부 정보 파악하기

❺ 세 번째 문단에서 '전자총은 고유한 파장을 가진 금속에 그 파장보다 짧은 파장의 빛을 가하면 전자가 방출되는 광전효과를 활용하여 지속적으로 전자를 방출시킨다.'라고 한 것으로 보아, 금속의 고유한 파장보다 긴 파장이 아니라 짧은 파장의 빛을 금속에 쏘아야 전자를 방출시킬 수 있을 것이므로 적절하지 않다.

2. ② 핵심 개념 파악하기

① 두 번째 문단에서 방사광은 '실험 목적에 따라 파장을 선택하여 사용할 수 있는 파장 가변성을 지닌다.'라고 하였다.

❷ 세 번째 문단에서 방사광은 자연에서 발생하기도 하지만 이를 연구에 활용하는 것은 어려우므로 방사광가속기를 사용해 인위적으로 만들어 사용한다고 하였는데, 방사광가속기의 전자입사장치 중 선형가속기에서는 전기적인 힘의 원리를 활용하여 전자를 가속시킨다고 하였다. 따라서 방사성가속기에서 가속시키는 것은 전자기파가 아니라 전자이므로 적절하지 않다.

③ 세 번째 문단에서 방사광은 '자연에서는 별이 수명을 다해 폭발할 때 발생하기'도 하고, '방사광가속기를 사용해 인위적으로 만들어 사용'하기도 함을 알 수 있다.

④ 두 번째 문단에서 '방사광은 휘도가 높은 빛'으로, '방사광에서 실험을 위해 선택된 X선은, 기존에 쓰던 X선보다 휘도가 수만 배 이상이라서 이를 활용하면 물질의 정보를 보다 자세하게 얻을 수 있다.'라고 하였다.

⑤ 첫 번째 문단에서 방사광은 '빛의 속도에 가깝게 빠른 속도로 운동하는 전자가 방향을 바꿀 때' 방출되는 전자기파라고 하였다.

3. ③ 도식을 토대로 내용 파악하기

① 세 번째 문단에서 전자총(Ⓐ)은 광전효과를 활용하여 지속적으로 전자를 방출시키는데, 이때 방출되는 전자는 상대적으로 속도가 느려 높은 에너지를 가지지 못하므로 선형가속기(Ⓑ)에서 전기적인 힘의 원리를 사용하여 전자를 가속시켜 빛의 속도에 근접하게 만든다고 한 것을 통해 알 수 있다.

② 네 번째 문단에서 휨전자석(Ⓒ)을 설치하여 전자가 지속적으로 궤도를 따라 회전할 수 있도록 하는데, 전자는 휨전자석을 지나면서 자석 주위의 자기장의 힘을 받아 휘게 된다고 한 것을 통해 알 수 있다.

❸ 네 번째 문단에서 '삽입장치(Ⓓ)에서 중첩되어 진폭이 커진 방사광은, 휨전자석(Ⓒ)에서 방출된 방사광보다 큰 에너지를 지닌 더 밝은 방사광이 된다.'고 하였으므로 Ⓒ에서 방출된 방사광이 Ⓓ에서 방출된 방사광보다 밝은 것은 아니다.

④ 네 번째 문단에서 '휨전자석과 삽입장치를 통과하며 방사광을 방출한 전자는 에너지를 잃게 되고, 고주파공동장치(Ⓔ)는 이러한 전자에 에너지를 보충하여 전자가 계속 궤도를 돌게 한다.'고 한 것을 통해 알 수 있다.

⑤ 다섯 번째 문단에서 '빔라인(Ⓕ)은 실험 목적에 맞도록 방사광에서 원하는 파장을 분리시켜 실험에 이용하는 장치'로, 진공 자외선 빔라인과 X선 빈라인으로 나눌 수 있다고 한 것을 통해 알 수 있다.

4. ⑤ 대상 비교 이해하기

① ㉠이 내부 구조까지도 확대하여 관찰할 수 있는 장치이고, ㉡은 물질의 표면을 확대하는 실험 장치이다.

② ㉠은 강력한 전자기장으로 X선을 굴절시켜 빛을 모을 수 있는 특수 금속 렌즈를 이용해 X선을 실험에 활용하고, ㉡은 가시광선을 굴절시켜 빛을 모을 수 있는 유리 렌즈를 이용하므로, 둘 다 빛이 굴절하는 성질을 이용하여 실험하는 장치이다.

③ ㉠은 특수 금속 렌즈를 이용한다. ㉡이 유리 렌즈를 활용하여 빛을 모아 물질을 확대하는 장치이다.

④ ㉡은 가시광선을 굴절시켜 빛을 모을 수 있는 유리 렌즈를 이용하는데, 첫 번째 문단에서 '가시광선 영역'은 '사람의 눈으로 볼 수 있는' 영역이라고 하였다.

❺ ㉠은 다른 빛보다 상대적으로 짧은 파장을 가진 X선의 특성을 이용한 X선 빔라인 중 하나이다. 첫 번째 문단에서 가시광선 영역은 파장이 길다고 하였으므로 결국 ㉠은 ㉡에서 사용하는 빛인 가시광선보다 상대적으로 짧은 파장의 빛을 이용하여 물질을 관찰할 수 있는 장치라고 할 수 있다.

5. ⑤ 어휘의 문맥적 의미 파악하기

❺ ⓐ의 '지니다'는 문맥상 '바탕으로 갖추고 있다.'의 의미이다. '보편성을 지니고 있다.'의 '지니다' 역시 이 의미로 사용된 예로 볼 수 있다.

【6~10】 베루즈 A. 포루잔, '데이터 통신'

지문해설

고속도로 요금 납부 방법인 '전자요금징수시스템'의 작동 과정과 데이터 처리 방식의 종류와 특징을 설명하고 있다. 차량이 요금소의 첫 번째 게이트를 통과할 때, 차량 단말기와 게이트에 설치된 제1기지국 간에 통신이 일어난다. 이 '요금 징수 관련 데이터'는 '지역요금소 ETC 서버'와 '도로공사 요금정산센터의 서버'로 전송되고 데이터는 다시 지역요금소 ETC 서버를 거쳐 두 번째 게이트에 설치된 제2기지국을 경유하여 차량 단말기로 전송된다. 이러한 양방향 통신을 거쳐서 요금 징수 결과가 안내표시기를 통해 운전자에게 안내된다. 전자요금징수시스템의 데이터 처리 방식은 시분할 방식이다. 시분할 방식은 종류에 따라 동기식과 비동기식으로 나뉘는데, 데이터 처리 과정의 정확성은 동기식이 상대적으로 높고, 비동기식이 상대적으로 낮다. 또한 데이터 처리 과정의 효율성은 동기식이 상대적으로 낮고, 비동기식이 상대적으로 높다. 환경에 따라 전자요금징수시스템은 계속 변화할 것이다.

■ 비문학 지문 어떻게 이해할까?

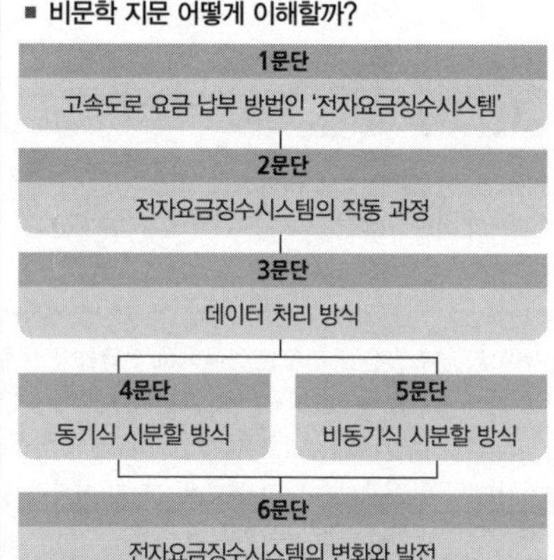

■ **주제** : '전자요금징수시스템'의 작동 과정과 데이터 처리 방식의 종류와 특징

어휘풀이

- **타임 슬롯** 디지털 데이터 통신에서 시분할 다중 방식으로 데이터를 보낼 때, 각 채널에 주기적으로 할당되는 시간 간격.
- **할당되다(割當)** 몫이 갈라져 나뉘다.

6. ④ 주어진 정보 파악하기

① 첫 번째 문단의 '그중 '전자요금징수시스템(ETC)'을 이용하면 ~ 가능하기 때문에 편리하다.'에서 확인할 수 있다.

② 세 번째 문단의 '차량 단말기와 기지국 간에는 무선으로 데이터 전송이 이루어진다.'에서 확인할 수 있다.

③ 세 번째 문단의 '타임 슬롯은 차량이 진입하지 않아도 항상 만들어지는데'에서 확인할 수 있다.

❹ 세 번째 문단에서 타임 슬롯은 '동일한 크기로 분할된 시간의 단위'라고 했으므로 동일한 크기로 분할된 시간의 단위들에 의해 구성된 집합체라는 설명은 적절하지 않다.

⑤ 다섯 번째 문단에서 비동기식 시분할 방식은 '전송되는 모든 데이터마다 ~ 프레임이 구성된다.'에서 확인할 수 있다.

7. ⑤ 구체적 상황에 적용하여 이해하기

① [A]를 보면 차량이 요금소의 첫 번째 게이트를 통과할 때, 차량 단말기와 첫 번째 게이트에 설치된 제1기지국 간에 통신이 일어나며, 이때 제1기지국은 차량 단말기로부터 요금 징수 관련 데이터를 전송받는다고 하였다. 따라서 〈보기〉의 ㉮에서 ㉯로 '요금 징수 관련 데이터'가 전송됨을 알 수 있다.

② [A]를 보면 제1기지국은 차량 단말기로부터 전송받은 요금 징수 관련 데이터를 잃어버리지 않도록 임시 저장소에 보관하면서 거의 동시에 지역요금소 ETC 서버로 전송한다고 하였다. 따라서 〈보기〉의 ㉯에서 ㉰로 '요금 징수 관련 데이터'가 전송됨을 알 수 있다.

③ [A]를 보면 '징수할 요금에 관한 데이터'가 ㉲에 해당하는 제2기지국을 경유하여 ㉮에 해당하는 차량 단말기로 전송됨을 알 수 있으므로 적절하다. 따라서 〈보기〉의 ㉲에서 ㉮로 '징수할 요금에 관한 데이터'가 전송됨을 알 수 있다.

④ [A]를 보면 지역요금소 ETC 서버는 '요금 징수 관련 데이터'를 분석한 후 도로공사 요금정산센터의 서버로 전송하고, 또한 지역요금소 ETC 서버에서 제2기지국으로 징수할 요금에 관한 데이터가 전송됨을 알 수 있다. 따라서 〈보기〉의 ㉰에서 ㉱로 '요금 징수 관련 데이터'가 전송되고, ㉰에서 ㉲로 '징수할 요금에 관한 데이터'가 전송됨을 알 수 있다.

❺ [A]를 보면 도로공사 요금정산센터의 서버에서 찾아진 '징수할 요금에 관한 데이터'가 지역요금소 ETC 서버로 전송됨을 알 수 있다. 하지만 도로공사 요금정산센터의 서버에서 차량 단말기로 전송되는 데이터는 '요금 징수 관련 데이터'가 아니라, '징수할 요금에 관한 데이터'임을 알 수 있으므로 적절하지 않다.

8. ④ 주어진 내용을 바탕으로 추론하기

❹ ㉠과 ㉡을 보면 동기식 시분할 방식은 데이터를 처리하는 과정에서 오류가 발생할 가능성은 낮지만 비동기식은 상대적으로 높다고 했으므로, 데이터 처리 과정의 정확성은 동기식이 상대적으로 높고, 비동기식이 상대적으로 낮다는 것을 알 수 있다. 또한 동기식 시분할 방식은 타임 슬롯이 일부 낭비되지만 비동기식은 타임 슬롯이 낭비되지 않는다고 하였다. 따라서 데이터 처리 과정의 효율성은 동기식이 상대적으로 낮고, 비동기식이 상대적으로 높다는 것을 알 수 있다.

9. ③ 구체적 사례에 적용하기

① 네 번째 문단을 보면, 동기식 시분할 방식은 데이터가 전송되지 않으면 타임 슬롯은 빈 채로 남아 있게 된다고 하였다. 1번 차량은 동기식 시분할 방식에 해당하는 차량으로, Ⅰ-2에 데이터가 전송되지 않은 것은 후불 카드를 사용하는 차량이 아니기 때문이다. 따라서 TS_2는 비워지는 타임 슬롯임을 알 수 있다.

② 1번 차량과 2번 차량은 모두 Ⅰ-3에 해당하는 차량 소유주와 카드 소지자가 일치함이라는 데이터가 전송되었음을 확인할 수 있다. 1번 차량의 타임 슬롯은 TS_1부터 시작한다고 했으므로 1번 차량의 Ⅰ-3의 일치 여부는 TS_3에서, 2번 차량은 TS_7에서 확인할 수 있다.

❸ 1번 차량은 Ⅰ-4에 해당하는 요금 감면 대상이라는 데이터가 전송되었으므로 TS_4에 요금 감면 대상이라는 데이터가 담겨 있다. 그러나 다섯 번째 문단을 보면, 비동기식 시분할 방식은 전송되는 데이터가 없는 경우 타임 슬롯을 비워 두지 않고 다음 순서에 해당하는 데이터에 타임 슬롯이 할당된다고 하였다. 2번 차량은 비동기식 시분할 방식에 해당하는 차량으로, Ⅰ-4에 해당하는 요금 감면 대상이라는 데이터가 전송되지 않았으므로 TS_8에 요금 감면 대상이 아니라는 데이터가 담겨 있다는 설명은 적절하지 않다.

④ 1번 차량은 Ⅰ-1에 해당하는 데이터가 전송되었으므로 TS_1을 통해 1번 차량이 정상적으로 진입했는지를 파악할 수 있다. 또 2번 차량은 Ⅰ-3에 해당하는 데이터가 전송되었으므로 TS_7을 통해 2번 차량의 차량 소유주와 카드 소지자가 일치하는지를 파악할 수 있다.

⑤ 2번 차량은 Ⅰ-1에 해당하는 데이터가 전송되었으므로 TS_5에는 차량이 정상적으로 진입한 것에 대한 데이터가 담겨 있다는 것을 알 수 있고, Ⅰ-2에 해당하는 데이터가 전송되었으므로 TS_6에는 후불 카드를 사용한다는 것에 대한 데이터가 담겨 있다는 것을 확인할 수 있다.

왜 많이 틀렸을까?

전자요금징수시스템의 데이터 처리 방식은 시분할 방식으로, 타임슬롯을 차량 단말기에서 전송된 각각의 데이터에 할당하여 데이터를 처리한다고 하였어. 데이터가 전송되면 그 데이터의 종류에 지정된 타임 슬롯이 해당 데이터에 할당되는데, 이때 '동기식 시분할 방식'의 경우 데이터가 전송되지 않으면 타임 슬롯은 빈 채로 남아 있게 되지만, 비동기식 시분할 방식의 경우 전송되는 데이터가 없는 경우 타임 슬롯을 비워 두지 않고 다음 순서에 해당하는 데이터에 타임 슬롯이 할당된다고 했어. 이 부분에서 학생들이 실수를 범한 듯 해. 비문학 지문에서는 사실적 정보를 잘 파악하는 것이 기본이고, 대상의 특징적인 면에 주목하여 구체적인 상황에 적용해서 해결할 수 있어야 해.

10. ③ 단어의 문맥적 의미 파악하기

① '(조각으로) 나누다'는 '하나를 둘 이상으로 가르다.'의 의미를 가진다.

② '(피를) 나누다'는 '같은 핏줄을 타고나다.'의 의미를 가진다.

❸ ⓐ '(동기식과 비동기식으로) 나누다'는 '여러 가지가 섞인 것을 구분하여 분류하다.'를 의미하므로 '(청군과 백군으로) 나누다'와 문맥적 의미가 가장 유사하다.

④ '(인사를) 나누다'는 '말이나 인사를 주고받다.'의 의미를 가진다.

⑤ '(슬픔을) 나누다'는 '즐거움, 고통, 고생 따위를 함께 하다.'의 의미를 가진다.

Day 23

본문 105쪽

1. ④	2. ④	3. ②	4. ⑤	5. ③
6. ⑤	7. ②	8. ④	9. ⑤	10. ⑤

【1~6】 토머스 S. 쿤, '과학혁명의 구조'

지문해설

토머스 쿤이 제시한 패러다임 이론과 과학혁명의 구조에 대해 설명한 글이다. 쿤이 제시한 패러다임이란 한 시대 사람들의 견해나 사고를 지배하고 있는 이론적 틀이나 개념의 집합체를 뜻한다. 쿤은 패러다임 속에서 진행되는 연구 활동을 정상 과학, 기존의 패러다임에서 예상하지 못했던 현상을 변칙 사례라고 규정하고 정상 과학이 변칙 사례를 설명해 내기도 하나 중요한 변칙 사례가 미해결 상태로 남으면 새로운 패러다임으로서의 급격한 대체 과정인 과학혁명이 일어난다고 보았다. 18세 초부터 후반까지 플로지스톤이라는 개념으로 연소 현상을 이해하던 패러다임이 18세기 말에 라부아지에의 이론을 바탕으로 한 패러다임으로 바뀐 것이 이를 잘 보여 준다. 플로지스톤은 18세기 초 가연성 물질이나 금속에 포함되어 있다고 생각했던 물질로, 이에 따라 연소는 플로지스톤이 방출되는 과정이라고 여겨졌다. 18세기 중반 캐번디시는 플로지스톤을 추출하는 데 성공했다고 주장하면서 가연성 공기의 존재를 제시했고, 18세기 후반 프리스틀리는 가연성 공기를 활용하여 금속회를 금속으로 환원하는 실험을 통해 플로지스톤설을 뒷받침했다. 그러나 18세기 말 라부아지에는 정밀한 실험을 통해 연소는 플로지스톤을 잃는 것이 아니라 공기 중의 산소와 결합하는 현상이라고 주장했고, 이후 이를 바탕으로 연소의 개념과 화학 연구의 패러다임이 바뀌었다. 쿤은 이러한 패러다임의 구조를 통해 과학적 진보가 혁명적인 것이라고 주장하였고, 쿤의 과학혁명 가설은 과학의 발전을 새롭게 바라보도록 만들었다.

분석 Plus+

■ 비문학 지문 어떻게 이해할까?

1문단
토머스 쿤이 제시한 패러다임의 개념과 과학혁명이 일어나는 과정

2문단
18세기 초 연소 현상을 설명한 플로지스톤 패러다임

3문단
18세기 중반 플로지스톤을 추출했다고 주장한 캐번디시

4문단
18세기 후반 금속회를 금속으로 환원하는 실험을 한 프리스틀리

5문단
연소는 공기 중의 산소와 결합하는 현상이라고 주장한 라부아지에

6문단
프리스틀리의 실험을 자신의 이론으로 재해석한 라부아지에

7문단
연소와 화학 연구에 대해 새롭게 자리 잡은 패러다임

8문단
패러다임에 대한 쿤의 주장과 과학혁명 가설의 의의

■ 주제 : 토머스 쿤이 주장한 패러다임과 과학혁명의 구조 및 그 의의

1. ④ 세부 내용 파악하기

① 다섯 번째 문단에서 라부아지에는 정밀하게 질량을 측정할 수 있는 기구를 동원하여 실험을 시행하여 밀폐된 유리병 안에서 인과 황을 가열한 후에 가열 전과 비교함으로써 인과 황의 질량이 늘어난다는 사실을 확인하였다고 한 것을 통해 알 수 있다.
② 두 번째 문단에서 베허와 슈탈은 종이, 숯, 황처럼 잘 타는 물질에 플로지스톤이 많이 포함되어 있다고 주장하였다고 한 것을 통해 알 수 있다.
③ 두 번째 문단에서 플로지스톤 패러다임에 따르면 연소는 물질에 포함되어 있던 플로지스톤이 방출되는 과정인데, 연소 현상뿐만 아니라 음식이 소화되는 생화학 작용 등 다양한 현상이 플로지스톤을 통해 이해될 수 있었다고 한 것을 통해 알 수 있다.
❹ 여섯 번째 문단에서 라부아지에는 가연성 공기를 태울 때 물이 형성된다는 캐번디시의 관찰 결과를 토대로 프리스틀리의 실험을 자신의 이론으로 재해석하였다고 하고 있다. 즉 라부아지에는 플로지스톤 패러다임을 반박하였으나 금속을 산에 녹일 때 나온 기체가 매우 잘 타는 성질을 띠고 있음을 발견한 캐번디시의 실험 결과를 반박한 것은 아니다.
⑤ 마지막 문단에서 쿤의 과학혁명 가설은 고정된 틀 속에서 문제를 해결하려 한 정상 과학을 반성적으로 바라볼 수 있게 하였음을 알 수 있다.

2. ④ 세부 정보 확인하기

① 캐번디시가 자신이 발견한 가연성 공기를 태울 때 물이 형성되는 현상을 관찰한 것은 ㉠의 판단 이후이므로 이를 통해 ㉠과 같이 판단한 것으로 볼 수는 없다.
② '이 기체'는 금속을 산에 녹일 때 발생한 것이니 금속이 녹슬면서 나온 것은 아니다.
③ '이 기체'가 산에 많이 포함되어 있는지는 알 수 없다.
❹ 두 번째 문단에서 플로지스톤 패러다임에 따르면 플로지스톤은 잘 타는 물질에 많이 포함되어 있는 것으로 연소는 물질에 포함되어 있던 플로지스톤이 방출되는 과정이고, 금속이 녹스는 현상 또한 플로지스톤 이론으로 설명할 수 있다고 하고 있다. 세 번째 문단에서 캐번디시는 금속을 산에 녹일 때 발생하는 기체가 매우 잘 타는 성질이 있음을 발견했는데, 녹슨 금속을 산에 녹일 때는 '이 기체'가 발생하지 않았으므로 결국 '이 기체'는 녹슬지 않은 금속에 있던 플로지스톤이 빠져 나온 것이라고 생각했다고 볼 수 있다.
⑤ '이 기체'는 녹슨 금속을 산에 녹일 때는 나오지 않았으나, 가열할 때 나온 것이 아니라 녹슬지 않은 금속을 산에 녹일 때 나온 것이다.

3. ② 글의 내용 추론하기

❷ 플로지스톤 패러다임에 따르면 금속이 녹스는 현상은 금속에서 플로지스톤이 빠져나가는 것이다. 다섯 번째 문단에 따르면 라부아지에는 금속이 녹슬 때 질량이 변화한다는 사실에 주목하여 플로지스톤 이론에 의문을 가졌고, 연소 현상에서도 그러한 질량 변화가 있을 것이라고 보고 실험을 시행하여 밀폐된 유리병 안에서 인과 황을 가열한 후에 가열 전과 비교하여 인과 황의 질량이 늘어난다는 사실을 확인하였다. 그리고 연소 반응에서 소모되는 기체를 모아 질량을 측정한 결과 반응 전후의 총 질량은 변화가 없다는 사실을 파악하였다. 이를 고려할 때 라부아지에는 플로지스톤 이론대로 금속이 플로지스톤을 잃어 녹슨 것이라면 녹슬기 전보다 질량이 줄어들어야 할 텐데, 실제로는 그렇지 않았던 것에 의문을 가졌고 이를 실험을 통해 확인한 것으로 볼 수 있다.

4. ⑤ 자료에 적용하여 이해하기

① 네 번째 문단에서 프리스틀리는 금속회를 가열하면 금속회가 플로지스톤을 흡수하여 금속이 될 것이라고 예측하였음을 알 수 있는데, 이를 통해 프리스틀리는 가열 전의 금속회는 플로지스톤이 결핍된 상태라고 보았음을 알 수 있다.
② 네 번째 문단에서 프리스틀리는 금속회가 금속이 되는 과정에서 유리그릇 안쪽의 수위가 높아지는 것은 유리그릇 안에 있던 플로지스톤이 소모된 증거라고 보았음을 알 수 있다. 프리스틀리의 실험은 캐번디시가 발견한 가연성 공기를 활용한 것으로, 캐번디시가 발견한 가연성 공기는 금속 안에 있던 플로지스톤이 빠져 나온 것이다. 따라서 프리스틀리는 수위가 상승한 것이 가연성 공기가 소모된 결과라고 이해한 것으로 볼 수 있다.
③ 네 번째 문단에서 프리스틀리는 캐번디시가 발견한 가연성 공기를 활용하여 금속회를 금속으로 환원하는 실험을 시행하였고, 실험 결과 예측대로 금속회가 금속이 된 것을 관찰하였음을 알 수 있다.
④ 여섯 번째 문단에서 라부아지에는 프리스틀리의 실험을 자신의 이론으로 재해석하면서 프리스틀리의 실험에서 나타난 현상은 금속회에 있던 산소가 유리그릇으로 방출된 것이라고 보았다고 하고 있다. 즉 금속회를 가열하면 가연성 공기가 아니라 산소가 방출된다고 본 것이다.
❺ 여섯 번째 문단에서 라부아지에는 프리스틀리의 실험이 물 위에서 시행되었기 때문에 새롭게 형성된 물을 관찰하기 어려웠을 것으로 보고 같은 실험을 물이 아닌 수은 위에서 시행하여 새롭게 형성되는 소량의 물을 관찰했다. 즉 라부아지에는 새롭게 형성되는 물을 관찰하기 위해 수은 위에서 실험을 시행한 것이지 수은 위에서 실험을 시행하면 물 위에서 실험했을 때와는 달리 새로운 물이 형성될 것이라고 본 것은 아니다.

왜 많이 틀렸을까?

이 문제는 ②번과 ④번의 선택 비율이 높게 나타나 정답률이 낮았는데, 특히 ④번의 선택 비율은 26%에 달했어. 이 문제를 틀렸다면 지문에 제시된 개념들 간의 관계나 무언가를 방출하는 현상이 일어나는 이유를 파악하지 않고 지문이나 선택지의 진술을 있는 그대로만 파악하고 있는 건 아닌지 검토해 볼 필요가 있어. ②번은 네 번째 문단에서 프리스틀리가 유리그릇 안쪽의 수위가 높아진 현상이 유리그릇 안의 플로지스톤이 소모된 증거라고 보았다는 설명을 보고 이를 가연성 공기가 소모되었다고 이해한 것과 다르다고 생각한 경우 선택하기 쉬운 함정이었어. 하지만 프리스틀리의 실험의 바탕은 캐번디시가 발견한 가연성 공기, 즉 플로지스톤이 빠져 나온 것을 바탕으로 한다는 점을 파악했어야 해. 한편 ④번과 관련해서는 네 번째, 여섯 번째 문단의 내용을 토대로 프리스틀리의 실험은 금속회를 가열하여 금속을 만든 것으로, 이에 대해 프리스틀리는 플로지스톤과 금속회가 결합한 것이라고 보았지만 라부아지에는 금속회에 있던 산소가 유리그릇으로 방출된 것이라고 본 것이라는 점을 이해해야 해. 플로지스톤 패러다임에서 가연성 공기는 플로지스톤이 빠져 나온 것인데, 라부아지에는 이를 부정하고 산소를 제시한 거거든.

5. ③ 관점에 따라 내용 비판하기

① 첫 번째 문단에서 정상 과학은 패러다임 속에서 진행되는 연구 활동, 변칙 사례는 기존의 패러다임에서는 예상하지 못했던 현상임을 알 수 있다. 라부아지에는 변칙 사례를 발견하고 이를 정상 과학으로 해명한 것이 아니라 플로지스톤 패러다임을 대체하는 새로운 패러다임을 제시한 것이다.
② 가연성 공기와 관련한 캐번디시의 실험은 플로지스톤 패러다임 속에서 진행된 연구 활동이므로 정상 과학의 범주에서 이루어진 것이지만 이를 통해 새로운 패러다임이 기존의 패러다임보다 더 진보되었다고 볼 수는 없다.
❸ 첫 번째 문단에 따르면 쿤은 옛 패러다임과 새로운 패러다임 중 어떤 패러다임이 더 우월한지는 판단할 수 없다고 보았으며, 마지막 문단에서는 새로운 패러다임을 옛것과 비교하여 어떤 패러다임이 더 우월한지 평가할 논리적 기준은 없다고 보았음을 알 수 있다. 〈보기〉에서는 새로운 패러다임이 기존의 패러다임보다 더 나아졌다고 말할 수 없다면 과학이 진보하고 있다고 말할 수 없으며, 기존의 이론이 설명하지 못한 부분을 해명하는 이론은 이전에 비해 진보한 것이라고 주장하고 있다. 따라서 〈보기〉의 관점에서 패러다임 간의 우월성은 없다는 쿤의 주장을 비판한다면, 플로지스톤 패러다임에서는 설명할 수 없었던 변칙 사례를 라부아지에의 이론으로 해명할 수 있다는 점에서 패러다임 간의 우월성은 존재한다고 말할 수 있다.
④ 과학적 진보가 누적적인 것이 아니라 혁명적이라고 본 것은 쿤의 관점이며, 〈보기〉에서는 지식의 누적이 과학적 진보라고 보고 있다.
⑤ 라부아지에는 프리스틀리의 실험 결과를 자신의 이론으로 재해석한 것이지 그의 실험 결과를 활용하여 자신의 이론을 설명한 것은 아니다.

6. ⑤ 어휘의 문맥적 의미 파악하기

① '조망(眺望)하다'는 '먼 곳을 바라보다.'라는 의미이다. '과학혁명이 일어난다고 보았다.'의 '보다'는 판단의 의미를 담고 있으므로 이와 바꿔 쓰는 것은 적절하지 않다.
② '소유(所有)하다'는 '가지고 있다.'라는 의미이다. '잘 타는 성질을 띠고 있음'의 '띠다'는 어떤 성질을 지니고 있다는 의미이므로 이와 바꿔 쓰는 것은 적절하지 않다.
③ '생략(省略)되다'는 '전체에서 일부가 줄거나 빠지다.'라는 의미이다. '패러다임은 사라지고'의 '사라지다'는 없어짐을 의미하므로 이와 바꿔 쓰는 것은 적절하지 않다.
④ '전도(顚倒)되다'는 '차례, 위치, 이치, 가치관 따위가 뒤바뀌어 원래와 달리 거꾸로 되다.'라는 의미이다. '패러다임이 바뀌었다'의 '바뀌다'는 '원래 있던 것을 없애고 다른 것으로 채워 넣거나 대신하게 하다.'의 의미이므로 '전도되다'로 바꿔 쓰는 것은 적절하지 않다.
❺ '하나의 이론 체계를 받아들인다'의 '받아들이다'는 '어떤 사실 따위를 인정하고 용납하거나 이해하고 수용하다.'라는 의미이다. '수용(受容)하다'는 '어떠한 것을 받아들이다.'라는 의미로 ⓔ의 '받아들인다'와 의미가 통하므로 이와 바꿔 쓰기에 적절하다.

【7~10】 박순기, '결정적 순간'

지문해설

사진작가 브레송의 '결정적 순간'의 미학을 설명한 글이다. 브레송은 안정된 구도와 유동성을 기반으로 움직임 가운데 균형을 잡아낸 사진을 촬영하였다. 그가 정의한 '결정적 순간'이란 어떤 하나의 사실과 관련해 시각적으로 포착된 다양한 모습들이 하나의 긴밀한 구성을 이루고, 그 구성 안에 의미가 실리는 것을 순간적으로 동시에 인식하는 것이다. 예술가가 자신이 원하는 순간을 포착하는 것의 중요성을 보여 준 브레송의 미학은 다른 사진작가들에게 큰 영향을 주었고, 예술 지평을 넓혔다는 평가를 받았다.

분석Plus+

■ **비문학 지문 어떻게 이해할까**

1문단
'결정적 순간'의 미학을 탄생시킨 브레송

2문단
안정적 구도와 유동성을 기반으로 한 브레송의 촬영 기법

3문단
브레송이 정의한 '결정적 순간'

4문단
브레송의 영향을 받은 마크 코헨의 촬영 기법

5문단
브레송의 '결정적 순간'의 예술사적 의의

■ **주제** : 브레송의 '결정적 순간'의 미학과 그 영향 및 의의

어휘풀이

- **미학(美學)** 자연이나 인생 및 예술 따위에 담긴 미의 본질과 구조를 해명하는 학문.
- **지평(地平)** 사물의 전망이나 가능성 따위를 비유적으로 이르는 말.

7. ② 핵심 내용 이해하기

① 브레송의 '결정적 순간'의 미학에 대해 설명하고 있으나 그것이 등장한 시대적 배경은 설명하지 않았다.
❷ 첫 번째 ~ 세 번째 문단에서 브레송이 제시한 '결정적 순간'의 촬영 기법과 의미에 대해 설명한 뒤 네 번째 문단에서 브레송의 미학의 영향을 받은 마크 코헨에 대해 소개하고 마지막 문단에서 브레송의 미학의 의의를 제시하고 있다.
③ '결정적 순간'에 대한 상반된 견해는 제시되지 않았다.
④ '결정적 순간'의 사례와 그에 대한 다양한 견해는 제시되지 않았다.
⑤ '결정적 순간'은 브레송이 제시한 미학으로 그 규정 조건이 시대에 따라 달라지는지는 알 수 없다.

8. ④ 세부 내용 파악하기

① 두 번째 문단에서 브레송이 기반으로 한 '안정된 구도'는 '회화에 기초한 구도를 통해 사진에서 안정감을 느낄 수 있도록 하는 것'이라고 한 부분과 그가 사용한 회화의 구도를 통해 브레송의 사진에 회화가 미친 영향을 알 수 있으므로 '알게 된 점'으로 적절하다.
② 두 번째 문단에서 브레송은 사진에 회화에 기초한 구도, 즉 '황금분할 구도, 기하학적 구도, 주요 요소들을 대비한 구도'를 사용했음을 알 수 있으므로 '알게 된 점'으로 적절하다.
③ 마지막 문단에서 브레송의 '결정적 순간'이 갖는 예술사적 의의를 알 수 있으므로 '알게 된 점'으로 적절하다.
❹ 네 번째 문단에서 마크 코헨은 광각 렌즈를 부착한 카메라로 촬영했음을 제시하고 있으므로 마크 코헨이 주로 사용한 렌즈를 '더 알고 싶은 내용'으로 정리한 것은 적절하지 않다.
⑤ 네 번째 문단에서는 마크 코헨의 촬영 기법을 설명했을 뿐 그의 대표 작품은 소개하지 않았으므로 이를 '더 알고 싶은 내용'에 정리하는 것은 적절하다.

9. ⑤ 세부 내용 파악하기

① 세 번째 문단에서 브레송은 '내용과 구성이 조화를 이룬 '결정적 순간'을 발견하고 타이밍에 맞추어 촬영'했다고 한 것을 통해 알 수 있다.
② 두 번째 문단에서 브레송은 '화각이 인간의 시야와 가장 비슷한 표준 렌즈를 주로 사용해 사람의 눈높이에서 촬영'했다고 한 것을 통해 알 수 있다.
③ 네 번째 문단에서 마크 코헨은 '돌발성을 기반으로 한 근접 촬영 방식을 통해 독특하면서도 기발한 결정적 순간을 포착'했다고 한 것을 통해 알 수 있다.
④ 네 번째 문단에서 마크 코헨은 플래시를 사용해 그림자의 모양을 자신의 의도대로 변화시키기도 하는 등 눈으로 보는 세상과는 다르게 보이도록 인공적으로 만든 자신만의 결정적 순간을 포착했다고 한 것을 통해 알 수 있다.
❺ 마크 코헨은 '돌발성'을 기반으로 독특하면서도 기발한 결정적 순간을 포착했는데, 이와 달리 브레송은 '유동성'을 기반으로 하여 자신이 미리 계획했던 구도에 움직이는 대상이 들어와 원하는 형태적 구성을 완성한 순간을 포착하였다.

10. ⑤ 구체적 사례에 적용하기

① 두 번째 문단에서 브레송이 활용한 주요 요소들 간의 대비에는 동과 정의 대비가 있음을 알 수 있는데, 〈보기〉의 ⓓ의 고요한 물 위를 건너뛰는 남자에서 동과 정의 대비를 확인할 수 있다.
② 두 번째 문단에서 브레송이 안정된 구도를 위해 활용한 주요 요소들 간의 대비에는 상하 대비가 있음을 알 수 있는데, 〈보기〉의 ⓐ의 포스터와 ⓓ의 남자는 각각 그림자와의 상하 대비를 통해 안정된 구도를 보여 준다.
③ 두 번째 문단에서 브레송은 여러 종류의 도형이 채워져 있는 기하학적 구도를 활용했음을 알 수 있는데, 〈보기〉의 ⓑ에서는 삼각형의 지붕과 오각형의 건물, ⓒ에서는 둥근 모양의 고리, ⓓ에서는 사각형의 사다리가 나타나 여러 종류의 도형이 이루는 기하학적 구도를 찾아볼 수 있다.
④ 두 번째 문단에서 브레송은 3:2의 비율로 화면을 분할한 황금분할 구도를 활용했음을 알 수 있는데, 〈보기〉의 오른쪽에서 남자와 그림자가 3:2의 비율로 분할된 곳에 위치하는 황금분할에 기초한 구도를 활용했음을 확인할 수 있다.
❺ 두 번째 문단에서 브레송은 주요 요소들 간의 대비로 좌우 대각선 대비를 사용했음을 알 수 있는데, 〈보기〉에서 남자와 포스터 속 댄서를 좌우 대각선에 배치한 것에서 좌우 대각선 대비 구도를 확인할 수 있다. 이러한 구도는 미리 계획한 구도에 변화를 준 것과는 관련 없으며, 브레송은 자신이 미리 계획했던 구도에 움직이는 대상이 들어와 원하는 형태적 구성을 완성한 순간을 포착했다.

미니 Test

Day 24

본문 109쪽

1. ③ 2. ① 3. ① 4. ⑤ 5. ⑤
6. ① 7. ③ 8. ① 9. ④ 10. ④
11. ⑤

1. ③ 토론의 입론 내용 파악하기

① [A]는 실제 ㅇㅇ국에서 공직자 선거에 온라인투표를 활용하고 있는 사례를 제시하며 온라인투표 도입의 필요성을 주장하고 있다.
② [A]는 시공간의 제약이나 이동의 불편함 때문에 현재의 투표 방식이 투표권을 제대로 보장하지 못한다는 점을 들어 문제를 제기하고 있다.
❸ [B]는 최근 공직자 선거 투표에 참여하지 않은 사람들을 대상으로 한 설문 조사에서 시간과 공간의 제약으로 투표하지 못한 사람들의 비율이 매우 낮다는 점을 들어 [A]의 주장을 반박하고 있다. 이를 근거로 온라인투표를 실시하더라도 실제 투표율에 큰 차이가 없을 것이라 주장하고 있다. 그러나 공직자 선거 투표에 참여를 희망하는 사람의 비율이 낮다고 주장하는 내용은 확인할 수 없다.
④ [B]는 현재 시행되고 있는 투표일은 임시 공휴일로 지정되어 있고 사전 투표제도 있어서 투표를 원하는 유권자의 대부분이 투표권을 보장받고 있는 상황을 언급하고 있다. 이에 따라 온라인투표를 도입하더라도 실제 투표율에 큰 차이가 없을 것이라고 주장하고 있다.
⑤ [A]는 시간과 공간의 제약으로 인해 투표하지 못했던 사람들의 투표권을 온라인투표가 보장해 줄 수 있다고 주장하고 있으며, [B]는 '온라인투표가 종이투표에 비해 투표권 보장에 더 유리한 측면이 있'다는 점을 언급하고 있음을 확인할 수 있다. 따라서 [A]와 [B]는 모두 온라인투표가 투표권 보장에 더 유리하다는 점에 대해 동의하고 있다.

2. ① 토론의 반대 신문 과정 평가하기

❶ 반대 2는 찬성 1에 대한 반대 신문에서, 우리나라와 비교해 인구 규모가 큰 차이가 나는 ㅇㅇ국 온라인투표 사례를 동일하게 적용할 수 있는지에 대한 답변을 요구하고 있다. 이처럼 반대 2는 답변을 제한하는 폐쇄형 질문을 통해 찬성 측이 제시한 자료의 적절성을 검증하고 있다.
② 반대 2는 반대 신문에서 찬성 측이 제시한 사례가 담긴 자료의 출처를 요구하고 있지 않다.
③ 찬성 1은 반대 2의 반대 신문에 대한 답변에서 온라인투표의 원리가 동일하다는 이유를 들며 우리나라에서도 온라인투표를 도입할 수 있다는 의견을 제시하고 있을 뿐, 구체적 수치 자료를 제시하고 있지는 않다.
④ 찬성 1은 반대 신문에서 온라인투표가 선거의 원칙에 위배될 수 있다는 반대 측의 주장에 대해, 종이투표의 경우도 유사한 상황이 발생할 수 있다는 점을 들어 반박하고 있다. 반대 1이 언급하지 않은 내용에 대해 질문하고 있지는 않다.
⑤ 반대 1은 찬성 1의 반대 신문에 대해 온라인투표가 선거의 원칙을 위배할 가능성이 더 높다고 답변하고 있다. 찬성 1의 질문과 무관한 답변을 하고 있지는 않다.

3. ① 작문 맥락 파악하기

❶ (나)에서는 온라인투표를 시행하게 되면 투표권을 최대한 보장할 수 있어서 투표율을 높일 수 있고 선거 관리 비용을 줄일 수 있다는 점을 근거로 제시하며, 공직자 선거에 온라인투표를 도입할 필요성이 있다는 점을 설득력 있게 전달하고 있다.
② 공직자 선거 투표에 참여를 원하지 않는 사람들에 대해서 고려하고 있지는 않다.
③ (나)는 학교 신문에 실은 글로, 실시간 의사소통이 가능한 매체가 아니다.
④ 현재의 투표 제도와 관련된 문제를 인식하고 투표 방식과 절차를 안내하고 있는 글은 아니다.
⑤ 예상 독자로 온라인투표의 도입을 결정할 수 있는 실질적 권한을 가진 기관을 특정하지는 않았다.

4. ⑤ 토론 내용 반영 여부 확인하기

① (가)의 토론에서 언급된 두 입장 중 온라인투표 도입에 찬성하는 입장의 발언 내용을 (나)의 첫 번째 문단에 반영하고 있다.
② (가)의 토론에서 언급되지 않은 ㅇㅇ대학교와 △△대학교의 투표율 변화 사례를 (나)의 첫 번째 문단에 추가하여 온라인투표 도입으로 투표율이 상승하는 효과를 강조하고 있다.
③ (가)의 토론에서 언급된 두 입장을 모두 고려하여 (나)의 마지막 문단에 온라인투표를 부분적으로 도입해야 하는 이유에 대해 언급하며 주장에 대한 설득력을 높이고 있다.
④ (가)의 토론에서 언급된 두 입장 중 온라인투표 도입에 반대하는 입장의 발언 내용을 반영하여 (나)의 두 번째 문단에서 온라인투표 도입에 따라 대리 투표 문제가 발생할 수 있음을 제시하고 있다.
❺ (가)의 토론에서 언급하지 않은 1인당 선거 관리 비용에 대한 자료를 (나)의 첫 번째 문단에 추가하고 있다. 하지만 마지막 문단에서 온라인투표를 부분적으로 도입할 경우 기존의 선거 관리 비용 외에 추가로 예산을 투입해야 한다고 했으므로, 온라인투표를 부분적으로 도입할 경우 얻을 수 있는 경제적 이익을 구체화하고 있다는 설명은 적절하지 않다.

5. ⑤ 표준 발음법 이해하기

① '끓고[끌코]'는 받침 'ㅎ(ㅀ)' 뒤에 'ㄱ'이 결합되어 뒤 음절 첫소리와 합쳐서 [ㅋ]으로 발음되는 경우로, 이는 ㉠에 해당한다.
② '쌓지[싸치]'는 받침 'ㅎ' 뒤에 'ㅈ'이 결합되어 뒤 음절 첫소리와 합쳐서 [ㅊ]으로 발음되는 경우로, 이는 ㉠에 해당한다.
③ '닿네[단네]'는 받침 'ㅎ' 뒤에 'ㄴ'이 결합되어 'ㅎ'이 [ㄴ]으로 발음되는 경우로, 이는 ㉡에 해당한다.
④ '놓여[노여]'는 받침 'ㅎ' 뒤에 모음으로 시작된 어미가 결합되어 'ㅎ'을 발음하지 않는 경우로, 이는 ㉢에 해당한다.
❺ '않다[안타]'는 받침 'ㅎ(ㄶ)' 뒤에 'ㄷ'이 결합되어 뒤 음절 첫소리와 합쳐서 [ㅌ]으로 발음되는 경우로, ㉠에 해당한다. 받침 'ㅎ' 뒤에 모음으로 시작된 어미나 접미사가 결합된 경우가 아니므로 ㉢에 따른다는 진술은 적절하지 않다.

6. ① 국어의 시제 파악하기

❶ '지난번에 먹은 귤이 맛있었다.'에서 '먹은'의 관형사형 어미 '-은', '맛있었다'의 선어말 어미 '-었-'으로 발화시보다 사건시가 앞선 과거 시제가 실현되었다.
② 시간 부사어 '내일'과 '읽을'의 관형사형 어미 '-을'이 쓰여 발화시보다 사건시가 나중인 미래 시제가 실현되었다.
③ 시간 부사어 '이미'와 '도착했다'의 선어말 어미 '-았-'이 쓰여 발화시보다 사건시가 앞선 과거 시제가 실현되었으나, 관형사형 어미에 의한 시제 표현은 나타나지 않았다.
④ 시간 부사어 '작년'과 '왔었다'의 선어말 어미 '-았었-'이 쓰여 발화시보다 사건시가 앞선 과거 시제가 실현되었지만, 관형사형 어미에 의한 시제 표현이 없다.
⑤ 시간 부사어 '지금'과 '한다'의 선어말 어미 '-ㄴ-'이 쓰여 발화시와 사건시가 일치하는 현재 시제가 실현되었다.

Skill

시제의 종류
1. 과거 시제: 사건시가 발화시보다 앞서 있는 것.
   예 나는 어제 친구를 만났다.
2. 현재 시제: 사건시와 발화시가 일치하는 것.
   예 나는 지금 게임을 한다.
3. 미래 시제: 사건시가 발화시보다 뒤에 놓이는 것.
   예 나는 내일 영화를 볼 것이다.

7. ③ 중세 국어의 특징 이해하기

① ㉠은 현대 국어에서 보면 '이르되'로, 'ㅣ, ㅑ, ㅕ, ㅛ, ㅠ'앞에서 'ㄴ'이 첫소리로 나타나지 않는 '두음 법칙'이 중세 국어에는 적용되지 않았음을 확인할 수 있다.
② ㉡은 현대 국어에서 보면 '좇음이'로, 중세 국어에서는 소리나는 대로 적는 이어 적기가 사용되었음을 확인할 수 있다.
❸ ㉢은 현대 국어에서 보면 '대답하시되'로, 중세 국어에서는 '선혜'를 높이는 주체 높임 선어말 어미인 '-샤-'가 사용되었음을 확인할 수 있다.
④ ㉣은 현대 국어에서 보면 '석 달을'로, 중세 국어에서는 체언에 조사가 결합할 때 모음 조화를 지켰음을 확인할 수 있다.
⑤ ㉤에서 'ㅿ'은 현대 국어에서는 쓰이지 않는 자음임을 확인할 수 있다.

왜 많이 틀렸을까?

주체 높임법은 문장의 주체를 높이고 존중하는 어법으로 현대 국어에서는 주격 조사 '께서'와 선어말 어미 '-시'로 실현되는데, 중세 국어에서는 선어말 어미 '-샤'(모음 어미 앞에 사용), 선어말 어미 '-시'(자음 어미 앞에 사용)로 실현되지. 중세 국어에는 현재에는 없어진 선어말 어미들이 쓰이고 있는 걸 꼭 알아 둬야 해. 반면 객체 높임은 목적어나 부사어로 쓰인 인물(객체)을 높일 때 쓰이지. 조건은 객체가 주체나 화자보다 존귀한 인물이겠지. 뜻은 '공손하게' 정도인데, 현대 국어에는 흔적(옵, 시옵, 자옵, 合…)만 남아 있고 그 원래의 의미는 거의 소멸되었어.

【8~11】 (가) 박인로, '상사곡(相思曲)'

작품해설

임과 이별한 화자가 외로움과 임에 대한 간절한 그리움을 노래한 가사로 105행 222구 중 제시된 부분은 후반부에 해당한다. 가을밤에 달을 보며 임을 본 듯 슬퍼하던 화자가 임의 언약을 굳게 믿고 재회를 바라는 모습과, 산수 갖춘 곳에서 초막을 작게 짓고 안분지족하며 살고자 하는 소망이 나타나고 있다. '임'을 임금으로 해석할 때 임금에 대한 연정을 노래한 충신연주지사로 읽을 수도 있다.

[놓치지 말자!]

- **갈래** : 가사
- **성격** : 연정가
- **구성**
  - 가을밤 아주 긴 때 ~ 눈물질 뿐이로다: 가을밤 달을 보며 느끼는 심회
  - 어디 뉘 말이 ~ 유여(有餘)하고자 바랄소냐: 임에 대한 그리움과 재회에 대한 소망
  - 두세 이랑 돌밭을 ~ 정을 맙도록 좇으리라: 안분지족의 삶과 임에 대한 마음
- **제재** : 임과의 이별
- **주제** : 이별한 임에 대한 변치 않은 연정

어휘풀이

- **전전반측(輾轉反側)** 누워서 몸을 이리저리 뒤척이며 잠을 이루지 못함.
- **구곡간장(九曲肝腸)** 굽이굽이 서린 창자라는 뜻으로, 깊은 마음속 또는 시름이 쌓인 마음속을 비유적으로 이르는 말.
- **동창(東窓)** 동쪽으로 난 창.
- **진정(眞情)** 참되고 애틋한 정이나 마음.
- **구만리장천(九萬里長天)** 아득히 높고 먼 하늘.
- **초생(初生)** 1. 갓 생겨남. 2. '초승(음력으로 그달 초하루부터 처음 며칠 동안)'의 북한어.
- **초막(草幕)** 풀이나 짚으로 지붕을 이어 조그마하게 지은 막집.
- **유여하다(有餘--)** 여유가 있다.
- **성경(誠敬)** 1. 정성을 다하여 공경함. 2. 정성과 공경을 아울러 이르는 말.

같은작가 다른기출

2003학년도 9월 모의 평가 '누항사'
2004학년도 6월 모의 평가 '조홍시가'
2009학년도 6월 모의 평가 '누항사'
2013학년도 9월 모의 평가 '누항사'
2015학년도 수능 A형 '상사곡'

(나) 유경환, '고향 이루는 생각들'

작품해설

어린 시절 고향의 모습을 회상하며 감각적으로 형상화한 수필이다. 글쓴이는 어린 시절 송천, 사리원, 겸이포, 장연 등지로 이사를 자주 다녀 몽금포 타령을 들으면 고향 마을을 떠올리게 된다. 금융조합 이사 집의 감나무, 입술에 오딧물이 들었던 여름, 떫은 감겨를 소매에 부빈다고 야단을 맞던 일, 가을이 와 개암이 익기 기다려 산을 파헤치고 다니던 기억 등 어린 시절의 추억이 구체적인 장면의 열거로 제시되고 있다. 글쓴이는 과거와 현재의 교차를 통해 고향에 대한 그리움을 드러내면서 고향을 잃어가고 있는 현재를 돌아보고 있다.

[놓치지 말자!]

- **갈래** : 경수필
- **성격** : 회고적, 사색적, 감각적
- **제재** : 어린 시절 고향에 대한 추억
- **주제** : 어린 시절과 고향에 대한 그리움

어휘풀이

- **희죽희죽** '헤죽헤죽(활갯짓을 거볍게 하며 걷는 모양)'의 잘못.

8. ① 작품 간의 공통점 파악하기

❶ (가)에서는 '못 보는 저 임을 이토록 그리는가', '신혼에 즐거웠거늘 오랜 옛정이 지금이라고 어떠하랴'에서 드러나듯 임을 떠올리며 과거를 돌아보고 있다. 또한 (나)에서는 어린 시절 고향에 대한 그리움을 드러내며 '고향은 지워지지 않고, 잊어버릴 뿐. 그러나 아직 잊어버리지는 않으나, 잃어버리는 생각은 있다.'에서 자신의 삶을 되돌아보고 있다.
② (가), (나) 모두 해결하기 어려운 내면적 고통을 토로하며 현실을 비판하는 것과는 거리가 멀다.
③ (가)에서는 임을 그리워하다가 '운수에 정해진 만남과 이별을 마음대로 할 수 있는가'라며 받아들이고 있을 뿐이고 (나)에서는 과거 고향을 회상하는 모습이 나타날 뿐 둘 다 주변을 돌아보거나 주변의 모습에서 깨달음을 얻는 모습은 나타나지 않았다.
④ (가)의 화자는 산수 갖춘 고을에 초막을 작게 짓고 안분지족하려는 태도를 드러내고 있으나 어지러운 세속을 부정하는 모습은 보이지 않았으며 (나) 또한 세속의 부정이나 세속과 타협하지 않으려는 태도와는 거리가 멀다.
⑤ (가)에는 임과 이별한 현실에 안타까워하다 운수에 정해진 만남과 이별을 마음대로 할 수 없으니 언약을 믿고 기다리겠다는 태도가 드러나 있고, (나)에서는 과거 고향과 어린 시절을 추억하며 고향에 대해 잃어버리는 생각이 있음을 말하고 있을 뿐 둘 다 변해 버린 현실을 아쉬워하며 좌절하는 모습은 나타나지 않았다.

9. ④ 시어의 기능 파악하기

① (가)에서 '빗소리'는 화자의 잠을 깨우는 것이므로 상상이 아닌 현실의 것이다.
② (가)에서 '빗소리'는 화자의 잠을 깨우는 것일 뿐 화자가 함께하고 싶은 임과는 거리가 먼 소재이고 (나)에서 '몽금포 타령'은 작가가 고향을 떠올리게 하는 매개체일 뿐 글쓴이가 멀리 하고 싶어 하는 소재는 아니다.
③ (가)에서 화자는 외로운 처지에 잠을 못 이루다가 밤중에 '빗소리'에 잠을 깨므로 빗소리가 화자의 긍정적인 처지를 드러낸다고 볼 수는 없으며, (나)에서 작가의 처지가 부정적인 것은 아니므로 '몽금포 타령'이 작가의 처지가 부정적임을 알게 하는 소재라고는 볼 수 없다.
❹ (가)에서 화자는 밤중에 '빗소리'에 깨어나 '구곡간장(九曲肝腸)', 즉 한과 시름이 쌓인 마음속이 끊는 듯하다고 하고 있으므로 ㉠은 화자가 느끼는 슬픔과 시름을 심화시키는 소재라고 할 수 있다. 또한 (나)에서 작가는 라디오에서 흐르는 '몽금포 타령(㉡)'을 들으면 고향을 떠올리게 된다고 하고 있으므로 ㉡은 작가의 고향에 대한 과거의 정서를 떠올리게 하는 소재라고 할 수 있다.
⑤ (가)에서 '빗소리'는 화자의 슬픔을 심화시키고 있는데 빗소리를 통해 화자의 내적 갈등이 고조됨을 알게 하는 것은 아니다. 또한 (나)에서는 작가의 외적 갈등이 나타나지 않으므로 '몽금포 타령'이 작가의 외적 갈등이 해소됨을 알게 한다고 볼 수도 없다.

10. ④ 외적 준거에 따라 작품 감상하기

① 〈보기〉에서 (가)는 화자를 둘러싼 배경과 자연물을 활용하여 이별한 임에 대한 마음을 드러내고 있다고 하고 있다. 이를 참고할 때 '가을밤'과 '적막한 방'은 임과 이별하고 외로워하는 화자의 정서와 조응되는 배경이라 할 수 있다.
② 〈보기〉에서 (가)는 자연물을 활용하여 임에 대한 간절함을 드러내고 있다고 하고 있는데, '달'을 보고 '반기는 진정(眞情)은 임을 본 듯하다마는'과 같이 임을 떠올리고 있는 것에서 임에 대한 화자의 간절함을 느낄 수 있다.
③ 화자는 임을 간절히 그리워하다가 만남과 이별은 마음대로 할 수 없다고 여기며 '언약을 굳게 믿고 기다려는 보자구나'라고 하고 있다. 이는 이별의 상황을 신의로 극복하고자 하는 모습으로 화자의 의지가 드러난다고 할 수 있다.
❹ '초생(初生)에 이지러진 달도 보름에 둥글듯이'는 앞 구절의 '행복과 불행은 하늘의 이치에 자연 그러하니'와 호응하여 하늘의 이치에 따라 임과 이별해 있는 상황이 나아질 것이라는 인식을 드러낼 뿐 임과의 재회가 어려운 부정적 상황을 강조한다고 볼 수는 없다.
⑤ '초막(草幕)'을 작게 짓고 '있으면 밥이오 없으면 죽을 먹'겠다는 것은 안분지족의 일념으로 자신의 부정적 상황을 견디려는 선비로서의 자세를 드러낸다고 볼 수 있다.

어휘풀이

- **조응되다(照應--)** 둘 이상의 사물이나 현상 또는 말과 글의 앞뒤 따위가 서로 일치하게 대응되다.

11. ⑤ 구절의 의미 이해하기

① ⓐ에서는 고향인 구월산 줄기 남쪽이 '도라지꽃, 하늘 색깔 닮아' 고왔다고 하여 고향의 이미지를 시각적으로 형상화하고 있다.
② ⓑ에서는 '뽕잎에 기름진 여름', '떫은 입속의 감 맛'과 같은 감각적 표현을 통해 한여름을 지나는 고향의 계절감을 생동감 있게 드러내고 있다.
③ ⓒ에서는 '활갯짓을 거볍게 하며 걷는 모양'을 뜻하는 '희죽희죽'이라는 표현을 활용하여 어린 시절의 추억에 대한 정감을 표현하고 있다.
④ ⓓ에서는 산그늘의 모습과 아낙들을 따라다니던 기억을 회상하며 말줄임표를 사용하여 여운을 느끼게 하고 있다.
❺ ⓔ에서는 어린 시절 추억의 장면들을 떠올리며 지금도 그 시절로 달려가는 생각들이 '나의 고향'을 이룬다고 하고 있다. 즉 순수했던 어린 시절, 고향의 추억을 떠올리고 있을 뿐 순수성을 회복하기 위해 노력하는 모습을 보여 주는 것은 아니다.

내신 씹어 먹는 어휘

	꼭 소화 시킬 어휘	사전적 풀이	같은 어휘 다른 예문
	조선 후기 실학자들이 편찬한 유서가 주자학의 관념적 사유에 국한되지 않고 새로운 지식의 축적과 확산을 촉진한 것은 지식의 역사에서 적지 않은 의미를 지닌다.	**국한(局限)되다** 범위가 일정한 부분에 한정되다.	산업 혁명 초기에 기계는 실을 만들거나 베를 짜는 것 따위에 국한되어 있었다.
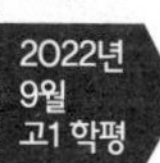	이때 사람들은 타인을 사랑하고 자신이 가진 것을 나눔으로써 다른 존재의 성장을 도우려 하는데, 프롬은 이러한 삶의 모습을 궁극적 행복이라 보았다.	**궁극적(窮極的)** 더할 나위 없는 지경에 도달하는 것.	인문 과학의 궁극적 목표는 인간의 본질에 대한 답을 구하는 것이다.
	칸트는 흄과 달리 상상력을 선험적인 차원에서 탐구하였다. 칸트에 의하면 인간의 인식 능력은 감성, 상상력, 지성, 이성이라는 4가지로 구분된다.	**선험적(先驗的)** 경험에 앞서서 인식의 주관적 형식이 인간에게 있다고 주장하는 것.	일부 철학자는 윤리나 도덕은 경험에 의한 것이 아니라 선험적으로 주어진 것이라고 주장한다.
	따라서 이 작업의 관건은 그 사건 외에는 결과에 차이가 날 이유가 없는 두 집단을 구성하는 일이다.	**관건(關鍵)** 어떤 사물이나 문제 해결의 가장 중요한 부분.	자율적인 시민을 어떻게 육성하느냐가 민주주의의 발전에 가장 큰 관건으로 대두된다.
	우리나라는 식물 신품종에 대한 지식 재산권을 보호하고, 육성자의 식물 품종 개량을 촉진하며, 우리나라 종자 산업의 발전을 도모하기 위하여 '식물 신품종 보호법'을 실시하고 있다.	**도모(圖謀)하다** 어떤 일을 이루기 위하여 대책과 방법을 세우다.	농촌과 도시의 균형 있는 발전을 도모하지 않고서는 안정과 성장을 기대할 수 없다.
2022년 4월 고3 학평	당대인들은 조선과 명을 군신(君臣)이자 부자(父子)의 의리가 있는 관계로 보았고, 특히 임진왜란 때 명의 지원을 받은 후 대명의리는 누구도 부정할 수 없는 보편적 규범으로 인식되었다.	**보편적(普遍的)** 모든 것에 두루 미치거나 통하는 것.	사회 구성원 간의 갈등은 어느 사회에나 존재하는 보편적인 현상이다.
	그러나 이성을 맹신한 결과 전쟁의 비극과 물질문명의 병폐를 경험한 유럽인들은, 이성에 대한 깊은 회의감과 함께 인간의 실존 문제에 관심을 갖게 되었다.	**병폐(病弊)** 병통과 폐단을 아울러 이르는 말.	산업화 사회의 대표적인 두 가지 병폐는 물질 숭배와 이기심이다.

내신 씹어 먹는 어휘

	꼭 소화 시킬 어휘	사전적 풀이	같은 어휘 다른 예문
2021년 6월 고3 모평	그것을 넘어서는 처벌은 폭압이며 불필요하다. 베카리아는 말한다. 상이한 피해를 일으키는 두 범죄에 동일한 형벌을 적용한다면 더 무거운 죄에 대한 억지력이 상실되지 않겠는가.	**상이(相異)하다** 서로 다르다.	두 사람은 서로 상이한 의견을 가지고 있지만, 대화를 통해 합치점을 찾으려고 하였다.
2021년 6월 고2 학평	이에 주체는 주변의 존재들을 소유해 가며 자기성을 계속 확장해 나간다. 이처럼 향유의 주체성은 본질적으로 이기적이며 자기 삶에만 관심을 갖기 때문에 스스로는 초월할 수 없다.	**향유(享有)** 누리어 가짐.	동수는 보다 많은 물질적 부의 향유를 위해 악착같이 돈을 벌었다.
2021년 6월 고2 학평	내용증명이란 누가, 언제, 누구에게, 어떤 내용의 문서를 보냈다는 사실을 우체국에서 공적으로 증명해 주는 우편 제도로, 이를 활용하면 향후 법적 분쟁의 소지를 줄일 수 있다.	**향후(向後)** 이것에 뒤이어 오는 때나 자리.	그들은 향후 협상 때 한국 농업의 특수성이 충분히 감안되도록 노력하겠다고 약속했다.
2021년 4월 고3 학평	대상의 독특한 가치를 맛보기 위해서는 복잡하고 섬세한 부분까지 주의 깊게 살펴야 한다. 이러한 섬세한 부분들을 민감하게 인지하는 것이 식별력이다. 즉, 식별력을 갖추고 관조한다면 더욱 풍부한 미적 경험을 할 수 있다.	**관조(觀照)** 고요한 마음으로 사물이나 현상을 관찰하거나 비추어 봄.	그는 인생을 관조하고 달관하는 자세로 평생을 살았다.
2021년 4월 고3 학평	이는 법관의 자의적인 사실 인정이 허용될 수 없다는 것으로, 공평하고 객관적인 형사재판을 가능하게 하는 전제가 된다고 할 수 있다. 그래서 증거는 형사소송법 체계에서 핵심적인 위치를 차지한다.	**자의적(恣意的)** 일정한 질서를 무시하고 제멋대로 하는 것.	자의적이고 독단적인 판단은 위급한 상황을 불러올 수 있다.
2021년 3월 고2 학평	이런 생각에 의거하여 미(美)는 마치 빛이 그 광원에서 멀어질수록 밝기가 약해지듯이, 일자에서 질료로 내려갈수록 점차 추(醜)에 가까워지게 된다.	**의거(依據)하다** 어떤 사실이나 원리 따위에 근거하다.	경험 철학에서는 귀납법에 의거하여 개별적인 사실의 진리에서 일반적인 진리를 찾아간다.
2020년 11월 고3 수능	그는 의리 문제는 청이 천하를 차지한 지 백여 년이 지나며 자연스럽게 소멸된 것으로 여기고, 청 문물 제도의 수용이 가져다주는 이익을 논하며 북학론의 당위성을 설파하였다.	**설파(說破)** 어떤 내용을 듣는 사람이 납득하도록 분명하게 드러내어 말함.	그의 강연은 환경 보호의 중요성에서 시작하여 구체적인 방법의 설파로 이어졌다.

내신 씹어 먹는 어휘

	꼭 소화 시킬 어휘	사전적 풀이	같은 어휘 다른 예문
 2020년 11월 고3 수능	당시 청에 대한 찬반의 이분법에서 벗어나 청과 조선의 현실적 차이뿐만 아니라 양쪽 모두의 가치를 인정하였다. 이런 시각에서 그는 청과 조선은 구분되지만 서로 배타적이지 않다고 보았다.	**배타적(排他的)** 남을 배척하는 것.	그들은 정권을 배타적으로 독점하려는 음모를 가지고 있다.
2020년 10월 고3 학평	그는 'X가 상대방 Y에 대하여 무언가에 관한 권리를 가진다.'는 진술이 의미하는 바를 몇 가지 기본 범주들로 살펴 권리 개념을 이해해야 권리자 X와 그 상대방 Y의 지위를 명확히 파악할 수 있다고 주장했다.	**범주(範疇)** 동일한 성질을 가진 부류나 범위.	현대 사회에서 관찰할 수 있는 현상들은 대략 몇 가지 범주로 묶어 볼 수 있다.
2020년 9월 고3 모평	또한 맥락주의 비평에서는 작품이 창작된 시대적 상황 외에 작가의 심리적 상태와 이념을 포함하여 가급적 많은 자료를 바탕으로 작품을 분석하고 해석한다.	**이념(理念)** 이상적인 것으로 여겨지는 생각이나 견해.	민주주의의 근본이 되는 이념은 인간 존중이라고 할 수 있다.
2020년 9월 고2 학평	객체의 자립성은 인간의 노동에 의해 일정하게 제거되고 약화되어 주체에 알맞게 변화된다. 한편 주체는 노동 과정에서 객체에 내재된 질서나 법칙을 일정 정도 받아들이면서 자신의 욕구나 목적을 객체 속에 실현한다.	**내재(內在)** 어떤 사물이나 범위의 안에 들어 있음. 또는 그런 존재.	그 이론에 내재되어 있는 모순점을 찾기란 그리 어려운 일이 아니다.
2020년 7월 고3 학평	아이러니스트는 사적인 영역에만 갇혀 공적인 것에 대해 무관심해질 수 있으므로, 로티는 사적 영역에서 아이러니스트의 작업을 수행함과 동시에 공적 영역에서는 자유주의자가 될 것을 촉구했다.	**촉구(促求)** 급하게 재촉하여 요구함.	법조계 비리에 대한 진상 조사 촉구가 시민 단체를 중심으로 강하게 일고 있다.
2020년 6월 고3 모평	승진을 위해서 빨리 성과를 낼 필요가 있었기에, 지역 사회를 위해 장기적인 전망을 가지고 정책을 추진하기보다 가시적이고 단기적인 결과만을 중시하는 부작용을 가져왔다.	**가시적(可視的)** 눈으로 볼 수 있는 것.	이번 회담에서 구체적이고 가시적인 결과를 도출할 수 있기를 기대한다.
2020년 6월 고2 학평	그래서 사르트르는 진실한 인간이라면 책임감이라는 부담 때문에 번민하고, 그 번민의 원인이 되는 자유로부터 도피하고 싶은 욕망이 생길 수 있다고 보았다.	**번민(煩悶)** 마음이 번거롭고 답답하여 괴로워함.	그 소설은 주인공이 겪는 무수한 갈등과 번민, 그리움이 잘 표현된 작품으로 평가된다.

내신 씹어 먹는 어휘

	꼭 소화 시킬 어휘	사전적 풀이	같은 어휘 다른 예문
2020년 3월 고2 학평	도덕적 자유주의자는 개인들이 합의를 통해 만든 상위 원리를 바탕으로 갈등을 해결해야 한다고 주장한다. 자신의 이익만을 생각하는 편협한 입장에서 벗어나 객관적이고 공평한 지점에서 상위 원리를 만들 수 있다고 보기 때문이다.	**편협(偏狹)하다** 한쪽으로 치우쳐 도량이 좁고 너그럽지 못하다.	외래문화의 수용을 무조건 반대하는 것은 편협한 생각이다.
2019년 11월 고2 학평	인간이 이익과 행복을 증진하려는 노력을 계속하는 한 공리주의 담론에서 최선의 결과에 대한 논의는 계속될 것이다.	**담론(談論)** 이야기를 주고받으며 논의함.	나는 그와 문화와 예술에 대한 담론을 나누는 것을 좋아한다.
2019년 9월 고3 모평	그러나 문헌 기록을 바탕으로 하는 역사 서술에서도 허구가 배격되어야 할 대상만은 아니다. 역사가는 허구의 이야기 속에서 그 안에 반영된 당시 시대적 상황을 발견하여 사료로 삼으려고 노력하기도 한다.	**배격(排擊)** 어떤 사상, 의견, 물건 따위를 물리침.	자기 생각과 다르다고 해서 무조건 배격을 하는 건 옳지 않다.
2019년 9월 고2 학평	이처럼 예술가가 자신이 원하는 순간을 포착하는 것의 중요성을 보여준 브레송의 '결정적 순간'은 사진 작가 각자의 개성이 담긴 결정적 순간으로 확대되면서 예술 지평을 넓혔다는 평가를 받았다.	**지평(地平)** 사물의 전망이나 가능성 따위를 비유적으로 이르는 말.	문학 연구 지평의 국제적 확대는 국가 발전의 한 부분으로서 반드시 필요한 일임에 틀림이 없다.
2019년 6월 고3 모평	고대 그리스 시대의 사람들은 신에 의해 우주가 운행된다고 믿는 결정론적 세계관 속에서 신에 대한 두려움이나 신이 야기한다고 생각되는 자연재해, 천체 현상 등에 대한 두려움을 떨치지 못했다.	**야기(惹起)하다** 일이나 사건 따위를 끌어 일으키다.	그들은 대낮에 도로 한복판에서 패싸움을 하며 교통을 방해하는 등, 혼란을 야기한 죄로 구속되었다.
2019년 4월 고3 학평	이런 비도덕적 행동이 발생하는 원인과 도덕적 행동을 유도하는 방법을 설명하는 데 있어, 자기 조절이라는 개념을 중심으로 도덕교육에 시사점을 주는 현대 심리학 이론들이 있다.	**시사점(示唆點)** 미리 일러 주는 암시.	환경 오염이 생태계에 얼마나 치명적인가에 대한 것이 이 보고서가 보여 주는 시사점이다.
2019년 3월 고3 학평	세종은 중국의 역법을 수용하되 이것을 조선에 맞게 운용하는 방법을 택함으로써 중국과의 관계를 고려하면서도 시간 규범을 스스로 수립하고자 한 것이다.	**운용(運用)** 무엇을 움직이게 하거나 부리어 씀.	중앙 정부가 지방 정부의 예산 운용에 관여하는 데는 한계가 있다.

내신 씹어 먹는 어휘

	꼭 소화 시킬 어휘	사전적 풀이	같은 어휘 다른 예문
 2019년 3월 고2 학평	다음 순간 자신의 이야기가 전부 꾸며낸 것이라고 말한다면, 더는 그에게 동정심을 느끼지 않게 될 것이다. 일반적으로 감정은 그 감정을 유발하는 대상이나 사건이 실제로 존재한다는 믿음이 전제 되어 있기 때문이다.	**전제(前提)** 어떠한 사물이나 현상을 이루기 위하여 먼저 내세우는 것.	민주주의를 꽃피우기 위해서는 몇 가지 전제 조건이 필요하다.
 2018년 11월 고2 학평	그는 인간의 이성에 의해 발달한 과학적 지식과 수학이 보편적이고 당위적 인 것이 됨으로써 지배와 복종의 작동 방식이 만들어졌다고 본다.	**당위적(當爲的)** 마땅히 그렇게 하거나 되어야 하는 것.	삼강오륜은 인간이 마땅히 지켜야 할 당위적 명제였다.
 2018년 10월 고3 학평	이런 이유로 후대 미술가 중에는 투시 원근법에 대한 회의적 시각을 지닌 이들이 등장했다. 하지만 투시 원근법은 여전히 대상을 사실적으로 재현하려는 이들에게는 유용한 방법이다.	**회의적(懷疑的)** 어떤 일에 의심을 품는 것.	많은 직원들이 회사의 투자 계획에 회의적 시각을 드러냈다.
 2018년 6월 고2 학평	사회적 지원이 풍부한 조직에서 일하는 사람은 감정노동에 대한 스트레스는 낮고 업무 만족도는 높다. 이러한 특성의 요인들은 복합적으로 작용하면서 감정노동의 양상 도 다양하게 나타난다.	**양상(樣相)** 사물의 현상이나 모양의 상태.	현대 사회로 오면서 삶의 양상이 많이 달라졌다.
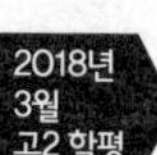 2018년 3월 고2 학평	그 결과 미니멀리즘 조각은 단순성과 추상성을 특징으로 한다는 점에서 이전 시기의 추상 조각과 공통점을 지니면서도, 전시장이라는 실제 장소의 물리적 특성을 작품에 의도적으로 결부하여 활용했다는 점에서 차별성을 띠게 되었다.	**결부(結付)하다** 일정한 사물이나 현상을 서로 연관시키다.	갈릴레이는 수학과 실험적 지식을 결부하여 생각한 최초의 인물이었다.
 2017년 9월 고2 학평	데카르트와 같은 철학자들은 고대 피론주의의 진리의 존재 여부를 파악할 수 없다는 태도를 극복하기 위해 깊이 있게 인간의 인식에 대해 고찰 하였다.	**고찰(考察)** 어떤 것을 깊이 생각하고 연구함.	문화에 대한 고찰 없이 인간의 삶을 이해하는 것은 불가능하다.
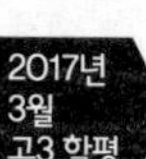 2017년 3월 고3 학평	시냐크는 그의 대표작인 〈우물가의 여인들〉에서 화면에 무수히 많은 원색 점들을 찍어 병치 함으로써 중간색을 표현하였지만, 물감으로 그린 그림이므로 크게 밝아 보이지는 않았다.	**병치(竝置/倂置)** 두 가지 이상의 것을 한곳에 나란히 두거나 설치함.	그 작품에는 서로 다른 성격의 구성 요소들이 조화를 이루면서 병치되어 있다.